Initiation
aux probabilités

Initiation aux probabilités

Sheldon M. Ross

Troisième édition revue et augmentée

Traduit de l'américain par Christian Hofer

Presses polytechniques et universitaires romandes

Si vous désirez être tenu au courant
des publications de l'éditeur de cet
ouvrage, envoyez vos nom, prénom et
adresse aux Presses polytechniques
et universitaires romandes
(EPFL-Centre Midi, CH-1015 Lausanne,
Suisse) qui vous enverront leur catalogue
général.

Version originale: **A first course in probability**

Copyright © 1988 (1976, 1984) Macmillan Publishing Company

Traduction de la troisième édition américaine revue et augmentée
ISBN 2-88074-192-0
© 1987, **1990**, Presses polytechniques et universitaires romandes
CH-1015 Lausanne
Imprimé en Suisse par Schüler S.A.

Avant-propos à l'édition française

Publié par Macmillan, New York, sous le titre «A first course in probability», cet ouvrage a été écrit en anglais en 1976 par Sheldon M. Ross. Il fait partie de la nouvelle génération de textes d'introduction au calcul des probabilités. Nouveau dans le sens qu'il s'éloigne de l'ouvrage phare de Feller «An introduction to probability theory and its applications», en mettant l'accent sur les notions de probabilité conditionnelle, plutôt que sur les aspects combinatoires de la probabilité.

Dès sa parution, ce livre a connu un succès énorme auprès des universités et des collèges américains. Le succès de la traduction française, publiée par les Presses polytechniques romandes en 1987, n'était pas moins grand car l'ouvrage comble une lacune de la littérature traitant du calcul des probabilités en langue française. Il a très vite été reconnu comme un texte excellemment adapté aux besoins des étudiants qui cherchent une introduction au sujet à la fois directe et rigoureuse sans un appareil mathématique trop lourd.

La présente réédition se distingue de la précédente par plusieurs modifications mineures apportées au texte original et par le nouveau chapitre sur la simulation (chapitre 10). Avec cela, l'ouvrage répond aux nouvelles exigences pour un cours d'introduction moderne à la stochastique.

Madame L. Schnegg a préparé cette nouvelle version française avec l'aide de Monsieur A. Bousbaine et de Madame F. de Roten. Je les remercie du soin avec lequel ils ont effectué ce travail.

Peter Nüesch

Préface

«... On réalise en fin de compte que la théorie des probabilités n'est tout simplement que le bon sens réduit à du calcul. Elle nous fait apprécier avec exactitude ce que l'esprit bien fait sent déjà par une sorte d'instinct, souvent sans être capable d'en rendre compte... Il est remarquable que cette science, qui a pris son origine dans l'étude des jeux de chance, soit devenue l'objet le plus important de la connaissance humaine. Les questions les plus importantes de la vie ne sont en réalité, pour l'essentiel, que des problèmes de probabilité».

Ainsi pensait le «Newton» des Français, le célèbre mathématicien et astronome Pierre Simon, marquis de Laplace. On est en droit de penser que l'illustre marquis – qui fut d'ailleurs l'un des grands contributeurs à l'essor des probabilités – a un peu exagéré. Il n'en est pas moins certain que la théorie des probabilités est devenue un outil d'importance fondamentale pour un nombre considérable de scientifiques, d'ingénieurs, de médecins, de juristes et d'industriels. En fait l'homme éclairé a appris à ne plus demander «est-ce ainsi?» mais plutôt «quelle est la probabilité qu'il en soit ainsi?».

Ce livre se veut une introduction élémentaire à la théorie mathématique des probabilités pour les étudiants qui possèdent assez de connaissances préalables en calcul différentiel et intégral, qu'ils travaillent en mathématiques, dans les sciences de l'ingénieur et même dans n'importe quelle science en général (y compris les sciences sociales et du management). Il essaie de présenter non seulement la partie mathématique de la théorie des probabilités mais aussi, et à travers une foule d'exemples, les nombreuses applications possibles de cette connaissance.

Dans le chapitre 1 sont présentés les principes de base de l'analyse combinatoire, qui sont extrêmement utiles pour le calcul des probabilités.

Dans le chapitre 2 on considère les axiomes de la théorie des probabilités et on montre comment ils peuvent être utilisés pour calculer les probabilités auxquelles on s'intéresse. Ce chapitre inclut une preuve de l'importante (et malheureusement souvent négligée) propriété de continuité des probabilités, qui est alors utilisée pour la résolution d'un paradoxe.

Le chapitre 3 traite des très importantes notions de probabilité conditionnelle et d'indépendance d'événements. Par une série d'exemples, nous illustrerons comment les probabilités conditionnelles interviennent non seulement quand des informations partielles sont disponibles mais aussi comme outils pour nous permettre de calculer des probabilités plus facilement, même si aucune information partielle n'est présente. Cette technique qui permet efficacement d'obtenir des probabilités en conditionnant réapparaît au chapitre 7, où nous l'utilisons avec la notion d'espérance conditionnelle.

Dans les chapitres 4, 5 et 6 est discuté le concept de variable aléatoire. Les variables aléatoires discrètes sont traitées au chapitre 4, les variables continues au chapitre 5 et les variables conjointes au chapitre 6.

Le chapitre 7 introduit l'important concept d'espérance. Après avoir défini l'espérance d'une variable aléatoire, nous montrerons comment calculer l'espérance d'une fonction de variable aléatoire en utilisant un théorème que l'on pourrait surnommer «loi du statisticien simpliste» et pour lequel une démonstration élémentaire est donnée. De nombreux exemples illustrant l'utilité du résultat «l'espérance d'une somme de variables aléatoires est égale à la somme de leurs espérances» sont également donnés. Ce chapitre comprend d'autre part une section sur l'espérance conditionnelle, incluant son utilisation en vue de la prédiction, et une autre sur les fonctions génératrices des moments.

Au chapitre 8 sont présentés les principaux résultats théoriques de la théorie des probabilités. Nous démontrerons en particulier la loi forte des grands nombres et le théorème central limite pour des variables aléatoires indépendantes et identiquement distribuées. Notre démonstration de la loi forte (via l'inégalité de Kolmogorov et la propriété de continuité des probabilités) est complète, alors que celle du théorème central limite repose sur le théorème de continuité de Lévy.

Le chapitre 9 présente quelques thèmes choisis tels que les chaînes de Markov, le processus de Poisson ainsi qu'une introduction à la théorie de l'information et du codage.

Le chapitre 10 traite des aspects de la simulation de façon plus étoffée que dans l'édition précédente.

De nombreux exemples sont traités tout au long du texte et le lecteur trouvera aussi quantité d'exercices – où l'on a distingué des exercices théoriques et des problèmes – proposés pour approfondissement. Un grand soin a été porté à la formulation de ces exemples et problèmes. Une solution à la plupart des problèmes est indiquée à la fin de l'ouvrage tandis que pour les enseignants un recueil de solutions est disponible.[1]

Nous aimerions remercier les correcteurs suivants: Thomas R. Fischer, Texas A & M University; Jay Devore, California Politechnic University, San Luis Obispo; Robb J. Muirhead, University of Michigan; David Heath, Cornell University; M. Samuels, Purdue University; I.R. Savage, Yale University; R. Müller, Stanford University.

---

[1] Seulement dans la version anglaise. Pour l'obtenir, s'adresser directement à Macmillan Publishing Company 866 Third Avenue, New York, New York 10 022.

Table des matières

CHAPITRE 1

Analyse combinatoire

1.1 INTRODUCTION

Examinons d'emblée un problème typique de ceux mettant en jeu la notion de probabilité. Un système de communication est composé de n antennes identiques alignées. Ce système ne pourra alors capter de signal incident – il sera alors qualifié de fonctionnel – qu'aussi longtemps que deux antennes consécutives ne seront pas défectueuses. Si on découvre qu'exactement m des n antennes sont défectueuses, quelle est la probabilité que ce système reste fonctionnel?

Etudions par exemple le cas particulier où $n = 4$ et $m = 2$. Le système peut alors se trouver dans l'une des 6 configurations suivantes:

$$
\begin{array}{cccc}
\varnothing & 0 & 0 & \varnothing \\
\varnothing & 0 & \varnothing & 0 \\
0 & \varnothing & 0 & \varnothing \\
\varnothing & \varnothing & 0 & 0 \\
0 & \varnothing & \varnothing & 0 \\
0 & 0 & \varnothing & \varnothing
\end{array}
$$

où 0 signifie que l'antenne fonctionne et $\varnothing$ qu'elle est défectueuse. Comme notre système sera fonctionnel dans les trois premières configurations mais pas dans les trois dernières, il semble raisonnable d'attribuer à la probabilité cherchée la valeur $\frac{3}{6} = \frac{1}{2}$. On pourrait de manière similaire calculer la probabilité que le système fonctionne pour des valeurs quelconques de m et de n. Plus précisément il faudrait calculer le nombre de configurations qui maintiennent le système fonctionnel et le diviser par le nombre de toutes les configurations possibles.

Cet exemple permet de réaliser qu'il est souhaitable de disposer d'une méthode efficace pour dénombrer les différentes situations pouvant se présenter lors d'une expérience. En fait, bien des problèmes en théorie des probabilités peuvent être résolus simplement en comptant le nombre de manières différentes selon lesquelles un certain événement peut se réaliser. Par convention on appelle ***analyse combinatoire*** la théorie mathématique du dénombrement.

1.2 PRINCIPE FONDAMENTAL DE DÉNOMBREMENT

1.2.1 Version restreinte

Ce *principe de dénombrement* (ci-dessous théorème 1.1) sera essentiel par la suite. Il établit en gros que si une expérience peut produire *m* résultats et une autre *n*, alors il y a *mn* résultats possibles lorsqu'on considère ces deux expériences ensemble.

Théorème 1.1
Supposons qu'il faille réaliser deux expériences. Si l'expérience 1 peut produire l'un quelconque de m résultats et si, pour chacun d'entre eux, il y a n résultats possibles pour l'expérience 2, alors il existe mn résultats pour les deux expériences prises ensemble.

DÉMONSTRATION. On peut obtenir la démonstration en énumérant tous les résultats des deux expériences comme suit:

$$(1, 1), (1, 2), \ldots, (1, n)$$
$$(2, 1), (2, 2), \ldots, (2, n)$$
$$\vdots$$
$$(m, 1), (m, 2), \ldots, (m, n)$$

Dans ce tableau un résultat a été noté (i, j) si l'expérience 1 a produit le i-ème de ses résultats et si l'expérience 2 a produit le j-ème des siens. On voit que l'ensemble des résultats possibles est composé de *m* lignes de *n* éléments chacune, ce qui démontre le résultat annoncé.   ∎

Exemple 1.1 Une petite communauté se compose de dix hommes et de leurs fils, chaque homme ayant trois fils. Si un homme et l'un de ses fils doivent être désignés «père et fils exemplaires», combien y a-t-il de choix différents possibles?

SOLUTION. En considérant le choix du père comme la première expérience et ensuite le choix de l'un de ses fils comme la seconde, nous conclurons d'après le principe fondamental qu'il y a $10 \cdot 3 = 30$ choix possibles.   ∎

1.2.2 Principe fondamental généralisé

Lorsqu'il y a plus de deux expériences à réaliser, le principe fondamental peut être généralisé comme suit:

Théorème 1.2
Si r expériences doivent être réalisées et sont telles que la première peut produire l'un quelconque de n_1 résultats, et si pour chacun d'entre eux il y a n_2 résultats possibles pour la 2e expérience, et si pour chaque résultat des deux premières expériences il y en a n_3 pour la 3e expérience, et ainsi de suite, il y aura alors au total $n_1 \cdot n_2 \cdot \ldots \cdot n_r$ résultats pour les r expériences prises ensemble.

1.2.3 Exemples d'applications du principe fondamental

Exemple 1.2 Le comité de planification d'un collège est constitué de 3 étudiants de première année, 4 de deuxième, 5 de troisième et 2 de dernière année. Un sous-comité de 4 étudiants comportant un représentant de chaque classe doit être choisi. Combien peut-on former de sous-comités?

SOLUTION. Nous pouvons considérer le choix d'un sous-comité comme le résultat combiné de 4 expériences distinctes, chacune consistant à choisir un unique représentant dans l'une des classes. Par conséquent, en application de la version généralisée du principe fondamental, il y a $3 \cdot 4 \cdot 5 \cdot 2 = 120$ sous-comités possibles. ∎

Exemple 1.3 Combien de plaques minéralogiques portant un matricule de 7 caractères peut-on former si les 3 premiers caractères sont des lettres et les 4 derniers des chiffres?

SOLUTION. En application de la version généralisée du principe de base, la réponse est $26 \cdot 26 \cdot 26 \cdot 10 \cdot 10 \cdot 10 \cdot 10 = 175\,760\,000$. ∎

Exemple 1.4 Combien de fonctions définies sur n points peut-on construire si ces fonctions ne peuvent prendre pour valeur que 0 ou 1?

SOLUTION. Numérotons de 1 à n les points. Puisque $f(i)$ ne peut prendre pour chaque $i = 1, 2, ..., n$ que deux valeurs, il y a 2^n de ces fonctions. ∎

Exemple 1.5 Dans l'exemple 1.3, combien de plaques minéralogiques pourrait-on avoir si l'on excluait que les lettres ou les chiffres se répètent?

SOLUTION. Dans ce cas, il y aurait $26 \cdot 25 \cdot 24 \cdot 10 \cdot 9 \cdot 8 \cdot 7 = 78\,624\,000$ plaques possibles. ∎

1.3 PERMUTATIONS

1.3.1 Permutations d'objets distinguables

Combien existe-t-il d'arrangements ordonnés des lettres a, b et c? Par énumération directe nous en trouvons 6, à savoir: *abc*, *acb*, *bac*, *bca*, *cab* et *cba*. Chaque arrangement est par convention appelé ***permutation.*** Il y a ainsi 6 permutations possibles des éléments d'un ensemble de 3 objets. Ce résultat aurait également pu être construit à partir du principe fondamental; la première lettre de la permutation peut être n'importe laquelle des 3, la deuxième lettre peut ensuite être choisie parmi les 2 restantes tandis que la troisième ne peut plus faire l'objet d'aucun choix. Ainsi, il y a $3 \cdot 2 \cdot 1 = 6$ permutations possibles.

L'expression ***n!,*** dite ***n factorielle*** est définie par l'équation

$$n! = n\,(n-1)\,(n-2)\,...\,3 \cdot 2 \cdot 1 \qquad (1.1)$$

Supposons maintenant que nous ayons *n* objets. Un raisonnement analogue à celui que nous venons d'utiliser ci-dessus établit le théorème suivant:

Théorème 1.3
Le nombre de permutations de n objets est n! .

1.3.2 Exemples de permutations

Exemple 1.6 Combien d'ordres à la batte peut-on avoir pour une équipe de baseball de 9 joueurs[1]?

SOLUTION. Il existe 9! = 362 880 ordres selon lesquels les joueurs peuvent se succéder à la batte.   ∎

Exemple 1.7 Un cours de théorie des probabilités est suivi par 6 hommes et 4 femmes. Un examen a lieu, puis les étudiants sont classés selon leur note. On suppose exclu que deux étudiants obtiennent la même note.
• Combien de classements peut-on avoir?
• Si les hommes sont classés entre eux uniquement et les femmes entre elles, combien de classements globaux peut-on avoir?

SOLUTION.
• Comme chaque classement correspond à un certain arrangement ordonné de 10 personnes, on voit que la réponse à cette partie du problème est 10! = 3 628 800.
• Comme il y a 6! classements des hommes entre eux et 4! classements des femmes entre elles, il résulte par application du principe fondamental qu'il y aura dans ce cas (6!)(4!) = (720)(24) = 17 280 classements possibles.   ∎

Exemple 1.8 M. Jones va disposer 10 livres sur un rayon de sa bibliothèque. Quatre d'entre eux sont des livres de mathématiques, trois de chimie, deux d'histoire et un de langue. Jones aimerait ranger ses livres de façon que tous les livres traitant du même sujet restent groupés. Combien y a-t-il de dispositions possibles?

SOLUTION. Il y a 4! 3! 2! 1! dispositions telles que les livres de mathématiques se présentent devant, derrière eux les livres de chimie, puis ceux d'histoire, enfin celui de langue. Pour chaque autre ordre de présentation des sujets il y a de même 4! 3! 2! 1! dispositions des livres. Par conséquent, comme ces ordres de présentation des sujets sont au nombre de 4!, la réponse cherchée est 4! 4! 3! 2! 1! = 6 912.   ∎

1.3.3 Permutations d'objets partiellement indistinguables

Nous allons maintenant nous attacher à déterminer le nombre de permutations dans un ensemble de *n* objets quand certains de ces objets sont indistinguables les uns des autres. Pour mieux saisir de quoi il s'agit, considérons l'exemple suivant:

---
[1] Ndt: A tour de rôle, tous les joueurs doivent se servir à la batte lors du jeu, sans répétition.

Exemple 1.9 Combien d'arrangements différents peut-on former avec les lettres *P E P P E R*?

SOLUTION. On remarquera d'abord qu'il existe 6! permutations des lettres $P_1 E_1 P_2$ $P_3 E_2 R$ lorsque les trois P et les deux E sont distingués les uns des autres. Cependant, considérons l'une quelconque de ces permutations – $P_1 P_2 E_1 P_3 E_2 R$ par exemple –. Si nous permutons les P entre eux et les E entre eux, l'arrangement résultant sera encore de la même forme *P P E P E R*. En fait, chacune des 3! 2! permutations

$$
\begin{array}{ll}
P_1 P_2 E_1 P_3 E_2 R \qquad & P_1 P_2 E_2 P_3 E_1 R \\
P_1 P_3 E_1 P_2 E_2 R & P_1 P_3 E_2 P_2 E_1 R \\
P_2 P_1 E_1 P_3 E_2 R & P_2 P_1 E_2 P_3 E_1 R \\
P_2 P_3 E_1 P_1 E_2 R & P_2 P_3 E_2 P_1 E_1 R \\
P_3 P_1 E_1 P_2 E_2 R & P_3 P_1 E_2 P_2 E_1 R \\
P_3 P_2 E_1 P_1 E_2 R & P_3 P_2 E_2 P_1 E_1 R
\end{array}
$$

est de la forme *P P E P E R*. Par conséquent il y aura $6!/(3!\ 2!) = 60$ arrangements possibles des lettres *P E P P E R*. ∎

Plus généralement, grâce au même raisonnement que celui utilisé dans l'exemple 1.9, on établit le théorème suivant:

Théorème 1.4
Il y a

$$
\frac{n!}{n_1!\, n_2! \cdots n_r!} \tag{1.2}
$$

permutations différentes de n objets parmi lesquels n_1 sont indistinguables entre eux, n_2 autres entre eux également, ..., n_r entre eux.

1.3.4 Exemples de permutations d'objets partiellement indistinguables

Exemple 1.10 Parmi les 10 participants à un tournoi d'échec, on compte 4 russes, 3 américains, 2 anglais et un brésilien. Si dans le classement du tournoi on ne peut lire que la liste des nationalités des joueurs mais pas leur identité, à combien de classements individuels différents une telle liste correspond-elle?

SOLUTION. Il y a

$$
\frac{10!}{4!\,3!\,2!\,1!} = 12{,}600
$$

classements possibles. ∎

Exemple 1.11 On compose des signaux en alignant des drapeaux suspendus. Combien de ces signaux peut-on former si parmi les drapeaux à disposition 4 sont blancs, 3 sont rouges, 2 sont bleus et si tous les drapeaux d'une même couleur sont indistinguables?

SOLUTION. Il y a

$$\frac{9!}{4!\,3!\,2!} = 1260$$

signaux différents.   ■

1.4 COMBINAISONS

1.4.1 Définitions

Nous serons souvent intéressés à déterminer le nombre de groupes de r objets qu'il est possible de former sans répétition à partir d'un total de n objets. Par exemple, combien de groupes de 3 objets peut-on construire en tirant parmi les 5 objets A, B, C, D et E? Pour y répondre, on peut raisonner comme suit: puisqu'il y a 5 façons de choisir le premier objet, 4 de choisir ensuite le deuxième et 3 de choisir le dernier, il y a donc $5 \cdot 4 \cdot 3$ façons de composer des groupes de 3 objets en tenant compte de l'ordre dans lequel ces objets sont choisis. Cependant, un triplet donné, par exemple le triplet constitué des objets A, B et C, apparaîtra 6 fois. En effet, chacune des permutations ABC, ACB, BAC, BCA, CAB et CBA sera distinguée lorsqu'on tient compte de l'ordre. Il en résulte que le nombre total de groupes pouvant être formés est

$$\frac{5 \cdot 4 \cdot 3}{3 \cdot 2 \cdot 1} = 10$$

Plus généralement, $n\,(n-1) \ldots (n-r+1)$ représente le nombre de manières de choisir un groupe de r objets parmi n lorsqu'on tient compte de l'ordre. Comme chaque groupe de r objets sera distingué $r!$ fois dans ce dénombrement, le nombre de groupes de r objets pris dans un ensemble de n sera

$$\frac{n(n-1) \cdots (n-r+1)}{r!} = \frac{n!}{(n-r)!\,r!}$$

L'expression $\binom{n}{r}$, pour $r \leqslant n$, est définie par l'équation[2]

$$\binom{n}{r} = \frac{n!}{(n-r)!\,r!} \tag{1.3}$$

Une **combinaison** de r objets pris parmi n est tout sous-ensemble de r objets choisis sans répétition dans un ensemble en contenant n.

Théorème 1.5

$\binom{n}{r}$ *est le nombre de combinaisons de r objets pris parmi n, ou encore le nombre de groupes de taille r si, dans le choix, l'ordre n'est pas considéré comme significatif.*

---

[2] Par convention 0! a pour valeur 1. Donc $\binom{n}{0} = \binom{n}{n} = 1$.

1.4.2 Exemples de calcul de combinaisons

Exemple 1.12 On veut former un comité comprenant 3 des 20 personnes d'un groupe. Combien y a-t-il de ces comités?

SOLUTION. Il y a $\binom{20}{3} = \frac{20 \cdot 19 \cdot 18}{3 \cdot 2 \cdot 1} = 1\,140$ comités possibles. ∎

Exemple 1.13 A partir d'un groupe de 5 hommes et de 7 femmes, combien de comités différents composés de 2 hommes et de 3 femmes peut-on former? Qu'en est-il si 2 des femmes s'entendent mal et refusent de siéger simultanément au comité?

SOLUTION. Comme il y a $\binom{5}{2}$ groupes possibles de 2 hommes et $\binom{7}{3}$ groupes possibles de 3 femmes, il y a selon le principe fondamental $\binom{5}{2} \cdot \binom{7}{3} = \frac{5 \cdot 4}{3 \cdot 2} \left(\frac{7 \cdot 6 \cdot 5}{3 \cdot 2 \cdot 1} \right) = 350$ comités de 2 hommes et 3 femmes.

Considérons maintenant le cas où deux des femmes refusent de siéger ensemble au comité. Comme il y aura $\binom{2}{0}\binom{5}{3}$ groupes possibles de trois femmes ne contenant aucune des deux ennemies en question et $\binom{2}{1}\binom{5}{2}$ groupes contenant exactement l'une des deux, il y aura par conséquent $\binom{2}{0}\binom{5}{3} + \binom{2}{1}\binom{5}{2} = 30$ groupes de 3 femmes ne contenant pas les deux ennemies à la fois. Puisqu'il y a $\binom{5}{2}$ façons de choisir les 2 hommes, il sera possible au total de composer $30 \cdot \binom{5}{2} = 300$ comités différents. ∎

Exemple 1.14 Considérons un ensemble de n antennes alignées dont m sont défectueuses et $n-m$ en état de marche. Supposons que les antennes défectueuses soient indiscernables entre elles et que celles qui marchent le soient également entre elles. Combien de configurations peut-on trouver pour lesquelles deux antennes défectueuses ne sont jamais voisines?

SOLUTION. Imaginons d'abord un alignement composé des seules $n-m$ antennes fonctionnelles. Si maintenant deux antennes défectueuses ne doivent jamais être voisines, les espaces entre les antennes fonctionnelles ne peuvent contenir chacun qu'au plus une antenne défectueuse. Considérons le schéma suivant:

o F o F o F o ... o F o F o

où F désigne un emplacement d'antenne fonctionnelle et o un emplacement pour au plus une antenne en panne. Parmi les $n-m+1$ positions du type o il faut en choisir m où mettre effectivement les antennes défectueuses. Il y a par conséquent $\binom{n-m+1}{m}$ dispositions pour lesquelles on trouve toujours une antenne fonctionnelle au moins entre deux antennes défectueuses. ∎

1.4.3 Identité remarquable

L'identité suivante entre grandeurs combinatoires est très utile:

Théorème 1.6.

$$\binom{n}{r} = \binom{n-1}{r-1} + \binom{n-1}{r} \qquad 1 \le r \le n \tag{1.4}$$

DÉMONSTRATION. L'équation (1.4) peut être démontrée analytiquement mais aussi grâce à l'argument combinatoire suivant: considérons un groupe de n objets et fixons notre attention sur l'un d'entre eux en particulier, appelons-le objet 1. Il y a alors $\binom{n-1}{r-1}$ combinaisons de taille r qui contiennent l'objet 1 (puisque chaque combinaison de ce genre est formée en choisissant $r-1$ objets parmi les $n-1$ restants). Il y a également $\binom{n-1}{r}$ combinaisons de taille r ne contenant pas l'objet 1. Comme il y a au total $\binom{n}{r}$ combinaisons de taille r, (1.4) se trouve vérifiée. ■

1.4.4 Théorème du binôme

Les nombres $\binom{n}{r}$ sont souvent appelés *coefficients binomiaux* en raison de leur rôle dans le théorème du binôme.

Théorème 1.7

$$(x + y)^n = \sum_{k=0}^{n} \binom{n}{k} x^k y^{n-k} \tag{1.5}$$

Nous allons exposer deux démonstrations du théorème du binôme. La première est obtenue au moyen d'un raisonnement par induction, tandis que la seconde est basée sur des considérations d'analyse combinatoire.

DÉMONSTRATION PAR INDUCTION. Pour $n = 1$, (1.5) se réduit à

$$x + y = \binom{1}{0} x^0 y^1 + \binom{1}{1} x^1 y^0 = x + y$$

Admettons que (1.5) soit vérifiée pour $n-1$. Alors

$$(x + y)^n = (x + y)(x + y)^{n-1}$$

$$= (x + y) \sum_{k=0}^{n-1} \binom{n-1}{k} x^k y^{n-1-k}$$

$$= \sum_{k=0}^{n-1} \binom{n-1}{k} x^{k+1} y^{n-1-k} + \sum_{k=0}^{n-1} \binom{n-1}{k} x^k y^{n-k}$$

En posant $i = k+1$ dans la première somme et $i = k$ dans la seconde on obtient

$$(x + y)^n = \sum_{i=1}^{n} \binom{n-1}{i-1} x^i y^{n-i} + \sum_{i=0}^{n-1} \binom{n-1}{i} x^i y^{n-i}$$

$$= x^n + \sum_{i=1}^{n-1} \left[\binom{n-1}{i-1} + \binom{n-1}{i} \right] x^i y^{n-i} + y^n$$

$$= x^n + \sum_{i=1}^{n-1} \binom{n}{i} x^i y^{n-i} + y^n$$

$$= \sum_{i=0}^{n} \binom{n}{i} x^i y^{n-i}$$

où l'avant-dernière transformation est obtenue grâce à (1.4). Ce théorème se trouve donc démontré par induction.

DÉMONSTRATION PAR UN ARGUMENT D'ANALYSE COMBINATOIRE. Considérons le produit suivant:

$$(x_1 + y_1)(x_2 + y_2) \cdots (x_n + y_n)$$

En le développant on obtient une somme de 2^n termes, chaque terme étant un produit de n facteurs. Chacun des 2^n termes de la somme contiendra à son tour soit le facteur x_i, soit y_i et ceci pour tout $i = 1, 2, ..., n$. Par exemple:

$$(x_1 + y_1)(x_2 + y_2) = x_1 x_2 + x_1 y_2 + y_1 x_2 + y_1 y_2$$

Combien maintenant de ces 2^n termes de la somme auront-ils k facteurs en x et $(n-k)$ en y? Comme chaque terme constitué par k des x_i et $(n-k)$ des y_i correspond au choix d'un groupe de k des n valeurs $x_1, x_2, ..., x_n$, il y aura $\binom{n}{k}$ de ces termes. Par conséquent, en posant $x_i = x$, $y_i = y$ pour $i = 1, 2, ..., n$ nous voyons que

$$(x + y)^n = \sum_{k=0}^{n} \binom{n}{k} x^k y^{n-k}$$ ∎

1.4.5 Exemples d'application du théorème de binôme

Exemple 1.15 Développer $(x+y)^3$.

SOLUTION.

$$(x + y)^3 = \binom{3}{0} x^0 y^3 + \binom{3}{1} x^1 y^2 + \binom{3}{2} x^2 y + \binom{3}{3} x^3 y^0$$
$$= y^3 + 3xy^2 + 3x^2 y + x^3$$ ∎

Exemple 1.16 Combien y a-t-il de sous-ensembles d'un ensemble à n éléments?

SOLUTION. Puisqu'il y a $\binom{n}{k}$ sous-ensembles de taille k, la réponse est

$$\sum_{k=0}^{n} \binom{n}{k} = (1 + 1)^n = 2^n$$

On pourrait aussi obtenir ce résultat en assignant à chaque élément de l'ensemble soit le nombre 0 soit le nombre 1. A chaque assignation complète correspond de manière biunivoque un sous-ensemble: celui constitué de tous les éléments auxquels a été attribuée la valeur 1. Comme il y a 2^n jeux d'assignations possibles, on obtient bien le résultat précédent. Notons que nous avons admis comme sous-ensemble celui ne contenant aucun élément (c'est-à-dire l'ensemble vide). Par conséquent, le nombre de sous-ensembles non-vides est $2^n - 1$. ∎

1.5 COEFFICIENTS MULTINOMIAUX

1.5.1 Introduction

Nous traiterons dans cette section du problème suivant: un ensemble de n objets distincts doit être divisé en r groupes de tailles respectives $n_1, n_2, ..., n_r$, avec $\sum_{i=1}^{r} n_i = n$. De combien de manières peut-on le faire?

Pour le savoir remarquons qu'il y a $\binom{n}{n_1}$ possibilités de choix pour le premier groupe; pour chacun de ces choix il y a $\binom{n-n_1}{n_2}$ possibilités de choix pour le deuxième groupe; pour chaque choix des deux premiers groupes il y a $\binom{n-n_1-n_2}{n_3}$ possibilités pour le troisième groupe et ainsi de suite. En utilisant alors la version généralisée du principe fondamental de dénombrement il y aura

$$\binom{n}{n_1}\binom{n-n_1}{n_2}\cdots\binom{n-n_1-n_2-\cdots-n_{r-1}}{n_r}$$

$$= \frac{n!}{(n-n_1)!\,n_1!}\frac{(n-n_1)!}{(n-n_1-n_2)!n_2!}\cdots\frac{(n-n_1-n_2-\cdots-n_{r-1})!}{0!\,n_r!}$$

$$= \frac{n!}{n_1!\,n_2!\cdots n_r!}$$

divisions possibles.

Soit r nombres $n_1, n_2, ..., n_r$ tels que $n_1 + n_2 + ... + n_r = n$. Le terme $\overset{n}{(n_1, n_2, ..., n_r)}$ est défini par l'équation

$$\binom{n}{n_1, n_2, \ldots, n_r} = \frac{n!}{n_1!\,n_2!\cdots n_r!} \tag{1.6}$$

Théorème 1.8
Le coefficient $\binom{n}{n_1, n_2, ..., n_r}$ représente le nombre de répartitions possibles de n objets en r groupes distincts de tailles respectives $n_1, n_2, ..., n_r$.

1.5.2 Exemples d'application du théorème 1.8

Exemple 1.17 Le poste de police d'une petite ville compte 10 agents. Si l'organisation de ce poste est d'avoir 5 agents en patrouille, 2 au poste travaillant activement et les 3 autres au poste également mais de réserve, à combien de répartitions de ces agents en trois groupes ainsi définis peut-on procéder?

SOLUTION. Il y a $\frac{10!}{5!2!3!} = 2520$ répartitions.   ∎

Exemple 1.18 Il faut répartir 10 filles en deux équipes A et B de 5 personnes chacune. L'équipe A sera placée dans une ligue et l'équipe B dans une autre. Combien y a-t-il de répartitions possibles?

SOLUTION. Il y en a $\frac{10!}{5!5!} = 252$. ∎

Exemple 1.19 Pour disputer un match de basketball, 10 garçons se répartissent en deux équipes de 5. De combien de manières peuvent-ils procéder?

SOLUTION. Il faut remarquer que cet exemple est différent du précédent car ici l'ordre des deux équipes n'a pas d'importance: plus précisément il n'y a pas d'équipe A se distinguant d'une équipe B, mais seulement 2 groupes de 5 garçons. Par conséquent, la solution est

$$\frac{10!/5!\,5!}{2!} = 126$$ ∎

1.5.3 Théorème multinomial

Ce théorème généralise le théorème binomial. Sa démonstration fera l'objet d'un exercice.

Théorème 1.9

$$(x_1 + x_2 + \cdots + x_r)^n = \sum_{\substack{(n_1,\ldots,n_r):\\ n_1+\cdots+n_r=n}} \binom{n}{n_1, n_2, \ldots, n_r} x_1^{n_1} x_2^{n_2} \cdots x_r^{n_r} \tag{1.7}$$

La somme est ici faite sur tous les vecteurs à composantes entières non négatives (n_1, n_2, ..., n_r) tels que $n_1 + n_2 + \ldots + n_r = n$.

Les coefficients $\binom{n}{n_1,n_2,\ldots,n_r}$ sont appelés **coefficients multinomiaux**.

Exemple 1.20

$$(x_1 + x_2 + x_3)^2 = \binom{2}{2,0,0} x_1^2 x_2^0 x_3^0 + \binom{2}{0,2,0} x_1^0 x_2^2 x_3^0$$

$$+ \binom{2}{0,0,2} x_1^0 x_2^0 x_3^2 + \binom{2}{1,1,0} x_1^1 x_2^1 x_3^0$$

$$+ \binom{2}{1,0,1} x_1^1 x_2^0 x_3^1 + \binom{2}{0,1,1} x_1^0 x_2^1 x_3^1$$

$$= x_1^2 + x_2^2 + x_3^2 + 2x_1 x_2 + 2x_1 x_3 + 2x_2 x_3$$ ∎

1.6 RÉPARTITION DE BOULES DANS DES URNES

Il y a r^n possibilités de répartir n boules discernables dans r urnes discernables également. Cela provient du fait que chaque boule peut être mise dans l'une quelconque des r urnes. Supposons maintenant que les n boules deviennent indiscernables. Combien peut-on alors obtenir de répartitions?

Comme les boules sont indiscernables, le résultat de l'expérience qui consiste à répartir les n boules dans nos r urnes est décrit par un vecteur $(x_1, x_2, ..., x_r)$ où x_i représente le nombre de boules contenues dans la i-ème urne. Le problème revient alors à trouver le nombre de vecteurs $(x_1, x_2, ..., x_r)$ à composantes entières non négatives tels que

$$x_1 + x_2 + \cdots + x_r = n$$

Pour le calculer, commençons par considérer le nombre de solutions entières positives. Pour cela, imaginons qu'il y a n objets indiscernables alignés et que nous voulons les diviser en r groupes non vides. Ces objets peuvent être représentés comme suit:

$$0 \cdot 0 \cdot 0 \cdot 0 \cdot ... \cdot 0 \cdot 0 \cdot 0$$

où les 0 représentent les n objets, les points de séparation symbolisant les $n-1$ espaces entre ces objets. Pour notre calcul, il suffit de désigner $r-1$ des $n-1$ espaces comme points de division. Si par exemple $n = 8$ et $r = 3$ on peut choisir les deux séparations comme suit:

$$ooo|ooo|oo$$

Le vecteur correspondant sera $x_1 = 3$, $x_2 = 3$, $x_3 = 2$. Comme il y a $\binom{n-1}{r-1}$ choix possibles nous venons de démontrer la proposition suivante:

Théorème 1.10
Il y a $\binom{n-1}{r-1}$ vecteurs distincts à composantes entières et positives satisfaisant à la relation
$$x_1 + x_2 + \cdots + x_r = n, \qquad x_i > 0, i = 1, \ldots, r$$

Pour obtenir le nombre des solutions non négatives (et non plus positives) il suffit de remarquer que le nombre de solutions non négatives de $x_1 + x_2 + ... + x_r = n$ est le même que celui des solutions positives de $y_1 + y_2 + ... + y_r = n + r$ (on le voit en posant $y_i = x_i + 1$, $i = 1, ..., r$). Ceci permet de démontrer la proposition suivante, en utilisant la précédente:

Théorème 1.11
Il y a $\binom{n+r-1}{n}$ vecteurs distincts à composantes entières et non négatives satisfaisant à la relation

$$x_1 + x_2 + \cdots + x_r = n \qquad (1.8)$$

Exemple 1.21 Combien l'équation $x_1 + x_2 = 3$ a-t-elle de solutions entières et non négatives?

SOLUTION. Il y en a $\binom{3+2-1}{3} = 4$. Nommément, (0,3), (1,2), (2,1), (3,0). ∎

Exemple 1.22 Une personne dispose de 20 000 dollars à investir sur quatre placements potentiels. Chaque mise doit se monter à un nombre entier de milliers de dollars. Entre combien de stratégies d'investissement cette personne a-t-elle le choix si elle décide de risquer la totalité des 20 000 dollars? Qu'en est-il si on admet qu'elle puisse n'investir qu'une partie seulement de la somme?

SOLUTION. Soit x_i le nombre de milliers de dollars placés dans l'affaire i, $i = 1, 2, 3,$ 4. Si la totalité de l'argent doit être investie, on aura

$$x_1 + x_2 + x_3 + x_4 = 20 \qquad x_i \geq 0$$

Par suite il y a, en vertu du théorème 1.11, $\binom{23}{3} = 1771$ stratégies d'investissement possibles. Si par contre on ne doit pas nécessairement investir tout l'argent, désignons par x_5 le montant gardé en réserve. Une stratégie d'investissement pourra alors être représentée par un vecteur à composantes non négatives $(x_1, x_2, x_3, x_4, x_5)$ tel que

$$x_1 + x_2 + x_3 + x_4 + x_5 = 20$$

En vertu du théorème 1.11 il y a donc ici $\binom{24}{4} = 10\,626$ stratégies possibles. ∎

Exemple 1.23 Combien le développement de $(x_1 + x_2 + ... + x_r)^n$ compte-t-il de termes?

SOLUTION.

$$(x_1 + x_2 + \cdots + x_r)^n = \sum \binom{n}{n_1, \ldots, n_r} x_1^{n_1} \cdots x_r^{n_r}$$

où la somme est prise sur tous les vecteurs $(n_1, ..., n_r)$ à composantes non négatives entières tels que $n_1 + n_2 + ... + n_r = n$. Selon le théorème 1.11 le nombre de ces vecteurs, et par suite de termes dans la somme, est $\binom{n+r-1}{n}$. ∎

Exemple 1.24 Reprenons l'exemple 1.14 dans lequel nous avions un ensemble de n objets dont m étaient défectueux et indiscernables entre eux tandis que les $n-m$ autres étaient en bon état (et également indiscernables entre eux). Notre but est toujours de déterminer le nombre de séquences dans lesquelles deux objets défectueux ne sont jamais voisins. Pour cela, imaginons qu'on aligne d'abord les seuls objets défectueux et qu'il va ensuite falloir placer les objets en état de marche. Désignons par x_1 le nombre d'objets en bon état à gauche du premier objet endommagé, x_2 le nombre d'objets en bon état entre les deux premiers objets endommagés et ainsi de suite. On peut construire un schéma:

$$x_1 \oslash x_2 \oslash \cdots x_m \oslash x_{m+1}$$

Il y aura ainsi au moins un objet en bon état entre une paire d'objets défectueux si $x_i > 0$ pour $i = 2, ..., m$. Le nombre de configurations acceptables sera donc égal au nombre de vecteurs $(x_1, ..., x_{m+1})$ qui satisfont à $x_1 + ... + x_{m+1} = n-m$ et à $x_1 \geq 0$, $x_{m+1} \geq 0$, $x_i > 0$ pour $i = 2, ..., m$.

Mais en posant $y_1 = x_1 + 1$, $y_i = x_i$ pour i = 2, ..., m et $y_{m+1} = x_{m+1} + 1$ nous voyons que ce nombre est aussi le nombre de vecteurs y_1, ..., y_{m+1} à composantes positives satisfaisant l'équation

$$y_1 + ... + y_{m+1} = n - m + 2$$

En vertu du théorème 1.10 il existe $\binom{n-m+1}{m}$ de ces configurations, ce qui corrobore la solution de l'exemple 1.14.

Supposons maintenant que nous nous intéressions au nombre de configurations dans lesquelles toute paire d'objets défectueux est coupée par au moins deux objets en bon état. Selon le même raisonnement que celui mené ci-dessus, ce nombre est égal au nombre de vecteurs satisfaisant

$$x_1 + \cdots + x_{m+1} = n - m \qquad x_1 \geq 0, x_{m+1} \geq 0, x_i \geq 2, i = 2, \ldots, m$$

En posant $y_1 = x_1 + 1$, $y_i = x_i - 1$ pour $i = 2$, ..., m et $y_{m+1} = x_{m+1} + 1$ on constate que ce nombre est encore égal à celui des solutions à valeurs positives de l'équation

$$y_1 + ... + y_{m+1} = n - 2m + 3$$

Ce nombre de configurations est donc, selon le théorème 1.10, $\binom{n-2m+2}{m}$ ∎

1.7 EXERCICES THÉORIQUES

1.7.1 Donner une preuve de la version généralisée du principe fondamental de dénombrement.

1.7.2 On réalise deux expériences consécutivement. La première peut présenter m résultats différents. Pour le i-ème de ces résultats la seconde peut présenter n_i résultats, i = 1, ..., m. Quel est le nombre d'issues possibles lorsqu'on considère les deux expériences comme faisant un tout?

1.7.3 De combien de manières peut-on choisir r objets parmi n si l'ordre de tirage est significatif?

1.7.4 Donner un argument d'analyse combinatoire pour justifier l'égalité $\binom{n}{r} = \binom{n}{n-r}$.

1.7.5 Il y a $\binom{n}{r}$ permutations de n boules parmi lesquelles r sont noires et $n-r$ blanches. Expliquer ce résultat grâce à un argument d'analyse combinatoire.

1.7.6 Donner une démonstration analytique de l'équation (1.4).

1.7.7 Démontrer que

$$\binom{n+m}{r} = \binom{n}{0}\binom{m}{r} + \binom{n}{1}\binom{m}{r-1} + \cdots + \binom{n}{r}\binom{m}{0}$$

lorsque $r \leqslant n, r \leqslant m$.

On pourra considérer un groupe comprenant n hommes et m femmes puis déterminer le nombre de sous-groupes de taille r.

1.7.8 Vérifier que pour $n \geqslant 4$

$$\binom{n+1}{4} = \frac{\binom{\binom{n}{2}}{2}}{3}$$

Présenter ensuite un argument d'analyse combinatoire en faveur de cette équation. Auparavant on considérera un groupe de $n+1$ objets desquels un est jugé spécial. Montrer que les deux membres de l'identité ci-dessus représentent le nombre de sous-groupes de taille 4.

1.7.9 Fournir un argument d'analyse combinatoire pour expliquer que $\binom{n}{r}$ est égal à $\binom{n}{r,n-r}$.

1.7.10 Montrer que

$$\binom{n}{n_1, n_2, \ldots, n_r} = \binom{n-1}{n_1-1, n_2, \ldots, n_r}$$
$$+ \binom{n-1}{n_1, n_2-1, \ldots, n_r} + \cdots$$
$$+ \binom{n-1}{n_1, n_2, \ldots, n_r-1}$$

1.7.11 Démontrer le théorème multinomial.

1.7.12 Montrer que pour $n > 0$

$$\sum_{i=0}^{n} (-1)^{n-i} \binom{n}{i} = 0$$

1.7.13
a) Démontrer l'identité suivante par induction:

$$\sum_{k=1}^{n} k \binom{n}{k} = n2^{n-1}$$

b) Fournir un argument d'analyse combinatoire pour l'identité précédente en considérant un ensemble de n personnes et en déterminant de deux manières le nombre de compositions possibles pour un comité assorti d'un président.

c) Vérifier l'identité suivante pour $n = 1, 2, 3, 4$ et 5:

$$\sum_{k=1}^{n} \binom{n}{k} k^2 = 2^{n-2} n(n+1)$$

Pour une démonstration de cette égalité par l'analyse combinatoire, considérer un ensemble de n personnes et soutenir que les deux membres en présence représentent le nombre de comités assortis d'un président et d'un secrétaire, le cumul étant possible. On peut considérer les quelques étapes intermédiaires suivantes:

- combien y a-t-il de comités comprenant k personnes exactement?
- Combien y a-t-il de choix pour lesquels on observe un cumul des fonctions? (réponse : $n\,2^{n-1}$
- Combien de choix évitent-ils le cumul?

d) Prouver maintenant que

$$\sum_{k=1}^{n}\binom{n}{k}k^3 = 2^{n-3}n^2(n+3)$$

1.7.14 De combien de manières peut-on répartir m boules indiscernables dans r urnes de telle façon que la i-ème urne contienne au moins m_i boules? On admet que

$$n \geqslant \sum_{i=1}^{r} m_i.$$

RÉPONSE. $\binom{n-\Sigma m_i+r-1}{n-\Sigma m_i}$.

1.7.15 Montrer que

$$\binom{n+r-1}{n} = \sum_{i=0}^{n}\binom{n-i+r-2}{n-i}$$

On pourra appliquer le théorème 1.11.

1.7.16 Montrer qu'il y a $\binom{r}{k}\binom{n-1}{n-r-k}$ solutions à l'équation $x_1 + \dots + x_2 = n$ pour lesquelles k exactement des termes de la somme sont nuls.

1.7.17 On considère une fonction $f(x_1, \dots, x_n)$ de n variables. Combien de dérivées partielles d'ordre r y a-t-il?

1.7.18 Utiliser l'exercice 1.7.7 pour démontrer que

$$\binom{2n}{n} = \sum_{k=0}^{n}\binom{n}{k}^2$$

1.7.19

a) En utilisant un raisonnement par induction et l'identité suivante

$$\binom{m}{k} = \binom{m-1}{k-1} + \binom{m-1}{k}$$

montrer que

$$\binom{n+r}{n} = \sum_{j=0}^{n}\binom{j+r-1}{j}$$

b) Donner une seconde démonstration en montrant que chacun des deux membres de l'égalité précédente est égal au nombre de solutions distinctes entières et non négatives de l'inégalité

$$x_1 + x_2 + \cdots + x_r \le n$$

1.7.20 On veut choisir un comité de j personnes dans un ensemble en comptant n. De ce comité on veut aussi choisir un sous-comité de taille i, $i \le j$.

a) Ecrire une identité d'analyse combinatoire en calculant de deux manières le nombre de choix pour le comité et son sous-comité. On supposera dans un cas que le comité est tiré d'abord puis son sous-comité et dans le second cas que c'est l'inverse.

b) Utiliser le résultat de a) pour la démonstration de l'identité suivante:

$$\sum_{j=i}^{n} \binom{n}{j}\binom{j}{i} = \binom{n}{i} 2^{n-i}, \qquad i \le n$$

c) Utiliser le résultat de a) et l'exercice 1.7.12 pour prouver que

$$\sum_{j=i}^{n} \binom{n}{j}\binom{j}{i} (-1)^{n-j} = 0, \qquad i \le n$$

1.8 PROBLÈMES

1.8.1 Combien existe-t-il de plaques minéralogiques à 7 caractères
- si les deux premiers sont des lettres et les 5 autres des chiffres?
- Même question en supposant que les répétitions de lettres ou de chiffres sur la même plaque sont exclues.

1.8.2 John, Jim, Jay et Jack ont formé un orchestre à 4 instruments. Si chacun des garçons peut jouer des 4 instruments, combien d'arrangements peut-on concevoir? Que se passe-t-il si John et Jim peuvent jouer des 4 instruments mais si Jay et Jack ne savent jouer qu'au piano ou à la batterie?

1.8.3 On doit asseoir sur un rang 4 Américains, 3 Français et 3 Anglais. Les gens de même nationalité doivent rester ensemble. Combien de dispositions peut-on imaginer?

1.8.4 De combien de manières peut-on asseoir en rang 3 garçons et 3 filles?
- Même question si les garçons doivent rester ensemble et les filles aussi.
- Même question si seuls les garçons doivent rester ensemble.
- Même question si deux personnes du même sexe ne doivent jamais voisiner.

1.8.5 Combien d'arrangements différents peut-on faire avec les lettres des mots suivants:
* PINTE
* PROPOSE
* MISSISSIPPI
* ARRANGE?

1.8.6 Un enfant possède 12 cahiers: 6 noirs, 4 rouges, 1 blanc et 1 bleu. S'il tient à placer les noirs les uns derrière les autres, de combien de manières peut-il les ranger?

1.8.7 De combien de manières peut-on asseoir 8 personnes en rang si:
* aucune restriction n'est mise;
* les personnes A et B veulent être ensemble;
* les hommes ne doivent avoir que des voisines et inversement, en supposant qu'il y a 4 hommes et 4 femmes;
* les hommes, qui sont au nombre de 5, doivent rester ensemble;
* les personnes forment 4 couples de gens mariés et si chaque couple doit rester réuni?

1.8.8 De combien de manières peut-on placer 3 romans, 2 livres de mathématiques et 1 de chimie sur une étagère si:
* aucune restriction n'est mise;
* les livres de mathématiques doivent être rangés ensemble et les romans aussi;
* seuls les romans doivent être rangés ensemble?

1.8.9 On veut choisir dans un club comptant 10 membres un président, un secrétaire et un trésorier; le cumul est exclu. De combien de manières peut-on attribuer ces charges si:
* aucune restriction n'est imposée;
* A et B refusent d'officier ensemble;
* C et D officieront ensemble ou pas du tout;
* E doit avoir une charge;
* F n'accepte que la charge de président?

1.8.10 Cinq prix doivent être décernés à des étudiants méritants choisis dans une classe de 30 personnes (par exemple «meilleure performance académique», «meilleur leadership», etc). Combien de résultats peut-on avoir si:
* le cumul des prix est admis;
* le cumul n'est pas possible?

1.8.11 Combien de mains de poker existe-t-il? Le jeu comprend 52 cartes, une main en contient 5.

1.8.12 On veut former un comité de 7 personnes, dont 2 républicains, 2 démocrates et 3 indépendants. On a le choix parmi 5 républicains, 6 démocrates et 4 indépendants. De combien de manières peut-on procéder?

1.8.13 Un étudiant doit répondre à 7 des 10 questions d'un examen;
- de combien de manières peut-il les choisir?
- Même question s'il est obligé de choisir au moins 3 des 5 premières questions.

1.8.14 Une femme a 8 amies et décide d'en inviter 5 à prendre le thé.
- De combien de manières peut-elle s'y prendre si deux d'entre elles sont en mauvais termes et ne viendront en aucun cas ensemble?
- Et si au contraire deux d'entre elles ne viendront que si l'autre est aussi invitée?

1.8.15 Un laboratoire de recherches en psychologie du rêve dispose de 3 chambres à deux lits. Trois paires de vrais jumeaux sont étudiées. On veut placer chaque paire dans une chambre et assigner à chacun un lit bien déterminé. De combien de manières peut-on organiser l'expérience?

1.8.16 Développer $(3x^2 + y)^5$.

1.8.17 Pour une partie de bridge chacun des 4 joueurs reçoit 13 cartes. Le jeu en compte 52. Combien y a-t-il de donnes possibles?

1.8.18 Développer $(x_1 + 2x_2 + 3x_3)^4$.

1.8.19 Si 12 personnes doivent être réparties en 3 comités comptant respectivement 3, 4 et 5 individus, de combien de manières peut-on s'y prendre?

1.8.20 Un homme veut offrir un total de 7 cadeaux à ses 3 enfants. L'aîné en recevra 3 et les autres 2. De combien de manières peut-il procéder?

1.8.21 Si 8 tableaux noirs doivent être affectés à 4 écoles, de combien de manières peut-on les répartir? Qu'en est-il si chaque école doit recevoir au moins un tableau?

1.8.22 Huit nouveaux professeurs vont être envoyés dans 4 écoles.
- Combien y a-t-il d'affectations possibles?
- Qu'en est-il si l'on impose que chaque école recevra deux professeurs?

1.8.23 Un ascenseur quitte le rez-de-chaussée avec 8 personnes (groom non compris). Lorsqu'il parvient au 6e étage, il est vide.
- De combien de manières le groom a-t-il pu percevoir le départ des 8 personnes si pour lui elles se ressemblent toutes?
- Qu'en est-il s'il peut faire la différence entre un homme et une femme, l'ascenseur contenant 5 hommes et 3 femmes au départ?

1.8.24 Lors d'une vente aux enchères, une collection de 4 Dali, 5 Van Gogh et 6 Picasso fait face à 5 collectionneurs. Toutes les oeuvres partent. La journaliste en charge de couvrir l'événement n'a à noter que le nombre des Dali, Van Gogh et Picasso acquis par chaque collectionneur. Combien de résultats sont-ils possibles dans ces conditions?

1.8.25 Dix haltérophiles sont engagés dans une compétition par équipe. L'équipe américaine compte 3 champions, l'équipe soviétique 4, l'équipe de Chine populaire 2 et le dernier homme est canadien. Le score publié n'indique que la nationalité des haltérophiles, sans leur nom.
- Dans ce cas, combien y a-t-il de listes de scores possibles?
- Combien y en a-t-il si les Etats-Unis ont un concurrent placé dans les trois meilleurs et deux dans les trois derniers?

1.8.26 Dix délégués de 10 pays – dont l'URSS, la France, la Grande-Bretagne et les Etats-Unis – s'asseoient sur un rang. De combien de manières est-ce possible si le français et l'anglais tiennent à être voisins tandis que l'américain et le soviétique ne veulent pas l'être?

1.8.27 Une personne a 20 000 dollars à placer sur 4 affaires potentielles. Chaque investissement doit être un nombre entier de milliers de dollars et il existe un engagement minimum pour chaque affaire que l'on retiendra. Ces minima sont respectivement 2, 2, 3 et 4 milliers de dollars. Combien de stratégies d'investissement y a-t-il si:
- un investissement doit être fait sur chaque affaire;
- au moins 3 des 4 affaires doivent être couvertes?

CHAPITRE 2

Axiomes des probabilités

2.1 INTRODUCTION

Dans ce chapitre nous commencerons par une introduction au concept de probabilité d'un événement puis nous montrerons comment ces probabilités peuvent être calculées dans certaines situations. Nous aurons préalablement besoin, cependant, des concepts d'ensemble fondamental et d'événement d'une expérience.

2.2 ENSEMBLE FONDAMENTAL ET ÉVÉNEMENT

2.2.1 Définitions

Considérons une expérience dont l'issue n'est pas prévisible. Bien que l'issue de l'expérience ne soit pas connue d'avance, admettons cependant que l'ensemble des issues possibles est connu, lui. Cet ensemble des issues possibles à l'expérience est désigné comme l'*ensemble fondamental* de l'expérience et est noté S. Quelques exemples suivent.

- Si le résultat de l'expérience équivaut à la détermination du sexe d'un nouveau-né, alors

$$S = \{g, f\}$$

où le résultat g signifie que l'enfant est un garçon tandis que f désigne une fille.
- Si l'issue de l'expérience est l'ordre d'arrivée à une course entre 7 chevaux ayant les positions de départ 1, 2, 3, ..., 7, alors

$$S = \{\text{toutes les permutations de } (1, 2, ..., 7)\}$$

soit 7! au total.
- Si l'expérience consiste à jeter deux pièces, alors l'ensemble fondamental est constitué des 4 points suivants:

$$S = \{(P,P),\ (P,F),\ (F,P),\ F,F)\}.$$

On note le résultat (P,P) si les deux pièces montrent pile,
(P,F) si la première pièce montre pile et la seconde face,
(F,P) si la première pièce montre face et l'autre pile,
(F,F) si les deux pièces montrent face.
- Si l'expérience consiste à jeter deux dés, alors l'ensemble fondamental comprend les 36 points suivants:

$$S = \{(i,j)\quad i, j = 1, 2, 3, 4, 5, 6\}$$

où l'événement (i,j) est réputé survenir si le dé le plus à gauche montre i et l'autre j.
- Si l'expérience consiste à mesurer en heures la durée de vie d'un transistor, alors l'ensemble fondamental est égal à l'ensemble des nombres réels non négatifs, c'est-à-dire

$$S = \{x: 0 \le x < \infty\}$$

Tout sous-ensemble E de l'ensemble fondamental est appelé *événement*. Un événement est donc un ensemble correspondant à divers résultats possibles de l'expérience. Si un résultat de l'expérience est compris dans E, on dit que E est réalisé. Voici quelques exemples d'événements.

Dans le premier exemple ci-dessus, si $E = \{g\}$, alors E est l'événement que l'enfant est un garçon. De même, si $F = \{f\}$, alors F est l'événement que l'enfant est une fille.

Dans le deuxième exemple, si

$$E = \{\text{tous les résultats dans } S \text{ commençant par 3}\}$$

alors E est l'événement que le cheval N° 3 gagne la course.

Dans le troisième exemple, si $E = \{(P,P)(P,F)\}$, alors E est l'événement «la première pièce montre pile».

Dans le quatrième exemple, si $E = \{(1,6),\ (2,5),\ (3,4),\ (4,3),\ (5,2),\ (6,1)\}$, E est l'événement «la somme des dés est 7».

Dans le cinquième exemple, si $E = \{x: 0 \le x \le 5\}$, E est l'événement «le transistor dure moins de 5 heures».

2.2.2 Opérations sur les événements

Première opération: union
Pour toute paire d'événements E et F d'un ensemble fondamental S, nous imposerons au nouvel événement $E \cup F$ de contenir chaque point se trouvant dans E, dans F ou dans les deux à la fois. En clair, l'événement $E \cup F$ sera réalisé si soit E soit F l'est. Prenons le cas du premier exemple: si l'événement E est $\{g\}$ et si F est $\{f\}$, alors

$$E \cup F = \{g, f\}$$

ce qui revient d'ailleurs à dire que $E \cup F$ est l'ensemble fondamental S tout entier. Dans le cas du troisième exemple, on pourrait poser $E = \{(P,P),\ (F,P)\}$ et $F = \{(P,F)\}$. On aurait alors $E \cup F = \{(P,P),\ (P,F),\ (F,P)\}$. Ainsi $E \cup F$ sera réalisé si l'une des pièces au moins montre pile. L'événement $E \cup F$ est appelé l'*union de l'événement E et de l'événement F.*

Deuxième opération: intersection

De même pour toute paire d'événements E et F on peut aussi définir le nouvel événement EF, appelé **intersection** de E et F, comme l'ensemble des réalisations qui sont à la fois dans E et dans F. Cela veut dire que l'événement EF ne sera réalisé que si E et F le sont à la fois. On peut illustrer ceci grâce au troisième exemple: si $E = \{(P,P), (P,F), (F,P)\}$ est l'événement où au moins une pièce donne pile et si $F = \{(P,F), (F,P), (F,F)\}$ est celui où au moins une pièce donne face, alors

$$EF = \{(P,F), (F,P)\}$$

est l'événement «une pièce montre pile et l'autre face».

Evénement vide

Dans le quatrième exemple, si $E = \{(1,6), (2,5), (3,4), (4,3), (5,2), (6,1)\}$ est l'événement «la somme des dés est 7» et $F = \{(1,5), (2,4), (3,3), (4,2), (5,1)\}$ est «la somme des dés est 6», alors l'événement EF ne contient aucune réalisation et par conséquent ne peut survenir. Puisqu'il faut donner un nom à un tel événement, on l'appellera l'*événement vide* et on le notera $\varnothing$. ($\varnothing$ désigne donc l'événement ne contenant aucun point). Si $EF = \varnothing$, alors E et F sont dits **mutuellement exclusifs.**

Extension des définitions

On définit l'union et l'intersection de plus de deux événements de la même manière: si E_1, E_2, ... sont des événements, leur union, notée $\bigcup_{n=1}^{\infty} E_n$, est par définition l'événement qui contient chaque point qui se trouve dans E_n pour au moins une valeur de $n = 1, 2, ...$. De même l'intersection des événements E_n, notée $\bigcap_{n=1}^{\infty} E_n$, est par définition l'événement comprenant tous les points qui sont dans tous les événements E_n à la fois, $n = 1, 2, ...$.

Troisième opération: complémentation

Finalement, pour chaque événement E le nouvel événement E^c devra par définition contenir tous les points de l'ensemble fondamental S qui ne sont pas dans E. Dans le quatrième exemple, si l'événement $E = \{(1,6), (2,5), (3,4), (4,3), (5,2), (6,1)\}$, alors E^c sera réalisé lorsque la somme des dés n'est pas égale à 7. On notera par ailleurs que $S^c = \varnothing$ puisqu'il faut bien que l'expérience débouche sur une réalisation.

2.2.3 Représentation graphique d'événements

Pour toute paire d'événements E et F, si tous les points de E sont aussi dans F alors on dit que E est contenu dans F et on écrit $E \subset F$ (ou, ce qui est équivalent, $F \supset E$). Ainsi, si $E \subset F$ la réalisation de E entraîne automatiquement celle de F. Si $E \subset F$ et $F \subset E$, nous dirons que E et F sont égaux et écrirons $E = F$.

Une représentation graphique très utile pour l'illustration des relations logiques entre les événements est le diagramme de Venn. L'ensemble S est représenté par tous les points d'un grand rectangle et les événements E, F, G ... sont représentés par tous les points situés à l'intérieur de cercles inclus dans le rectangle. Des événements d'intérêt particulier peuvent ensuite être mis en évidence en ombrant les aires appropriées du diagramme. Par exemple, dans les trois diagrammes de Venn montrés sur la figure 2.1, les zones ombrées représentent respectivement les événements $E \cup F$, EF et E^c. Le diagramme de Venn de la figure 2.2 indique que $E \subset F$.

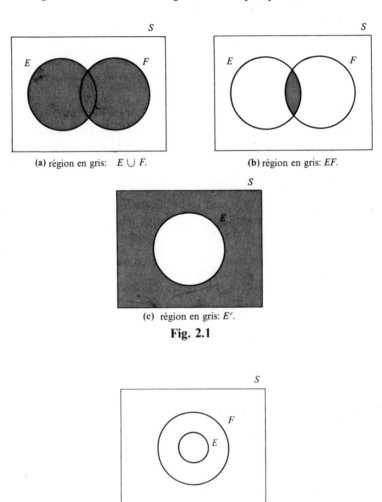

(a) région en gris: $E \cup F$.   (b) région en gris: EF.

(c) région en gris: E^c.

Fig. 2.1

$E \subset F$

Fig. 2.2

·riétés des opérations sur les événements

> · d'union, d'intersection et de complémentation d'événements obéis-
> les rappelant celles de l'algèbre. En voici quelques-unes:

Commutativité $E \cup F = F \cup E$ $EF = FE$
Associativité $(E \cup F) \cup G = E \cup (F \cup G)$ $(EF)G = E(FG)$
Distributivité $(E \cup F)G = EG \cup FG$ $EF \cup G = (E \cup G)(F \cup G)$

Ces relations sont démontrables en établissant que chaque résultat d'expérience contenu dans l'événement situé à gauche du signe d'égalité est aussi contenu dans l'événement de droite et inversément. Un moyen de le faire est d'utiliser les diagrammes de Venn. La distributivité par exemple peut être établie grâce à la séquence des diagrammes de la figure 2.3.

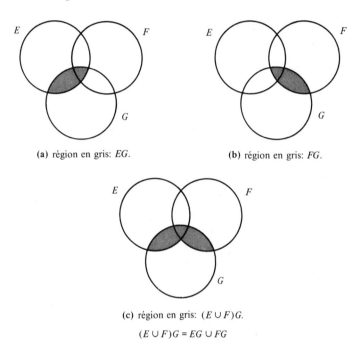

(a) région en gris: EG.   (b) région en gris: FG.

(c) région en gris: $(E \cup F)G$.

$(E \cup F)G = EG \cup FG$

Fig. 2.3

Les relations suivantes entre les trois opérations de base consistant à former des unions, des intersections ou des complémentations, sont connues sous le nom de **lois de DeMorgan** et sont très utilisées.

$$\left(\bigcup_{i=1}^{n} E_i \right)^c = \bigcap_{i=1}^{n} E_i^c$$

$$\left(\bigcap_{i=1}^{n} E_i \right)^c = \bigcup_{i=1}^{n} E_i^c$$

Pour démontrer la première de ces lois de DeMorgan, supposons d'abord que x soit un point de $(\bigcup_{i=1}^{n} E_i)^c$. Alors x n'est pas dans $\bigcup_{i=1}^{n} E_i$, ce qui signifie que x n'est contenu dans aucun des événements E_i, $i = 1, 2, ..., n$. Ceci implique que x est contenu à son tour dans E_i^c pour chaque $i = 1, ..., n$ et donc contenu dans $\bigcap_{i=1}^{n} E_i^c$. Pour la réciproque, supposons que x soit un point de $\bigcap\limits_{i=1}^{n} E_i^c$. Alors x appartient à chaque E_i^c, $i = 1, 2, ..., n$.

Cela signifie que x n'est pas contenu dans $\bigcup\limits_{i=1}^{n} E_i$, ce qui entraîne enfin que x est

contenu dans $(\bigcup\limits_{i=1}^{n} E_i)^c$. Ceci prouve la première des lois de DeMorgan. Pour prouver

la deuxième loi de DeMorgan, nous utilisons la première pour obtenir

$$\left(\bigcup_{i=1}^{n} E_i^c \right)^c = \bigcap_{i=1}^{n} (E_i^c)^c$$

ce qui, du fait que $(E^c)^c = E$, est équivalent à

$$\left(\bigcup_{1}^{n} E_i^c \right)^c = \bigcap_{1}^{n} E_i$$

En prenant le complément des deux membres de l'équation ci-dessus, on obtient précisément le résultat voulu:

$$\bigcup_{1}^{n} E_i^c = \left(\bigcap_{1}^{n} E_i \right)^c$$

2.3 AXIOMES DES PROBABILITÉS

2.3.1 Diverses approches

Un moyen de définir la probabilité d'un événement est de le faire en termes de fréquence relative. Une telle définition est habituellement formulée ainsi: on suppose qu'une expérience d'ensemble fondamental S est exécutée plusieurs fois sous les mêmes conditions. Pour chaque événement E de S on définit $n(E)$ comme le nombre de fois où l'événement E survient lors des n premières répétitions de l'expérience. Alors $P(E)$, la probabilité de l'événement E, est définie par

$$P(E) = \lim_{n \to \infty} \frac{n(E)}{n}$$

Cela veut dire que $P(E)$ est définie comme la limite du pourcentage du nombre de fois où E survient par rapport au nombre total des répétitions. C'est donc la fréquence limite de E.

Bien que la définition précédente soit intuitivement commode, et qu'elle doive toujours rester à l'esprit du lecteur, elle possède un sérieux inconvénient. Nous ne savons en fait pas si $n(E)$ va converger vers une limite constante qui sera la même pour chaque séquence de répétitions de l'expérience. Dans le cas du jet d'une pièce par exemple, peut-on être sûr que la proportion de piles sur les n premiers jets va tendre vers une limite donnée lorsque n grandit à l'infini? En plus, même si elle converge vers une certaine valeur, peut-on être sûr que nous obtiendrons de nouveau la même proportion limite de piles si l'expérience est entièrement répétée une deuxième fois?

Les partisans de la définition d'une probabilité en termes de fréquence relative répondent d'habitude à cette objection en faisant remarquer que la convergence de $n(E)$ est une hypothèse, ou un **axiome**, du système. Cependant, admettre que $n(E)/n$ va nécessairement converger vers une certaine valeur fixe semble être une hypothèse très complexe. Car, bien que nous puissions effectivement espérer qu'une telle fréquence limite constante existe, il ne semble pas évident du tout à priori que ce soit nécessairement le cas.

2.3.2 Trois axiomes classiques

En fait, il semble plus raisonnable d'admettre pour les probabilités un ensemble d'axiomes plus simples et intuitivement acceptables, pour ensuite essayer de démontrer qu'une telle fréquence limite existe dans un certain sens. Cette dernière approche est celle de l'axiomatique moderne de la théorie des probabilités et nous l'adopterons. En particulier, nous admettrons que pour chaque événement E de l'ensemble fondamental S il existe une valeur $P(E)$ appelée probabilité de E. Nous admettrons alors que ces probabilités satisfont à un certain groupe d'axiomes qui sont, espérons que le lecteur en conviendra, en accord avec notre notion intuitive des probabilités.

Considérons une expérience dont l'ensemble fondamental est S. Pour chaque événement E de l'espace S nous admettons qu'un nombre $P(E)$ existe et satisfait aux trois axiomes suivants:

Axiome 2.1

$$0 \leq P(E) \leq 1$$

Axiome 2.2

$$P(S) = 1$$

Axiome 2.3
Pour chaque séquence d'événements mutuellement exclusifs E_1, E_2, ... (c'est-à-dire d'événements pour lesquels $E_i E_j = \varnothing$ si $i \neq j$),

$$P(\bigcup_{i=1}^{\infty} E_i) = \sum_{i=1}^{\infty} P(E_i)$$

$P(E)$ est appelé la probabilité de l'événement E.

L'axiome 2.1 énonce ainsi «la probabilité que le résultat de l'expérience soit un point de E est un certain nombre compris entre 0 et 1». L'axiome 2.2 énonce que le résultat sera un point de S avec une probabilité de 1. L'axiome 2.3 énonce que pour chaque séquence d'événements mutuellement exclusifs la probabilité qu'au moins l'un de ces événements survienne est simplement la somme de leurs probabilités respectives.

2.3.3 Quelques conséquences immédiates

Considérons une séquence d'événements E_1, E_2, ... où $E_1 = S$, $E_i = \varnothing$ pour $i > 1$; comme ces événements sont mutuellement exclusifs et comme $S = \bigcup_{i=1}^{\infty} E_i$, nous aurons grâce à l'axiome 2.3:

$$P(S) = \sum_{i=1}^{\infty} P(E_i) = P(S) + \sum_{i=2}^{\infty} P(\varnothing)$$

ce qui implique

$$P(\varnothing) = 0$$

Cela veut dire que l'événement vide ou toujours faux a pour probabilité 0.

Autre conséquence remarquable, il en découle également que pour toute suite finie d'événements mutuellement exclusifs E_1, E_2, ..., E_n

$$P\left(\bigcup_{1}^{n} E_i \right) = \sum_{i=1}^{n} P(E_i) \tag{2.1}$$

Ceci résulte de l'axiome 2.3 en posant $E_i = \varnothing$ pour toutes les valeurs de i supérieures à n. L'axiome 2.3 équivaut à l'équation (2.1) quand l'ensemble fondamental est fini (expliquer pourquoi). Cependant, lorsque l'ensemble fondamental contient un nombre infini de points, la formulation plus générale que donne l'axiome 2.3 devient nécessaire.

Exemple 2.1 Notre expérience consiste à jeter une pièce. En admettant que pile a autant de chances d'apparaître que face, les axiomes nous donnent

$$P(\{\text{pile}\}) = P(\{\text{face}\}) = \tfrac{1}{2}$$

Si par contre la pièce est biaisée et si nous estimons que pile a deux fois plus de chances d'apparaître que face, on aura

$$P(\{\text{pile}\}) = \tfrac{2}{3} \qquad P(\{\text{face}\}) = \tfrac{1}{3} \qquad\blacksquare$$

Exemple 2.2 En jetant un dé et en supposant que les six faces ont les mêmes chances d'apparaître, on aura $P(\{1\}) = P(\{2\}) = P(\{3\}) = P(\{4\}) = P(\{5\}) = P(\{6\}) = \tfrac{1}{6}$. De l'axiome 2.3 il résulte que la probabilité de tirer un nombre pair est

$$P(\{2, 4, 6\}) = P(\{2\}) + P(\{4\}) + P(\{6\}) = \tfrac{1}{2} \qquad\blacksquare$$

L'admission de l'existence d'une fonction P d'ensembles (ndt: fonction dont les arguments sont des ensembles et sous-ensembles), définie sur les événements d'un ensemble fondamental S et satisfaisant les axiomes 2.1, 2.2 et 2.3 constitue l'approche mathématique moderne de la théorie des probabilités. On peut espérer que le lecteur accordera aux axiomes un caractère naturel et en accord avec le concept intuitif de probabilité lié à la chance et au hasard. De plus, en utilisant ces axiomes nous serons capables de prouver que si une expérience est répétée plusieurs fois, alors avec une probabilité de 1 la proportion du nombre de fois où un événement spécifique E survient sera égale à $P(E)$. Ce résultat, connu sous le nom de loi forte des grands nombres, sera présenté au chapitre 8. En addition nous présenterons, dans la section 2.7, une autre interprétation possible des probabilités: celle consistant à considérer la probabilité comme une mesure du crédit apporté par une personne à une assertion.

Nous avons supposé que $P(E)$ est définie pour tous les événements E de l'ensemble fondamental S. En fait, lorsque S est infini non dénombrable, on ne définit $P(E)$ que sur des événements appelés mesurables. Cependant, nous ne nous soucierons pas de cette restriction, tous les événements d'intérêt pratique étant mesurables.

2.4 QUELQUES THÉORÈMES ÉLÉMENTAIRES

Dans cette section nous allons démontrer quelques théorèmes simples concernant les probabilités. Nous remarquons d'abord que E et E^c sont toujours mutuellement exclusifs et puisque $E \cup E^c = S$, nous avons grâce aux axiomes 2.2 et 2.3:

$$1 = P(S) = P(E \cup E^c) = P(E) + P(E^c)$$

Ceci équivaut encore à l'énoncé du théorème 2.4 suivant:

Théorème 2.4

$$P(E^c) = 1 - P(E)$$

On peut commenter ce théorème comme suit: la probabilité qu'un événement n'arrive pas est 1 moins la probabilité qu'il survienne. Par exemple, si la probabilité d'obtenir pile lors du lancer d'une pièce est $\frac{3}{8}$, la probabilité d'obtenir face doit être $\frac{5}{8}$. ■

Notre second théorème affirme que si l'événement E est contenu dans l'événement F, alors la probabilité de E n'est pas plus grande que celle de F.

Théorème 2.5
Si $E \subset F$, alors $P(E) \leqslant P(F)$.

Preuve. Du fait que $E \subset F$, on peut exprimer F ainsi:

$$F = E \cup E^c F$$

E et $E^c F$ étant mutuellement exclusifs, on tire de l'axiome 2.3 que

$$P(F) = P(E) + P(E^c F)$$

ce qui prouve le résultat puisque $P(E^c F) \geqslant 0$. ■

Le théorème 2.5 indique par exemple que la probabilité d'obtenir le nombre 1 avec un dé est inférieure ou égale à celle de tirer une valeur impaire avec ce dé.

Le théorème suivant donne la relation entre la probabilité de la réunion de deux événements d'une part, les probabilités individuelles et la probabilité de l'intersection d'autre part.

Théorème 2.6

$$P(E \cup F) = P(E) + P(F) - P(EF)$$

PREUVE. Pour obtenir une formule donnant $P(E \cup F)$, remarquons d'abord que $E \cup F$ peut être écrit comme l'union de deux éléments disjoints E et E^cF. Nous tirons alors de l'axiome 2.3 que

$$P(E \cup F) = P(E \cup E^cF)$$
$$= P(E) + P(E^cF)$$

De plus, comme $F = EF \cup E^cF$, nous tirons de nouveau de cet axiome

$$P(F) = P(EF) + P(E^cF)$$

ou encore

$$P(E^cF) = P(F) - P(EF)$$

ce qui achève la démonstration.   ■

On aurait aussi pu démontrer le théorème 2.6 en faisant usage du diagramme de Venn comme le démontre la figure 2.4.

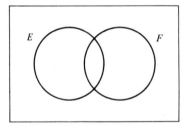

Fig. 2.4

Divisons le diagramme en trois parties disjointes comme celles représentées sur la figure 2.5.

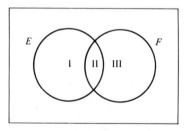

Fig. 2.5

La section I représente tous les points de E qui ne sont pas dans F (c'est-à-dire EF^c); la section II représente tous ceux qui sont dans E et dans F (c'est-à-dire EF); la section III représente tous ceux de F qui ne sont pas dans E (c'est-à-dire E^cF).

Sur la figure 2.5 nous voyons que

$$E \cup F = \mathrm{I} \cup \mathrm{II} \cup \mathrm{III}$$
$$E = \mathrm{I} \cup \mathrm{II}$$
$$F = \mathrm{II} \cup \mathrm{III}$$

Comme I, II et III sont disjoints, il résulte de l'axiome 2.3:

$$P(E \cup F) = P(\mathrm{I}) + P(\mathrm{II}) + P(\mathrm{III})$$
$$P(E) = P(\mathrm{I}) + P(\mathrm{II})$$
$$P(F) = P(\mathrm{II}) + P(\mathrm{III})$$

ce qui montre que

$$P(E \cup F) = P(E) + P(F) - P(\mathrm{II})$$

et le théorème 2.6 est ainsi démontré, puisque II $= EF$.   ∎

Exemple 2.3 Supposons que l'on jette deux pièces et que chacun des quatre points de l'ensemble fondamental $S = \{(P,P), (P,F), (F,P), (F,F)\}$ soit de même probabilité $\frac{1}{4}$. Soient $E = \{(P,P), (P,F)\}$ et $F = \{(P,P), (F,P)\}$, c'est-à-dire que E est l'événement «la première pièce tombe sur pile» et F l'événement «la deuxième pièce tombe sur pile». Le théorème 2.6 nous donne la probabilité $P(E \cup F)$ que soit la première soit la deuxième pièce tombe sur pile

$$\begin{aligned} P(E \cup F) &= P(E) + P(F) - P(EF) \\ &= \tfrac{1}{2} + \tfrac{1}{2} - P(\{(P, P)\}) \\ &= 1 - \tfrac{1}{4} \\ &= \tfrac{3}{4} \end{aligned}$$

Cette probabilité aurait bien évidemment pu être calculée directement puisque

$$P(E \cup F) = P(\{(P, P), (P, F), (F, P)\}) = \tfrac{3}{4}$$ ∎

Nous pouvons aussi calculer la probabilité que l'un quelconque des trois événements E, F ou G survienne:

$$P(E \cup F \cup G) = P[(E \cup F) \cup G]$$

qui vaut par le théorème 2.6:

$$P(E \cup F) + P(G) - P[(E \cup F)G]$$

A ce point, l'équivalence des événements $(E \cup F)G$ et $EG \cup FG$ résulte de la distributivité des opérations, ce qui permet d'écrire

$$\begin{aligned} P(E \cup F \cup G) \\ = P(E) + P(F) - P(EF) + P(G) - P(EG \cup FG) \\ = P(E) + P(F) - P(EF) + P(G) - P(EG) - P(FG) + P(EGFG) \\ = P(E) + P(F) + P(G) - P(EF) - P(EG) - P(FG) + P(EFG) \end{aligned}$$

En fait, on peut démontrer par induction la généralisation suivante:

Théorème 2.7

$$P(E_1 \cup E_2 \cup \cdots \cup E_n)$$

$$= \sum_{i=1}^{n} P(E_i) - \sum_{i_1 < i_2} P(E_{i_1} E_{i_2}) + \cdots$$

$$+ (-1)^{r+1} \sum_{i_1 < i_2 < \cdots < i_r} P(E_{i_1} E_{i_2} \cdots E_{i_r})$$

$$+ \cdots + (-1)^{n+1} P(E_1 E_2 \cdots E_n)$$

La somme $\sum_{i1 < i2 < \ldots < ir} P(E_{i_1} E_{i_2} \ldots E_{i_r})$ *est prise sur les* $\binom{n}{r}$ *sous-ensembles possibles de taille r de l'ensemble {1, 2, ..., n}.*

En clair, le théorème 2.7 signifie que la probabilité de l'union de *n* événements est égale à la somme des probabilités de ces événements pris un à un moins la somme des probabilités de ces événements pris deux à deux plus la somme des probabilités de ces événements pris trois à trois, et ainsi de suite.

2.5 ENSEMBLES FONDAMENTAUX
À ÉVÉNEMENTS ÉLÉMENTAIRES ÉQUIPROBABLES

2.5.1 Méthode de calcul des probabilités

Pour de nombreuses expériences il est naturel d'admettre que chaque élément, ou *événement élémentaire*, de l'ensemble fondamental a la même probabilité d'apparaître. Plus précisément, considérons une expérience dont l'ensemble fondamental *S* est fini, disons $S = \{1,2,...,N\}$. Il est alors souvent naturel de supposer que

$$P(\{1\}) = P(\{2\}) = \cdots = P(\{N\})$$

ce qui implique du fait des axiomes 2.2 et 2.3 (dire pourquoi) que

$$P(\{i\}) = \frac{1}{N} \qquad i = 1, 2, \ldots, N$$

De ceci et de l'axiome 2.3 il résulte que pour tout événement *E*

$$P(E) = \frac{\text{nombre de points dans } E}{\text{nombre de points dans } S}.$$

En clair, nous admettons que toutes les issues d'une expérience ont la même probabilité de survenir, la probabilité d'un événement *E* quelconque est égale à la proportion dans l'ensemble de définition de points qui sont contenus dans *E*.

2.5.2 Exemples

Exemple 2.4 Si deux dés sont jetés, quelle est la probabilité que la somme des faces soit 7?

SOLUTION. Nous résoudrons ce problème en faisant l'hypothèse que les 36 issues possibles sont équiprobables. Puisqu'il y a 6 issues, à savoir (1,6), (2,5), (3,4), (4,3), (5,2) et (6,1), qui donnent une somme de 7 pour les deux dés, la probabilité est $\frac{6}{36} = \frac{1}{6}$. ■

Exemple 2.5 Si deux boules sont tirées au hasard d'un bol en contenant 6 blanches et 5 noires, quelle est la probabilité qu'une des boules tirées soit blanche et l'autre noire?

SOLUTION. Si nous considérons l'ordre dans lequel les boules sont choisies comme significatif, l'ensemble fondamental comprend $11 \cdot 10 = 110$ points. De plus, il y a $6 \cdot 5 = 30$ manières de tirer pour lesquelles la première boule est blanche et la seconde noire. On compte de même $5 \cdot 6 = 30$ manières de tirer pour lesquelles la première boule est noire et la seconde blanche. De ce fait, si tirer au hasard signifie que chacun des 110 points de l'ensemble fondamental a la même probabilité de survenir, nous voyons que la probabilité cherchée est

$$\frac{30 + 30}{110} = \frac{6}{11}$$

Ce problème aurait aussi pu être résolu en considérant que chaque résultat de l'expérience est caractérisé par l'ensemble (non ordonné) des boules tirées. De ce point de vue, il y aurait $\binom{11}{2} = 55$ éléments dans l'ensemble fondamental. Il est facile de voir que l'hypothèse «tous les événements sont équiprobables» quand l'ordre est jugé significatif implique celle que les événements sont aussi équiprobables quand l'ordre de tirage n'est plus considéré significatif (à prouver). En utilisant cette seconde représentation de l'expérience, nous voyons donc que la probabilité cherchée est:

$$\frac{\binom{6}{1}\binom{5}{1}}{\binom{11}{2}} = \frac{6}{11}$$

ce qui évidemment est en accord avec la réponse précédente.   ■

Exemple 2.6 Un comité de 5 personnes doit être choisi parmi les 6 hommes et 9 femmes d'un groupe. Si le choix est le résultat du hasard, quelle est la probabilité que le comité soit composé de 3 hommes et 2 femmes?

SOLUTION. Admettons que «choix dû au hasard» signifie que chacune des $\binom{15}{5}$ combinaisons possibles a les mêmes chances d'apparaître. La probabilité cherchée sera donc égale à:

$$\frac{\binom{6}{3}\binom{9}{2}}{\binom{15}{5}} = \frac{240}{1001}$$

■

Exemple 2.7 Une main de poker comprend 5 cartes[1]. Si celles-ci ont des valeurs consécutives et ne sont pas de la même couleur, nous dirons que la main est une suite. Par exemple, une main comprenant le cinq, le six, le sept, le huit de pique et le neuf de cœur est une suite. Quelle est la probabilité de se voir distribuer une suite?

SOLUTION. On commence par admettre que les $\binom{52}{5}$ mains possibles au poker sont toutes équiprobables. Pour déterminer le nombre de tirages qui sont des suites, on va déterminer en premier lieu le nombre de tirages pour lesquels la main comprendra un as, un deux, un trois, un quatre et un cinq (sans s'intéresser à la question de savoir si l'on a une suite). Du fait que l'as peut être l'un des quatre as du jeu, qu'il en est de même pour le deux, le trois, le quatre et le cinq, il découle qu'il y a 4^5 tirages livrant exactement un as, un deux, un trois, un quatre et un cinq.

Donc, puisque dans 4 de ces tirages toutes les cartes seront de la même couleur (une telle main est appelée suite royale), il résulte qu'il y a $4^5 - 4$ mains qui sont des suites commençant à l'as. De même il y en a $4^5 - 4$ qui contiennent un dix, un valet, une dame, un roi et l'as. Il y a donc $10(4^5 - 4)$ mains qui sont des suites. La probabilité désirée est donc

$$\frac{10(4^5 - 4)}{\binom{52}{5}} \approx .0039$$

∎

Exemple 2.8 Une main de poker de 5 cartes est appelée main pleine si elle comprend 3 cartes de la même valeur et 2 autres, mais de même valeur entre elles également. Une main pleine comprend donc trois cartes d'une sorte plus une paire. Quelle est la probabilité de se voir distribuer une main pleine?

SOLUTION. De nouveau nous admettons que chacune des $\binom{52}{5}$ mains possibles est de même probabilité. Pour déterminer le nombre de mains pleines possibles, nous noterons d'abord qu'il y a $\binom{4}{2} \cdot \binom{4}{3}$ combinaisons différentes de, disons, deux 10 et trois valets. Comme il y a 13 choix différents pour le choix de la paire et après ce choix 12 autres possibilités pour la valeur des 3 cartes restantes, il résulte que la probabilité d'une main pleine est

$$\frac{13 \cdot 12 \cdot \binom{4}{2}\binom{4}{3}}{\binom{52}{5}} \approx .0014$$

∎

Exemple 2.9 Lors d'une partie de bridge, les 52 cartes du paquet sont réparties entre les 4 joueurs. Quelle est la probabilité qu'un joueur reçoive les 13 piques?

---

[1] Ndt: il s'agit ici d'un jeu de 52 cartes où l'on distingue 4 couleurs.

SOLUTION. Il y a $\binom{52}{13,\,13,\,13,\,13}$ répartitions possibles des cartes entre les 4 joueurs. Comme il y a $\binom{39}{13,\,13,\,13}$ répartitions possibles des cartes pour lesquelles un joueur donné détient les 13 piques, il en résulte que la probabilité désirée est donnée par

$$\frac{4\dbinom{39}{13,\,13,\,13}}{\dbinom{52}{13,\,13,\,13,\,13}} \approx 6.3 \times 10^{-12}$$

■

L'exemple suivant illustre le fait que les résultats en probabilité peuvent être tout-à-fait surprenants au premier abord.

Exemple 2.10 Si n personnes sont présentes dans une pièce, quelle est la probabilité que leurs anniversaires tombent sur des jours tous différents? Quelle valeur faut-il donner à n pour que cette probabilité descende en dessous de $\frac{1}{2}$?

SOLUTION. Comme chaque personne peut célébrer son anniversaire lors de n'importe lequel des 365 jours de l'an, il y a au total $(365)^n$ situations possibles (on exclut le cas des gens né un 29 février). En admettant que chaque situation est équiprobable, on voit que la probabilité cherchée est $(365)(364)(363)...(365-n+1)/(365)^n$. On sera surpris d'apprendre que lorsque n vaut 23, cette probabilité est inférieure à $\frac{1}{2}$. Cela veut dire que si 23 personnes se trouvent dans une pièce, la probabilité qu'au moins deux d'entre elles aient leur anniversaire le même jour dépasse $\frac{1}{2}$. Beaucoup de gens sont surpris par un tel résultat. Peut-être encore plus surprenant cependant est que cette probabilité augmente à 0,97 quand il y a 50 personnes dans la pièce. Et avec 100 personnes dans la pièce, les chances sont à plus de 3 000 000 contre 1 (ou encore: la probabilité est supérieure à $(3 \times 10^6)/(3 \times 10^6 + 1)$) pour qu'au moins 2 personnes aient leur anniversaire le même jour. ■

Exemple 2.11 Une équipe de football est composée de 20 joueurs noirs et 20 joueurs blancs. Les joueurs doivent être regroupés par paires pour qu'on puisse composer des chambrées de deux. Si le regroupement est fait au hasard, quelle est la probabilité qu'il n'y ait pas de paires mixtes de camarades de chambre? Quelle est la probabilité qu'il y ait $2i$ paires mixtes, $i = 1, 2, ..., 10$?

SOLUTION. Il y a

$$\binom{40}{2, 2, \ldots, 2} = \frac{(40)!}{(2!)^{20}}$$

manières de répartir les 40 joueurs en 20 paires ordonnées. Cela veut dire qu'il y a $(40)!/2^{20}$ manières de répartir les joueurs en une paire numéro 1, une paire numéro 2 et ainsi de suite. De ce fait, il y a $40!/2^{20}(20)!$ manières de répartir les joueurs en paires non ordonnées. De plus, puisqu'une répartition ne livrera pas de paire mixte si les noirs (resp. les blancs) sont appariés entre eux, il s'ensuit qu'il y a $[20!/2^{10}(10)!]^2$

répartitions de ce genre. De ce fait, la probabilité p_0 de n'avoir aucune paire mixte de camarades de chambre est donnée par

$$P_0 = \frac{\left(\dfrac{(20)!}{2^{10}(10)!}\right)^2}{\dfrac{(40)!}{2^{20}(20)!}} = \frac{[(20)!]^3}{[(10)!]^2(40)!}$$

Pour déterminer P_{2i}, la probabilité qu'il y ait $2i$ paires mixtes, remarquons d'abord qu'il y a $\binom{20}{2i}^2$ manières de choisir les $2i$ blancs et les $2i$ noirs qui composeront les paires mixtes. Les $4i$ joueurs peuvent être appariés en $(2i)!$ paires mixtes. Ceci du fait que le premier noir peut être apparié avec n'importe lequel des $2i$ blancs, le second noir avec n'importe lequel des $2i-1$ blancs restants, et ainsi de suite. Comme les $20-2i$ blancs (resp. noirs) restants doivent être appariés entre eux, il s'ensuit qu'il y a

$$\binom{20}{2i}^2 (2i)! \left[\frac{(20-2i)!}{2^{10-i}(10-i)!}\right]^2$$

répartitions qui mènent à $2i$ paires mixtes. D'où

$$P_{2i} = \frac{\binom{20}{2i}^2 (2i)! \left[\dfrac{(20-2i)!}{2^{10-i}(10-i)!}\right]^2}{\dfrac{(40)!}{2^{20}(20)!}} \qquad i = 0, 1, \ldots, 10$$

Les P_{2i}, $i = 0,1,\ldots,10$ peuvent maintenant être calculées ou approximées en faisant usage d'un résultat dû à Stirling, montrant que $n^{n+1/2}e^{-n}\sqrt{2\pi}$ approche $n!$ On obtient par exemple

$$P_0 = 1.3403 \times 10^{-6}$$
$$P_{10} = .345861$$
$$P_{20} = 7.6068 \times 10^{-6} \qquad\blacksquare$$

L'exemple qui suit possède deux avantages: non seulement il donne lieu à un résultat quelque peu étonnant, mais il est aussi d'intérêt théorique.

Exemple 2.12 Problème de rencontre
Une réception réunit N invités, tous des hommes. Chacun jette son chapeau au milieu de la pièce. On mélange les chapeaux puis chacun en choisit un au hasard.
• Quelle est la probabilité qu'aucun des hommes ne choisisse son propre chapeau?
• Quelle est la probabilité que k des hommes exactement sélectionnent leur propre chapeau?

SOLUTION. Nous répondrons à la première partie en calculant d'abord la probabilité complémentaire qu'au moins un homme choisisse son propre chapeau. Désignons par E_i, $i = 1,2,..., N$ l'événement «le i-ème homme choisit son propre chapeau». Alors en vertu du théorème 2.7, la probabilité $P(\bigcup_{i=1}^{N} E_i)$ qu'au moins un homme ait choisi son propre chapeau est donnée par

$$P\left(\bigcup_{i=1}^{N} E_i\right) = \sum_{i=1}^{N} P(E_i) - \sum_{i_1 < i_2} P(E_{i_1} E_{i_2}) + \cdots$$

$$+ (-1)^{n+1} \sum_{i_1 < i_2 \cdots < i_n} P(E_{i_1} E_{i_2} \cdots E_{i_n})$$

$$+ \cdots + (-1)^{N+1} P(E_1 E_2 \cdots E_N)$$

Considérons le résultat de cette expérience comme un vecteur de N nombres où le i-ème élément est le numéro du chapeau choisi par le i-ème homme. Il y a alors $N!$ tirages possibles [le résultat $(1,2,...,N)$ signifie, par exemple, que chaque homme a choisi son propre chapeau]. De plus, $E_{i_1}, E_{i_2},..., E_{i_n}$, l'événement que chacun des n hommes $i_1, i_2,..., i_n$ choisisse son propre chapeau, peut survenir de $(N - n)[N - (n+1)] ... 3 \cdot 2 \cdot 1 = (N - n)!$ manières possibles; car, pour les $N - n$ hommes restants, le premier peut choisir n'importe lequel parmi $N - n$ chapeaux, le second peut choisir parmi $N - (n+1)$ chapeaux et ainsi de suite. Ainsi, en admettant que les $N!$ tirages possibles soient équiprobables, nous voyons que

$$P(E_{i_1} E_{i_2} \cdots E_{i_n}) = \frac{(N - n)!}{N!}$$

Aussi, nous pouvons écrire, puisqu'il y a $\binom{N}{n}$ termes dans $\sum_{i_1 < i_2 < .. < i_n} P(E_{i_1}, E_{i2},..., E_{in})$:

$$\sum_{i_1 < i_2 \cdots < i_n} P(E_{i_1} E_{i_2} \cdots E_{i_n}) = \frac{N!(N - n)!}{(N - n)! n! N!} = \frac{1}{n!}$$

et par conséquent

$$P\left(\bigcup_{i=1}^{N} E_i\right) = 1 - \frac{1}{2!} + \frac{1}{3!} - \cdots + (-1)^{N+1} \frac{1}{N!}$$

Ainsi la probabilité qu'aucun des hommes ne choisisse son chapeau est

$$1 - 1 + \frac{1}{2!} - \frac{1}{3!} + \cdots + \frac{(-1)^N}{N!}$$

Cette probabilité est, pour N grand, approximativement égale à $e^{-1} \approx 0{,}36788$. En d'autres termes, pour des grandes valeurs de N, la probabilité qu'aucun des hommes ne sélectionne son propre chapeau est d'environ 0,37 (bien des lecteurs auront sans doute plutôt pensé à tort que cette probabilité tendrait vers 1 lorsque N devient infini).

Pour obtenir la probabilité qu'exactement k des N hommes choisissent leur propre chapeau, fixons dans un premier temps notre attention sur un groupe particulier de

k hommes. Le nombre de manières pour que ces k hommes et eux seulement choisissent leur propre chapeau est égal au nombre de manières pour que les $N - k$ autres hommes choisissent parmi leurs chapeaux sans qu'aucun d'entre eux ne tombe sur le sien. Mais comme

$$1 - 1 + \frac{1}{2!} - \frac{1}{3!} + \cdots + \frac{(-1)^{N-k}}{(N-k)!}$$

est la probabilité qu'aucun de ces $N - k$ hommes tirant dans le groupe de leurs chapeaux ne tombe sur le sien, il en résulte que le nombre de cas où nos k hommes et eux seuls ont tiré leur propre chapeau est

$$(N - k)! \left[1 - 1 + \frac{1}{2!} - \frac{1}{3!} + \cdots + \frac{(-1)^{N-k}}{(N-k)!} \right]$$

De ce fait, puisqu'il y a $\binom{N}{k}$ compositions possibles pour le groupe des k hommes, il y aura

$$\binom{N}{k} (N - k)! \left[1 - 1 + \frac{1}{2!} - \frac{1}{3!} + \cdots + \frac{(-1)^{N-k}}{(N-k)!} \right]$$

situations où exactement k hommes ont tiré leur propre chapeau. La probabilité cherchée est donc

$$\frac{\binom{N}{k} (N - k)! \left[1 - 1 + \frac{1}{2!} - \frac{1}{3!} + \cdots + \frac{(-1)^{N-k}}{(N-k)!} \right]}{N!}$$

$$= \frac{1 - 1 + \frac{1}{2!} - \frac{1}{3!} + \cdots + \frac{(-1)^{N-k}}{(N-k)!}}{k!}$$

qui, pour N grand, devient approximativement $e^{-1}/k!$. Ces valeurs $e^{-1}/k!$, $k = 0,1,...$, ont une importance théorique. Elles représentent en effet les valeurs associées à la distribution de Poisson. Ce point sera développé au chapitre 4.[1]   ■

Pour illustrer autrement encore l'utilité du théorème 2.7, on peut citer l'exemple suivant.

Exemple 2.13 Si 10 couples mariés sont assis au hasard autour d'une table, calculer la probabilité qu'aucune femme ne soit assise à côté de son mari.

SOLUTION. Si nous désignons par E_i, $i = 1,2,...,10$ l'événement que le couple i est réuni, il en résulte que la probabilité cherchée est $1 - P(\bigcup_{i=1}^{10} E)$. Mais en vertu du théorème 2.7

---

[1] Voir l'exemple 3.28 pour une autre approche de ce problème.

$$P\left(\bigcup_1^{10} E_i\right) = \sum_1^{10} P(E_i) - \cdots + (-1)^{n+1} \sum_{i_1 < i_2 < \cdots < i_n} P(E_{i_1} E_{i_2} \cdots E_{i_n})$$

$$+ \cdots - P(E_1 E_2 \cdots E_{10})$$

Pour calculer $P(E_{i_1}, E_{i_2}, ..., E_{i_n})$, nous remarquerons d'abord qu'il y a 19! manières d'asseoir 20 personnes autour d'une table ronde (pourquoi ?). Le nombre de configurations qui aboutissent à ce qu'un ensemble déterminé de n hommes soient assis à côté de leur femme peut être calculé de manière très simple. On se représente d'abord chacun des n couples de gens mariés comme étant une entité en soi. Nous aurions dans ce cas à disposer $20 - 2n + n = 20 - n$ entités autour de la table et il y a clairement $(20-n-1)!$ de ces dispositions. Finalement, comme chacun des n couples de gens mariés peut s'asseoir de deux manières différentes, il en résulte qu'il y a $2^n(20-n-1)!$ dispositions qui aboutissent à ce qu'un groupe fixé de n hommes soient assis à côté de leur femme. Donc

$$P(E_{i_1} E_{i_2} \cdots E_{i_n}) = \frac{2^n (19 - n)!}{(19)!}$$

De ce fait, le théorème 2.7 livre que la probabilité de trouver au moins un couple réuni est

$$\binom{10}{1} 2^1 \frac{(18)!}{(19)!} - \binom{10}{2} 2^2 \frac{(17)!}{(19)!} + \binom{10}{3} 2^3 \frac{(16)!}{(19)!} - \cdots - \binom{10}{10} 2^{10} \frac{9!}{(19)!} \approx .6605$$

et la probabilité cherchée est 0,3395. ∎

Exemple 2.14 Considérons une équipe d'athlétisme qui vient de terminer sa saison avec un palmarès final de n victoires et m défaites. En examinant la séquence des victoires et défaites nous espérons déterminer si l'équipe a eu des suites d'épreuves pendant lesquelles elle avait une chance plus grande de gagner que pendant les autres. Un moyen d'éclairer un peu cette question est de compter le nombre de chaînes de victoires et de voir ensuite quelle probabilité aurait ce résultat en admettant que les $(n+m)!/(n!m!)$ séquences possibles comprenant n victoires et m défaites sont équiprobables. Par «chaîne de victoires» nous entendons une séquence ininterrompue de victoires. Par exemple, si $n = 10$, $m = 6$ et si la séquence des résultats est V V D D V V V D V D D D V V V V, alors il y a eu 4 chaînes de victoires – la première de longueur 2, la seconde de 3, la troisième de 1 et la quatrième de 4.

Supposons maintenant qu'une équipe enregistre n victoires et m défaites. En admettant que les $(n+m)!/(n!m!) = \binom{n+m}{n}$ séquences sont équiprobables, déterminons la probabilité qu'il y ait exactement r chaînes de victoires. Pour l'obtenir, considérons d'abord n'importe quel vecteur d'entiers positifs $x_1 x_2, ..., x_r$ avec $x_1 + x_2 + ... + x_r = n$, et voyons combien de séquences comprennent r suites de victoires dans lesquelles la i-ème chaîne est de taille x_i, $i = 1, ..., r$. Pour toute telle séquence, si nous désignons par y_1 le nombre de défaites avant la première chaîne de victoires, y_2 celui avant la deuxième chaîne de victoires, y_{r+1} celui après la dernière chaîne de victoires, alors les y_i satisfont

$$y_1 + y_2 + \cdots + y_{r+1} = m \qquad y_1 \geq 0, \, y_{r+1} \geq 0, \, y_i > 0, \, i = 2, ..., r$$

et la séquence peut être schématiquement représentée par

$$\underbrace{DD...D}_{y_1}\ \underbrace{VV...V}_{x_1}\ \underbrace{DD...D}_{y_2}\ \underbrace{VV...V}_{x_2}\ ...\ \underbrace{VV...V}_{x_r}\ \underbrace{DD...D}_{y_{r+1}}$$

De ce fait, le nombre de séquences qui donnent lieu à r chaînes de victoires – la i-ème de longueur x_i, $i = 1,...,r$ – est égal au nombre d'entiers $y_1,...,y_{r+1}$ qui satisfont les conditions ci-dessus ou, de manière équivalente, au nombre d'entiers positifs

$$\bar{y}_1 = y_1 + 1, \qquad \bar{y}_i = y_i, i = 2, \ldots, r, \bar{y}_{r+1} = y_{r+1} + 1$$

qui satisfont

$$\bar{y}_1 + \bar{y}_2 + \cdots + \bar{y}_{r+1} = m + 2$$

En vertu du théorème 1.10, il y a $\binom{m+1}{r}$ séquences de ce genre. De ce fait le nombre total de séquences donnant suite à r chaînes de victoires est $\binom{m+1}{r}$ multiplié par le nombre de solutions entières positives à l'équation $x_1 + ... + x_r = n$. Et donc, de nouveau en vertu du théorème 1.10, il y a $\binom{m+1}{r}\binom{n-1}{r-1}$ séquences livrant r chaînes de victoires. Comme il y a $\binom{n+m}{n}$ séquences équiprobables, nous pouvons déduire que

$$P(\{r \text{ chaînes de victoires}\}) = \frac{\binom{m+1}{r}\binom{n-1}{r-1}}{\binom{m+n}{n}}, \qquad r \geq 1$$

Par exemple, si $n = 8$, $m = 6$, alors la probabilité d'avoir 7 chaînes est $\binom{7}{7}\binom{7}{6}/\binom{14}{8} = \frac{1}{429}$ si les $\binom{14}{8}$ résultats sont tous équiprobables. De ce fait, si la séquence était V D V D V D V D V V D V D V, alors nous pourrions suspecter que la probabilité pour l'équipe de gagner a été variable avec le temps. En particulier, la probabilité que l'équipe gagne semble être très haute quand elle a perdu sa dernière épreuve et particulièrement basse quand elle l'a gagnée. A l'extrême inverse, si la séquence avait été V V V V V V V V D D D D D D, alors il n'y aurait eu qu'une chaîne de victoires. Comme $P(\{1 \text{ chaîne}\}) = \binom{7}{1}\binom{7}{0}/\binom{14}{8} = \frac{1}{429}$, il semble de nouveau improbable que la probabilité de victoire de l'équipe soit restée invariable tout au long des 14 épreuves. ∎

2.6 THÉORÈME DE PASSAGE À LA LIMITE

Une suite d'événements $\{E_n, n \geq 1\}$ est dite suite croissante, si

$$E_1 \subset E_2 \subset \cdots \subset E_n \subset E_{n+1} \subset \cdots$$

alors qu'elle est dite décroissante si

$$E_1 \supset E_2 \supset \cdots \supset E_n \supset E_{n+1} \supset \cdots$$

Si $\{E_n, n \geq 1\}$ est une suite croissante d'événements, alors nous définissons un nouvel événement noté $\lim\limits_{n \to \infty} E_n$:

$$\lim_{n \to \infty} E_n = \bigcup_{i=1}^{\infty} E_i$$

De même, si $\{E_n, n \geq 1\}$ est une suite décroissante d'événements, nous définissons $\lim\limits_{n \to \infty} E_n$ par:

$$\lim_{n \to \infty} E_n = \bigcap_{i=1}^{\infty} E_i$$

Démontrons maintenant le théorème 2.8.

Théorème 2.8

Si $\{E_n, n \geq 1\}$ est une suite soit croissante, soit décroissante d'événements, alors

$$\lim_{n \to \infty} P(E_n) = P(\lim_{n \to \infty} E_n)$$

PREUVE. Supposons d'abord que $\{E_n, n \geq 1\}$ est une suite croissante et définissons les événements $F_n, n \geq 1$ par

$$F_1 = E_1$$

$$F_n = E_n \left(\bigcup_{1}^{n-1} E_i \right)^c = E_n E_{n-1}^c \qquad n > 1$$

où nous avons utilisé le fait que $\bigcup_{i=1}^{n-1} E_i = E_{n-1}$, puisque les événements sont emboîtés. En d'autres termes, F_n comprend les points de E_n qui ne sont dans aucun des E_i qui le précèdent. Il est facile de voir que les F_n sont des événements s'excluant mutuellement et tels que

$$\bigcup_{i=1}^{\infty} F_i = \bigcup_{i=1}^{\infty} E_i \qquad \text{et} \qquad \bigcup_{i=1}^{n} F_i = \bigcup_{i=1}^{n} E_i \quad \text{pour tout } n \geq 1$$

Ainsi

$$P\left(\bigcup_{1}^{\infty} E_i \right) = P\left(\bigcup_{1}^{\infty} F_i \right)$$

$$= \sum_{1}^{\infty} P(F_i) \qquad (\text{ Axiome 2.3 })$$

$$= \lim_{n \to \infty} \sum_{1}^{n} P(F_i)$$

$$= \lim_{n \to \infty} P\left(\bigcup_{1}^{n} F_i \right)$$

$$= \lim_{n \to \infty} P\left(\bigcup_{1}^{n} E_i \right)$$

$$= \lim_{n \to \infty} P(E_n)$$

ce qui prouve le résultat lorsque $\{E_n, n \geq 1\}$ est croissante.

Si $\{E_n, n \geq 1\}$ est une suite décroissante, alors $\{E_n^c, n \geq 1\}$ est croissante; de ce fait, d'après les équations précédentes,

$$P\left(\bigcup_1^\infty E_i^c\right) = \lim_{n\to\infty} P(E_n^c)$$

Mais, comme $\bigcup_{i=1}^\infty E_i^c = (\bigcap_{i=1}^\infty E_i)^c$, nous voyons que

$$P\left(\left(\bigcap_1^\infty E_i\right)^c\right) = \lim_{n\to\infty} P(E_n^c)$$

ou, de manière équivalente,

$$1 - P\left(\bigcap_1^\infty E_i\right) = \lim_{n\to\infty}\left[1 - P(E_n)\right] = 1 - \lim_{n\to\infty} P(E_n)$$

$$P\left(\bigcap_1^\infty E_i\right) = \lim_{n\to\infty} P(E_n)$$

ce qui prouve le résultat.   ■

Exemple 2.15 Probabilité et paradoxe.

Supposons que nous ayons une urne infiniment grande et une collection infinie de boules numérotées 1, 2,..., n,.... Considérons l'expérience réalisée comme il suit: à minuit moins une, les boules 1 à 10 sont placées dans l'urne et la boule 10 est retirée (on admet que le retrait est instantané). A minuit moins 30 secondes, les boules 11 à 20 sont placées dans l'urne et la boule 20 retirée. A minuit moins 15 secondes, les boules 21 à 30 sont introduites et la boule 30 est retirée. A minuit moins 7 secondes et demie, etc. La question intéressante est: combien y a-t-il de boules dans l'urne à minuit?

La réponse à cette question est clairement qu'il y a une infinité de boules dans l'urne à minuit puisque toute boule dont le numéro n'est pas de la forme $10n$, $n\geq 1$, aura été placée dans l'urne et n'aura pas été retirée avant minuit. Ainsi le problème est résolu lorsque l'expérience est réalisée comme nous l'avons décrite.

Cependant, modifions l'expérience et supposons qu'à minuit moins une les boules 1 à 10 sont placées dans l'urne et la boule 1 est retirée. A minuit moins 30 secondes, les boules 11 à 20 sont introduites et la boule 2 est retirée. A minuit moins 15 secondes, les boules 21 à 30 sont introduites et la boule 3 retirée. A minuit moins 7 secondes et demie, les boules 31 à 40 sont introduites et la boule 4 est retirée, et ainsi de suite. Dans cette nouvelle expérience, combien y a-t-il de boules dans l'urne à minuit?

De manière assez surprenante, la réponse est maintenant que l'urne est vide à minuit. En effet, dans le premier cas seules les boules numérotées $10n$, $n \geq 1$, sont retirées; alors que dans le second cas toutes les boules sont finalement retirées.

Supposons maintenant que dès qu'il faut retirer une boule, celle-ci est prise au hasard parmi les boules déjà présentes dans l'urne. Cela veut dire qu'à minuit moins 1, les boules 1 à 10 sont placées dans l'urne et une boule est retirée au hasard, et ainsi de suite. Dans ce cas, combien de boules y a-t-il dans l'urne à minuit?

SOLUTION. Nous montrerons qu'avec une probabilité 1 l'urne est vide à minuit. Considérons d'abord la boule 1. Définissons par E_n l'événement «la boule 1 est encore dans l'urne après que les n premiers retraits ont été effectués». Clairement,

$$P(E_n) = \frac{9 \cdot 18 \cdot 27 \cdots (9n)}{10 \cdot 19 \cdot 28 \cdots (9n + 1)}$$

Pour comprendre cette équation, il suffit de voir que si la boule 1 est encore dans l'urne après les n premiers retraits, la première boule retirée peut être choisie parmi 9, la seconde parmi 18 (il y a 19 boules dans l'urne au moment du deuxième retrait, mais l'une d'elles est la boule 1) et ainsi de suite. Le dénominateur est obtenu de la même manière.

Or, l'événement «la boule 1 est dans l'urne à minuit» est précisément $\bigcap\limits_{n=1}^{\infty} E_n$. Comme les événements E_n, $n \geq 1$, forment une suite décroissante, il résulte du théorème 2.8 que:

$$P \{\text{la boule numéro 1 se trouve dans l'urne à minuit}\}$$

$$= P\left(\bigcap_{n=1}^{\infty} E_n\right)$$

$$= \lim_{n \to \infty} P(E_n)$$

$$= \prod_{n=1}^{\infty} \left(\frac{9n}{9n + 1}\right)$$

Nous allons maintenant montrer que

$$\prod_{n=1}^{\infty} \frac{9n}{9n + 1} = 0$$

Comme

$$\prod_{n=1}^{\infty} \left(\frac{9n}{9n + 1}\right) = \left[\prod_{n=1}^{\infty} \left(\frac{9n + 1}{9n}\right)\right]^{-1}$$

cela revient à montrer

$$\prod_{n=1}^{\infty} \left(1 + \frac{1}{9n}\right) = \infty$$

Or, pour tout $m \geq 1$

$$\prod_{n=1}^{\infty} \left(1 + \frac{1}{9n}\right) \geq \prod_{n=1}^{m} \left(1 + \frac{1}{9n}\right)$$

$$= \left(1 + \frac{1}{9}\right)\left(1 + \frac{1}{18}\right)\left(1 + \frac{1}{27}\right) \cdots \left(1 + \frac{1}{9m}\right)$$

$$> \frac{1}{9} + \frac{1}{18} + \frac{1}{27} + \cdots + \frac{1}{9m}$$

$$= \frac{1}{9} \sum_{i=1}^{m} \frac{1}{i}$$

Par conséquent, en faisant tendre m vers l'infini et en utilisant le fait que $\sum_{i=1}^{\infty} 1/i = \infty$, on obtient

$$\prod_{n=1}^{\infty} \left(1 + \frac{1}{9n}\right) = \infty$$

Donc, en notant F_i l'événement «la boule i est dans l'urne à minuit», nous avons montré que $P(F_i) = 0$. On peut alors montrer que $P(F_i) = 0$ pour tout i (le même raisonnement établit par exemple que $P(F_i) = \prod_{n=2}^{\infty} [9n/(9n+1)]$ pour $i = 11,12,...,20$). Ainsi, la probabilité $P(\bigcup_{i=1}^{\infty} F_i)$ que l'urne ne soit pas vide à minuit satisfait

$$P\left(\bigcup_{1}^{\infty} F_i\right) \leq \sum_{1}^{\infty} P(F_i) = 0$$

en vertu de l'inégalité de Boole (voir exercices 2.8.8 et 2.8.20). Aussi l'urne sera-t-elle vide à minuit, avec une probabilité de 1.   ∎

2.7 PROBABILITÉ EN TANT QUE MESURE DU CRÉDIT ACCORDÉ À UN FAIT

Jusqu'à présent nous avons interprété la probabilité d'un événement d'une expérience donnée comme étant une mesure de la fréquence d'apparition de l'événement lorsque l'expérience est répétée sans fin. Cependant, il existe d'autres usages du terme *probabilité*. Par exemple, nous avons tous entendu des déclarations du genre «il est probable à 90% que Shakespeare ait écrit *Hamlet*», ou «la probabilité qu'Oswald ait agi seul lors de l'assassinat de Kennedy est 0,8». Comment devons-nous interpréter ces affirmations?

L'interprétation la plus simple et naturelle est que les probabilités citées sont des mesures du crédit qu'un individu porte à la déclaration qu'il fait. En d'autres termes, un individu prononçant les déclarations ci-dessus est assez certain qu'Oswald a agi seul et plus certain encore que Shakespeare a écrit Hamlet. Cette interprétation des probabilités comme mesure d'une croyance est qualifiée d'approche **personnelle ou subjective** des probabilités.

Il semble logique de supposer qu'une telle mesure du crédit porté aux choses doive satisfaire tous les axiomes des probabilités. Par exemple, si nous sommes certains à 70% que Shakespeare ait écrit *Jules César* et certains à 10% que l'auteur ait en fait été Marlowe, alors il est logique de supposer que nous sommes certains à 80% que l'auteur ait été soit Shakespeare soit Marlowe. Aussi, que nous interprétions les probabilités comme mesure de croyance ou comme fréquence d'apparition à long terme, leurs propriétés mathématiques sont inchangées.

Exemple 2.16 Supposons que dans une course disputée par 7 chevaux vous sentiez que chacun des 2 premiers a 20% de chances de gagner, que les chevaux 3 et 4 ont chacun 15% de chance et que les 3 derniers ont 10% de chance chacun. Avez-vous avantage à parier à 1 contre 1 que le gagnant sera l'un des 3 premiers chevaux ou de parier, à 1 contre 1 toujours, que le vainqueur sera l'un des chevaux 1, 5, 6, 7?

SOLUTION. Calculée d'après vos probabilités personnelles sur l'issue de la course, votre probabilité de gagner le premier pari est $0,2 + 0,2 + 0,15 = 0,55$ tandis qu'elle est de $0,2 + 0,1 + 0,1 + 0,1 = 0,5$ pour le second. La première mise est donc plus intéressante. ∎

Il faut remarquer qu'en supposant que les probabilités subjectives relatives à un individu sont cohérentes avec les axiomes de probabilité, nous parlons d'une personne idéale plus que réelle. Par exemple, si nous devions demander à quelqu'un ce qu'il ou elle pense des chances qu'il

- pleuve aujourd'hui
- pleuve demain
- pleuve aujourd'hui et demain
- pleuve aujourd'hui ou demain

il est bien possible qu'après quelques réflexions cette personne puisse donner respectivement 30%, 40%, 20% et 60% comme réponses. Mais malheureusement de telles réponses (ou de telles probabilités subjectives) ne sont pas cohérentes avec les axiomes de probabilité (pourquoi ne le sont-elles pas?). Nous espérons bien naturellement qu'après le lui avoir fait remarquer le répondeur finira par modifier ses réponses (une possibilité acceptable est respectivement 30%, 40%,10% et 60%).

2.8 EXERCICES THÉORIQUES

2.8.1 Démontrer les relations suivantes
- $EF \subset E \subset E \cup F$
- Si $E \subset F$, alors $F^c \subset E^c$
- $F = FE \cup FE^c$ et $E \cup F = E \cup E^c F$
- $(\bigcup_1^\infty E_i)F = \bigcap_1^\infty E_i F$ et $(\bigcap_1^\infty E_i) \cup F = \bigcup_1^\infty (E_i \cup F)$.

2.8.2 Pour toute suite d'événements $E_1, E_2,...$, définir une nouvelle suite $F_1, F_2,...$ d'événements s'excluant mutuellement (c'est-à-dire tels que $F_i F_j = \varnothing$ dès que $i \neq j$) et tels que pour tout $n \geqslant 1$

$$\bigcup_1^n F_i = \bigcup_1^n E_i$$

2.8.3 Soient E, F et G trois événements. Trouver des expressions pour les événements suivants que l'on dira réalisés lorsque, de E, F et G,

- E seul l'est
- E et G le sont mais pas F
- au moins l'un des trois l'est
- au moins deux d'entre eux le sont

- les trois le sont
- aucun ne l'est
- au plus l'un des trois l'est
- au plus deux d'entre eux le sont
- exactement deux le sont
- au plus trois le sont.

2.8.4 Trouver une expression simple pour les événements suivants:

a) $(E\cup F)(E\cup F^c)$;
b) $(E\cup F)(E^c\cup F)(E\cup F^c)$;
c) $(E\cup F)(F\cup G)$.

2.8.5 Soit S un ensemble donné. Si pour un certain $k > 0$, $S_1,S_2,...,S_k$ sont des sous-ensembles disjoints non vides de S tels que $\bigcup_{i=1}^{k} S_i = S$, alors nous appelons l'ensemble $\{S_1,...,S_k\}$ une **partition** de S. Désignons par T_n le nombre de partitions différentes de $\{1,2,...,n\}$. On aura $T_1 = 1$ (puisque la seule partition est $S_1 = \{1\}$ et $T_2 = 2$ (puisque les deux partitions possibles sont $\{\{1,2\}\},\{\{1\},\{2\}\}$). Montrer que $T_3 = 5$, $T_4 = 15$ en exhibant toutes les partitions

$$T_{n+1} = 1 + \sum_{k=1}^{n} \binom{n}{k} T_k$$

et appliquer ce résultat au calcul de T_{10}.

2.8.6 On suppose qu'une expérience est répétée n fois. Pour chaque événement E de l'ensemble fondamental, soit $n(E)$ le nombre de fois où l'événement E survient; on définit $f(E)$ par $f(E) = n(E)/n$. Montrer que $f(\cdot)$ satisfait aux axiomes 2.1, 2.2 et 2.3.

2.8.7 Prouver que

$$P(E\cup F\cup G) = P(E) + P(F) + P(G) - P(E^cFG) - P(EF^cG)$$
$$- P(EFG^c) - 2P(EFG).$$

2.8.8 Prouver l'inégalité de Boole

$$P\left(\bigcup_{1}^{n} E_i\right) \leq \sum_{1}^{n} P(E_i)$$

2.8.9 Si $P(E) = 0,9$ et $P(F) = 0,8$, montrer que $P(EF) \geq 0,7$. De manière plus générale, démontrer l'inégalité de Bonferroni, à savoir

$$P(EF) \geq P(E) + P(F) - 1$$

2.8.10 Montrer que la probabilité qu'un seul exactement des événements E et F se réalise est $P(E) + P(F) - 2P(EF)$.

2.8.11 Montrer que

$$P(EF^c) = P(E) - P(EF).$$

2.8.12 Montrer que

$$P(E^cF^c) = 1 - P(E) - P(F) + P(EF).$$

2.8.13 Démontrer le théorème 2.7.

2.8.14 Une urne contient M boules blanches et N noires. Si un échantillon de taille r est tiré au hasard, quelle est la probabilité qu'il contienne exactement k boules blanches? Que dire du cas $M = k = 1$?

2.8.15 Généraliser l'inégalité de Bonferroni à n événements ce qui, explicitement, revient à montrer que

$$P(E_1 E_2 \cdots E_n) \geq P(E_1) + \cdots + P(E_n) - (n - 1)$$

2.8.16 On considère le problème de rencontre (exemple 2.12) et on désigne par A_N le nombre de manières telles que chacun des N hommes n'ait pas tiré son propre chapeau. Prouver que

$$A_N = (N - 1)(A_{N-1} + A_{N-2})$$

Cette formule, conjointement avec les conditions aux limites $A_1 = 0$ et $A_2 = 1$, peut être utilisée pour le calcul de A_N. Elle livre la probabilité voulue $A_N/N!$, probabilité de n'avoir aucune rencontre. On sait qu'après que le premier homme ait choisi un chapeau qui n'est pas le sien, il reste $N - 1$ hommes qui doivent choisir dans un groupe de $N - 1$ chapeaux. De ce groupe manque d'ailleurs le chapeau de l'un de ces hommes, précédemment tiré. Il y a ainsi un homme qui ne peut plus trouver son propre chapeau et un chapeau qui n'a plus de propriétaire. Montrer qu'on peut n'avoir aucune rencontre aussi bien si l'homme de trop sélectionne le chapeau de trop que s'il en sélectionne un autre.

2.8.17 Désignons par f_n le nombre de manières de jeter une pièce n fois sans que deux piles successifs n'apparaissent. Montrer que

$$f_n = f_{n-1} + f_{n-2} \qquad n \geq 2, \ \text{où} \ f_0 \equiv 1, f_1 \equiv 2$$

Si P_n désigne la probabilité que des piles successifs n'apparaissent jamais lors de n jets, trouver P_n (en fonction de f_n) lorsqu'on admet que toutes les séquences de n jets sont équiprobables. Calculer P_{10}.
RÉPONSE. $P_{10} = 144/2^{10} = 0{,}141$.

2.8.18 On considère une expérience dont l'ensemble fondamental comprend une infinité dénombrable de points. Montrer qu'il est impossible que chaque point ait la même probabilité. Est-ce que tous les points peuvent avoir une probabilité strictement positive?

2.8.19 On considère l'exemple 2.14 qui traite du nombre de chaînes de victoires obtenues lors d'une combinaison au hasard de n victoires et m défaites. On considère maintenant le nombre total de chaînes, donc chaînes de victoires et chaînes de défaites. Montrer que

$$P\{2k \text{ chaînes}\} = 2\,\frac{\dbinom{m-1}{k-1}\dbinom{n-1}{k-1}}{\dbinom{m+n}{n}}$$

$$P\{2k+1 \text{ chaînes}\} = \frac{\dbinom{m-1}{k-1}\dbinom{n-1}{k} + \dbinom{m-1}{k}\dbinom{n-1}{k-1}}{\dbinom{m+n}{n}}$$

2.8.20 A partir de l'inégalité de Boole pour un nombre fini d'événements, montrer que pour toute suite infinie d'événements E_i, $i \geq 1$,

$$P\left(\bigcup_1^\infty E_i\right) \leq \sum_1^\infty P(E_i)$$

2.8.21 Montrer que si $P(E_i) = 1$ pour tout $i \geq 1$, alors $P(\bigcap_1^\infty E_i) = 1$.

2.8.22 Pour une suite d'événements E_i, $i \geq 1$, on définit un nouvel événement, appelé $\lim\sup_i E_i$, comprenant tous les événements contenus dans un nombre infini de E_i, $i \geq 1$. Montrer que

$$\limsup_i E_i = \bigcap_{n=1}^\infty \bigcup_{i=n}^\infty E_i$$

2.8.23 Montrer que si $\sum_{i=1}^\infty P(E_i) < \infty$, alors $P(\limsup_i E_i) = 0$.

Ceci est un résultat important qui énonce que si $\sum_{i=1}^\infty P(E_i) < \infty$, alors la probabilité qu'un nombre infini de E_i survienne est 0.

Pour ce calcul, utiliser l'inclusion

$$\limsup_i E_i \equiv \bigcap_{n=1}^\infty \bigcup_{i=n}^\infty E_i \subset \bigcup_{i=n}^\infty E_i$$

2.9 PROBLÈMES

Les problèmes 2.9.1 à 2.9.4 portent sur les sections 2.1 et 2.2.

2.9.1 Une boîte contient 3 jetons, un rouge, un vert et un bleu. On considère l'expérience consistant à tirer au hasard un jeton dans la boîte, à l'y remettre puis à en tirer un second. Décrire l'ensemble fondamental. Même question si le second jeton est tiré sans qu'on ait remis le premier.

2.9.2 Un dé est jeté jusqu'à ce qu'un 6 sorte, ce qui marque la fin de l'expérience. Quel est l'ensemble fondamental pour cette expérience? Notons par E_n l'événement «n jets sont nécessaires pour obtenir le premier 6». Quels points de l'espace fondamental sont contenus dans E_n? Décrire $(\bigcup_1^\infty E_n)^c$.

2.9.3 On jette deux dés. On note par E l'événement «la somme des dés est impaire», par F l'événement «au moins l'un des dés montre 1», et par G «la somme des dés est 5». Décrire EF, $E \cup F$, FG, EF^c et EFG.

2.9.4 Trois joueurs, A, B et C, jettent une pièce à tour de rôle. Le premier qui obtient pile a gagné. L'ensemble fondamental S de cette expérience peut être décrit comme suit:

$$S = \begin{cases} 1, 01, 001, 0001, \ldots, \\ 0000 \cdots \end{cases}$$

- Donner une interprétation des points de S.
- Décrire les événements suivants en termes de ces points:
  premier événement: $A = $ «A gagne»;
  deuxième événement: $B = $ «B gagne»;
  troisième événement: $(A \cup B)^c$.

On admettra que A joue d'abord, puis B et enfin C.

Les problèmes 2.9.5 à 2.9.36 portent sur les sections 2.3 à 2.6.

2.9.5 Une ville de 100 000 habitants compte trois journaux locaux: I, II et III. Les proportions de lecteurs pour ces journaux sont:

I : 10%   I et II : 8%   I et II et III : 1%
II : 30%   I et III : 2%
III : 5%   II et III : 4%.

Ces proportions nous indiquent par exemple que 8 000 personnes lisent à la fois les journaux I et II.
- Trouver le nombre de personnes ne lisant qu'un journal.
- Combien de personnes lisent au moins deux journaux?
- II est un quotidien du soir, tandis que I et III sortent le matin. Combien de personnes lisent-elles au moins un journal du matin plus celui du soir?
- Combien de personnes lisent-elles un journal du matin seulement et le journal du soir?

2.9.6 Les données suivantes ont été fournies par l'étude d'un groupe de 1000 abonnés d'un certain magazine. Concernant leur sexe, état civil et niveau d'éducation les réponses furent: 312 hommes, 470 personnes mariées, 525 bacheliers dont 42 hommes, 147 bacheliers (hommes ou femmes) mariés, 86 hommes mariés dont 25 bacheliers. Montrer que les effectifs compilés lors de cette étude sont inexacts. Pour cela, désigner par H, M et B respectivement l'ensemble des gens de sexe masculin, celui des gens mariés et celui des bacheliers. Supposer qu'une des 1000 personnes est tirée au hasard et utiliser le théorème 2.7 pour montrer que si ces nombres sont corrects, alors $P(H \cup M \cup B) > 1$.

2.9.7 On distribue les cartes d'un paquet en comptant 52. Quelle est la probabilité que la 14ème carte distribuée soit un as? Quelle est la probabilité que le premier as survienne à la 14ème carte?

2.9.8 On admet que les $\binom{52}{5}$ mains possibles au poker sont équiprobables. Quelle est la probabilité de recevoir:
- une couleur? (Une main est appelée couleur lorsque les 5 cartes sont des piques seulement, ou des trèfles, ou des cœurs, ou des carreaux)
- Une paire? (C'est le cas lorsqu'on reçoit a, a, b, c, d où a, b, c et d sont de différentes valeurs)
- Deux paires (correspondant à a, a, b, b, c)?
- Un brelan (a, a, a, b, c)?
- Un carré (a, a, a, a, b)?

2.9.9 On peut jouer au poker en jetant simultanément 5 dés[1]. Montrer que:
- $P\{5 \text{ cartes différentes}\}$ = 0,0926
- $P\{1 \text{ paire}\}$ = 0,4630
- $P\{2 \text{ paires}\}$ = 0,2315
- $P\{\text{brelan}\}$ = 0,1543
- $P\{\text{main pleine: } 3 + 2\}$ = 0,0386
- $P\{\text{carré}\}$ = 0,0193
- $P\{\text{poker de 5}\}$ = 0,0008.

2.9.10 Huit tours sont disposées au hasard sur un jeu d'échec. Calculer la probabilité qu'aucune ne puisse en prendre une autre, donc qu'aucune ligne ni colonne ne contienne plus qu'une tour.

2.9.11 On tire d'un paquet de cartes normal (52 cartes) deux cartes au hasard. Quelle est la probabilité qu'elles forment un black jack, ou autrement dit, que l'une soit un as et l'autre un dix, un valet, une dame ou un roi?

2.9.12 On jette deux dés. Quelle est la probabilité que la somme des points soit i? Faire le calcul pour $i = 2,3,...,11,12$.

2.9.13 On jette deux dés jusqu'à ce qu'une somme de 5 ou 7 apparaisse. Trouver la probabilité qu'on s'arrête sur une somme de 5. Pour cela, désigner par E_n l'événement

---

[1] Ndt : ces dés sont identiques entre eux et leurs six faces sont toutes différentes.

«une somme de 5 apparaît au n-ième double jet et sur les n-1 premiers jets ni la somme de 5 ni celle de 7 n'apparaît». Calculer $P(E_n)$ et montrer que $\sum\limits_{n=1}^{\infty} P(E_n)$ est la probabilité cherchée.

2.9.14 On joue au «craps» comme suit: un joueur lance deux dés. Si la somme résultante est 2, 3 ou 12, le joueur a perdu. Si la somme est 7 ou 11, il gagne. Dans les autres cas, le joueur continue à lancer les dés jusqu'à ce qu'il sorte soit le premier résultat qu'il a tiré soit 7. Si c'est 7, il perd. Si c'est son résultat initial, il gagne. Calculer la probabilité de gagner sur un jeu.

On pourra pour cela poser E_i = «le résultat initial est i et le joueur finit par gagner». La probabilité cherchée est $\sum\limits_{i=2}^{12} P(E_i)$. Pour calculer $P(E_i)$, poser $E_{i,n}$ = «la somme initiale est i et le joueur gagne au n-ième coup». Montrer que $P(E_i) = \sum\limits_{n=1}^{\infty} P(E_{i,n})$.

2.9.15 Une urne contient trois boules rouges et sept noires. Les joueurs A et B tirent une boule à tour de rôle jusqu'à ce qu'une rouge sorte, A commençant. Trouver la probabilité que A tire la première boule rouge. On ne remet pas les boules tirées.

2.9.16 Une urne contient cinq boules rouges, six bleues et huit vertes. Si un groupe de trois boules est tiré au hasard, quelle est la probabilité que celles-ci soient toutes de la même couleur? Ou de couleurs différentes? Même question si chaque boule tirée est remise après qu'on ait noté sa couleur (cette méthode s'appelle *échantillonnage avec remise*).

2.9.17 Une urne A contient trois boules noires et trois rouges, alors que l'urne B en contient six et quatre respectivement. On tire une boule dans chaque urne. Quelle est la probabilité que les boules soient de la même couleur?

2.9.18 Une équipe de basket-ball réduite à trois joueurs comprend un arrière, un avant et un centre. On choisit trois hommes dans autant d'équipes de cette composition à raison d'un homme par équipe. Quelle est la probabilité d'obtenir une nouvelle équipe complète? Et celle de tirer trois joueurs de la même spécialisation?

2.9.19 Un groupe est formé de g garçons et f filles. Tous sont alignés au hasard, c'est-à-dire que chacune des $(g + f)!$ permutations possibles est de même probabilité. Quelle est la probabilité que la personne occupant la i-ème position soit une fille, $1 \leqslant i \leqslant g+f$?

2.9.20 Une forêt abrite vingt cerfs. Cinq sont capturés, marqués et relâchés. Un peu plus tard, quatre sont de nouveau capturés. Quelle est la probabilité que deux d'entre eux soient marqués? Quelles hypothèses faites-vous?

2.9.21 Une ville compte cinq hôtels. Si lors d'une journée trois personnes louent une chambre, quelle est la probabilité qu'elles le fassent dans trois hôtels différents? Quelles hypothèses faites-vous?

2.9.22 Il y a quatre réparateurs de télévision dans une ville. Quatre appareils tombent en panne. Quelle est la probabilité que i exactement des réparateurs soient appelés? Résoudre le problème pour $i = 1, 2, 3, 4$. Quelles hypothèses faites-vous?

2.9.23 Quelle est la probabilité de tirer au moins un 6 lorsqu'on jette un dé quatre fois?

2.9.24 On répète n fois le lancer de deux dés. Calculer la probabilité que le six apparaisse au moins une fois. Quelle valeur donner à n pour que cette probabilité atteigne $\frac{1}{2}$?

2.9.25 On aligne N personnes, dont A et B. Quelle est la probabilité que A et B soient voisins? Qu'en est-il si toutes les personnes sont disposées en cercle?

2.9.26 On tire un comité de quatre personnes au hasard d'une assemblée comprenant trois étudiants de première année, quatre de deuxième, quatre de troisième et trois de dernière. Trouver la probabilité que le comité tiré se compose:
- d'une personne de chaque année;
- de deux étudiants de deuxième et de troisième année;
- seulement d'étudiants de deuxième et de troisième années.

2.9.27 Une personne possède n clés desquelles une seule ouvre sa porte. Si elle les essaie au hasard en éliminant celles qui ne marchent pas, quelle est la probabilité que la porte s'ouvre au k-ème essai? Qu'en est-il si elle n'élimine pas les clés essayées?

2.9.28 On considère un groupe de 20 personnes. Quelle est la probabilité que, parmi les 12 mois de l'année, il y ait 4 mois contenant chacun exactement 2 anniversaires et 4 mois contenant chacun exactement 3 anniversaires?

2.9.29 Un groupe de six hommes et six femmes est divisé au hasard en deux sous-groupes de même taille. Quelle est la probabilité que chaque sous-groupe ait la même composition?

2.9.30 Lors d'une donne de bridge[1], quelle est la probabilité que vous ayez cinq piques et votre partenaire les huit autres?

2.9.31 Supposons que l'on distribue au hasard n boules dans N compartiments. Trouver la probabilité que m boules tombent dans le premier compartiment. On admettra que les N^n répartitions sont équiprobables.

2.9.32 Un cabinet contient 10 paires de chaussures et on en tire 8 chaussures au hasard. Quelle est la probabilité
- qu'il n'y ait aucune paire;
- qu'il y ait une paire exactement?

Ndt: 52 cartes réparties entre quatre joueurs

2.9.33 Une équipe de basket-ball compte 6 joueurs noirs et 4 blancs. Si les joueurs sont répartis en chambrées de deux personnes, quelle est la probabilité qu'on trouve deux chambrées mixtes?

2.9.34 On dispose sur un rang 4 couples mariés au hasard. Quelle est la probabilité qu'aucun mari ne soit situé à côté de sa femme?

2.9.35 Calculer, en utilisant le théorème 2.7, la probabilité qu'une main de bridge soit dépourvue d'au moins une des quatre couleurs. On remarquera que la probabilité n'est pas

$$\frac{\binom{4}{1}\binom{39}{13}}{\binom{52}{13}}$$

Pourquoi pas?

2.9.36 Calculer la probabilité qu'une main de 13 cartes (tirées parmi 52) contienne
- l'as et le roi de l'une des quatre couleurs;
- les quatre cartes de l'une des treize valeurs.

Chapitre 3

Probabilité conditionnelle et indépendance

3.1 INTRODUCTION

Nous allons présenter dans ce chapitre l'un des plus importants concepts de la théorie des probabilités, celui de ***probabilité conditionnelle.*** L'importance de ce concept est de deux ordres. En premier lieu on s'intéresse souvent à calculer des probabilités lorsqu'une partie de l'information concernant le résultat de l'expérience est disponible; dans une telle situation les probabilités cherchées sont justement des probabilités conditionnelles. Deuxièmement, même lorsqu'aucune information partielle n'est disponible, il est souvent avantageux d'utiliser un détour par certaines probabilités conditionnelles pour réussir le calcul des probabilités cherchées.

3.2 PROBABILITÉS CONDITIONNELLES

3.2.1 Présentation intuitive

Supposons que nous jetions deux dés et que chacun des 36 événements élémentaires ait la même probabilité de survenir, soit $\frac{1}{36}$. Supposons encore que nous puissions observer le premier dé, qui donne un 3. Sur la base de cette information, quelle est dès lors la probabilité que la somme des deux dés donne 8? Pour calculer cette probabilité on peut procéder comme suit: le dé initial étant un 3, il ne peut plus y avoir que 6 événements dans notre expérience, à savoir: (3,1), (3,2), (3,3), (3,4), (3,5) et (3,6). Puisque chacun de ces événements a originellement la même probabilité d'apparaître, ils auront encore des probabilités égales. Autrement dit, étant donné que le premier dé est un 3, la probabilité (conditionnelle) de chacun des événements (3,1), (3,2), (3,3), (3,4), (3,5) et (3,6) devient $\frac{1}{6}$, tandis que la probabilité (conditionnelle) des 30 autres événements de l'ensemble fondamental devient 0. Aussi la probabilité cherchée est-elle ici $\frac{1}{6}$.

Si nous désignons respectivement par E et F les événements «la somme des dés est 8» et «le premier dé donne 3», une probabilité comme celle calculée dans l'exemple ci-dessus est appelée probabilité conditionnelle que E apparaisse sachant que F est réalisé et est notée $P(E|F)$.

3.2.2 Généralisation

On s'inspire de la même démarche pour dériver une formule générale donnant $P(E|F)$ pour tout événement E et F: si F est réalisé, alors E apparaîtra chaque fois qu'on aura affaire à un événement de E et de F à la fois; en d'autres termes, ce sera un événement de EF. Par ailleurs, comme nous savons que F est réalisé, cet ensemble devient notre nouvel ensemble fondamental, d'ailleurs réduit; par conséquent la probabilité conditionnelle de l'événement E sera donnée par comparaison de la probabilité non conditionnelle de EF avec la probabilité non conditionnelle de F. On débouche ainsi sur la définition suivante. Si $P(F) > 0$, la **probabilité conditionnelle** de E sera

$$P(E\,|\,F) = \frac{P(EF)}{P(F)} \tag{3.1}$$

Exemple 3.1 Une pièce de monnaie est lancée deux fois. Si nous supposons que les quatre points de l'ensemble fondamental $S = \{(F,F),(F,P),(P,F),(P,P)\}$ sont équiprobables, quelle est la probabilité conditionnelle que les deux jets amènent «face» sachant que le premier est déjà un «face»?

SOLUTION. En désignant par $E = \{(F,F)\}$ l'événement «les 2 jets amènent face» et par $F = \{(F,F),(F,P)\}$ «le premier jet donne face», la probabilité voulue est donnée par

$$P(E\,|\,F) = \frac{P(EF)}{P(F)}$$

$$= \frac{P(\{F,\ F\})}{P(\{(F,\ F),\ (F,\ P)\})}$$

$$= \frac{\frac{1}{4}}{\frac{2}{4}} = \frac{1}{2}$$

∎

Exemple 3.2 Une urne contient 10 billes blanches, 5 jaunes et 10 noires. Une bille est tirée au hasard de l'urne et l'on constate qu'elle n'est pas noire. Quelle est la probabilité qu'elle soit jaune?

SOLUTION. Soit J l'événement «la bille tirée est jaune» et soit N^c l'événement «elle n'est pas noire». De (3.1) on tire

$$P(J\,|\,N^c) = \frac{P(JN^c)}{P(N^c)}$$

Cependant, $JN^c = J$ puisque la bille sera à la fois jaune et non noire, si et seulement si elle est jaune. Nous obtenons ainsi, en supposant que chacune des 25 billes a la même chance d'être choisie:

$$P(J|N^c) = \frac{\frac{5}{25}}{\frac{15}{25}} = \frac{1}{3}$$

Il faut noter qu'on aurait aussi pu déduire cette probabilité en travaillant directement avec l'ensemble fondamental réduit. Comme nous savons en effet que la bille choisie n'est pas noire, le problème se réduit à calculer la probabilité qu'une bille soit jaune lorsqu'elle est choisie au hasard dans une urne en contenant 10 blanches et 5 jaunes. Cette probabilité est évidemment $\frac{5}{15} = \frac{1}{3}$. ■

Si on sait les événements équiprobables, il est souvent plus facile de calculer une probabilité conditionnelle en considérant l'ensemble fondamental réduit qu'en invoquant (3.1).

Exemple 3.3 Dans un jeu de bridge chacun des quatre joueurs – appelés Est, Ouest, Nord et Sud – reçoit 13 des 52 cartes. Si Nord et Sud ont un total de 8 piques entre eux, quelle est la probabilité qu'Est ait 3 des 5 piques restants? ■

SOLUTION. La méthode de calcul la plus rapide est probablement ici de travailler avec l'ensemble fondamental réduit. Plus précisément, Nord et Sud ont un total de 8 piques parmi leurs 26 cartes. Il reste donc 26 cartes dont 5 piques exactement à répartir entre les mains d'Est et d'Ouest. Toutes les répartitions étant équiprobables, la probabilité conditionnelle qu'Est ait exactement 3 piques parmi ses 13 cartes sera donc

$$\frac{\binom{5}{3}\binom{21}{10}}{\binom{26}{13}} = .339$$

■

Exemple 3.4 L'entreprise pour laquelle travaille M. Jones organise un dîner pour ceux de ses employés ayant au moins un fils. Chacun de ces employés est invité à se présenter avec son aîné. On sait que Jones a deux enfants et il est invité au dîner. Quelle est alors la probabilité que ses enfants soient tous deux des garçons? On suppose que l'ensemble fondamental est $S = \{(g,g),(g,f),(f,g),(f,f)\}$ et que tous ces événements sont équiprobables. [(g,f) par exemple signifie que l'enfant le plus âgé est un garçon et que l'autre est une fille.]

SOLUTION. Le fait de savoir que Jones a été invité au dîner est équivalent à savoir qu'il a au moins un fils. Ainsi, en désignant par E l'événement «les deux enfants sont des garçons» et par F l'événement «au moins l'un des deux enfants est un garçon», la probabilité $P(E|F)$ cherchée est

$$P(E|F) = \frac{P(EF)}{P(F)}$$

$$= \frac{P(\{(g, g)\})}{P(\{(g, g), (g, f), (f, g)\})} = \frac{\frac{1}{4}}{\frac{3}{4}} = \frac{1}{3}$$

Bien des gens se trompent en évaluant cette probabilité à ½; ils admettent dans leur raisonnement que l'enfant non présent au dîner a autant de chances d'être un garçon qu'une fille. L'hypothèse que ces deux probabilités sont identiques est fausse: initialement en effet, il y avait quatre événements d'égale probabilité. Dès l'information «au moins l'un des enfants est un garçon» connue, on sait que l'événement final n'est pas (f,f). Il nous reste ainsi trois événements équiprobables (g,g), (f,g), (g,f). Ceci montre que l'événement «l'enfant de Jones non présent au dîner est une fille» est deux foix plus probable que son contraire.   ∎

3.2.3 Applications

En multipliant les deux membres de (3.1) par $P(F)$, nous obtenons

$$P(EF) = P(F)P(E \mid F) \tag{3.2}$$

Cette équation signifie en clair: la probabilité que E et F apparaissent à la fois est égale à la probabilité que F apparaisse multipliée par la probabilité conditionnelle de E si on sait que F est survenu. L'équation (3.2) est ainsi assez souvent utilisée pour calculer des probabilités d'intersections.

Exemple 3.5 Céline hésite entre suivre un cours de français et en suivre un de chimie. Bien qu'à vrai dire, elle préfère la chimie, elle estime à ½ la probabilité d'obtenir la note A au cours de français contre $\frac{1}{3}$ seulement pour la chimie. Céline décide de baser sa décision sur le jet d'une pièce de monnaie équilibrée; quelle est la probabilité qu'elle obtienne la note A en chimie?

SOLUTION. En désignant par C l'événement «Céline suit le cours de chimie» et par A «elle obtient la note A dans le cours qu'elle choisit», la probabilité cherchée peut s'écrire $P(CA)$. On calcule cette dernière probabilité en utilisant (3.2) comme suit:

$$\begin{aligned} P(CA) &= P(C)P(A \mid C) \\ &= (\tfrac{1}{2})(\tfrac{1}{3}) = \tfrac{1}{6} \end{aligned} \qquad\blacksquare$$

Exemple 3.6 Une urne contient 8 boules rouges et 4 blanches. On tire sans remise deux boules de l'urne et admet qu'à chaque étape tous les tirages possibles sont équiprobables. Quelle est la probabilité que les deux boules tirées soient rouges?

SOLUTION. Appelons R_1 et R_2 respectivement les événements «la première boule tirée est rouge» et «la seconde est rouge». Si la première boule sélectionnée est rouge, il reste dès lors 7 boules rouges et 4 boules blanches. Donc $P(R_2 \mid R_1) = \frac{7}{11}$; comme $P(R_1)$ vaut évidemment $\frac{8}{12}$, la probabilité demandée est

$$\begin{aligned} P(R_1 R_2) &= P(R_1)P(R_2 \mid R_1) \\ &= (\tfrac{2}{3})(\tfrac{7}{11}) = \tfrac{14}{33} \end{aligned}$$

On pourrait évidemment calculer cette probabilité ainsi:

$$P(R_1 R_2) = \frac{\dbinom{8}{2}}{\dbinom{12}{2}}$$

■

3.3 FORMULE DE BAYES

3.3.1 Présentation intuitive de la formule des probabilités totales

Soient E et F deux événements quelconques. Nous pouvons écrire E sous la forme $E = EF \cup EF^c$, car tout élément de E doit se trouver soit dans E et F à la fois, soit dans E mais pas dans F (voir fig. 3.1). Comme évidemment EF et EF^c s'excluent mutuellement, on peut écrire en vertu de l'axiome 2.3:

$$
\begin{aligned}
P(E) &= P(EF) + P(EF^c) \\
&= P(E\,|\,F)P(F) + P(E\,|\,F^c)P(F^c) \\
&= P(E\,|\,F)P(F) + P(E\,|\,F^c)[1 - P(F)].
\end{aligned} \tag{3.3}
$$

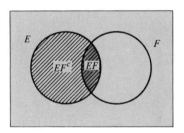

Fig. 3.1
EF : zone en gris
EF^c : zone hachurée
$E = EF \cup EF^c$

L'équation (3.3), appelée *formule des probabilités totales,* peut être interprétée de la façon suivante: la probabilité de l'événement E est une moyenne pondérée de la probabilité conditionnelle de E lorsque F est apparu et de la probabilité conditionnelle du même E lorsque F n'est pas apparu, les poids étant les probabilités des événements conditionnants.

Cette formule est extrêmement utile puisqu'elle nous permet dans bien des cas de déterminer la probabilité d'un événement en commençant par le conditionner selon l'apparition ou non d'un autre événement. En d'autres mots, il existe de nombreuses situations où il est difficile de calculer directement la probabilité d'un événement mais où il est par contre possible de la calculer connaissant ses probabilités conditionnelles si certains événements sont réalisés. Quelques exemples illustrent cette démarche.

Exemple 3.7 (1ère partie) Une compagnie d'assurance estime que les gens peuvent être répartis en deux classes: ceux qui sont enclins aux accidents et ceux qui ne le sont pas. Ses statistiques montrent qu'un individu enclin aux accidents a une probabilité de 0,4 d'en avoir un dans l'espace d'un an; cette probabilité tombe à 0,2 pour les gens à risque modéré. On suppose que 30% de la population appartient à la classe à haut risque. Quelle est alors la probabilité qu'un nouvel assuré soit victime d'un accident durant l'année qui suit la signature de son contrat?

SOLUTION. Nous obtiendrons la probabilité de l'événement cité en le conditionnant selon que le signataire de la police est ou n'est pas enclin aux accidents. On note par A_1 l'événement «le signataire aura un accident dans l'année qui suit l'établissement du contrat» et par A «le signataire est enclin aux accidents». La probabilité $P(A_1)$ voulue est alors donnée par

$$P(A_1) = P(A_1|A)P(A) + P(A_1|A^c)P(A^c)$$
$$= (.4)(.3) + (.2)(.7) = .26$$

■

Exemple 3.7 (2ème partie) Un nouveau signataire a un accident dans l'année qui suit la signature de son contrat. Quelle est la probabilité qu'il fasse partie de la classe à haut risque?

SOLUTION. Cette probabilité est $P(A|A_1)$, donnée par

$$P(A|A_1) = \frac{P(AA_1)}{P(A_1)}$$

$$= \frac{P(A)P(A_1|A)}{P(A_1)}$$

$$= \frac{(.3)(.4)}{.26} = \frac{6}{13}$$

■

3.3.2 Introduction à la formule de Bayes

Formellement, la *formule de Bayes* est simplement dérivée de (3.1) et (3.3). L'expression générale de cette formule est donnée plus loin (formule (3.6)). Les exemples suivants vont néanmoins servir à donner une idée intuitive du champ d'application de cette formule importante.

Exemple 3.8 Un étudiant répond à une question à choix multiple. De deux choses l'une: soit il connaît la réponse, soit il la devine. Soit p la probabilité que l'étudiant connaisse la réponse et donc $1 - p$ celle qu'il la devine. On admet que l'étudiant qui devine répondra correctement avec probabilité $1/m$ où m est le nombre de réponses possibles. Quelle est la probabilité conditionnelle qu'un étudiant connaisse la réponse à une question s'il y a répondu correctement?

SOLUTION. Soient C et K respectivement les événements «l'étudiant répond correctement à la question» et «il connaît vraiment la réponse». Alors

$$P(K\,|\,C) = \frac{P(KC)}{P(C)}$$

$$= \frac{P(C\,|\,K)P(K)}{P(C\,|\,K)P(K) + P(C\,|\,K^c)P(K^c)}$$

$$= \frac{p}{p + (1/m)(1-p)}$$

$$= \frac{mp}{1 + (m-1)p}$$

En prenant par exemple $m = 5$ et $p = \frac{1}{2}$, la probabilité qu'un(e) étudiant(e) connaisse la réponse à une question sachant qu'il ou elle a répondu correctement sera ainsi $\frac{5}{6}$.

∎

Exemple 3.9 Un laboratoire d'analyses du sang assure avec une fiabilité de 95% la détection d'une certaine maladie lorsqu'elle est effectivement présente. Cependant, le test indique aussi un résultat faussement «positif» pour 1% des personnes réellement saines à qui on l'applique (c'est-à-dire qu'une personne saine testée sera déclarée malade une fois sur cent). Si 0,5% de la population porte effectivement la maladie, quelle est la probabilité qu'une personne soit vraiment malade lorsqu'on la déclare telle sur la base du test?

SOLUTION. Soit D l'événement «la personne soumise au test est porteuse de la maladie» et E l'événement «le résultat du test est positif». La probabilité $P(D\,|\,E)$ voulue est donnée par

$$P(D\,|\,E) = \frac{P(DE)}{P(E)}$$

$$= \frac{P(E\,|\,D)P(D)}{P(E\,|\,D)P(D) + P(E\,|\,D^c)P(D^c)}$$

$$= \frac{(.95)(.005)}{(.95)(.005) + (.01)(.995)}$$

$$= \frac{95}{294} \approx .323$$

Ainsi 32% seulement des personnes dont les résultats au test sont positifs ont vraiment la maladie. Comme beaucoup d'étudiants sont surpris de ce résultat (ils s'attendent souvent à une valeur beaucoup plus élevée puisque le test sanguin semble être bon), il n'est pas inutile de donner un autre argument moins rigoureux que le précédent mais plus parlant.

Puisque 0,5% de la population est réellement affectée par cette maladie, sur 200 personnes testées 1 en moyenne l'aura. Le test décèlera ce cas avec une probabilité de 0,95. En moyenne donc, sur 200 personnes testées, on détectera correctement 0,95 cas. D'autre part, parmi les 199 personnes saines le test va à tort détecter (199)(0,01) cas de maladie. Si l'on résume, à 0,95 cas de maladie correctement détectés s'ajoutent en moyenne 1,99 cas faussement positifs (cas de personnes saines en réalité). Dès lors, la proportion de résultats corrects quand le test est positif n'est que de

$$\frac{.95}{.95 + (199)(.01)} = \frac{95}{294} \approx .323$$ ∎

L'équation (3.3) est également utile lorsqu'on cherche à réévaluer des probabilités à la lumière d'informations supplémentaires. On peut illustrer cela au moyen des exemples suivants.

Exemple 3.10 Considérons un médecin placé devant le dilemne suivant: «Lorsque je suis certain, à au moins 80%, que mon patient est affecté d'une maladie bien précise, je recommande toujours une intervention chirurgicale. Tandis que si j'en suis moins certain, je prescris des tests complémentaires qui peuvent être chers et parfois pénibles. Dans le cas de Jones, j'étais initialement certain à 60% seulement qu'il souffrait de cette maladie, aussi ai-je prescrit un test A qui donne toujours un résultat positif lorsque le patient est vraiment malade et presque jamais dans le cas contraire. Le résultat de ce test étant positif, j'étais prêt à recommander une opération quand Jones m'informa qu'il était diabétique, ce qu'il n'avait pas dit jusque-là. Cette indication complique le diagnostic: bien que cela ne change en rien mon estimation originale de maladie avec 60% de risques, cela affecte par contre l'interprétation du résultat du test A. Ce test en effet, alors qu'il ne donne jamais de résultat positif si le patient est sain, conduit malheureusement à un tel résultat – erroné – chez 30% des *diabétiques* ne souffrant pas de la maladie. A partir de là, que faire? Encore des tests ou une opération immédiate?»

SOLUTION. En vue de décider si oui ou non, il faut recourir à une opération chirurgicale, le médecin doit premièrement calculer la nouvelle probabilité que Jones soit malade dès lors qu'on sait le test A positif. Soit D l'événement «Jones a cette maladie» et E «le résultat du test est positif». La probabilité conditionnelle $P(D|E)$ cherchée est calculable ainsi:

$$P(D|E) = \frac{P(DE)}{P(E)}$$

$$= \frac{P(D)P(E|D)}{P(E|D)P(D) + P(E|D^c)P(D^c)}$$

$$= \frac{(.6)1}{1(.6) + (.3)(.4)}$$

$$= .833$$

Notons que nous avons calculé la probabilité d'avoir un résultat de test positif en conditionnant par les événements que Jones a ou n'a pas la maladie et en utilisant alors l'information que, Jones étant diabétique, sa probabilité conditionnelle $P(E|D^c)$ de donner un résultat positif s'il n'est pas malade est 0,3. Ainsi, comme le médecin estime à présent à plus de 80% les risques pour Jones d'être atteint, il recommandera d'opérer. ∎

Exemple 3.11 L'inspecteur chargé d'une enquête criminelle est à un certain stade convaincu à 60% de la culpabilité d'un suspect donné. On découvre alors une *nouvelle* pièce à conviction permettant d'affirmer que le criminel cherché possédait un certain attribut (il était par exemple gaucher, ou alors chauve, ou aux cheveux bruns). Or 20% de la population possède ce même attribut. Comment l'inspecteur doit-il réapprécier la culpabilité du suspect s'il se trouve que celui-ci a ce fameux attribut?

SOLUTION. Désignons par G l'événement «le suspect est coupable» et par C «il possède le même attribut que le criminel». Nous aurons

$$P(G|C) = \frac{P(GC)}{P(C)}$$

$$= \frac{P(C|G)P(G)}{P(C|G)P(G) + P(C|G^c)P(G^c)}$$

$$= \frac{1(.6)}{1(.6) + (.2)(.4)}$$

$$= .882$$

où nous avons supposé que la probabilité pour le suspect d'avoir l'attribut s'il est en fait innocent est 0,2, la proportion normale dans la population. ∎

Exemple 3.12 Lors du championnat du monde de bridge qui se déroula en mai 1965 à Buenos Aires, la fameuse équipe britannique Terrence Reese-Boris Schapiro fut accusée de tricher au moyen d'un système de signaux de doigts qui pouvait indiquer le nombre de cœurs détenus par les joueurs. Reese et Schapiro nièrent et finalement une expertise fut menée par la British Bridge League. L'expertise fut organisée sous la forme d'un procès avec partie plaignante et défense, chacune d'elles ayant le pouvoir de faire comparaître tout témoin et de le soumettre à un interrogatoire contradictoire. Au cours de ces débats, le représentant de la partie plaignante examina certaines mains jouées par Reese et Schapiro puis affirma que leur manière de mener le jeu pour ces mains corroborait l'hypothèse qu'ils étaient coupables d'avoir une information malhonnête sur la répartition des cœurs. Au même moment, le représentant de la défense releva que leur manière de jouer était en parfait accord avec leur tactique habituelle. La partie plaignante soutint alors qu'aussi longtemps que leur jeu resterait en ligne avec l'hypothèse de fraude, il faudrait retenir ce fait à l'appui de celle-ci. Que pensez-vous de l'attitude de la partie plaignante?

SOLUTION. Le problème est fondamentalement ici de déterminer l'influence d'une donnée supplémentaire (dans l'exemple traité, la tactique de jeu) sur la probabilité d'une hypothèse donnée. Si nous désignons par H cette hypothèse (telle que la fraude dans le cas de Reese et Schapiro) et par E la donnée supplémentaire, alors

$$P(H\,|\,E) = \frac{P(HE)}{P(E)}$$

$$= \frac{P(E\,|\,H)P(H)}{P(E\,|\,H)P(H) + P(E\,|\,H^c)[1 - P(H)]} \qquad (3.4)$$

où $P(H)$ est notre évaluation de la vraisemblance de l'hypothèse avant que la nouvelle donnée ne soit connue. Celle-ci sera à l'appui de l'hypothèse si elle la rend plus vraisemblable, c'est-à-dire si $P(H\,|\,E) \geqslant P(H)$. D'après l'équation (3.4) ce sera le cas si

$$P(E\,|\,H) \geq P(E\,|\,H)P(H) + P(E\,|\,H^c)[1 - P(H)]$$

ou, de façon équivalente, si

$$P(E\,|\,H) \geq P(E\,|\,H^c)$$

En d'autres mots, une donnée nouvelle ne peut être retenue en faveur d'une hypothèse donnée que si elle est plus vraisemblable en supposant l'hypothèse vraie qu'en la supposant fausse. En fait, la nouvelle probabilité dépend de l'ancienne et du rapport de ces deux probabilités conditionnelles, puisque (3.4) donne

$$P(H\,|\,E) = \frac{P(H)}{P(H) + [1 - P(H)]\dfrac{P(E\,|\,H^c)}{P(E\,|\,H)}}$$

De ce fait, dans le problème considéré, la tactique de jeu ne peut être retenue en faveur de l'hypothèse de fraude que lorsqu'une telle tactique est plus probable si l'équipe anglaise triche que dans le cas contraire. Comme la partie plaignante n'a jamais cherché à le prétendre, son opinion que les faits sont de nature à établir la fraude n'est pas valable. ∎

3.3.3 Formule des probabilités totales généralisée

L'équation (3.3) peut être généralisée de la manière suivante: supposons que F_1, F_2,..., F_n soient des événements s'excluant mutuellement et tels que

$$\bigcup_{i=1}^{n} F_i = S$$

Cela revient à dire en d'autres termes qu'exactement un des événements F_1, F_2,..., F_n se produira. En écrivant

$$E = \bigcup_{i=1}^{n} EF_i$$

et en utilisant le fait que les événements EF_i, $i = 1,...,n$ s'excluent mutuellement, on obtient:

$$P(E) = \sum_{i=1}^{n} P(EF_i)$$

$$= \sum_{i=1}^{n} P(E \,|\, F_i)P(F_i) \qquad (3.5)$$

L'équation (3.5) montre ainsi qu'étant donné un jeu d'événements F_1, F_2,..., F_n desquels un et un seul surviendra, on peut calculer $P(E)$ en commençant par conditionner selon les F_i. Ou encore, l'équation (3.5) établit que $P(E)$ est une moyenne pondérée des $P(E|F_i)$, les poids valant la probabilité des événements sur lesquels on conditionne.

3.3.4 Formule de Bayes généralisée

Supposons maintenant que E s'est réalisé et que nous cherchions à déterminer la probabilité que l'un des F_j se soit aussi réalisé. On déduit de l'équation (3.5) le théorème suivant:

Théorème 3.1

$$P(F_j \,|\, E) = \frac{P(EF_j)}{P(E)}$$

$$= \frac{P(E \,|\, F_j)P(F_j)}{\sum_{i=1}^{n} P(E \,|\, F_i)P(F_i)} \qquad (3.6)$$

L'équation (3.6) est appelée formule de Bayes, du nom du philosophe anglais Thomas Bayes. Si nous traitons les événements F_j comme les *hypothèses* possibles sur une question donnée, la formule de Bayes joue un rôle utile en nous montrant comment les opinions a priori sur ces hypothèses [à savoir, $P(F_j)$] doivent être modifiées à la lumière du résultat de l'expérience.

Exemple 3.13 Un avion est porté disparu. On pense que l'accident a pu arriver aussi bien dans n'importe laquelle de trois régions données. Notons par $1 - \alpha_i$ la probabilité qu'on découvre l'avion dans la région i s'il y est effectivement. Les valeurs α_i représentent donc la probabilité de manquer l'avion lors des recherches. On peut l'attribuer à diverses causes d'ordre géographique ou à la végétation propre à la région. Quelle est la probabilité que l'avion se trouve dans la i-ème région si les recherches dans la région 1 n'ont rien donné, $i = 1, 2, 3$?

SOLUTION. Soient R_i, $i = 1, 2, 3$ les événements «l'avion est tombé dans la région i». Soit aussi E l'événement «les recherches dans la région 1 sont restées infructueuses». On tire de la formule de Bayes, pour $i = 1$:

$$P(R_1 \mid E) = \frac{P(ER_1)}{P(E)}$$

$$= \frac{P(E \mid R_1)P(R_1)}{\sum\limits_{i=1}^{3} P(E \mid R_i)P(R_i)}$$

$$= \frac{(\alpha_1)\frac{1}{3}}{(\alpha_1)\frac{1}{3} + (1)\frac{1}{3} + (1)\frac{1}{3}}$$

$$= \frac{\alpha_1}{\alpha_1 + 2}$$

Pour $j = 2, 3$

$$P(R_j \mid E) = \frac{P(E \mid R_j)P(R_j)}{P(E)}$$

$$= \frac{(1)\frac{1}{3}}{(\alpha_1)\frac{1}{3} + \frac{1}{3} + \frac{1}{3}}$$

$$= \frac{1}{\alpha_1 + 2}. \qquad j = 2, 3$$

On remarquera que la probabilité a posteriori (c'est-à-dire conditionnelle) que l'avion se trouve dans la région j une fois que l'on sait que la fouille de la région 1 n'a rien donné est plus grande pour $j = 2$ ou 3 que la probabilité a priori, tandis qu'elle l'est moins pour région 1. On s'attendait à ce résultat puisque la fouille infructueuse dans la région 1 tend à faire diminuer la probabilité que l'avion s'y trouve, augmentant par-là même les chances qu'il soit ailleurs. On remarque aussi que la probabilité conditionnelle qu'il soit dans la région 1 si la recherche n'a rien donné est une fonction croissante de la probabilité α_1 de l'y manquer, ce qui est généralement intuitivement prévisible: plus α_1 est grande, plus il est raisonnable d'attribuer l'échec des recherches à la «malchance» plutôt qu'au fait que l'avion n'y est pas. Inversement, $P(R_i \mid E)$, $j \neq 1$ est une fonction décroissante de α_1. ∎

L'exemple suivant a souvent été utilisé par de peu scrupuleux étudiants pour abuser des camarades plus naïfs.

Exemple 3.14 On considère 3 cartes à jouer de même forme. Cependant, les deux faces de la première carte ont été colorées en noir, les deux faces de la deuxième carte en rouge tandis que la troisième porte une face noire et l'autre rouge. On mélange les trois cartes au fond d'un chapeau puis une carte tirée au hasard en est extraite et placée au sol. Si la face apparente est rouge, quelle est la probabilité que l'autre soit noire?

SOLUTION. Soient RR, NN et RN respectivement les événements, «la carte choisie est entièrement rouge», «entièrement noire» et «bicolore». Soit encore R l'événement, «la face apparente de la carte tirée est rouge». On aura

$$P(RN \mid R) = \frac{P(RN \cap R)}{P(R)}$$

$$= \frac{P(R \mid RN)P(RN)}{P(R \mid RR)P(RR) + P(R \mid RN)P(RN) + P(R \mid NN)P(NN)}$$

$$= \frac{(\frac{1}{2})(\frac{1}{3})}{(1)(\frac{1}{3}) + (\frac{1}{2})(\frac{1}{3}) + 0(\frac{1}{3})} = \frac{1}{3}$$

Ainsi, la réponse est $\frac{1}{3}$. Certaines personnes pourtant estiment la réponse à ½, pensant qu'à partir du moment où le côté rouge apparaît il reste 2 situations équiprobables: soit la carte tirée est entièrement rouge, soit elle est bicolore. Leur erreur est ici d'admettre cette hypothèse d'équiprobabilité. Il faut se souvenir en effet que chaque carte possède deux faces que l'on distinguera pour la commodité. Il y a alors 6 événements élémentaires équiprobables pour cette expérience, que l'on appellera R_1, R_2, N_1, N_2, R_3, N_3. L'événement R_1 sera réalisé si c'est la première face de la carte unicolore rouge qui est apparente. R_2 le sera si c'est la seconde face de la même carte qui est visible. R_3 si c'est le côté rouge de la carte bicolore et ainsi de suite. La face cachée de la carte tirée sera noire seulement si c'est R_3 qui a lieu. La probabilité cherchée est donc la probabilité conditionnelle de R_3 sachant que R_1, R_2 ou R_3 a eu lieu, laquelle est manifestement $\frac{1}{3}$. ∎

Exemple 3.15 Les assistants sociaux travaillant pour une clinique psychiatrique sont si occupés qu'en moyenne seuls 60% des patients prospectifs téléphonant pour la première fois obtiendront une communication avec l'un de ces assistants. On demande aux autres de laisser leur numéro de téléphone. Trois fois sur quatre un assistant trouve le temps de rappeler encore le jour même, autrement le rappel a lieu le lendemain. L'expérience a montré que dans cette clinique, la probabilité que le patient prospectif demande une consultation est 0,8 s'il a pu parler immédiatement à un assistant, tandis qu'elle tombe à 0,6 et 0,4 respectivement s'il y a eu rappel du patient le jour même ou le lendemain. Premièrement, quel pourcentage parmi les gens qui appellent demanderont-ils une consultation? Deuxièmement, quel pourcentage des gens en consultation n'ont pas eu à attendre qu'on les rappelle?

SOLUTION. On définit les événements suivants:
C: «le patient demande une consultation;»
I: «le patient obtient immédiatement un entretien téléphonique avec un assistant social»;
M: «le patient est rappelé plus tard, le jour-même»;
L: «le patient est rappelé plus tard, le lendemain».
Alors,

$$P(C) = P(C \mid I)P(I) + P(C \mid M)P(M) + P(C \mid L)P(L)$$
$$= (.8)(.6) + (.6)(.4)(.75) + (.4)(.4)(.25)$$
$$= .70$$

où nous avons utilisé le fait que $P(M) = (0,4)(0,75)$ et que $P(L) = (0,4)(0,25)$. Ceci répond à la première question. Quant à la seconde, on remarquera que

$$P(I|C) = \frac{P(C|I)P(I)}{P(C)}$$

$$= \frac{(.8)(.6)}{.7}$$

$$= .686$$

Ainsi, 69% environ des patients en consultation ont obtenu immédiatement un entretien avec un assistant social.   ■

3.4 ÉVÉNEMENTS INDÉPENDANTS

3.4.1 Indépendance de deux événements

Les exemples vus dans ce chapitre jusqu'à présent ont montré que la probabilité conditionnelle de E sachant que F est réalisé n'est en général pas égale à $P(E)$, la probabilité non conditionnelle de E. En d'autres termes, le fait de savoir que F est survenu influence la probabilité de E. Dans les cas où $P(E|F)$ est bien égal à $P(E)$, l'événement E est dit indépendant de F. Plus précisément, E est indépendant de F si le fait de savoir que F est survenu ne change pas la probabilité de E.

Du fait que $P(E|F) = P(EF)/P(F)$, on voit que l'indépendance de E et F équivaut à

$$P(EF) = P(E)P(F) \tag{3.7}$$

Comme cette équation est symétrique en E et F, il en résulte que lorsque E est indépendant de F, F l'est aussi de E. On débouche ainsi sur la définition suivante:

Deux événements E et F sont dits **indépendants** si l'équation (3.7) est vérifiée. Deux événements sont **dépendants** s'ils ne sont pas indépendants.

3.4.2 Exemples d'indépendance de deux événements

Exemple 3.16 On tire au hasard une carte d'un paquet de 52 cartes à jouer ordinaires. Désignons par E l'événement «la carte tirée est un as» et par F «elle est un pique». Alors E et F sont indépendants. En effet, $P(EF) = \frac{1}{52}$ d'une part, alors que d'autre part $P(E) = \frac{4}{52}$ et $P(F) = \frac{13}{52}$.   ■

Exemple 3.17 On jette deux pièces et suppose que les 4 résultats possibles sont équiprobables. On désigne par A «la première pièce montre pile» et par B «la seconde montre face». A et B sont indépendants puisque $P(AB) = P(\{(P,F)\}) = \frac{1}{4}$ d'une part, et $P(A) = P(\{(P,P),(P,F)\}) = \frac{1}{2}$, $P(B) = P(\{(P,F),(F,F)\}) = \frac{1}{2}$ d'autre part.   ■

Exemple 3.18 On jette deux dés équilibrés. E_1 est l'événement «la somme des dés est 6» et F désigne «le premier dé donne 4». Dans ce cas

$$P(E_1 F) = P(\{(4, 2)\}) = \tfrac{1}{36}$$

alors que

$$P(E_1)P(F) = (\tfrac{5}{36})(\tfrac{1}{6}) = \tfrac{5}{216}$$

E_1 et F ne sont donc pas indépendants. Intuitivement la raison en est claire: si l'on espère obtenir une somme de 6 sur les deux dés, l'apparition d'un 4 sur le premier dé, ou d'un 1, d'un 2, 3 ou d'un 5, laisse espérer d'atteindre ce résultat. Par contre si le premier dé donne déjà 6, il n'y a plus aucune chance d'obtenir 6 au total. En d'autres termes, la probabilité d'obtenir 6 sur deux dés dépend clairement du résultat apparu sur le premier dé. E_1 et F ne peuvent donc être indépendants.

Désignons maintenant par E_2 l'événement «la somme des dés est 7». E_2 est-il indépendant de F? La réponse est oui, cette fois-ci, car

$$P(E_2 F) = P(\{(4, 3)\}) = \tfrac{1}{36}$$

alors que

$$P(E_2)P(F) = (\tfrac{1}{6})(\tfrac{1}{6}) = \tfrac{1}{36}$$

Nous laissons au lecteur le soin de découvrir un argument intuitif justifiant l'indépendance entre «la somme des dés est 7» et le résultat donné par le premier dé. ∎

Exemple 3.19 Soit E l'événement «le prochain président des U.S.A. sera un Républicain» et soit F «il y aura un tremblement de terre important d'ici un an». La plupart des personnes accepteraient d'admettre qu'ici E et F sont indépendants. Par contre il n'en serait pas nécessairement de même concernant E et G, où G est «un conflit majeur éclatera dans les deux ans suivant l'élection de ce président». ∎

3.4.3 Indépendance par rapport au complémentaire

Nous allons maintenant montrer que si E est indépendant de F, il l'est aussi de F^c.

Théorème 3.2
Si E et F sont indépendants, E et F^c le sont aussi.

DÉMONSTRATION. D'une part $E = EF \cup EF^c$, d'autre part EF et EF^c sont mutuellement exclusifs. On peut donc écrire

$$\begin{aligned} P(E) &= P(EF) + P(EF^c) \\ &= P(E)P(F) + P(EF^c) \end{aligned}$$

ou, de façon équivalente,

$$\begin{aligned} P(EF^c) &= P(E)[1 - P(F)] \\ &= P(E)P(F^c) \end{aligned}$$

ce qui établit le résultat. ∎

Ainsi, lorsque E est indépendant de F, la probabilité que E survienne n'est influencée ni par l'information que F est réalisé ni par celle que F ne l'est pas.

3.4.4 Indépendance entre plusieurs événements

Supposons maintenant que E soit indépendant de F et aussi de G. Est-ce que E le sera de FG? Aussi surprenant que cela puisse paraître, la réponse est non, comme le montre l'exemple suivant.

Exemple 3.20 On jette deux dés équilibrés. Soient E l'événement «la somme est 7», F l'événement «le premier dé montre 4» et G «le second dé donne 3». On a vu dans l'exemple 3.18 que E et F sont indépendants, le même raisonnement permettant d'affirmer que E et G le sont. Cependant E n'est manifestement pas indépendant de FG puisque $P(E|FG) = 1$.   ■

3.4.5 Indépendance totale de trois événements

On comprend grâce à cet exemple qu'une bonne définition de l'indépendance de trois événements ne peut pas se limiter à exiger que les événements soient indépendants par paires dans les $\binom{3}{2}$ combinaisons possibles. On est ainsi mené à la définition suivante.

Trois événements E, F et G sont dits totalement indépendants si

$$P(EFG) = P(E)P(F)P(G)$$
$$P(EF) = P(E)P(F)$$
$$P(EG) = P(E)P(G)$$
$$P(FG) = P(F)P(G)$$

3.4.6 Conséquence

Il faut noter que lorsque E, F et G sont totalement indépendants, E sera indépendant de tout événement formé à partir de F et G. On peut le montrer pour $F \cup G$ par exemple:

$$
\begin{aligned}
P[E(F \cup G)] &= P(EF \cup EG) \\
&= P(EF) + P(EG) - P(EFG) \\
&= P(E)P(F) + P(E)P(G) - P(E)P(FG) \\
&= P(E)[P(F) + P(G) - P(FG)] \\
&= P(E)P(F \cup G)
\end{aligned}
$$

3.4.7 Indépendance totale de n événements

Il est évidemment possible d'étendre la définition d'indépendance totale à plus de trois événements: un ensemble d'événements $E_1, E_2, ..., E_n$ est dit totalement indépendant si pour tout sous-ensemble $E_{1'}, E_{2'}, ..., E_{r'}$, $r \leqslant n$.

$$P(E_{1'}E_{2'} \cdots E_{r'}) = P(E_{1'})P(E_{2'}) \cdots P(E_{r'})$$

3.4.8 Indépendance totale d'une infinité d'événements

Enfin nous dirons que par définition un ensemble infini d'événements est totalement indépendant si tout sous-ensemble fini d'entre eux est totalement indépendant.

3.4.9 Epreuves indépendantes

Il arrive parfois que l'expérience étudiée consiste à effectuer une suite d'expériences partielles. Si par exemple l'expérience de base consiste à répéter le jet d'une pièce, on peut considérer chaque jet comme l'une de ces expériences partielles. Comme dans bien des cas il est raisonnable d'admettre que l'issue de tout groupe d'expériences partielles n'a aucun effet sur celle des autres, on considérera que ces expériences partielles sont totalement indépendantes. De ceci on peut donner une formulation plus rigoureuse: considérons tout jeu d'événements $E_1, E_2, ..., E_n$ tels que E_i soit complètement déterminé quant à sa réalisation par le résultat de la i-ème expérience partielle. Si un tel ensemble est nécessairement totalement indépendant, alors les expériences partielles sont dites ensemble totalement indépendant d'événements.

Si toutes ces expériences partielles sont identiques – c'est-à-dire si elles ont toutes le même (sous-)ensemble fondamental et sont toutes affectées de la même fonction de probabilité –, alors ces expériences partielles sont appelées *épreuves.*

3.4.10 Exemples d'épreuves indépendantes

Exemple 3.21 On réalise une séquence infinie d'épreuves indépendantes. Chaque épreuve donne soit un succès, soit un échec avec probabilités p et $1 - p$ respectivement. Quelle est la probabilité pour:
* qu'il survienne au moins un succès parmi les n premières épreuves;
* qu'il survienne exactement k succès parmi les n premières épreuves;
* que toutes les épreuves donnent des succès.

SOLUTION. Dans le but de déterminer plus facilement la probabilité d'avoir au moins 1 succès parmi les n premières épreuves, on préférera calculer la probabilité de l'événement complémentaire (aucun succès lors des n premières épreuves). Notons E_i l'événement «la i-ème épreuve donne un échec». En utilisant la propriété d'indépendance totale, la probabilité de n'obtenir aucun succès est

$$P(E_1 E_2 \cdots E_n) = P(E_1)P(E_2) \cdots P(E_n) = (1 - p)^n$$

Ainsi, la première réponse est $1 - (1 - p)^n$.

Pour obtenir la deuxième, considérons une séquence de n événements qui comprenne k succès et $n - k$ échecs dans un ordre bien précis. Cette séquence apparaîtra – en supposant l'indépendance totale des épreuves – avec une probabilité $p^k(1 - p)^{n-k}$. Comme il y a $\binom{n}{k}$ de ces séquences (il y a $n!/k!(n - k)!$ combinaisons de k succès et $n - k$ échecs), le deuxième de nos résultats est

$$P\{\text{exactement } k \text{ succès}\} = \binom{n}{k} p^k(1 - p)^{n-k}$$

Quant à la troisième question, par analogie avec la première, on peut dans un premier temps écrire que la probabilité de n'avoir que des succès lors des n premières épreuves sera

$$P(E_1^c E_2^c \cdots E_n^c) = p^n$$

Aussi peut-on écrire en utilisant la propriété de continuité des probabilités (section 2.6) que la probabilité $P(\overset{\infty}{\underset{1}{\cap}} E_i^c)$ cherchée est

$$P\left(\bigcap_{i=1}^{\infty} E_i^c \right) = P\left(\lim_{n \to \infty} \bigcap_{i=1}^{n} E_i^c \right)$$

$$= \lim_{n \to \infty} P\left(\bigcap_{i=1}^{n} E_i^c \right)$$

$$= \lim_{n \to \infty} p^n$$

$$= \begin{cases} 0 & \text{si } p < 1 \\ 1 & \text{si } p = 1 \end{cases} \qquad \blacksquare$$

Exemple 3.22 Un système comprenant n composants est appelé système en parallèle s'il fonctionne dès qu'au moins l'un de ces composants fonctionne (voir fig. 3.2). Dans le cas d'un tel système si son i-ème composant fonctionne indépendamment de tous les autres et avec une probabilité p_i, $i = 1,2,...,n$, quelle est la probabilité de son fonctionnement?

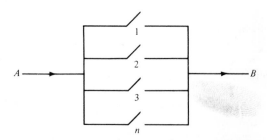

Figure 3.2 Système en parallèle fonctionnant dès que le courant peut passer de A à B

SOLUTION. Soit A_i l'événement «le composant i fonctionne». Alors
$P(\text{«le système fonctionne»}) = 1 - P (\text{«le système ne fonctionne pas»})$
$\qquad\qquad\qquad\qquad\quad = 1 - P (\text{«aucun composant ne fonctionne»})$

$$= 1 - P\left(\bigcap_i A_i^c\right)$$

$$= 1 - \prod_{i=1}^{n}(1 - p_i) \quad \text{grâce à l'indépendance}$$

∎

3.4.11 Un exemple important résolu

Exemple 3.23 Une séquence d'épreuves indépendantes consiste à jeter plusieurs fois une paire de dés réguliers. On appelle résultat la somme des chiffres apparents. Quelle est la probabilité qu'on voie sortir un résultat valant 5 avant qu'un 7 n'apparaisse?

SOLUTION. Désignons par E_n l'événement que durant les $n - 1$ premières épreuves il n'apparaisse ni 5 ni 7, et qu'à la n-ème épreuve un 5 sorte. On cherche la probabilité

$$P\left(\bigcup_{n=1}^{\infty} E_n\right) = \sum_{n=1}^{\infty} P(E_n)$$

Par ailleurs, P (5 sort lors d'une épreuve quelconque) $= \frac{4}{36}$ et P (7 sort lors d'une épreuve quelconque) $= \frac{6}{36}$. Du fait de l'indépendance des épreuves, on obtient donc

$$P(E_n) = (1 - \tfrac{6}{36})^{n-1} \tfrac{4}{36}$$

et donc

$$P\left(\bigcup_{n=1}^{\infty} E_n\right) = \left(\frac{1}{9}\right) \sum_{n=1}^{\infty} \left(\frac{13}{18}\right)^{n-1}$$

$$= \frac{1}{9} \frac{1}{1 - \frac{13}{18}}$$

$$= \frac{2}{5}$$

On aurait aussi pu obtenir ce résultat en passant par des probabilités conditionnelles. Si E désigne l'événement étudié («5 apparaît avant 7»), $P(E)$ peut être calculée en conditionnant suivant le résultat de la première épreuve comme suit: notons par F l'événement «la première épreuve donne 5», par G «elle donne 7» et par H «elle ne donne ni 5 ni 7». Comme $E = EF \cup EG \cup EH$ on peut écrire

$$P(E) = P(EF) + P(EG) + P(EH)$$
$$= P(E\,|\,F)P(F) + P(E\,|\,G)P(G) + P(E\,|\,H)P(H)$$

Cependant

$$P(E\,|\,F) = 1$$
$$P(E\,|\,G) = 0$$
$$P(E\,|\,H) = P(E)$$

Ces deux premières probabilités sont évidentes. La troisième égalité résulte du fait que si la première épreuve ne donne ni 5 ni 7, on se retrouve exactement dans la situation de départ: l'expérimentateur va répéter le jet des deux dés jusqu'à ce qu'un 5 ou un 7 apparaisse. On peut également remarquer que du fait de l'indépendance des épreuves le résultat de la première d'entre elles n'affecte pas celui des autres. Pour conclure, comme $P(F) = \frac{4}{36}$, $P(G) = \frac{6}{36}$ et $P(H) = \frac{26}{36}$, il vient

$$P(E) = \tfrac{1}{9} + P(E)\tfrac{13}{18}$$

ou

$$P(E) = \tfrac{2}{5}$$

Le lecteur remarquera que cette réponse est conforme à l'intuition basée sur les probabilités $\frac{4}{36}$ pour un 5 et $\frac{6}{36}$ pour un 7: on peut en effet penser que les chances sont à 4 contre 6 pour le premier, ce qui donne bien une probabilité de $\frac{4}{10}$.

Le même argument montre que si E et F sont des événements s'excluant mutuellement lors d'une expérience donnée, en répétant cette expérience pour réaliser une séquence d'épreuves indépendantes, on aura pour probabilité que E survienne avant F

$$\frac{P(E)}{P(E) + P(F)}$$

■

3.4.12 Problème des points

L'exemple suivant illustre un problème qui a pris une place d'honneur dans la théorie des probabilités, le célèbre *problème des points*. En termes généraux, voici de quoi il s'agit: deux joueurs engagent des mises et participent à un jeu quelconque; le gagnant empochera les mises. Mais ils sont interrompus avant la fin du jeu, alors qu'ils n'ont pour l'instant que des scores «intermédiaires» ou partiels. Comment doit-on partager les mises?

Le problème a été soumis pour la première fois au mathématicien français Blaise Pascal en 1654 par le Chevalier de Méré, alors joueur professionnel. Pour attaquer le problème, Pascal introduisit une idée importante: celle que la proportion des mises méritées par chaque concurrent doit dépendre de leurs probabilités respectives de gagner à partir de là si le jeu était poursuivi. Pascal étudia quelques situations spéciales, mais surtout établit alors une correspondance épistolaire avec le célèbre Français Fermat dont la réputation de mathématicien brillant était immense. L'échange de lettres qui en résulta mena non seulement à une solution complète du problème des points, mais en même temps à celle de bien d'autres questions liées aux jeux de chance. Cette correspondance dont on parla beaucoup et que certains considèrent comme la naissance de la théorie des probabilités eut également l'avantage de stimuler l'intérêt porté aux probabilités par les mathématiciens européens car Pascal et Fermat étaient considérés comme deux des meilleurs mathématiciens de l'époque. Par exemple, le jeune génie néerlandais Huygens se déplaça à Paris peu après la parution de leur correspondance pour discuter ces problèmes et leurs solutions. L'intérêt et l'activité dans ce nouveau domaine s'étendit rapidement.

Exemple 3.24 Problème des points

On réalise des épreuves indépendantes, le succès ayant p pour probabilité et l'échec $1 - p$. Quelle est la probabilité que n succès apparaissent avant qu'il n'en soit de même pour m échecs? Nous admettrons que lors d'un succès, c'est un joueur A qui marque un point, tandis qu'en cas d'échec, c'est B. La probabilité demandée nous ramène au problème des points si A et B en sont au stade où A doit marquer n points de plus pour gagner, contre m pour B.

Nous donnerons deux solutions. La première est due à Fermat, la seconde à Pascal.

SOLUTION (de Fermat). Désignons par $P_{n,m}$ la probabilité que n succès apparaissent avant que m échecs ne le fassent. En conditionnant sur le résultat de la première épreuve, on obtient (expliquer pourquoi):

$$P_{n,m} = pP_{n-1,m} + (1 - p)P_{n,m-1} \qquad n \geq 1, m \geq 1$$

Pour $P_{n,m}$ on peut résoudre cette équation grâce aux conditions limites évidentes $P_{n,0} = 0$ et $P_{0,m} = 1$. Mais plutôt que de s'enfoncer dans les détails ennuyeux de cette solution, voyons celle proposée par Pascal.

SOLUTION (de Pascal). Celui-ci donna l'argument que pour obtenir n succès sans que m échecs aient eu lieu, il est nécessaire et suffisant qu'il y ait eu au moins n succès parmi les $m + n - 1$ premières épreuves. (On supposera que même si le jeu est terminé avant le dernier de ces essais, on continue jusqu'à compléter la séquence.) Cet argument est fondé. En effet, s'il y a eu au moins n succès lors des $m + n - 1$ premiers essais, il y a également au plus $m - 1$ échecs et l'on obtient bien n succès avant m échecs. Inversément, s'il y a moins de n succès lors des $m + n - 1$ premiers essais, il y a nécessairement au moins m échecs. Dans ce cas on n'observera pas les n succès voulus avant le m-ième échec.

La probabilité d'avoir k succès sur $m + n - 1$ essais est, d'après l'exemple 3.21,

$$\binom{m + n - 1}{k} p^k (1 - p)^{m+n-1-k}.$$

Par conséquent, la probabilité voulue (n succès avant le m-ème échec) sera

$$P_{n,m} = \sum_{k=n}^{m+n-1} \binom{m + n - 1}{k} p^k (1 - p)^{m+n-1-k}$$

Une autre solution au problème des points est présentée dans l'exercice théorique 3.6.12.

Pour illustrer le problème des points, on supposera que lors d'un jeu chacun de deux joueurs misera A francs et que chacun a la même probabilité d'emporter un essai donné ($p = \frac{1}{2}$). On dira qu'un joueur a gagné s'il a n points. A un moment donné le premier joueur a 1 point et l'autre 0. Celui-là a donc droit à

$$2AP_{n-1,n} = 2A \sum_{k=n-1}^{2n-2} \binom{2n - 2}{k} \left(\frac{1}{2}\right)^{2n-2}$$

Maintenant,

$$\sum_{k=n-1}^{2n-2} \binom{2n-2}{k} = \sum_{k=n-1}^{2n-2} \binom{2n-2}{2n-2-k}$$

$$= \sum_{i=n-1}^{0} \binom{2n-2}{i}$$

où la dernière identité résulte de la substitution de i à $2n - 2 - k$. Ainsi,

$$2 \sum_{k=n-1}^{2n-2} \binom{2n-2}{k} = \sum_{k=0}^{2n-2} \binom{2n-2}{k} + \binom{2n-2}{n-1}$$

$$= (1+1)^{2n-2} + \binom{2n-2}{n-1}$$

ce qui donne droit, pour le premier joueur, à

$$A\left[1 + \left(\frac{1}{2}\right)^{2n-2}\binom{2n-2}{n-1}\right]$$ ∎

3.4.13 Problème de la *ruine du joueur*

L'exemple suivant traite du célèbre problème dit de la *ruine du joueur*.

Exemple 3.25 Deux joueurs A et B misent sur les résultats successifs du jet répété d'une pièce. A chaque jet A reçoit une unité de la part de B si pile est sorti tandis qu'il paie une unité à B dans le cas contraire. Ils poursuivent le jeu tant qu'aucun des deux n'est ruiné. On suppose que les jets sont indépendants et que le côté pile de la pièce apparaît avec une probabilité p. Soient encore i et $N - i$ les fortunes initiales de A et B respectivement. Quelle est la probabilité que A gagne?

SOLUTION. Désignons par E l'événement «A finit par tout gagner, étant parti avec i unités alors que B en avait $N - i$». Pour marquer clairement l'influence de la fortune initiale de A, on notera par P_i la probabilité de E. Nous allons obtenir une expression de $P(E)$ en conditionnant suivant le résultat du premier jet comme suit: soit H l'événement «le premier jet donne pile». Alors,

$$P_i = P(E) = P(E\,|\,H)P(H) + P(E\,|\,H^c)P(H^c)$$
$$= pP(E\,|\,H) + (1-p)P(E\,|\,H^c)$$

Si le premier jet donne pile, la situation à l'issue du premier pari est: A possède $i + 1$ unités et B en a $N - (i + 1)$. Du fait de l'indépendance de jets ayant tous la même probabilité p de donner pile, la situation est du point de vue de A exactement la même que si le jeu allait commencer avec comme conditions initiales $i + 1$ unités pour A et $N - (i + 1)$ pour B. Donc

$$P(E\,|\,H) = P_{i+1}$$

et similairement

$$P(E\,|\,H^c) = P_{i-1}$$

Aussi obtient-on, en posant $q = 1 - p$

$$P_i = pP_{i+1} + qP_{i-1} \qquad i = 1, 2, \ldots, N - 1 \qquad (3.8)$$

Utilisons les conditions limites évidentes $P_0 = 0$ et $P_N = 1$ pour résoudre les équations (3.8). Comme $p + q = 1$, ces équations équivalent à

$$pP_i + qP_i = pP_{i+1} + qP_{i-1}$$

ou

$$P_{i+1} - P_i = \frac{q}{p}(P_i - P_{i-1}) \qquad i = 1, 2, \ldots, N - 1 \qquad (3.9)$$

Comme $P_0 = 0$, on peut tirer de l'équation (3.9)

$$P_2 - P_1 = \frac{q}{p}(P_1 - P_0) = \frac{q}{p}P_1$$

$$P_3 - P_2 = \frac{q}{p}(P_2 - P_1) = \left(\frac{q}{p}\right)^2 P_1$$

$$\vdots$$

$$P_i - P_{i-1} = \frac{q}{p}(P_{i-1} - P_{i-2}) = \left(\frac{q}{p}\right)^{i-1} P_1$$

$$\vdots$$

$$P_N - P_{N-1} = \frac{q}{p}(P_{N-1} - P_{N-2}) = \left(\frac{q}{p}\right)^{N-1} P_1 \qquad (3.10)$$

L'addition des $i - 1$ premières équations de (3.10) donne

$$P_i - P_1 = P_1 \left[\left(\frac{q}{p}\right) + \left(\frac{q}{p}\right)^2 + \cdots + \left(\frac{q}{p}\right)^{i-1} \right]$$

ou

$$P_i = \begin{cases} \dfrac{1 - (q/p)^i}{1 - (q/p)} P_1 & \text{si } \dfrac{q}{p} \neq 1 \\[3ex] iP_1 & \text{si } \dfrac{q}{p} = 1 \end{cases}$$

Utilisons alors le fait que $P_N = 1$. On obtient

$$P_1 = \begin{cases} \dfrac{1 - (q/p)}{1 - (q/p)^N} & \text{si } p \neq \frac{1}{2} \\[2ex] \dfrac{1}{N} & \text{si } p = \frac{1}{2} \end{cases}$$

et ainsi

$$P_i = \begin{cases} \dfrac{1 - (q/p)^i}{1 - (q/p)^N} & \text{si } p \neq \frac{1}{2} \\[2ex] \dfrac{i}{N} & \text{si } p = \frac{1}{2} \end{cases} \qquad (3.11)$$

Soit Q_i la probabilité que B finisse par tout gagner, étant parti avec $N - i$ unités tandis que A en possédait i. Par symétrie avec la situation traitée ci-dessus, mais en remplaçant p par q et i par $N - i$ on obtient

$$Q_i = \begin{cases} \dfrac{1 - (p/q)^{N-i}}{1 - (p/q)^N} & \text{si } q \neq \frac{1}{2} \\[2ex] \dfrac{N - i}{N} & \text{si } q = \frac{1}{2} \end{cases}$$

Maintenant, étant donné que $q = \frac{1}{2}$ est équivalent à $p = \frac{1}{2}$, dans le cas où $q \neq \frac{1}{2}$ on trouve

$$\begin{aligned} P_i + Q_i &= \frac{1 - (q/p)^i}{1 - (q/p)^N} + \frac{1 - (p/q)^{N-i}}{1 - (p/q)^N} \\[2ex] &= \frac{p^N - p^N(q/p)^i}{p^N - q^N} + \frac{q^N - q^N(p/q)^{N-i}}{q^N - p^N} \\[2ex] &= \frac{p^N - p^{N-i}q^i - q^N + q^i p^{N-i}}{p^N - q^N} \\[2ex] &= 1 \end{aligned}$$

Comme ce résultat reste valable lorsque $p = q = \frac{1}{2}$, on aura toujours

$$P_i + Q_i = 1$$

ce qui, en d'autres mots, établit que la probabilité qu'il y ait un gagnant est 1. Ou encore que la probabilité que le jeu se poursuive indéfiniment, la fortune de A oscillant constamment entre 1 et $N - 1$, est 0. (Le lecteur doit être attentif au fait qu'il existe a priori trois issues à ce jeu: A gagne, B gagne, ni l'un ni l'autre ne l'emporte et le jeu se poursuit indéfiniment. Nous venons de montrer que ce dernier événement est de probabilité nulle).

A titre d'illustration numérique des résultats qui précèdent, si A partait avec 5 unités et B avec 10, il aurait une chance sur trois de l'emporter lorsque $p = \frac{1}{2}$. La probabilité qu'il gagne sauterait à

$$\frac{1 - \left(\frac{2}{3}\right)^5}{1 - \left(\frac{2}{3}\right)^{15}} \approx .87$$

si p valait 0,6. ∎

3.4.14 Problème de la durée du jeu

Un cas spécial du problème de la ruine du joueur, aussi connu sous le nom *de problème de la durée de jeu,* fut proposé par le Français Fermat en 1657. Dans la version qu'il proposait – et qui fut d'ailleurs résolue par Huygens –, A et B disposaient chacun de 12 pièces. Pour gagner une pièce, ils devaient jouer avec trois dés comme suit: chaque fois que 11 sort (en faisant la somme des trois dés, l'identité du lanceur étant indifférente), A donne une pièce à B. Chaque fois que 14 sort, c'est B qui donne une pièce à A. La première personne qui gagne toutes les pièces gagne le jeu. Comme $P(\text{tirer } 11) = \frac{27}{216}$ et $P(\text{tirer } 14) = \frac{15}{216}$, on réalise grâce à l'exemple 3.23 que du point de vue de A il s'agit ici précisément du problème de la ruine du joueur avec $p = \frac{15}{42}$, $i = 12$ et $N = 24$. La solution à la formulation générale du problème de la ruine du joueur fut donnée par le mathématicien Jacques Bernoulli dans une publication parue huit ans après sa mort, en 1713.

3.4.15 Application à un test d'efficacité

Voici une application du même problème à un test de médicaments: admettons que l'on vienne de développer deux nouveaux produits pour le traitement d'une maladie donnée. Le médicament i a un taux d'efficacité P_i, $i = 1,2$. On entend par là que tout patient traité avec ce médicament a une probabilité P_i de guérir. Ces taux ne sont pas connus cependant et nous cherchons une méthode pour décider si $P_1 > P_2$ ou $P_1 < P_2$. Pour permettre le choix, on considère le test suivant: on traite des paires de patients les unes après les autres. Un membre de la paire reçoit le produit 1 et l'autre le produit 2. Après le traitement d'une paire on détermine le résultat puis on passe au traitement de la paire suivante jusqu'à ce que le total des guérisons attribuées à l'une des drogues dépasse le total de celles attribuées à l'autre d'un nombre déterminé d'avance. On peut formaliser ceci ainsi:

$$X_j = \begin{cases} 1 & \text{si le patient de la } j\text{-ème paire ayant reçu le médicament 1 est guéri} \\ 0 & \text{sinon} \end{cases}$$

$$Y_j = \begin{cases} 1 & \text{si le patient de la } j\text{-ème paire ayant reçu le médicament 2 est guéri} \\ 0 & \text{sinon.} \end{cases}$$

Pour un entier positif M fixé d'avance, le test s'arrête à la paire N où N est la première valeur de n telle que

$$X_1 + \cdots + X_n - (Y_1 + \cdots + Y_n) = M$$

ou

$$X_1 + \cdots + X_n - (Y_1 + \cdots + Y_n) = -M$$

Dans le premier cas, on décide que $P_1 > P_2$ et dans le second, c'est l'inverse.

Pour déterminer si ce test est bon, nous aimerions connaître la probabilité qu'il amène à une décision fausse. Plus précisément, P_1 et P_2 étant fixés et P_1 étant supérieur à P_2, quelle est la probabilité que le test fasse déclarer à tort que $P_2 > P_1$? Pour déterminer cette probabilité, il faut d'abord remarquer qu'après chaque test portant sur une paire la différence des succès cumulés de chaque médicament peut augmenter de 1 avec probabilité $P_1(1 - P_2)$, puisque telle est la probabilité que le médicament 1 amène une guérison sans que le médicament 2 en fasse autant. Cette différence peut diminuer de 1 avec probabilité $(1 - P_1)P_2$ ou encore rester inchangée avec probabilité $P_1 P_2 + (1 - P_1)(1 - P_2)$. Négligeons ces dernières paires. Avec les autres la différence augmentera de 1 avec une probabilité

$P = P$(elle augmente de 1|elle augmente ou diminue de 1)

$$= \frac{P_1(1 - P_2)}{P_1(1 - P_2) + (1 - P_1)P_2}$$

et diminuera de 1 avec une probabilité

$$1 - P = \frac{P_2(1 - P_1)}{P_1(1 - P_2) + (1 - P_1)P_2}$$

Ainsi, la probabilité que le test fasse déclarer que $P_2 > P_1$ est égale à celle qu'un joueur pouvant gagner une unité avec probabilité P perde M de ces unités avant qu'il ait pu en accumuler M de plus qu'au départ. Mais l'équation (3.11) donne cette probabilité, avec ici $i = M$, $N = 2M$:

P(le test décide que $P_2 > P_1$)

$$= 1 - \frac{1 - \left(\dfrac{1 - P}{P}\right)^M}{1 - \left(\dfrac{1 - P}{P}\right)^{2M}}$$

$$= 1 - \frac{1}{1 + \left(\dfrac{1 - P}{P}\right)^M}$$

$$= \frac{1}{1 + \gamma^M}$$

où

$$\gamma = \frac{P}{1-P}$$

$$= \frac{P_1(1-P_2)}{P_2(1-P_1)}$$

Par exemple, si $P_1 = 0{,}6$ et $P_2 = 0{,}4$, la probabilité de décision erronée est de 0,017 lorsqu'on fixe M à 5, diminuant à 0,0003 si l'on prend $M = 10$.

3.5 FONCTION DE PROBABILITÉ CONDITIONNELLE

3.5.1 $P(\cdot \mid F)$ est une fonction de probabilité

Les probabilités conditionnelles satisfont à toutes les propriétés des probabilités ordinaires. Le théorème 3.3 le démontre, puisqu'il établit que $P(E\mid F)$ satisfait aux trois axiomes d'une probabilité.

Théorème 3.3
(a) $0 \le P(E\mid F) \le 1$.
(b) $P(S\mid F) = 1$.
(c) Si E_i, i = 1,2,...,n sont des événements qui s'excluent mutuellement, alors

$$P\left(\bigcup_1^\infty E_i \mid F\right) = \sum_1^\infty P(E_i\mid F)$$

DÉMONSTRATION. Pour démontrer la partie (a), nous devons établir que $0 \le P(EF)/P(F) \le 1$. L'inégalité de gauche est évidente; celle de droite résulte du fait que $EF \subset F$, ce qui implique $P(EF) \le P(E)$.
La partie (b) est prouvée par

$$P(S\mid F) = \frac{P(SF)}{P(F)} = \frac{P(F)}{P(F)} = 1$$

La partie (c) l'est également car

$$P\left(\bigcup_{i=1}^\infty E_i \mid F\right) = \frac{P\left(\left(\bigcup_{i=1}^\infty E_i\right)F\right)}{P(F)}$$

$$= \frac{P\left(\bigcup_1^\infty E_iF\right)}{P(F)} \quad \text{puisque} \quad \left(\bigcup_1^\infty E_i\right)F = \bigcup_1^\infty E_iF$$

$$= \frac{\sum_1^\infty P(E_iF)}{P(F)}$$

$$= \sum_1^\infty P(E_i\mid F)$$

où l'avant-dernière égalité est justifiée par le fait que $E_iE_j = \emptyset$ entraîne que $E_iFE_jF = \emptyset$. ∎

Si nous posons $Q(E) = P(E|F)$, $Q(E)$ peut être considérée grâce au théorème 3.3 comme une fonction de probabilité sur les événements de S. Aussi toutes les propositions établies jusque-là pour des fonctions de probabilité s'appliquent à $Q(E)$. Par exemple,

$$Q(E_1 \cup E_2) = Q(E_1) + Q(E_2) - Q(E_1E_2)$$

ou, de manière équivalente,

$$P(E_1 \cup E_2|F) = P(E_1|F) + P(E_2|F) - P(E_1E_2|F)$$

Par ailleurs, on peut définir la probabilité conditionnelle $Q(E_1|E_2) = Q(E_1E_2)/Q(E_2)$. D'une application de l'équation (3.3) il résulte que

$$Q(E_1) = Q(E_1|E_2)Q(E_2) + Q(E_1|E_2^c)Q(E_2^c) \qquad (3.12)$$

or,

$$Q(E_1|E_2) = \frac{Q(E_1E_2)}{Q(E_2)}$$

$$= \frac{P(E_1E_2|F)}{P(E_2|F)}$$

$$= \frac{\dfrac{P(E_1E_2F)}{P(F)}}{\dfrac{P(E_2F)}{P(F)}}$$

$$= P(E_1|E_2F)$$

et dès lors, (3.12) permet d'écrire:

$$P(E_1|F) = P(E_1|E_2F)P(E_2|F) + P(E_1|E_2^cF)P(E_2^c|F)$$

3.5.2 Exemples

Exemple 3.26 Revenons à l'exemple 3.7 qui s'intéresse à une compagnie d'assurances qui pense qu'on peut diviser les gens en deux classes distinctes: ceux qui sont enclins aux accidents et les gens à faible risque. Sur une période d'un an une personne à haut risque sera victime d'un accident avec probabilité 0,4 contre 0,2 pour une personne à faible risque. Quelle est la probabilité conditionnelle pour un nouveau client d'avoir un accident dans sa deuxième année de contrat s'il a eu un accident durant la première année?

SOLUTION. Soit A l'événement «le client est à haut risque» et soient A_i, $i = 1,2$ «il a eu un accident durant la i-ème année». On peut calculer la probabilité $P(A_2|A_1)$ demandée en conditionnant sur le fait que le client est ou n'est pas à haut risque de la manière suivante:

$$P(A_2|A_1) = P(A_2|AA_1)P(A|A_1) + P(A_2|A^cA_1)P(A^c|A_1)$$

Maintenant

$$P(A|A_1) = \frac{P(A_1A)}{P(A_1)} = \frac{P(A_1|A)P(A)}{P(A_1)}$$

On avait supposé $P(A)$ égal à $\frac{3}{10}$ et montré que $P(A_1) = 0,26$ (dans l'exemple 3.7). Donc

$$P(A|A_1) = \frac{(.4)(.3)}{.26} = \frac{6}{13}$$

et donc

$$P(A^c|A_1) = 1 - P(A|A_1) = \tfrac{7}{13}$$

Puisque $\quad P(A_2|AA_1) = .4$ et $P(A_2|A^cA_1) = .2$, on voit que

$$P(A_2|A_1) = (.4)\tfrac{6}{13} + (.2)\tfrac{7}{13} \approx .29$$

∎

L'exemple qui suit traite de la théorie des chaînes de résultats.

Exemple 3.27 On réalise une expérience composée d'épreuves indépendantes. La probabilité de succès est p, d'échec $q = 1 - p$. Nous nous demandons la probabilité qu'une chaîne de n succès consécutifs ait lieu avant que n'apparaisse une chaîne de m échecs.

SOLUTION. Soit E l'événement étudié. Pour calculer $P(E)$, nous commençons par conditionner suivant l'issue de la première épreuve. On obtient alors, en posant que H désigne l'événement «la première épreuve livre un succès»

$$P(E) = pP(E|H) + qP(E|H^c) \tag{3.13}$$

Admettons que la première épreuve ait été un succès. A partir de là l'une des possibilités d'obtenir n succès avant que n'apparaissent m échecs serait de n'avoir que des succès sur les $n - 1$ épreuves suivantes. Aussi conditionnerons-nous sur le fait que cela arrive ou n'arrive pas. Notons par F l'événement «les épreuves 2 à n sont toutes des succès». On obtient

$$P(E|H) = P(E|FH)P(F|H) + P(E|F^cH)P(F^c|H) \tag{3.14}$$

Or, $P(E|FH)$ est clairement égal à 1, et d'autre part si $F^c H$ survient, c'est que la première épreuve fut un succès mais l'une au moins des $n-1$ suivantes fut un échec. Mais lorsque cet échec se réalise, on se trouve dans la même situation que si on commençait l'expérience avec un échec car la chaîne de succès est brisée. Donc

$$P(E|F^c H) = P(E|H^c)$$

Comme l'indépendance des épreuves entraîne celle de F et H et comme $P(F) = p^{n-1}$, on tire de (3.14)

$$P(E|H) = p^{n-1} + (1 - p^{n-1})P(E|H^c) \tag{3.15}$$

On peut obtenir d'une manière très similaire une expression de $P(E|H^c)$. Plus précisément soit G l'événement «les épreuves 2 à m sont toutes des échecs». Dans ce cas

$$P(E|H^c) = P(E|GH^c)P(G|H^c) + P(E|G^c H^c)P(G^c|H^c) \tag{3.16}$$

Or GH^c est l'événement «les m premières épreuves donnent toutes des échecs» et par conséquent $P(E|GH^c) = 0$. De plus si $G^c H^c$ se réalise, la première épreuve est un échec, mais il y a au moins un succès parmi les $m-1$ épreuves suivantes. Comme ce succès brise la chaîne des échecs, on peut dire que

$$P(E|G^c H^c) = P(E|H)$$

Ainsi obtient-on, en utilisant $P(G^c|H^c) = P(G^c) = 1 - q^{m-1}$ et aussi (3.16),

$$P(E|H^c) = (1 - q^{m-1})P(E|H) \tag{3.17}$$

Les solutions de (3.15) et (3.17) sont

$$P(E|H) = \frac{p^{n-1}}{p^{n-1} + q^{m-1} - p^{n-1}q^{m-1}}$$

et

$$P(E|H^c) = \frac{(1 - q^{m-1})p^{n-1}}{p^{n-1} + q^{m-1} - p^{n-1}q^{m-1}}$$

et donc

$$\begin{aligned}
P(E) &= pP(E|H) + qP(E|H^c) \\
&= \frac{p^n + qp^{n-1}(1 - q^{m-1})}{p^{n-1} + q^{m-1} - p^{n-1}q^{m-1}} \\
&= \frac{p^{n-1}(1 - q^m)}{p^{n-1} + q^{m-1} - p^{n-1}q^{m-1}}
\end{aligned} \tag{3.18}$$

On peut d'ailleurs noter que, du fait de la symétrie du problème, cette formule livre la probabilité d'obtenir une chaîne de m échecs avant l'apparition d'une chaîne de n

succès. Il suffit d'intervertir dans (3.18) p et q d'une part, n et m de l'autre. Cette probabilité serait donc

P(chaîne de m échecs avant une chaîne de n succès)

$$= \frac{q^{m-1}(1 - p^n)}{q^{m-1} + p^{n-1} - q^{m-1}p^{n-1}} \qquad (3.19)$$

De plus, comme on voit que la somme des probabilités données par (3.18) et (3.19) est 1, il est certain qu'il finira par se produire soit une chaîne de n succès soit une autre de m échecs.

A titre d'illustration de (3.18), on peut dire que lors du jet répété d'une pièce équilibrée la probabilité de voir sortir une chaîne de 2 piles avant que n'apparaisse une chaîne de 3 faces est $\frac{7}{10}$; cette probabilité monte à $\frac{5}{6}$ pour des chaînes de 2 piles contre 4 faces. ∎

Dans l'exemple suivant nous allons reprendre le problème de rencontre de Montmort (exemple 2.12). Nous lui donnerons cette fois-ci une solution en passant par des probabilités conditionnelles.

Exemple 3.28 Lors d'une réunion de n hommes chacun enlève son chapeau. Les chapeaux sont mélangés et chacun en tire un au hasard. On dira qu'il y a rencontre lorsque quelqu'un a tiré son propre chapeau.
a) Quelle est la probabilité qu'il n'y ait pas de rencontre ?
b) Quelle est celle qu'il y ait exactement k rencontres ?

SOLUTION. Désignons par E l'événement «il n'y a aucune rencontre»; pour faire clairement apparaître l'influence de n nous écrirons $P_n = P(E)$. L'idée de départ est de conditionner sur le fait que le premier homme a ou n'a pas tiré son propre chapeau, événements que nous noterons R et R^c. Alors:

$$P_n = P(E) = P(E|R)P(R) + P(E|R^c)P(R^c)$$

Il est évident que $P(E|R) = 0$ et donc

$$P_n = P(E|R^c) \frac{n-1}{n} \qquad (3.20)$$

Ceci dit, $P(E|R^c)$ est la probabilité qu'il n'y ait pas de rencontre lorsque $n - 1$ hommes tirent chacun un chapeau d'un tas en comptant $n - 1$ mais ne comprenant pas le chapeau de l'un de ces hommes (le chapeau tiré par le premier individu). Lorsqu'il n'y a pas de rencontre, deux cas de figure peuvent se présenter: soit l'homme «en trop» (son chapeau n'est pas dans le tas) ne tire pas le chapeau «en trop» (celui du premier homme), soit il le tire. La probabilité d'absence de rencontre dans le premier cas est simplement P_{n-1}; on peut s'en convaincre en considérant que le chapeau «appartient» à l'homme en trop. Comme la probabilité de l'alternative est $[1/(n - 1)]P_{n-2}$, nous avons maintenant

$$P(E \mid R^c) = P_{n-1} + \frac{1}{n-1} P_{n-2}$$

et donc en remplaçant dans (3.20)

$$P_n = \frac{n-1}{n} P_{n-1} + \frac{1}{n} P_{n-2}$$

ou, de manière équivalente,

$$P_n - P_{n-1} = -\frac{1}{n} (P_{n-1} - P_{n-2}) \tag{3.21}$$

Par ailleurs, P_n est la probabilité de n'avoir aucune rencontre, donc

$$P_1 = 0 \qquad P_2 = \tfrac{1}{2}$$

et par conséquent, l'équation (3.21) donne

$$P_3 - P_2 = -\frac{(P_2 - P_1)}{3} = -\frac{1}{3!} \qquad \text{ou} \qquad P_3 = \frac{1}{2!} - \frac{1}{3!}$$

$$P_4 - P_3 = -\frac{(P_3 - P_2)}{4} = \frac{1}{4!} \qquad \text{ou} \qquad P_4 = \frac{1}{2!} - \frac{1}{3!} + \frac{1}{4!}$$

On peut voir que la formule générale est

$$P_n = \frac{1}{2!} - \frac{1}{3!} + \frac{1}{4!} - \cdots + \frac{(-1)^n}{n!}$$

Pour obtenir la réponse à la question b), à savoir la probabilité d'observer exactement k rencontres, considérons un groupe quelconque de k hommes. La probabilité qu'eux et eux seulement choisissent leur propre chapeau est

$$\frac{1}{n} \frac{1}{n-1} \cdots \frac{1}{n-(k-1)} P_{n-k} = \frac{(n-k)!}{n!} P_{n-k}$$

où P_{n-k} est la probabilité conditionnelle qu'aucun des $n - k$ autres hommes ne tire son propre chapeau. Mais il y a $\binom{n}{k}$ manières de déterminer le groupe initial des k hommes qui tireront leur chapeau; par conséquent la probabilité demandée est

$$\frac{P_{n-k}}{k!} = \frac{\dfrac{1}{2!} - \dfrac{1}{3!} + \cdots + \dfrac{(-1)^{n-k}}{(n-k)!}}{k!} \qquad \blacksquare$$

3.5.3 Indépendance conditionnelle

Un concept important en théorie des probabilités est celui d'indépendance conditionnelle entre événements. Deux événements E_1 et E_2 seront dits **conditionnellement indépendants** selon F si la probabilité conditionnelle de E_1, F étant réalisé, n'est pas affectée par l'information que E_2 est ou n'est pas survenu. On peut écrire plus formellement que E_1 et E_2 sont conditionnellement indépendants selon F si

$$P(E_1 | E_2 F) = P(E_1 | F) \qquad (3.22)$$

ou, de manière équivalente

$$P(E_1 E_2 | F) = P(E_1 | F) P(E_2 | F) \qquad (3.23)$$

On peut facilement étendre cette notion d'indépendance conditionnelle à plus de deux événements. Ce travail est laissé au lecteur à titre d'exercice.

On aura remarqué que ce concept a été employé implicitement dans l'exemple 3.26 où l'on a admis que les événements «le signataire du contrat d'assurances a un accident durant la i-ème année de contrat» ($i = 1,2$) étaient conditionnellement indépendants selon que cet individu était à faible ou haut risque. [On avait utilisé cette hypothèse pour pouvoir attribuer à $P(A_2 | A A_1)$ et $P(A_2 | A^c A_1)$ respectivement les valeurs 0,4 et 0,2]. L'exemple suivant illustre la notion d'indépendance conditionnelle. On l'intitule parfois *règle de succession de Laplace*.

Exemple 3.29 Règle de succession de Laplace.
Une boîte contient $k + 1$ pièces. Pour la i-ème pièce, la probabilité de montrer pile lors d'un jet est i/k, $i = 0,1,...,k$. On tire une pièce au hasard de la boîte pour la jeter ensuite un grand nombre de fois. Quelle est la probabilité conditionnelle que le $(n + 1)$-ième jet donne pile sachant que les n premiers l'ont fait?

SOLUTION. Désignons par E_i l'événement «la pièce sélectionnée était la i-ème», $i = 0,1,...,k$, par F_n l'événement «les n premiers jets donnent tous pile», enfin par F «le $(n + 1)$-ième jet donne pile». La probabilité $P(F | F_n)$ que l'on cherche peut être calculée ainsi:

$$P(F | F_n) = \sum_{i=0}^{k} P(F | F_n E_i) P(E_i | F_n)$$

Si l'on admet que c'est la i-ème pièce qui a été tirée, les issues des jets seront conditionnellement indépendantes, pile apparaissant avec la probabilité i/k. Donc,

$$P(F | F_n E_i) = P(F | E_i) = \frac{i}{k}$$

Aussi

$$P(E_i | F_n) = \frac{P(E_i F_n)}{P(F_n)}$$

$$= \frac{P(F_n | E_i) P(E_i)}{\sum_{j=0}^{k} P(F_n | E_j) P(E_j)}$$

$$= \frac{(i/k)^n [1/(k + 1)]}{\sum_{j=0}^{k} (j/k)^n [1/(k + 1)]}$$

$$P(F \mid F_n) = \frac{\sum\limits_{i=0}^{k} (i/k)^{n+1}}{\sum\limits_{j=0}^{k} (j/k)^{n}}$$

Lorsque k est grand on peut raisonnablement admettre les approximations intégrales

$$\frac{1}{k} \sum_{i=0}^{k} \left(\frac{i}{k}\right)^{n+1} \approx \int_0^1 x^{n+1}\, dx = \frac{1}{n+2}$$

$$\frac{1}{k} \sum_{j=0}^{k} \left(\frac{j}{k}\right)^{n} \approx \int_0^1 x^{n}\, dx = \frac{1}{n+1}$$

et ainsi pour k grand

$$P(F \mid F_n) \approx \frac{n+1}{n+2}$$

■

3.6 EXERCICES THÉORIQUES

3.6.1 Admettons la loi des grands nombres de Bernoulli. Celle-ci affirme que lorsqu'une expérience est effectuée un nombre infini de fois dans les mêmes conditions, la fréquence relative d'apparition de l'événement E vaudra $P(E)$ avec probabilité 1. Considérons l'ensemble des réalisations vérifiant l'événement F. Montrer que la proportion de celles-ci qui vérifient aussi E est $P(E \mid F)$ avec probabilité 1.

3.6.2 Montrer que si $P(E_i \mid E_1 \dots E_{i-1}) > 0 \;\forall\, i = 1,\dots,n$, alors

$$P(E_1 E_2 \cdots E_n) = P(E_1)P(E_2 \mid E_1)P(E_3 \mid E_1 E_2) \cdots$$

$$P(E_n \mid E_1 E_2 \cdots E_{n-1})$$

3.6.3 Une boule peut se trouver dans n'importe laquelle de n boîtes. Elle se trouve dans la boîte i avec probabilité P_i. Si elle se trouve dans la boîte i, elle ne sera détectée au cours d'une fouille de cette boîte qu'avec la probabilité α_i. Montrer que la probabilité conditionnelle que la boule se trouve dans la boîte j, sachant qu'une fouille de la boîte i n'a rien donné, est:

$$\frac{P_j}{1 - \alpha_i P_i} \qquad \text{si } j \neq i$$

$$\frac{(1 - \alpha_i)P_i}{1 - \alpha_i P_i} \qquad \text{si } j = i$$

3.6.4 Pour chacune des assertions suivantes donner soit une preuve, soit un contre-exemple:

a) si E est indépendant de F et G, il l'est de $F \cup G$;

b) si E est indépendant de F et G et si $FG = \varnothing$, E est indépendant de $F \cup G$;

c) si E est indépendant de F et si F l'est de G et si en plus E l'est de FG, alors G est indépendant de EF.

3.6.5 L'événement F est porteur d'une information négative sur E, ce que nous écrirons $F \searrow E$, si

$$P(E \mid F) \leq P(E)$$

Pour chacune des assertions suivantes, donner soit une preuve soit un contre-exemple:

- si $F \searrow E$ alors $E \searrow F$;
- si $F \searrow E$ et $E \searrow G$, alors $F \searrow G$;
- si $F \searrow E$ et $G \searrow E$, alors $FG \searrow E$.

Répondre aux mêmes questions lorsqu'on remplace $\searrow$ par $\nearrow$, $F \nearrow E$ signifiant $P(E \mid F) \geq P(E)$: autrement dit, F est porteur d'information positive sur E.

3.6.6 Soient $\{E_n, n \geq 1\}$ et $\{F_n, n \geq 1\}$ des suites croissantes d'événements ayant pour limites E et F respectivement. Montrer que E est indépendant de F si, pour tout n, E_n l'est de F_n.

3.6.7 Montrer que si $E_1, E_2, ..., E_n$ sont des événements totalement indépendants on aura

$$P(E_1 \cup E_2 \cup \cdots \cup E_n) = 1 - [1 - P(E_1)][1 - P(E_2)] \cdots [1 - P(E_n)]$$

3.6.8

a) Une urne contient n boules blanches et m noires. On retire les boules une à une, jusqu'à ce que l'on soit sûr que toutes celles qui restent sont de la même couleur. Montrer que la probabilité que cette couleur soit le blanc est $n/(n + m)$. On imaginera que l'expérience est poursuivie jusqu'à la dernière boule et on considérera la couleur de celle-ci.

b) Un étang est peuplé de trois espèces de poissons, qu'on appellera poissons rouges, bleus et verts. Les nombres des poissons de chaque espèce sont respectivement R, B et V. On retire les poissons un à un, au hasard (ce qui signifie qu'à chaque étape tout poisson restant a la même probabilité d'être tiré). Quelle est la probabilité que la première espèce à disparaître de l'étang soit le poisson rouge?

On partira de l'égalité $P(\{R\}) = P(\{RBV\}) + P(\{RVB\})$, puis on calculera les probabilités du membre de droite en conditionnant suivant la couleur de la dernière espèce à disparaître.

3.6.9 On considère des nombres a_i, $i = 1, 2, ...$; de plus $0 \leq a_i \leq 1 \; \forall i$. Montrer que

$$\sum_{i=1}^{\infty} \left[a_i \prod_{j=1}^{i-1} (1 - a_j) \right] + \prod_{i=1}^{\infty} (1 - a_i) = 1$$

On peut pour cela imaginer qu'on lance un nombre infini de pièces et on considère a_i comme la probabilité que la i-ème pièce montre pile.

3.6.10 Une pièce tombe sur face avec probabilité p. Un joueur A commence à la lancer et poursuit jusqu'à la première apparition de pile. A ce moment B la lance jusqu'à ce que pile apparaisse pour la première fois, ce qui fait passer la pièce à A et ainsi de suite. On note par $P_{n,m}$ la probabilité que A ait pu accumuler un total de n faces avant que B en ait eu m. Montrer que

$$P_{n,m} = pP_{n-1,m} + (1-p)(1-P_{m,n})$$

3.6.11 Vous jouez contre un adversaire infiniment riche, le jeu est divisé en parties. A chaque partie, vous pouvez soit gagner soit perdre une unité avec pour probabilité respectivement p et $1-p$. Montrer que la probabilité que vous finissiez par vous ruiner est

$$\begin{cases} 1 & \text{si } p \le \frac{1}{2} \\ (q/p)^i & \text{si } p > \frac{1}{2} \text{ où } q = 1 - p \end{cases}$$

où i désigne votre fortune initiale.

3.6.12 On réalise des épreuves indépendantes jusqu'à obtenir r succès. La probabilité d'un succès est p. Montrer que la probabilité qu'il faille n épreuves est

$$\binom{n-1}{r-1} p^r (1-p)^{n-r}$$

Utiliser ce résultat pour résoudre le problème des points (exemple 3.24).

3.6.13 On appelle épreuves de Bernoulli des épreuves indépendantes ayant p pour probabilité de succès et $1-p$ pour probabilité d'échec. Appelons P_n la probabilité que n épreuves de Bernoulli successives débouchent sur un nombre pair de succès; 0 est considéré pair. Montrer que

$$P_n = p(1-P_{n-1}) + (1-p)P_{n-1} \qquad n \ge 1$$

et utiliser ce résultat pour démontrer par induction que

$$P_n = \frac{1 + (1-2p)^n}{2}$$

3.6.14 Soit Q_n la probabilité qu'il n'apparaisse aucune série de trois piles consécutifs lors de l'expérience consistant à jeter n fois une pièce équilibrée. Montrer que

$$Q_n = \tfrac{1}{2}Q_{n-1} + \tfrac{1}{4}Q_{n-2} + \tfrac{1}{8}Q_{n-3}$$
$$Q_0 = Q_1 = Q_2 = 1$$

Calculer Q_8.

3.6.15 Le joueur A possède $n + 1$ pièces équilibrées, le joueur B en a n. Chacun lance toutes ses pièces. Montrer que la probabilité pour A d'avoir plus souvent pile que B est ½.

Pour cela, conditionner selon que A ou B a plus souvent pile que l'autre lorsque les joueurs en sont au jet de leur n-ème pièce chacun (il y a trois éventualités).

3.6.16 Considérons le problème de la ruine du joueur à cela près que A et B décident de ne pas jouer plus de n parties. On désigne par $P_{n,i}$ la probabilité que A termine avec tout l'argent alors qu'il possédait i unités au départ, contre $N - i$ pour B. Exprimer $P_{n,i}$ en fonction de $P_{n-1,i+1}$ et $P_{n-1,i-1}$ et calculer $P_{7,3}$ lorsque $N = 5$.

3.6.17 On considère deux urnes contenant chacune des boules blanches et des boules noires. Les probabilités de tirer une boule blanche sont de p et p', respectivement pour l'urne 1 et l'urne 2. On tire avec remplacement des boules, une à une, de la manière suivante: on détermine d'abord l'urne de laquelle la première boule sera tirée; l'urne 1 est choisie avec probabilité α, l'autre avec $1 - \alpha$. Pour la suite, les tirages obéissent à la règle suivante: lorsque la boule tirée est blanche, on la replace dans son urne, de laquelle on tire également la boule suivante; lorsqu'elle est noire au contraire, le tirage suivant est fait dans l'autre urne. Soit α_n la probabilité que la n-ème boule soit choisie dans l'urne 1. Montrer que

$$\alpha_{n+1} = \alpha_n(p + p' - 1) + 1 - p' \qquad n \geq 1$$

et utiliser ce résultat pour montrer que

$$\alpha_n = \frac{1 - p'}{2 - p - p'} + \left(\alpha - \frac{1 - p'}{2 - p - p'} \right)(p + p' - 1)^{n-1}$$

Soit P_n la probabilité que la n-ième boule tirée soit blanche.
Calculer P_n, $\lim\limits_{n \to \infty} a_n$ et $\lim\limits_{n \to \infty} P_n$.

3.6.18 Problème d'élection.
Lors d'une élection le candidat A reçoit n voix contre seulement m $(m < n)$ au candidat B. On admet que lors du dépouillement chacun des $(n + m)!/n!m!$ ordres de dépouillement est de même probabilité. $P_{n,m}$ désigne la probabilité que A reste du début à la fin en tête du scrutin.
a) Calculer $P_{2,1}$, $P_{3,2}$, $P_{4,1}$, $P_{4,2}$, $P_{4,3}$.
b) En s'appuyant sur ces résultats, formuler une conjecture pour l'expression de $P_{n,m}$.
c) Etablir une formule récursive donnant $P_{n,m}$ en fonction de $P_{n-1,m}$ et $P_{n,m-1}$ en conditionnant selon que tel ou tel candidat a reçu la ....-ième voix (compléter vous-même).
d) Utiliser ce dernier résultat pour démontrer votre conjecture faite en b) grâce à un raisonnement par induction portant sur $n + m$.

3.6.19 On construit un modèle simplifié de prévision météorologique en disant que le temps sera demain le même qu'aujourd'hui avec probabilité p. Le temps est sec (il ne peut être que sec ou humide) le 1er janvier. Montrer que la probabilité P_n qu'il soit sec n jours plus tard est donnée par

$$P_n = (2p - 1)P_{n-1} + (1 - p) \qquad n \geq 1$$
$$P_0 = 1$$

Montrer que

$$P_n = \tfrac{1}{2} + \tfrac{1}{2}(2p - 1)^n \qquad n \geq 0$$

3.6.20 Un sac contient a boules blanches et b noires. On tire des boules du sac selon le principe suivant:

a) une boule est tirée au hasard et mise de côté;

b) une seconde est également tirée au hasard. Si sa couleur diffère de celle de la première, on la réintroduit dans le sac et on recommence le processus depuis le début. Dans le cas contraire, on la met de côté et répète le point b).

En d'autres termes, les boules sont tirées et mises de côté jusqu'à ce qu'un changement de couleur intervienne, à partir de quoi la dernière boule tirée est réintroduite dans le sac et le processus réinitialisé. Désignons par $P_{a,b}$ la probabilité que la dernière boule du sac soit blanche. Montrer que

$$P_{a,b} = \tfrac{1}{2}$$

Raisonner par induction sur $k \equiv a + b$, le nombre de boules dans le sac aux différents stades de l'expérience.

3.6.21 Démontrer de manière directe que

$$P(E|F) = P(E|FG)P(G|F) + P(E|FG^c)P(G^c|F)$$

3.6.22 Etablir l'équivalence de (3.22) et de (3.23).

3.6.23 Généraliser la définition d'indépendance conditionnelle à plus de deux événements.

3.6.24 Démontrer ou infirmer par contre-exemple la proposition suivante: si E_1 et E_2 sont indépendants, $E_1|F$ et $E_2|F$ le sont aussi.

3.6.25 On considère la loi de succession de Laplace (exemple 3.29). Montrer que si les n premiers jets livrent tous pile, la probabilité conditionnelle que les m jets suivants donnent également pile seulement est $(n + 1)/(n + m + 1)$.

3.6.26 Dans le cas de la loi de succession de Laplace, on suppose que les n premiers jets ont donné r fois pile et $n - r$ fois face au total. Montrer que la probabilité que le $(n + 1)$-ième jet livre pile est $(r + 1)/(n + 2)$. Pour ce faire, démontrer puis utiliser l'identité

$$\int_0^1 y^n(1 - y)^m dy = \frac{n! \, m!}{(n + m + 1)!}$$

Pour démontrer cette identité, poser $C(n,m) = \int_0^1 y^n (1 - y)^m \, dy$ et intégrer cette quantité par parties pour obtenir

$$C(n, m) = \frac{m}{n + 1} C(n + 1, m - 1)$$

Démontrer l'identité proposée par induction sur m en partant de $C(n,0) = 1/(n + 1)$.

3.6.27 L'un de vos amis, d'esprit peu mathématicien mais plutôt philosophe, soutient que la loi de succession de Laplace est infondée, car elle peut mener à ces conclusions ridicules. «Par exemple», dit-il, «cette loi prétend qu'un enfant de 10 ans vivra une onzième année avec une probabilité $\frac{11}{12}$. La même loi appliquée au grand-père de cet enfant et qui a déjà 80 ans lui donne 81 chances sur 82 de vivre un an de plus. Ce résultat est ridicule, l'enfant ayant clairement plus de chances de vivre un an de plus que son grand-père». Que répondriez-vous à votre ami?

3.7 PROBLÈMES

3.7.1 On jette deux dés équilibrés. Quelle est la probabilité qu'au moins l'un d'entre eux montre 6, sachant que les deux résultats sont différents?

3.7.2 On jette deux dés équilibrés. Quelle est la probabilité que le premier montre 6, sachant que la somme des deux est i? Calculer le résultat pour toutes les valeurs de i comprises entre 2 et 12.

3.7.3 Utiliser l'équation (3.1) pour calculer la probabilité que, lors d'une partie de bridge, Est ait 3 piques, sachant que Nord et Sud en possèdent 8.

3.7.4 On jette deux dés équilibrés. Quelle est la probabilité qu'au moins l'un d'entre eux montre 6, sachant que la somme des deux est i, $i = 2,3,...,12$?

3.7.5 Une urne contient 6 boules blanches et 9 noires. On en tire 4 sans remise et au hasard. Quelle est la probabilité que les deux premières soient blanches et les deux autres noires?

3.7.6 On considère une urne contenant 12 boules desquelles 8 sont blanches. On tire un échantillon de 4 boules avec remise (respectivement sans remise). Quelle est dans chaque cas la probabilité conditionnelle que la première et la troisième boule soient blanches, sachant que l'échantillon contient exactement 3 boules blanches?

3.7.7 Le roi vient d'une famille de 2 enfants. Quelle est la probabilité que l'autre soit une sœur?

3.7.8 Un couple a deux enfants. Quelle est la probabilité que les deux soient des filles sachant que l'aînée en est une ?

3.7.9 On considère trois urnes. L'urne A contient 2 boules blanches et 4 rouges; l'urne B, 8 blanches et 4 rouges; l'urne C, 1 blanche et 3 rouges. On tire une boule de chacune des urnes. Quelle est la probabilité que la boule tirée de l'urne A soit blanche, si l'on sait que le tirage a livré deux boules blanches exactement?

3.7.10 Lors d'une partie de bridge, Ouest n'a reçu aucun as. Quelle est la probabilité que son partenaire
- n'ait reçu aucun as non plus;
- en ait reçu deux ou plus?
Quels seraient ces résultats si Ouest avait reçu 1 as lors de la donne?

3.7.11 On choisit trois cartes au hasard et sans remise dans un jeu ordinaire de 52 cartes. Calculer la probabilité que la première carte tirée soit un pique, sachant que les deux dernières en sont?

3.7.12 Une urne contient au départ 5 boules blanches et 7 noires. Chaque fois que l'on tire une boule, on note sa couleur, puis on la réintroduit ainsi que deux nouvelles boules de la même couleur qu'elle.
- Quelle est la probabilité que les deux premières boules tirées soient noires, puis les deux suivantes blanches?
- Quelle est la probabilité que deux exactement des 4 premières boules tirées soient noires?

3.7.13 Une urne I contient 2 boules blanches et 4 rouges, tandis qu'une urne II contient une boule de chacune de ces couleurs. Une boule est tirée au hasard de l'urne I et placée dans l'urne II, puis on tire une boule de cette dernière urne.
- Quelle est la probabilité que cette deuxième boule soit blanche?
- Quelle est la probabilité que la boule transférée soit blanche, sachant que la dernière boule était blanche?

3.7.14 Comment placer 20 boules, dont 10 sont blanches et 10 noires, dans deux urnes de manière à maximiser la probabilité de tirer une boule blanche dans l'expérience suivante: on choisit d'abord une urne au hasard, puis une boule dans cette urne?

3.7.15 On peint deux boules, soit en noir soit en rouge, au hasard; chaque boule est peinte indépendamment de l'autre, le noir ayant une chance sur deux d'être utilisé. Les deux boules sont placées dans une urne.
- On parvient à apprendre que la peinture rouge a été utilisée, donc qu'au moins une des boules est rouge. Calculer la probabilité que dans ce cas les deux boules soient rouges.
- L'urne se renverse et une boule rouge en sort. Quelle est alors la probabilité que les deux boules soient rouges? Expliquer ce résultat.

3.7.16 On a utilisé la méthode suivante pour estimer le nombre de personnes de plus de 50 ans, dans une ville dont la population s'élève à 100 000 âmes. Elle consiste, pour l'expérimentateur, à enregistrer le pourcentage des gens de plus de 50 ans, lors de ses déplacements dans la rue. L'expérience s'étend sur quelques jours. Discuter cette méthode.

A titre d'indication, soit p la vraie proportion des gens de plus de 50 ans dans la ville considérée. De plus, α_1 désigne la proportion sur le temps total du temps qu'une personne de 50 ans ou plus passe dans la rue, α_2 étant cette proportion pour les moins de 50 ans. Quelle est la grandeur que la méthode utilisée estime? Dans quelles conditions l'estimation convient-elle pour p?

3.7.17 On admet que 5% des hommes et 0,25% des femmes sont daltoniens. On sélectionne une personne daltonienne au hasard. Quelle est la probabilité qu'il s'agisse d'un homme ? On admettra que les hommes sont aussi nombreux que les femmes. Si au contraire il y en avait deux fois plus que de femmes, que deviendrait le résultat?

3.7.18 On considère deux boîtes, l'une contient une bille noire et une blanche, et l'autre deux noires et une blanche. On désigne une boîte au hasard, de laquelle on tire une bille. Quelle est la probabilité qu'elle soit noire? Si l'on sait que la bille est blanche, quelle est la probabilité que ce soit la première boîte qui ait été désignée?

3.7.19 Les Anglais et les Américains orthographient le mot *rigueur,* respectivement, rigour et rigor. Un homme ayant pris une chambre dans un hôtel parisien a écrit ce mot sur un bout de papier. Une lettre est prise au hasard dans ce mot, c'est une voyelle. Or 40% des anglophones de l'hôtel sont des Anglais et les 60% restants sont Américains. Quelle est la probabilité que l'auteur du mot soit anglais?

3.7.20 Deux urnes A et B contiennent respectivement deux boules blanches plus une noire et une blanche plus cinq noires. On tire au hasard une boule dans l'urne A et on la place dans B. On tire alors une boule de B, elle est blanche. Quelle est la probabilité que la boule transférée ait aussi été blanche?

3.7.21 Dans l'exemple 3.11, on doit admettre que le nouvel indice est sujet à différentes interprétations et n'apporte qu'une certitude à 90% que le criminel possède la caractéristique mentionnée. Quelle est alors la probabilité que le suspect soit coupable (on admettra comme dans l'exemple qu'il porte cette caractéristique)?

3.7.22 Une classe d'étudiants en probabilités comprend 30 étudiants, dont 15 sont bons, 10 moyens et 5 mauvais. Une seconde classe de même effectif compte 5 bons étudiants, 10 moyens et 15 mauvais. L'examinateur connaît cette situation, à la fin de l'année, mais ignore à quelle classe il a affaire. Il interroge un étudiant pris au hasard dans chaque classe et constate que l'étudiant de la classe A est moyen, tandis que l'autre est mauvais. Quelle est la probabilité que la classe A soit la meilleure?

3.7.23 On compte respectivement 50, 75 et 100 employés dans trois entrepôts A, B et C, les proportions de femmes étant respectivement également 50, 60 et 70 pour cent. Une démission a autant de chance de se produire chez tous les employés, indépendamment de leur sexe. Une employée donne sa démission. Quelle est la probabilité qu'elle vienne de l'entrepôt C?

3.7.24 Un joueur professionnel garde dans sa poche 2 pièces, l'une normale et l'autre ayant ses deux faces identiques, disons deux fois pile. Il en prend une au hasard et la lance; elle montre pile.

- Quelle est la probabilité qu'il s'agisse de la pièce normale?
- Il jette la même pièce une seconde fois, elle montre de nouveau pile. Que devient la probabilité précédente?
- Il la lance une 3ème fois, mais obtient face cette fois. Quelle est maintenant la probabilité qu'il s'agisse de la pièce normale?

3.7.25 Une urne A contient 5 boules blanches et 7 noires. L'urne B en contient 3 et 12 respectivement. On jette par ailleurs une pièce de monnaie équilibrée. Dans le cas où pile sort, on tire une boule de l'urne A, tandis qu'on en prend une dans l'urne B si la pièce montre face. Or, une boule blanche est tirée. Quelle est la probabilité que le jet qui a précédé le tirage de cette boule ait donné face?

3.7.26 Dans l'exemple 3.7, quelle est la probabilité qu'une personne ait un accident durant la deuxième année, sachant qu'elle n'en a pas eu lors de la première?

3.7.27 On considère un échantillon de taille 3 tiré de la manière suivante: on dispose au départ d'une urne contenant 5 boules blanches et 7 rouges. A chaque tirage, une boule est tirée et sa couleur enregistrée. La boule est alors réintroduite dans l'urne ainsi qu'une nouvelle boule de même couleur. Trouver la probabilité que l'échantillon comprenne précisément
- 0 boule blanche;
- 1 boule blanche;
- 3 boules blanches;
- 2 boules blanches.

3.7.28 Une urne contient b boules blanches et r rouges. L'une de ces boules est tirée au hasard. Quand on la remet dans l'urne, on l'accompagne de c nouvelles boules de la même couleur qu'elle. On tire une deuxième boule. Montrer que la probabilité pour la première boule tirée d'être blanche, sachant que la deuxième est rouge, est $b/(b + r + c)$.

3.7.29 On mélange bien un paquet de 52 cartes puis on le divise en deux parties égales. On choisit une carte de l'une des moitiés, qui se trouve être un as. On place cet as dans le second paquet qui est alors mélangé. On tire alors de ce paquet augmenté une carte. Calculer la probabilité que cette carte soit un as.
Conditionner sur le fait que la carte qui a changé de paquet est ou n'est pas tirée.

3.7.30 Trois cuisiniers A, B et C sont chacun capables de préparer une spécialité de gâteau. Ce gâteau doit être cuit et risque de ne pas monter avec des probabilités de 0,02, 0,03 et 0,05 selon les cuisiniers. Dans le restaurant où ils travaillent, A cuit 50% de ces gâteaux, B 30% et C 20%. Quelle est la proportion des gâteaux ratés attribuables à A?

3.7.31 Une boîte contient 3 pièces. La première est normale, la seconde porte deux fois pile et la troisième est biaisée de telle manière que pile sorte trois fois sur 4. Une pièce est tirée puis lancée et donne pile. Quelle est la probabilité qu'il s'agisse de celle aux deux faces identiques?

3.7.32 Le geôlier informe trois prisonniers que l'un d'entre eux a été choisi au hasard pour être exécuté, tandis que les deux autres seront libérés. Le prisonnier A lui demande de lui dire discrètement lequel de ses camarades d'infortune sera libéré, prétendant qu'il n'y a pas de mal à communiquer cette information puisqu'il sait déjà qu'au moins l'un des deux sera libéré. Le geôlier refuse, argumentant que si A sait lequel de ses camarades va être libéré, la probabilité que lui-même soit le condamné augmentera de $\frac{1}{3}$ à $\frac{1}{2}$, car il saura alors qu'il est parmi les deux personnes encore menacées. Que pensez-vous du raisonnement du geôlier?

3.7.33 On dispose de 10 pièces telles que, pour la i-ème d'entre elles, la probabilité de montrer pile lorsqu'on la lance est $i/10$, $i = 1,2,...,10$. Une pièce est tirée au hasard, lancée, elle donne pile. Quelle est la probabilité qu'il s'agisse de la cinquième pièce?

3.7.34 Une urne contient 5 boules blanches et 10 noires. Le chiffre donné par le jet d'un dé équilibré indique le nombre de boules que l'on va tirer de l'urne. Quelle est la probabilité que toutes les boules tirées soient blanches? Si toutes les boules sont blanches, quelle la probabilité que le dé ait livré un 3?

3.7.35 Chacun de deux petits meubles identiques a deux tiroirs. Le meuble A contient une pièce d'argent dans chaque tiroir, le meuble B ayant une pièce d'argent dans un tiroir et une en or dans l'autre. On désigne l'un des petits meubles au hasard, ouvre l'un de ses tiroirs et y trouve une pièce d'argent.
- Quelle est la probabilité qu'il y ait une pièce d'argent dans l'autre tiroir?
- Quelle est la probabilité que ce soit le meuble A qui ait été choisi?

3.7.36 On suppose qu'un test de dépistage du cancer est caractérisé par une fiabilité de 95% aussi bien pour ceux qui portent que ceux qui n'ont pas cette maladie. Dans la population, 0,4% des gens ont le cancer. Quelle est la probabilité qu'une personne ait le cancer, sachant que son test l'indique?

3.7.37 Une compagnie d'assurances répartit les gens en trois classes: personnes à bas risque, risque moyen et haut risque. Ses statistiques indiquent que la probabilité que des gens soient impliqués dans un accident sur une période d'un an est respectivement 0,05, 0,15 et 0,30. On estime que 20% de la population est à bas risque, 50% est à risque moyen et 30% à haut risque. Quelle proportion des gens ont un accident ou plus au cours d'une année donnée? Si l'assuré A n'a pas eu d'accident en 1972, quelle est la probabilité qu'il fasse partie de la classe à bas risque (respectivement à moyen risque)?

3.7.38 Si vous aviez à construire un modèle mathématique autour des événements E et F suivants, les supposeriez-vous indépendants? Expliquer votre choix.
- E est l'événement «une femme d'affaires a les yeux bleus» et F «sa secrétaire a les yeux bleus»;
- E est l'événement «un professeur possède une voiture» et F «il figure dans le bottin du téléphone»;
- E est «un homme mesure moins de 1,75 m» et F «il pèse plus de 100 kg»;

- E est «une femme vit aux Etats-Unis» et F «elle vit dans l'hémisphère occidental» (longitude $180°$–$360°$);
- E est «il pleuvra demain» et F «il pleuvra après-demain».

3.7.39 Une classe compte 4 garçons et 6 filles de première année, 6 garçons de seconde année. Combien doit-il y avoir de filles de deuxième année si l'on veut que sexe et année soient des facteurs indépendants lors du choix au hasard d'un étudiant?

3.7.40 M. Jones a élaboré une stratégie pour gagner à la roulette: il ne mise que sur rouge et seulement si les dix numéros sortis précédemment ont été noirs. Etant donné la rareté des séquences de 11 numéros noirs, il pense que ses chances de gagner sont grandes. Que pensez-vous de sa stratégie?

3.7.41 Dans les schémas qui suivent la probabilité que le relais i soit fermé est p_i, $i = 1, 2, 3, 4, 5$. Les relais fonctionnent indépendamment les uns des autres. Quel est, dans ce cas, la probabilité que le courant passe entre A et B?

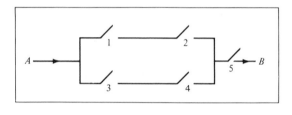

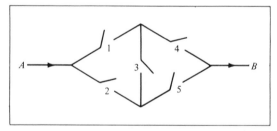

3.7.42 On dit qu'un système mécanique est un système k sur n s'il faut et suffit que k des n composants du système soient fonctionnels pour que le système entier le soit. On admettra que les composants travaillent indépendamment les uns des autres. On désigne par P_i la probabilité que le i-ème composant soit opérationnel.
- Calculer la probabilité qu'un système 2 sur 4 fonctionne;
- même question pour un système 3 sur 5;
- même question pour un système k sur n où $P_i = p$, $\forall i = 1,2,...,n$.

3.7.43 Un organisme possède 5 paires de gènes; dans chaque paire, les deux gènes sont presque identiques, aussi les désigne-t-on les deux par la même lettre, prise parmi les cinq premières de l'alphabet. Les deux formes possibles de chaque gène ne seront distinguées que par le détail suivant: le gène dominant sera écrit en majuscule, le gène récessif en minuscule. Un gène X est dit dominant si, lorsqu'un organisme possède la paire xX, son apparence extérieure est commandée par X. Par exemple, si X

commande la couleur brune pour les yeux et x la couleur bleue, une personne ayant XX ou Xx aura les yeux bruns, tandis que seule une personne portant xx aura les yeux bleus. L'apparence extérieure est qualifiée de phénotype, tandis que la configuration génétique est dite génotype. Ainsi deux organismes porteurs des génotypes aA, bB, cc, dD, ee et AA, BB, cc, DD, ee sont pourtant du même phénotype.

Lors de l'accouplement de deux individus, chacun apporte, au hasard, un gène d'un certain type parmi les deux qu'il possède. Les cinq contributions d'un organisme du genre considéré sont indépendantes entre elles et indépendantes de celles de son partenaire. Consécutivement à l'accouplement de deux organismes de génotypes aA, bB, cC, dD, eE et aa, bB, cc, Dd, ee, quelle est la probabilité que leur progéniture soit (1) phénotypiquement et (2) génotypiquement identique

- au premier parent;
- au second;
- à l'un des deux parents;
- à aucun des deux parents.

3.7.44 La reine porte le gène de l'hémophilie avec une probabilité de 0,5. Si elle est porteuse, chaque prince aura une chance sur deux de souffrir de cette maladie. La reine a eu trois fils non hémophiles. Quelle est la probabilité qu'elle soit porteuse du gène? S'il naît un quatrième prince, avec quelle probabilité sera-t-il hémophile?

3.7.45 Le 30 septembre 1982 au matin, les scores des trois meilleures équipes de baseball de la division occidentale de la Ligue Nationale des Etats-Unis étaient les suivants:

Equipe	Victoires	Défaites
Atlanta Braves	87	72
San Francisco Giants	86	73
Los Angeles Dodgers	86	73

Chaque équipe doit encore disputer 3 parties. Les Giants doivent jouer leurs trois parties contre les Dodgers, tandis que les Braves joueront les leurs contre les Padres de San Diego. On admettra que les résultats de ces jeux sont indépendants et que toutes les équipes ont la même probabilité de gagner. Quelle est la probabilité pour chacune de ces trois équipes d'emporter la première place de la division? Si deux équipes se retrouvent à égalité pour cette place, elles disputent une unique partie qui les départagera, chacune ayant une chance sur deux de la gagner.

3.7.46 Le conseil municipal d'une ville, composé de 7 membres, comprend un comité directeur de 3 membres. Un projet de loi est d'abord examiné par le comité directeur, puis par le conseil complet si au moins deux des trois membres du comité l'ont approuvé. Devant le conseil complet, le projet de loi doit être approuvé à la majorité (au moins 4 voix) pour prendre force de loi. On considère un projet et admet que chaque conseiller s'exprimera indépendamment des autres et en faveur du projet avec une probabilité p. Quelle est la probabilité que le choix d'un membre du comité directeur soit décisif, ce qui signifie que si ce membre change d'avis, le sort du projet change aussi? Qu'en est-il pour le choix d'un conseiller ne siégeant pas au comité directeur?

3.7.47 On admet que le sexe du dernier enfant d'un couple est indépendant de celui des autres enfants de la famille et qu'il y a autant de chances d'être masculin que féminin. Calculer, pour un couple ayant 5 enfants, les probabilités des événements suivants:
- tous les enfants sont du même sexe;
- les trois aînés sont des garçons, les deux autres des filles;
- il y a exactement 3 garçons;
- les deux aînés sont des garçons;
- il y a au moins une fille.

3.7.48 La probabilité de gagner lors du jet d'un seul dé est p. Le joueur A commence, puis passe le dé à B s'il n'a pas gagné. B joue à son tour et rend le dé à A si lui non plus n'a pas gagné. Les deux joueurs alternent ainsi tant qu'aucun n'a encore gagné. Quelles sont leurs probabilités de victoire respectives? Que devient ce résultat lorsqu'on admet k joueurs?

3.7.49 Mêmes questions que dans le problème 3.7.48 en admettant cependant que A gagne avec probabilité P_1 tandis que cette probabilité est P_2 pour B.

3.7.50 Chacun de trois joueurs lancent une pièce simultanément. La pièce lancée par A, respectivement (B) et $[C]$ montre pile avec probabilité P_1, (P_2), $[P_3]$. Si l'un des joueurs obtient un résultat différent de celui commun aux deux autres, il est exclu. Si personne n'est exclu, le jeu recommence jusqu'à ce qu'enfin quelqu'un le soit. Quelle est la probabilité que ce soit A qui se voie exclure?

3.7.51 Dans une expérience donnée, les événements E et F sont mutuellement exclusifs. Montrer que lors d'une suite d'épreuves indépendantes basée sur cette expérience, E apparaîtra avant F avec probabilité $P(E)/[P(E) + P(F)]$.

3.7.52 Une ligne est tracée sur le sol et deux joueurs jettent leur pièce dans sa direction. Celui qui parvient le plus près gagne un sou de la part de l'autre. Le joueur A débute avec 3 sous contre 7 au joueur B. Quelle est la probabilité que A finisse avec tous les sous si aucun n'est plus habile que l'autre? Qu'en serait-il si A était un joueur plus adroit gagnant 6 fois sur 10?

3.7.53 Quelle est la probabilité d'obtenir deux sommes de 7 avant que n'apparaissent 6 nombres pairs lorsqu'on jette plusieurs fois une paire de dés équilibrés?

3.7.54 On considère 2^n joueurs, tous de la même force, que l'on organise en paires tirées au hasard. A l'issue du premier tour de jeu, on compose à nouveau des paires au hasard avec les 2^{n-1} gagnants, et ainsi de suite, jusqu'à ce qu'il n'en reste qu'un. Considérons deux participants donnés, A et B, ainsi que les événements A_i et E définis comme suit:
A_i: «A joue exactement i fois», $i = 1, 2,..., n$,
E: «A et B ne jouent jamais l'un contre l'autre».

Trouver:
a) $P(A_i)$, $i = 1,...,n$.
b) $P(E)$.
c) On pose $P_n = P(E)$. Montrer que

$$P_n = \frac{1}{2^n - 1} + \frac{2^n - 2}{2^n - 1} \left(\frac{1}{2}\right)^2 P_{n-1}$$

et utiliser ce dernier résultat pour vérifier la réponse donnée en b).

3.7.55 Un spéculateur travaillant sur le marché boursier possède des actions cotées 25. Il a décidé de vendre ses titres si la cote tombe à 10 ou monte au-delà de 40. Les variations de prix de l'action sont de 1 point, avec probabilité 0,55 vers le haut et 0,45 vers le bas. Ces variations dans le temps sont indépendantes. Quelle est la probabilité que cet investisseur fasse une bonne affaire?

3.7.56 Deux joueurs A et B jettent une pièce. A commence et continue jusqu'à l'apparition d'un face. B prend alors la place de A et continue également jusqu'à obtenir face, et ainsi de suite. Désignons par P_1 la probabilité d'obtenir pile pour A, cette probabilité devenant P_2 pour B. Le gagnant du jeu est, dans quatre versions différentes, le premier qui obtiendra
* deux piles de suite
* un total de deux piles
* trois piles de suite
* un total de 3 piles.
Dans chaque version donner la probabilité que A soit le gagnant.

3.7.57 Un dé A a quatre faces rouges et deux blanches, tandis qu'un dé B en a deux rouges et quatre blanches. Une pièce équilibrée est lancée une fois. Si pile sort, le jeu continue avec le dé A, tandis que si c'est face, on utilise B.
* Montrer que la probabilité qu'une face rouge apparaisse est $\frac{1}{2}$.
* Si les deux premiers jets de dé donnent rouge, quelle est la probabilité que le 3ème en fasse autant?
* Si les deux premiers jets donnent rouge, quelle est la probabilité que l'on soit en train d'utiliser le dé A?

3.7.58 Dans une urne, on dispose 12 boules dont 4 sont blanches. Les trois joueurs A, B, et C tirent dans l'ordre une boule chacun, puis A recommence et ainsi de suite. Le gagnant est le premier à tirer une boule blanche. Trouver la probabilité pour chaque joueur de gagner dans les deux cas suivants: avec remise, sans remise.

3.7.59 Refaire le problème 3.7.58 lorsqu'il y a trois urnes de 12 boules au lieu d'une, chaque joueur tirant toujours dans la même.

3.7.60 On se place dans la situation de l'exemple 3.29. Quelle est la probabilité que la i-ème pièce ait été choisie, sachant que les n premières épreuves ont toutes donné pile?

3.7.61 Dans le cas de la loi de succession de Laplace, exemple 3.29, peut-on dire que les résultats des différents jets sont indépendants? Expliquer votre réponse.

3.7.62 Un tribunal de 3 juges déclare un individu coupable lorsque deux au moins des trois juges estiment que cette décision est fondée. On admettra que si l'accusé est effectivement coupable, chaque juge se prononcera dans ce sens avec probabilité 0,7, ceci indépendamment des 2 autres. Cette probabilité tombe à 0,2 dans le cas où l'accusé est innocent. 70% des accusés sont coupables. Calculer la probabilité que le juge n° 3 vote coupable dans chacune des situations suivantes:
- les juges 1 et 2 l'ont fait;
- les juges 1 et 2 sont partagés;
- les juges 1 et 2 votent tous deux non coupable.

On désigne par E_i, $i = 1, 2, 3$ l'événement «le juge i vote coupable». Ces événements sont-ils indépendants? Conditionnellement indépendants? Expliquer votre position.

Chapitre 4

Variables aléatoires

4.1 VARIABLES ALÉATOIRES

4.1.1 Définition

Après avoir réalisé une expérience, il arrive bien souvent qu'on s'intéresse plus à une fonction du résultat qu'au résultat lui-même. Expliquons ceci au moyen des exemples suivants: lorsqu'on joue aux dés, certains jeux accordent de l'importance à la somme obtenue sur deux dés, 7 par exemple, plutôt qu'à la question de savoir si c'est la paire (1,6) qui est apparue, ou (2,5), (3,4), (4,3), (5,2) ou plutôt (6,1). Dans le cas du jet d'une pièce, il peut être plus intéressant de connaître le nombre de fois où pile est apparu plutôt que la séquence détaillée des piles et faces. Ces grandeurs auxquelles on s'intéresse sont en fait des fonctions réelles définies sur l'ensemble fondamental et sont appelées *variables aléatoires.*

Du fait que la valeur d'une variable aléatoire est déterminée par le résultat de l'expérience, il est possible d'attribuer une probabilité aux différentes valeurs que la variable aléatoire peut prendre.

4.1.2 Exemples de variables aléatoires

Exemple 4.1 Notre expérience consiste à jeter trois pièces équilibrées. Si l'on désigne le nombre de piles par Y, Y est une variable aléatoire et peut prendre les valeurs 0, 1, 2, 3 avec pour probabilité respectivement

$$P\{Y = 0\} = P\{(P, P, P)\} = \tfrac{1}{8}$$
$$P\{Y = 1\} = P\{(P, P, F), (P, F, P), (F, P, P)\} = \tfrac{3}{8}$$
$$P\{Y = 2\} = P\{(P, F, F), (F, P, F), (F, F, P)\} = \tfrac{3}{8}$$
$$P\{Y = 3\} = P\{(F, F, F)\} = \tfrac{3}{8}$$

Du fait que Y doit nécessairement prendre l'une des valeurs 0, 1, 2, 3 on aura

$$1 = P\left(\bigcup_{i=0}^{3} \{Y = i\}\right) = \sum_{i=0}^{3} P\{Y = i\}$$

ce qui est évidemment confirmé par les probabilités calculées ci-dessus.   ■

Exemple 4.2 D'une urne contenant 20 boules numérotées de 1 à 20, on tire sans remplacement 3 des boules. Quelqu'un parie qu'au moins une des boules tirées portera un numéro égal ou supérieur à 17. Quelle est la probabilité qu'il gagne ?

SOLUTION. Disons que X représente le plus grand numéro tiré. X est une variable aléatoire pouvant prendre les valeurs 3, 4,..., 19 ou 20. En supposant que les $\binom{20}{3}$ tirages sont tous équiprobables, on a:

$$P\{X = i\} = \frac{\binom{i-1}{2}}{\binom{20}{3}} \qquad i = 3, \ldots, 20 \tag{4.1}$$

L'équation (4.1) s'explique par le fait que l'événement $\{X = i\}$ correspond au tirage de la boule i et de deux des boules portant les numéros 1 à $i - 1$. Or il y a clairement $\binom{1}{1}\binom{i-1}{2}$ de ces tirages, d'où le résultat. Grâce à cette équation on peut calculer

$$P\{X = 20\} = \frac{\binom{19}{2}}{\binom{20}{3}} = \frac{3}{20} = .150$$

$$P\{X = 19\} = \frac{\binom{18}{2}}{\binom{20}{3}} = \frac{51}{380} = .134$$

$$P\{X = 18\} = \frac{\binom{17}{2}}{\binom{20}{3}} = \frac{34}{285} = .119$$

$$P\{X = 17\} = \frac{\binom{16}{2}}{\binom{20}{3}} = \frac{2}{19} = .105$$

Or, $\{X \geqslant 17\}$ est la réunion disjointe des événements $\{X = i\}$, $i = 17, 18, 19, 20$. La probabilité de gagner le pari est donc

$$P\{X \geq 17\} = .105 + .119 + .134 + .150 = .508 \qquad ■$$

Exemple 4.3 On répète le jet d'une pièce jusqu'à ce que pile apparaisse, mais au plus n fois. Les jets sont indépendants et pile apparaît avec probabilité p. X désigne le nombre de jets réalisés jusqu'à l'arrêt de l'expérience. C'est donc une variable aléatoire et elle prendra les valeurs 1, 2, 3,..., n avec les probabilités respectives suivantes:

$$P\{X = 1\} = P\{F\} = p$$
$$P\{X = 2\} = P\{(P, F)\} = (1 - p)p$$
$$P\{X = 3\} = P\{(P, P, F)\} = (1 - p)^2 p$$
$$\vdots$$
$$P\{X = n - 1\} = P\{(\underbrace{P, P, \ldots, P}_{n-2}, F)\} = (1 - p)^{n-2} p$$
$$P\{X = n\} = P\{(\underbrace{P, P, \ldots, P}_{n-1}, P), (\underbrace{P, P, \ldots, P}_{n-1}, F)\} = (1 - p)^{n-1}$$

A titre de vérification, ou remarquera que

$$P\left(\bigcup_{i=1}^{n} \{X = i\}\right) = \sum_{i=1}^{n} P\{X = i\}$$
$$= \sum_{i=1}^{n-1} p(1 - p)^{i-1} + (1 - p)^{n-1}$$
$$= p\left[\frac{1 - (1 - p)^{n-1}}{1 - (1 - p)}\right] + (1 - p)^{n-1}$$
$$= 1 - (1 - p)^{n-1} + (1 - p)^{n-1}$$
$$= 1 \qquad \blacksquare$$

Exemple 4.4 D'une urne contenant 3 boules blanches, 3 rouges et 5 noires, on tire 3 boules. Supposons que l'on reçoive 1 franc pour chaque boule blanche tirée et que l'on doive au contraire payer 1 franc pour toute boule rouge. On désigne le bénéfice net laissé par le tirage par X. X est une variable aléatoire pouvant prendre les valeurs 0, ± 1, ± 2, ± 3 avec pour probabilités respectives

$$P\{X = 0\} = \frac{\binom{5}{3} + \binom{3}{1}\binom{3}{1}\binom{5}{1}}{\binom{11}{3}} = \frac{55}{165}$$

$$P\{X = 1\} = P\{X = -1\} = \frac{\binom{3}{1}\binom{5}{2} + \binom{3}{2}\binom{3}{1}}{\binom{11}{3}} = \frac{39}{165}$$

$$P\{X = 2\} = P\{X = -2\} = \frac{\binom{3}{2}\binom{5}{1}}{\binom{11}{3}} = \frac{15}{165}$$

$$P\{X = 3\} = P\{X = -3\} = \frac{\binom{3}{3}}{\binom{11}{3}} = \frac{1}{165}$$

Pour expliquer comment on obtient ces probabilités, prenons le cas $X = 0$. On remarque qu'il faut pour cela tirer uniquement des boules noires ou autrement une boule de chaque couleur. Pour $X = 1$ il faudra tirer 1 boule blanche et 2 noires ou 2 blanches et 1 rouge. A titre de vérification, on peut s'assurer que

$$\sum_{i=0}^{3} P\{X = i\} + \sum_{i=1}^{3} P\{X = -i\} = \frac{55 + 39 + 15 + 1 + 39 + 15 + 1}{165} = 1$$

La probabilité de gagner de l'argent est

$$\sum_{i=1}^{3} P\{X = i\} = \frac{55}{165} = \frac{1}{3} \qquad \blacksquare$$

Exemple 4.5 On collectionne des coupons. Il y a N sortes de coupons et lorsqu'on en obtient un, il a autant de chances d'être d'une sorte plutôt que d'une autre, indépendamment de ceux qu'on a pu se procurer auparavant. La variable aléatoire T qui nous intéresse est celle qui compte le nombre de coupons qu'il est nécessaire de réunir pour obtenir une collection complète comprenant au moins un coupon de chaque type. Mais plutôt que de calculer $P\{T = n\}$ directement, commençons par calculer la probabilité que T soit plus grand que n. Pour cela, on fixe n et on définit les événements suivants: A_j est «le type j n'est pas représenté parmi les n premiers coupons rassemblés», $j = 1, 2,..., N$. Alors,

$$P\{T > n\} = P\left(\bigcup_{j=1}^{N} A_j\right)$$

$$= \sum_{j} P(A_j) - \sum\sum_{j_1 < j_2} P(A_{j_1} A_{j_2}) + \cdots$$

$$+ (-1)^{k+1} \sum\sum_{j_1 < j_2 < \cdots < j_k} \sum P(A_{j_1} A_{j_2} \cdots A_{j_k}) \cdots$$

$$+ (-1)^{N+1} P(A_1 A_2 \cdots A_N)$$

Or, A_j ne se produira que si chacun des n coupons n'est pas du type j. Comme cette probabilité est $(N - 1)/N$ pour chaque coupon, notre hypothèse d'indépendance sur les types obtenus successivement nous permet d'écrire

$$P(A_j) = \left(\frac{N-1}{N}\right)^n$$

Par ailleurs, l'événement $A_{j_1 j_2}$ ne se produira que si aucun des n premiers coupons n'est du type j_1 ni du type j_2. La même hypothèse d'indépendance permet d'écrire

$$P(A_{j_1} A_{j_2}) = \left(\frac{N-2}{N}\right)^n$$

Le même raisonnement donne

$$P(A_{j_1} A_{j_2} \cdots A_{j_k}) = \left(\frac{N-k}{N}\right)^n$$

et on voit que, pour m > 0,

$$P\{T > n\} = N\left(\frac{N-1}{N}\right)^n - \binom{N}{2}\left(\frac{N-2}{N}\right)^n + \binom{N}{3}\left(\frac{N-3}{N}\right)^n - \cdots$$

$$+ (-1)^N \binom{N}{N-1}\left(\frac{1}{N}\right)^n$$

$$= \sum_{i=1}^{N-1} \binom{N}{i}\left(\frac{N-i}{N}\right)^n (-1)^{i+1} \tag{4.2}$$

La probabilité que T soit égale à n peut maintenant être déduite de ce qui précède du fait que

$$P\{T > n-1\} = P\{T = n\} + P\{T > n\}$$

ou, de façon équivalente,

$$P\{T = n\} = P\{T > n-1\} - P\{T > n\}$$

Une autre variable aléatoire qui nous intéresse est le nombre de types représentés dans les n premiers coupons rassemblés. Appelons-la D_n. Pour calculer $P\{D_n = k\}$, considérons d'abord un jeu bien particulier de k types et déterminons la probabilité que ce jeu soit celui des types représentés dans les n premiers coupons. Pour que cela soit le cas, il est nécessaire et suffisant que ces coupons vérifient les deux conditions suivantes:

A: chacun des coupons appartient à l'un des k types fixés

B: chacun de ces k types est représenté.

Or, un nouveau coupon sera de l'un de ces k types avec probabilité k/N et de ce fait $P(A) = (k/N)^n$. Par ailleurs, si l'on sait qu'un coupon est de l'un de ces k types, il est facile de voir qu'il a autant de chances d'être de n'importe lequel de ces k types. Aussi la probabilité que B soit vrai, sachant que A l'est, est-elle simplement la probabilité de l'événement suivant: «un groupe de n coupons contient un jeu complet des k types», chaque coupon pouvant être de n'importe quel type avec la même probabilité. Mais ceci n'est autre que la probabilité qu'il faille n coupons au moins pour former un jeu complet de k types, calculée dans (4.2) à condition de substituer k à N. Aussi avons-nous

$$P(A) = \left(\frac{k}{N}\right)^n$$

$$P(B|A) = 1 - \sum_{i=1}^{k-1} \binom{k}{i}\left(\frac{k-i}{k}\right)^n (-1)^{i+1}$$

Finalement, comme il y a $\binom{N}{k}$ choix possibles du jeu de k types initialement considéré, on obtient

$$P\{D_n = k\} = \binom{N}{k} P(AB)$$

$$= \binom{N}{k}\left(\frac{k}{N}\right)^n \left[1 - \sum_{i=1}^{k-1} \binom{k}{i}\left(\frac{k-i}{k}\right)^n (-1)^{i+1}\right] \qquad \blacksquare$$

4.2 FONCTIONS DE RÉPARTITION

4.2.1 Définition

La *fonction de répartition* F d'une variable aléatoire X est définie pour tout nombre réel b, $-\infty < b < \infty$, par

$$F(b) = P\{X \le b\}$$

En d'autres termes, $F(b)$ est la probabilité que la variable aléatoire X prenne une valeur inférieure ou égale à b.

4.2.2 Propriétés des fonctions de répartition

Voici quelques propriétés de ces fonctions:
- F est une fonction non décroissante; autrement dit si $a < b$, alors $F(a) \le F(b)$,

- $\lim_{b \to \infty} F(b) = 1$,

- $\lim_{b \to -\infty} F(b) = 0$,

- F est continue à droite, c'est-à-dire que, quel que soit b et quelle que soit une suite décroissante b_n, $n \ge 1$ convergeant vers b, on a $\lim_{n \to \infty} F(b_n) = F(b)$.

La première propriété repose sur le fait que si $a < b$, l'événement $\{X \le a\}$ est inclus dans $\{X \le b\}$; la probabilité du premier est donc nécessairement plus petite que celle du second. Quant aux propriétés suivantes, elles résultent toutes de la propriété de continuité des probabilités (section 2.6).

Pour démontrer la deuxième propriété, on remarquera que si b_n tend vers l'infini, les événements $\{X \leq b_n\}$, $n \geq 1$ sont croissants emboîtés et que leur union est $\{X < \infty\}$. Par conséquent, en application de la propriété de continuité mentionnée

$$\lim_{n \to \infty} P\{X \leq b_n\} = P\{X < \infty\} = 1$$

ce qui établit la deuxième propriété.

La démonstration de la troisième propriété étant similaire, elle est laissée en exercice au lecteur. Quant à celle de la quatrième propriété, on part d'une suite $\{b_n\}$ convergeant vers b et décroissante. $\{X_n \leq b_n\}$, $n \geq 1$ est une suite emboîtée décroissante d'événements dont l'intersection est $\{X \leq b\}$. Toujours par continuité

$$\lim_{n} P\{X \leq b_n\} = P\{X \leq b\}$$

ce qui établit la quatrième propriété.

4.2.3 Fonction de répartition et probabilités sur X

Tous les calculs de probabilité concernant X peuvent être traités en termes de fonction de répartition. Par exemple,

$$P\{a < X \leq b\} = F(b) - F(a) \qquad \text{pour tout } a < b \qquad (4.3)$$

On peut s'en rendre mieux compte en écrivant $\{X \leq b\}$ comme union des deux événements mutuellement exclusifs $\{X \leq a\}$ et $\{a < X \leq b\}$, soit

$$\{X \leq b\} = \{X \leq a\} \cup \{a < X \leq b\}$$

et ainsi

$$P\{X \leq b\} = P\{X \leq a\} + P\{a < X \leq b\}$$

ce qui établit (4.3).

Pour obtenir $P\{X < b\}$ on peut écrire, en utilisant encore une fois la propriété de continuité

$$P\{X < b\} = P\left(\lim_{n \to \infty} \left\{ X \leq b - \frac{1}{n} \right\} \right)$$

$$= \lim_{n \to \infty} P\left(X \leq b - \frac{1}{n} \right)$$

$$= \lim_{n \to \infty} F\left(b - \frac{1}{n} \right)$$

On remarquera que $P\{X < b\}$ n'est pas nécessairement égal à $F(b)$ puisque cette valeur comprend également la probabilité $P\{X = b\}$.

4.2.4 Exemple de fonction de répartition

Exemple 4.6 La fonction de répartition de la variable aléatoire X est donnée par

$$F(x) = \begin{cases} 0 & x < 0 \\[2mm] \dfrac{x}{2} & 0 \leq x < 1 \\[2mm] \dfrac{2}{3} & 1 \leq x < 2 \\[2mm] \dfrac{11}{12} & 2 \leq x < 3 \\[2mm] 1 & 3 \leq x \end{cases}$$

La figure 4.1 représente son graphe.

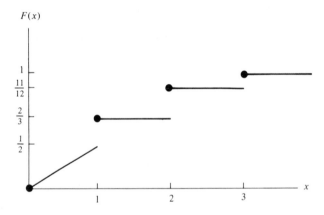

Fig. 4.1

Calculer   a) $P\{X < 3\}$ b) $P\{X = 1\}$
         c) $P\{X > \frac{1}{2}\}$ d) $P\{2 < X \leqslant 4\}$.

SOLUTION.

a) $$P\{X < 3\} = \lim_n P\left\{X \leq 3 - \frac{1}{n}\right\} = \lim_n F\left(3 - \frac{1}{n}\right) = \frac{11}{12}$$

b) $$P\{X = 1\} = P\{X \leq 1\} - P\{X < 1\}$$

$$= F(1) - \lim_n F\left(1 - \frac{1}{n}\right) = \frac{2}{3} - \frac{1}{2} = \frac{1}{6}$$

c)
$$P\left\{X > \frac{1}{2}\right\} = 1 - P\left\{X \le \frac{1}{2}\right\}$$

$$= 1 - F\left(\frac{1}{2}\right) = \frac{3}{4}$$

d)
$$P\{2 < X \le 4\} = F(4) - F(2)$$

$$= \frac{1}{12} \qquad\qquad \blacksquare$$

4.3 VARIABLES ALÉATOIRES DISCRÈTES

4.3.1 Définition, loi de probabilité

Une variable aléatoire ne pouvant prendre qu'une quantité dénombrable de valeurs est dite **discrète**. Pour une telle variable aléatoire X, on définit sa **loi de probabilité** p par

$$p(a) = P\{X = a\}$$

Cette loi de probabilité ne peut être positive que pour un ensemble au plus dénombrable d'arguments. En d'autres termes, si X peut prendre les valeurs x_1, x_2,..., alors

$$p(x_i) \ge 0 \qquad i = 1, 2, \ldots$$
$$p(x) = 0 \qquad \text{pour toutes les autres valeurs de } x$$

Du fait que X doit bien prendre l'une de ces valeurs x_i, on aura

$$\sum_{i=1}^{\infty} p(x_i) = 1$$

Il est souvent instructif de représenter la fonction de densité de probabilité sur un graphique, en reportant $p(x_i)$ sur l'axe des y et x_i sur l'axe des x. A titre d'illustration, la loi de probabilité suivante est représentée à la figure 4.2:

$$p(0) = \tfrac{1}{4} \qquad p(1) = \tfrac{1}{2} \qquad p(2) = \tfrac{1}{4}$$

La figure 4.3 représente le graphe de la loi de probabilité d'une variable aléatoire comptant la somme des nombres obtenus lors du jet de deux dés équilibrés.

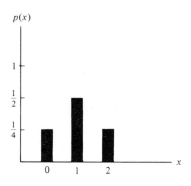

Figure 4.2

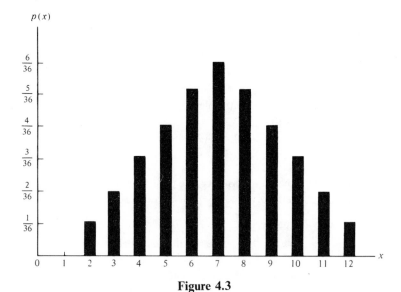

Figure 4.3

Exemple 4.7 La loi de probabilité d'une variable aléatoire X est donnée par $p(i) = c\lambda^i/i!$, $i = 0, 1, 2,...$, où λ est un réel positif. Trouver
a) $P\{X = 0\}$;
b) $P\{X > 2\}$.

SOLUTION. Puisque $\sum\limits_{i=0}^{\infty} p(i) = 1$, nous avons que

$$c \sum_{i=0}^{\infty} \frac{\lambda^i}{i!} = 1$$

ce qui implique, puisque $e^x = \sum\limits_{i=0}^{\infty} x^i/i!$, que

$$ce^{\lambda} = 1 \qquad \text{ou} \qquad c = e^{-\lambda}$$

Or

$$P\{X = 0\} = e^{-\lambda}\lambda^0/0! = e^{-\lambda}$$

$$P\{X > 2\} = 1 - P\{X \le 2\} = 1 - P\{X = 0\} - P\{X = 1\} - P\{X = 2\}$$

$$= 1 - e^{-\lambda} - \lambda e^{-\lambda} - \frac{\lambda^2 e^{-\lambda}}{2}$$ ∎

4.3.2 Fonction de répartition d'une variable aléatoire discrète

On peut exprimer la fonction de répartition F d'une variable aléatoire discrète en fonction des valeurs prises par sa loi de probabilité p:

$$F(a) = \sum_{x \le a} p(x)$$

Dans le cas précis où les valeurs possibles de la variable aléatoire sont $x_1, x_2, x_3,...$, avec $x_1 < x_2 < x_3 < ...$, la fonction F de répartition est une fonction en escalier. Ses valeurs seront constantes sur les intervalles $[x_{i-1}, x_i)$ et elle aura un saut de taille $p(x_i)$ en x_i, $i = 1, 2,...$ Dans le cas par exemple d'une variable aléatoire X dont la loi est donnée par

$$p(1) = \tfrac{1}{4} \qquad p(2) = \tfrac{1}{2} \qquad p(3) = \tfrac{1}{8} \qquad p(4) = \tfrac{1}{8}$$

sa fonction de répartition sera

$$F(a) = \begin{cases} 0 & a < 1 \\ \frac{1}{4} & 1 \le a < 2 \\ \frac{3}{4} & 2 \le a < 3 \\ \frac{7}{8} & 3 \le a < 4 \\ 1 & 4 \le a \end{cases}$$

Le graphe de cette dernière est représenté à la figure 4.4.

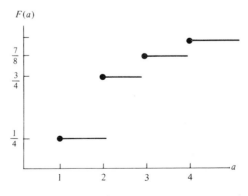

Figure 4.4

Le lecteur remarquera que la taille du saut aux abscisses 1, 2, 3 et 4 est égale à la probabilité que X prenne ces valeurs.

Les variables aléatoires discrètes sont réparties en catégories selon le type de leur loi. Les sections suivantes présentent quelques-uns de ces types.

4.4 VARIABLE DE BERNOULLI ET VARIABLE BINOMIALE

4.4.1 Variable de Bernoulli

On réalise une expérience dont le résultat sera interprété soit comme un succès soit comme un échec. On définit alors la variable aléatoire X en lui donnant la valeur 1 lors d'un succès et 0 lors d'un échec. La loi de probabilité de X est alors

$$p(0) = P\{X = 0\} = 1 - p \qquad\qquad (4.4)$$
$$p(1) = P\{X = 1\} = p$$

où p est la probabilité d'un succès, $0 \leqslant p \leqslant 1$.

Une variable aléatoire X est dite **de Bernoulli** (du nom du mathématicien suisse Jacques Bernoulli) s'il existe un nombre $p \in (0,1)$ tel que la loi de probabilité de X soit donnée par (4.4).

4.4.2 Variables binomiales

Supposons qu'on exécute maintenant n épreuves indépendantes, chacune ayant p pour probabilité de succès et $1 - p$ pour probabilité d'échec. La variable aléatoire X qui compte le nombre de succès sur l'ensemble des n épreuves est dite variable aléatoire **binomiale** de paramètres (n, p). Une variable de Bernoulli n'est donc qu'une variable binomiale de paramètres $(1, p)$.

La loi de probabilité d'une variable aléatoire binomiale de paramètres (n, p) est donnée par

$$p(i) = \binom{n}{i} p^i (1 - p)^{n-i} \qquad i = 0, 1, \ldots, n \qquad (4.5)$$

Pour établir (4.5) il faut tout d'abord remarquer que toute séquence donnée comportant i succès et $n - i$ échecs pour une longueur totale de n épreuves a pour probabilité $p^i (1 - p)^{n-i}$, en vertu de l'indépendance de ces épreuves. Comme il y a $\binom{n}{i}$ de ces séquences comptant i succès et $n - i$ échecs, on aboutit bien à (4.5). On peut le voir encore plus facilement si l'on remarque qu'il y a $\binom{n}{i}$ choix différents des i épreuves donnant un succès. Plaçons-nous par exemple dans le cas où $n = 4$ et $i = 2$. Il y a bien $\binom{4}{2} = 6$ manières d'obtenir deux succès parmi les 4 résultats, à savoir (s, s, e, e), (s, e, s, e), (s, e, e, s), (e, s, s, e), (e, s, e, s) et (e, e, s, s). Par (s, s, e, e) on veut dire que les deux premières épreuves ont donné des succès, au contraire des deux dernières. Chacune de ces séquences ayant pour probabilité $p^2 (1 - p)^2$, la probabilité cherchée est bien $\binom{4}{2} p^2 (1 - p)^2$.

On remarquera qu'en application du théorème du binôme, la somme de tous les $p(i)$ est 1:

$$\sum_{i=0}^{\infty} p(i) = \sum_{i=0}^{n} \binom{n}{i} p^i (1-p)^{n-i} = [p + (1-p)]^n = 1$$

4.4.3 Exemples de variables binomiales et de Bernoulli

Exemple 4.8 On jette cinq pièces équilibrées. Les résultats sont supposés indépendants. Donner la loi de probabilité de la variable X qui compte le nombre de piles obtenus.

SOLUTION. Soit X le nombre de piles (donc de succès) au total. X est une variable aléatoire binomiale de paramètres $(n = 5, p = \frac{1}{2})$. Aussi a-t-on, en application de (4.5),

$$P\{X = 0\} = \binom{5}{0} \left(\frac{1}{2}\right)^0 \left(\frac{1}{2}\right)^5 = \frac{1}{32}$$

$$P\{X = 1\} = \binom{5}{1} \left(\frac{1}{2}\right)^1 \left(\frac{1}{2}\right)^4 = \frac{5}{32}$$

$$P\{X = 2\} = \binom{5}{2} \left(\frac{1}{2}\right)^2 \left(\frac{1}{2}\right)^3 = \frac{10}{32}$$

$$P\{X = 3\} = \binom{5}{3} \left(\frac{1}{2}\right)^3 \left(\frac{1}{2}\right)^2 = \frac{10}{32}$$

$$P\{X = 4\} = \binom{5}{4} \left(\frac{1}{2}\right)^4 \left(\frac{1}{2}\right)^1 = \frac{5}{32}$$

$$P\{X = 5\} = \binom{5}{5} \left(\frac{1}{2}\right)^5 \left(\frac{1}{2}\right)^0 = \frac{1}{32}$$

■

Exemple 4.9 On sait que les vis fabriquées par une certaine société sont affectées d'un défaut avec probabilité 0,01; l'état d'une vis est indépendant de celui des prédécentes ou suivantes. Or, la société accepte de rembourser les paquets de 10 vis qu'elle vend si plus d'une des vis présente un défaut. Quelle proportion des paquets vendus la société s'expose-t-elle à devoir rembourser?

SOLUTION. Désignons par X le nombre de vis malformées d'un paquet donné. X est une variable aléatoire binomiale de paramètres (10, 0,01). La probabilité qu'il faille remplacer un paquet est

$$1 - P\{X = 0\} - P\{X = 1\} = 1 - \binom{10}{0}(.01)^0(.99)^{10} - \binom{10}{1}(.01)^1(.99)^9$$

$$\approx .004$$

Ainsi ne faudra-t-il remplacer que 0,4 pour cent seulement des paquets.   ■

Exemple 4.10 Le jeu d'argent décrit ci-dessous est appelé «roue de la fortune» et est très populaire lors de bien des carnavals et dans les casinos; un joueur parie et mise sur un numéro compris entre 1 et 6 inclusivement. On jette ensuite trois dés. Si le nombre choisi par le joueur apparaît i fois ($i = 1, 2, 3$), celui-ci gagne i unités. Dans le cas où ce nombre n'apparaît pas, le joueur perd une unité. Ce jeu est-il honnête vis-à-vis du joueur? (En fait, on joue en lançant une roue qui s'immobilise en laissant apparaître un jeu de trois nombres compris entre 1 et 6, mais tout revient du point de vue mathématique à jeter trois dés).

SOLUTION. Admettons que les dés sont équilibrés et que leurs résultats sont indépendants les uns des autres. Le nombre de fois qu'apparaît le nombre sur lequel le joueur a misé est une variable aléatoire binomiale de paramètres $(3, \frac{1}{6})$. Désignons par X les gains du joueur lors d'une partie. On aura

$$P\{X = -1\} = \binom{3}{0}\left(\frac{1}{6}\right)^0\left(\frac{5}{6}\right)^3 = \frac{125}{216}$$

$$P\{X = 1\} = \binom{3}{1}\left(\frac{1}{6}\right)^1\left(\frac{5}{6}\right)^2 = \frac{75}{216} \tag{4.6}$$

$$P\{X = 2\} = \binom{3}{2}\left(\frac{1}{6}\right)^2\left(\frac{5}{6}\right)^1 = \frac{15}{216}$$

$$P\{X = 3\} = \binom{3}{3}\left(\frac{1}{6}\right)^3\left(\frac{5}{6}\right)^0 = \frac{1}{216}$$

Pour déterminer si le jeu est équilibré, il convient de regarder les choses à long terme. Si le joueur recommence un nombre infiniment grand de parties, il observera sur un groupe de 216 jeux
125 fois une perte d'une unité: -1
 75 fois le gain d'une unité: $+1$
 15 fois le gain de deux unités: $+2$
  1 fois le gain de trois unités: $+3$
A long terme, son gain sera donc, par groupe de 216 jeux,
$-1(125) + 1(75) + 2(15) + 3(1) = -17$. En moyenne il perdra donc 17 unités par groupe de 216 parties.

Sur cette base, le jeu est indiscutablement défavorable au joueur. (Bien que l'argument invoqué ci-dessus soit de nature heuristique, il est parfaitement valable et sera étayé de manière rigoureuse par la loi forte des grands nombres, présentée au chapitre 8). En fait, l'interprétation correcte de notre déclaration un peu imprécise «le joueur perdra à la longue 17 unités par groupe de 216 parties» est que le rapport entre les gains totaux du joueur pendant les n premières parties et n convergera avec probabilité 1 vers $-\frac{17}{216}$ lorsque n tend vers l'infini.   ∎

Dans l'exemple suivant nous allons étudier une version simple de la théorie de l'hérédité développée par Gregor Mendel (1822–1884).

Exemple 4.11 On admet qu'un trait physique (telle la couleur des yeux ou le fait d'être gaucher) chez un homme est déterminé par une paire de gènes. On désignera par d le gène de la paire qui est dominant, et par r celui qui est récessif. Une personne portant dd sera ainsi à dominance pure, une autre portant rr sera à caractère récessif, alors que rd entraînera une dominance hybride. Les dominances pure et hybride ne se distinguent pas extérieurement. Un enfant recevra un gène de chacun de ses parents. Si, par un trait particulier, les deux parents sont hybrides et s'ils ont 4 enfants, quelle est la probabilité que 3 de ceux-ci manifestent extérieurement le trait dominant?

SOLUTION. Admettons que chaque enfant a autant de chances de recevoir chacun des deux gènes de chacun de ses parents. Les probabilités que l'enfant de deux parents hybrides porte les gènes dd, rr ou rd sont respectivement $\frac{1}{4}$, $\frac{1}{4}$ et $\frac{1}{2}$. Comme un descendant aura le trait dominant s'il porte les paires de gènes dd ou rd, le nombre d'enfants ainsi conformés est réparti selon la loi binomiale avec pour paramètres $(4, \frac{3}{4})$ dans notre cas. La probabilité cherchée est donc

$$\binom{4}{3}\left(\frac{3}{4}\right)^{3}\left(\frac{1}{4}\right)^{1} = \frac{27}{64}$$

∎

Exemple 4.12 On considère un jugement pour lequel la condamnation doit être votée par 8 des 12 membres du jury au moins pour devenir exécutoire. En admettant que les jurés se déterminent indépendamment les uns des autres et que la probabilité de décision correcte est θ pour chacun d'entre eux, quelle est la probabilité que la décision du jury entier soit correcte?

SOLUTION. Il est impossible de donner une solution au problème tel qu'il est énoncé ci-dessus, par manque d'information. Si l'accusé est innocent par exemple, la probabilité que le jury rende une sentence correcte est

$$\sum_{i=5}^{12}\binom{12}{i}\theta^{i}(1-\theta)^{12-i}$$

alors que s'il est coupable cette probabilité devient

$$\sum_{i=8}^{12}\binom{12}{i}\theta^{i}(1-\theta)^{12-i}$$

On pourra ainsi obtenir la probabilité que le jury se détermine correctement en conditionnant selon que l'accusé est coupable ou innocent, α désignant la probabilité qu'il soit coupable:

$$\alpha\sum_{i=8}^{12}\binom{12}{i}\theta^{i}(1-\theta)^{12-i} + (1-\alpha)\sum_{i=5}^{12}\binom{12}{i}\theta^{i}(1-\theta)^{12-i}$$

∎

Exemple 4.13 Un système de communication comporte n composants; chacun d'entre eux fonctionnera, indépendamment des autres, avec une probabilité p. Le système total pourra effectivement fonctionner si au moins la moitié de ses composants sont opérationnels.

a) Pour quelles valeurs de p un système à 5 composants est-il plus souvent en état de fonctionnement que celui à 3 composants?

b) De manière générale, dans quel cas un système à $2k + 1$ composants est-il préférable à un système à $2k - 1$ composants?

SOLUTION.

a) Comme le nombre de composants en bon état est une variable aléatoire binomiale de paramètres (n, p), la probabilité qu'un système à 5 composants fonctionne est

$$\binom{5}{3} p^3 (1 - p)^2 + \binom{5}{4} p^4 (1 - p) + p^5$$

tandis que la probabilité correspondante pour un système à 3 composants est

$$\binom{3}{2} p^2 (1 - p) + p^3.$$

Par conséquent, le système à 5 composants est préférable si

$$10p^3 (1 - p)^2 + 5p^4 (1 - p) + p^5 \geq 3p^2 (1 - p) + p^3$$

qui se réduit à

$$3(p - 1)^2 (2p - 1) \geq 0$$

ou

$$p \geq 1/2.$$

b) En général, un système à $2k + 1$ composants est préférable à un système à $2k - 1$ composants si (et seulement si) $p \geq \frac{1}{2}$. Pour le montrer, considérons un système à $2k + 1$ composants et notons X le nombre de ceux qui fonctionnent parmi les $2k - 1$ premiers composants. Alors

$$\mathbf{P}_{2k+1} \text{ (le système fonctionne)} = P\{X \geq k + 1\} + P\{X = k\} (1 - (1 - p)^2)$$
$$+ P\{X = k - 1\}p^2$$

car le système à $2k + 1$ composants fonctionnera dans les cas suivants:
• $X \geq k + 1$,
• $X = k$ et au moins l'un des 2 composants restants fonctionne ou
• $X = k - 1$ et tous les deux composants suivants fonctionnent.

Comme

$$\mathbf{P}_{2k-1} \text{ (le système fonctionne)} = P\{X \geq k\}$$
$$= P\{X = k\} + P\{X \geq k + 1\}$$

on obtient que

P_{2k+1} (le système fonctionne) $- P_{2k-1}$ (le système fonctionne)

$$= P\{X = k - 1\} p^2 - (1 - p)^2 P\{X = k\}$$

$$= \binom{2k-1}{k-1} p^{k-1}(1-p)^k p^2 - (1-p)^2 \binom{2k-1}{k} p^k (1-p)^{k-1}$$

$$= \binom{2k-1}{k} p^k (1-p)^k [p - (1-p)] \text{ puisque } \binom{2k-1}{k-1} = \binom{2k-1}{k}$$

$$\geq 0 \Leftrightarrow p \geq \tfrac{1}{2}. \qquad\qquad\qquad\qquad\qquad\qquad\qquad\qquad \blacksquare$$

4.4.4 Propriétés de la loi binomiale

Nous allons maintenant donner les propriétés de la loi d'une variable aléatoire binomiale et en particulier démontrer le théorème suivant:

Théorème 4.1
Soit X une variable aléatoire binomiale de paramètres (n, p) avec $0 < p < 1$. Lorsque k croît de 0 à n, $P(X = k)$ grandit d'abord de manière monotone, puis décroît également de manière monotone, le pic étant atteint lorsque k est égal à la partie entière de $(n + 1)p$.

DÉMONSTRATION. On démontre ce théorème en considérant le rapport $P\{X = k\}/P\{X = k - 1\}$ et en étudiant les valeurs de k pour lesquelles il est plus grand ou plus petit que 1. Or

$$\frac{P\{X = k\}}{P\{X = k - 1\}} = \frac{\dfrac{n!}{(n-k)!k!} p^k (1-p)^{n-k}}{\dfrac{n!}{(n-k+1)!(k-1)!} p^{k-1}(1-p)^{n-k+1}}$$

$$= \frac{(n-k+1)p}{k(1-p)}$$

Donc $P\{X = k\} \geq P\{X = k - 1\}$ si et seulement si

$$(n - k + 1)p \geq k(1 - p)$$

ou de façon équivalente, si et seulement si

$$k \leq (n + 1)p$$

Le théorème est ainsi démontré. $\qquad\qquad\qquad\qquad\qquad\qquad\qquad\qquad \blacksquare$

En illustration à ce théorème, on donne à la figure 4.5 le graphe de la loi d'une variable aléatoire binomiale ayant pour paramètres $(10, \tfrac{1}{2})$.

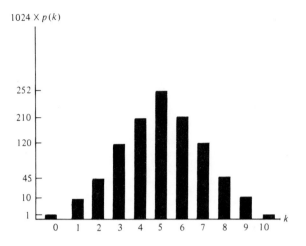

Figure 4.5 Graphe de $p(k) = \binom{10}{k} \left(\frac{1}{2}\right)^{10}$

4.4.5 Application de la loi binomiale

Exemple 4.14 Lors d'une élection présidentielle américaine, le candidat qui recueille le plus grand nombre de voix dans un Etat emporte la totalité de celles du collège électoral allouées à cet Etat[1]. Ce nombre de voix est approximativement proportionnel à la population de cet Etat, ce qui revient à dire qu'un Etat de population n dispose d'environ nc voix au collège électoral. (En fait, il dispose plutôt d'environ $nc + 2$ voix puisqu'il reçoit une voix par député qu'il envoie à la Chambre des Représentants – et le nombre de ces députés est proportionnel à la population de cet Etat – plus une voix par sénateur – et chaque Etat dispose de 2 sénateurs –.) Nous allons déterminer la puissance de vote moyenne d'un citoyen établi dans un Etat de population n lors d'une élection présidentielle très disputée; par puissance de vote moyenne lors d'une élection serrée, on entend le produit ncP, P étant la probabilité que l'électeur arbitre le scrutin dans son Etat. Il arbitrera le scrutin si les $n-1$ autres électeurs de l'Etat ont attribué exactement $(n-1)/2$ voix à chacun des deux candidats. Ceci suppose que le nombre total n d'électeurs dans cet Etat soit impair, mais le cas où n est pair peut être traité de manière très similaire. Le fait que l'élection soit serrée se traduit par les hypothèses que les $n-1$ autres électeurs se déterminent indépendamment les uns des autres, avec probabilité ½ en faveur de chaque candidat. De ce fait, la probabilité qu'un électeur établi dans un Etat de taille $n = 2k + 1$ puisse arbitrer le scrutin est égale à la probabilité que lors d'une séquence de $2k$ jets d'une pièce équilibrée il sorte aussi souvent pile que face, à savoir

---

[1] ndt: l'élection présidentielle américaine est organisée sur un mode particulier de suffrage indirect, avec en général deux candidats seulement.

$P = P\{\text{l'électeur soit arbitre dans un Etat de taille } 2k + 1\}$

$$= \binom{2k}{k}\left(\frac{1}{2}\right)^k\left(\frac{1}{2}\right)^k$$

$$= \frac{(2k)!}{k!\,k!\,2^{2k}}$$

On obtient une approximation de cette quantité grâce à la **formule de Stirling** qui affirme que lorsque k est grand

$$k! \sim k^{k+1/2}e^{-k}\sqrt{2\pi}$$

où $a_k \sim b_k$ signifie que le rapport a_k/b_k tend vers 1 lorsque k tend vers l'infini. De ce fait

$P = P\{\text{l'électeur soit arbitre dans un Etat de taille } 2k + 1\}$

$$\sim \frac{(2k)^{2k+1/2}e^{-2k}\sqrt{2\pi}}{k^{2k+1}e^{-2k}(2\pi)2^{2k}} = \frac{1}{\sqrt{k\pi}}$$

Comme cet électeur fait basculer nc votes du collège électoral s'il arbitre l'élection dans son Etat, sa puissance moyenne de vote ncP est approximativement

$$\sim \frac{nc}{\sqrt{n\pi/2}}$$

$$= c\sqrt{2n/\pi}$$

Cette puissance moyenne de vote étant proportionnelle à la racine carrée de n, l'exemple traité montre que les électeurs de grands Etats sont plus influents que ceux des plus petits. ∎

4.4.6 Calcul de la fonction de répartition binomiale

Supposons que X est une variable aléatoire binomiale de paramètres (n, p). L'idée clé pour le calcul de sa fonction de répartition

$$P\{X \leq i\} = \sum_{k=0}^{i} \binom{n}{k} p^k(1 - p)^{n-k}, \qquad i = 0, 1, \ldots, n$$

consiste à utiliser la relation suivante entre $P\{X = k + 1\}$ et $P\{X = k\}$, formule qui a été établie lors de la démonstration du théorème 4.1:

$$P\{X = k + 1\} = \frac{p}{1 - p}\frac{n - k}{k + 1}P\{X = k\} \tag{4.7}$$

Exemple 4.15 Soit X une variable aléatoire binomiale de paramètres $n = 6$, $p = 0,4$. En partant de $P\{X = 0\} = (0,6)^6$ et en utilisant l'équation (4.7) de façon récursive, on obtient

$$P\{X = 0\} = (.6)^6 = .0467$$

$$P\{X = 1\} = \tfrac{4}{6}\tfrac{6}{1}P\{X = 0\} = .1866$$

$$P\{X = 2\} = \tfrac{4}{6}\tfrac{5}{2}P\{X = 1\} = .3110$$

$$P\{X = 3\} = \tfrac{4}{6}\tfrac{4}{3}P\{X = 2\} = .2765$$

$$P\{X = 4\} = \tfrac{4}{6}\tfrac{3}{4}P\{X = 3\} = .1382$$

$$P\{X = 5\} = \tfrac{4}{6}\tfrac{2}{5}P\{X = 4\} = .0369$$

$$P\{X = 6\} = \tfrac{4}{6}\tfrac{1}{6}P\{X = 5\} = .0041. \qquad \blacksquare$$

Un programme en langage Basic, qui utilise la formule de récurrence (4.7) pour calculer la fonction de répartition binomiale est présenté à la fin de ce chapitre. Il calcule d'abord $P\{X = 0\} = (1 - p)^n$ puis, en utilisant l'équation (4.7), il détermine successivement $P\{X = 1\}$, ..., $P\{X = i\}$. Cependant, ce procédé sera valable seulement pour des valeurs de n pas trop grandes; en effet, lorsque n est grand, $P\{X = 0\} = (1 - p)^n$ deviendra 0 à cause des erreurs d'arrondi. Dans ce cas, tous les termes suivants $P\{X = k\}$, $k = 1$, ..., i vaudront aussi 0 et le programme concluera de façon erronée que $P\{X \leqslant i\} = 0$. Pour parer à cette éventualité, chaque fois que le calcul de $(1 - p)^n$ donne 0, le programme commence par déterminer non pas $P\{X = 0\}$ mais $P\{X = J\}$ où

$$J = \begin{cases} i & \text{si } i \leq (n + 1)p \\ [(n + 1)p] & \text{si } i > (n + 1)p \end{cases}$$

et où $[x]$ – noté Int (x) dans le programme – est le plus grand entier inférieur ou égal à x. (De toutes les probabilités $P\{X = k\}$, $k = 0, 1, ..., i$ à calculer, la valeur de $P\{X = J\}$ sera la plus grande.) Le programme détermine ensuite de façon récursive $P\{X = J - 1\}$, $P\{X = J - 2\}$, ..., $P\{X = 0\}$. De plus, si $J < i$, il fournit aussi les valeurs de $P\{X = J + 1\}$, ..., $P\{X = i\}$

Le calcul de

$$P\{X = J\} = \binom{n}{J} p^J (1 - p)^{n-J}$$

$$= \frac{n(n - 1) \cdots (n - J + 1)}{J(J - 1) \cdots 1} p^J (1 - p)^{n-J}$$

est effectué en prenant d'abord le logarithme[1] pour calculer

$$\ln P\{X = J\} = \sum_{k=1}^{J} \ln (n + 1 - k)$$

$$- \sum_{k=1}^{J} \ln (k) + J \ln p + (n - J) \ln (1 - p)$$

puis en utilisant

$$P\{X = J\} = \exp \{\ln P\{X = J\}\}$$

---

[1] ndt: on adoptera la notation ln pour désigner $\log_e$.

Exemple 4.16

a) Déterminer $P\{X \leqslant 145\}$ où X est une variable aléatoire binomiale de paramètres (250, 0,5).

b) Déterminer $P\{X \leqslant 90\}$ où X est une variable aléatoire binomiale de paramètres (1000, 0,1).

SOLUTION. Exécuter le programme de la distribution binomiale:

```
RUN
THE DISTRIBUTION FUNCTION OF A BINOMIAL(n,p) RANDOM VARIABLE
ENTER n
? 250
ENTER p
? .5
ENTER i
? 145
THE PROBABILITY IS .995255
Ok


RUN
THE DISTRIBUTION FUNCTION OF A BINOMIAL(n,p) RANDOM VARIABLE
ENTER n
? 1000
ENTER p
? .1
ENTER i
? 90
THE PROBABILITY IS .1582189
Ok
```

4.5 VARIABLE ALÉATOIRE DE POISSON

4.5.1 Définition

Une variable aléatoire X pouvant prendre pour valeur 0, 1, 2,... est dite **de Poisson avec paramètre** λ s'il existe un réel $\lambda > 0$ tel que

$$p(i) = P\{X = i\} = e^{-\lambda}\frac{\lambda^i}{i!} \qquad i = 0, 1, 2, \ldots \qquad (4.8)$$

L'équation (4.8) définit bien une loi de probabilité puisque

$$\sum_{i=0}^{\infty} p(i) = e^{-\lambda} \sum_{i=0}^{\infty} \frac{\lambda^i}{i!} = e^{-\lambda}e^{\lambda} = 1$$

La distribution poissonienne fut introduite par Siméon Denis Poisson dans un ouvrage traitant des applications de la théorie des probabilités aux problèmes juridiques tels que des procès, des jugements en matière criminelle, etc. Son livre, publié en 1837, était intitulé *Recherches sur la probabilité des jugements en matière criminelle et en matière civile.*[1]

---

[1] ndt: titre en français dans le texte anglais.

4.5.2 Approximation poissonienne de lois binomiales

Les variables aléatoires de Poisson ont un champ d'application fort vaste, en particulier du fait qu'on peut les utiliser pour approximer des variables aléatoires binomiales de paramètres (n, p) pour autant que n soit grand et p assez petit pour que np soit d'ordre de grandeur moyen. Pour s'en convaincre, admettons que X soit une variable aléatoire binomiale de paramètres (n, p) et posons $\lambda = np$. On aura

$$P\{X = i\} = \frac{n!}{(n - i)!\, i!} p^i (1 - p)^{n-i}$$

$$= \frac{n!}{(n - i)!\, i!} \left(\frac{\lambda}{n}\right)^i \left(1 - \frac{\lambda}{n}\right)^{n-i}$$

$$= \frac{n(n - 1) \cdots (n - i + 1)}{n^i} \frac{\lambda^i}{i!} \frac{(1 - \lambda/n)^n}{(1 - \lambda/n)^i}$$

Maintenant, pour n grand et λ modéré

$$\left(1 - \frac{\lambda}{n}\right)^n \approx e^{-\lambda} \qquad \frac{n(n - 1) \cdots (n - i + 1)}{n^i} \approx 1 \qquad \left(1 - \frac{\lambda}{n}\right)^i \approx 1$$

Donc, pour n grand et λ modéré,

$$P\{X = i\} \approx e^{-\lambda} \frac{\lambda^i}{i!}$$

En d'autres termes, lorsqu'on réalise n épreuves indépendantes ayant p pour probabilité de succès et si n est grand et p assez petit pour rendre np moyen, le nombre de succès est une variable aléatoire de répartition approximativement poissonienne avec paramètre $\lambda = np$. La détermination de cette grandeur λ sera en général empirique. On montrera plus tard qu'elle représente d'ailleurs un nombre moyen de succès.

4.5.3 Applications de la loi de Poisson

On cite ci-dessous quelques exemples de variables aléatoires qui obéissent en règle générale à la loi de probabilité de Poisson (c'est-à-dire qui satisfont (4.8)):
- le nombre de coquilles par page ou groupe de pages d'un livre
- le nombre d'individus dépassant l'âge de 100 ans dans une communauté humaine
- le nombre de faux numéros téléphoniques composés en un jour
- le nombre de paquets de biscuits pour chien vendus dans un magasin donné en l'espace d'un jour
- le nombre de clients pénétrant dans un bureau de poste donné en l'espace d'un jour
- le nombre de charges devenues vacantes à la Cour suprême en l'espace d'un an
- le nombre de particules α émises par un matériau radioactif pendant un certain laps de temps.

Dans chacun de ces exemples – et dans bien d'autres – la variable aléatoire est toujours répartie de manière approximativement poissonienne pour la même raison:

parce qu'on approxime par là une variable binomiale. Dans le premier cas par exemple, on peut supposer que chacun des caractères composant une page a une probabilité p d'être mal rendu. Aussi le nombre de coquilles par page sera-t-il distribué approximativement suivant la loi de Poisson avec paramètre $\lambda = np$ où n est le nombre de caractères par page. De la même manière, on peut supposer que toute personne dans une communauté a la même probabilité de devenir centenaire. On peut aussi attribuer une probabilité d'acheter des biscuits pour chien à toute personne entrant dans une épicerie, et ainsi de suite.

4.5.4 Exemples de variables aléatoires de Poisson

Exemple 4.17 Admettons que le nombre d'erreurs par page dans ce livre suive une distribution de Poisson avec paramètre $\lambda = \frac{1}{2}$. Calculer la probabilité qu'il y ait au moins une erreur sur cette page.

SOLUTION. Désignons par X le nombre d'erreurs sur cette page. On aura

$$P\{X \geq 1\} = 1 - P\{X = 0\} = 1 - e^{-1/2} \approx .395 \qquad \blacksquare$$

Exemple 4.18 On admet que la probabilité de défaut pour un objet fabriqué à la machine est 0,1. Trouver la probabilité qu'un lot de 10 objets comprenne au plus un élément affecté d'un défaut.

SOLUTION. La probabilité cherchée est exactement

$$\binom{10}{0}(0,1)^0(0,9)^{10} + \binom{10}{1}(0,1)^1(0,9)^9 = 0,7361$$

alors que l'approximation donnée par la loi de Poisson mène à $e^{-1} + e^{-1} \approx 0,7358$.

$\blacksquare$

Exemple 4.19 On considère l'expérience qui consiste à mesurer le nombre de particules α émises dans l'espace d'une seconde par un gramme de matière radioactive. Des expériences ont montré dans le passé qu'en moyenne le nombre de particules α émises est 3,2. Donner une bonne approximation pour la probabilité qu'au plus deux particules α seront enregistrées.

SOLUTION. Représentons-nous le gramme de matière radioactive comme une collection de n atomes (n est grand). Chacun peut se désintégrer, ceci avec une probabilité de $3,2/n$ pour la durée de mesure, et donner une particule α. On peut alors dire que le nombre de particules α émises sera approximativement une variable aléatoire de Poisson de paramètre $\lambda = 3,2$ et l'approximation est ici très bonne. La probabilité cherchée sera ainsi

$$P\{X \leq 2\} = e^{-3.2} + 3.2e^{-3.2} + \frac{(3.2)^2}{2}e^{-3.2}$$

$$\approx .382 \qquad \blacksquare$$

4.5.5 Autres cas d'approximation poissonnienne

Nous avons montré que la loi de Poisson de paramètre np est une très bonne approximation de la distribution du nombre de succès obtenus dans n épreuves indépendantes, où chaque épreuve a la probabilité p d'aboutir à un succès, à condition que n soit grand et p petit. En fait, cette approximation reste valable même lorsque les épreuves ne sont pas indépendantes, pourvu que leur dépendance soit «faible».

Exemple 4.20 Reprenons le problème de rencontre de l'exemple 2.12 du chapitre 2. n hommes tirent au hasard chacun un chapeau dans l'ensemble de leurs chapeaux. Si l'on s'intéresse au nombre d'hommes qui choisissent leur propre chapeau, on peut considérer le tirage aléatoire comme le résultat des n épreuves telles que chaque épreuve i est un succès si la personne i a tiré son propre chapeau, $i = 1, ..., n$. En définissant les événements E_i, $i = 1, ..., n$ par

$$E_i = \{\text{l'épreuve } i \text{ est un succès}\}$$

il est facile de voir que

$$P\{E_i\} = 1/n \qquad \text{et} \qquad P\{E_i \mid E_j\} = 1/(n - 1), j \neq i$$

Ainsi, bien que les événements E_i, $i = 1, ..., n$ ne sont pas indépendants, on voit que, pour n grand, leur dépendance est plutôt faible. De ce fait, on peut raisonnablement espérer que le nombre de succès suive approximativement une loi de Poisson de paramètre $n \times 1/n = 1$. L'exemple 2.12 du chapitre 2 le vérifie effectivement. ∎

Exemple 4.21 Pour une deuxième illustration de l'efficacité de l'approximation poissonnienne lorsque les épreuves sont faiblement dépendantes, considérons de nouveau le problème des anniversaires présenté dans l'exemple 2.10 du chapitre 2. Dans cet exemple, nous avons supposé que chacune des n personnes a, de façon équiprobable, l'un des 365 jours de l'année comme jour d'anniversaire. Le problème est de déterminer la probabilité que, dans un ensemble de n personnes indépendantes, toutes ont leurs jours d'anniversaire différents. Nous avons utilisé un argument combinatoire pour évaluer cette probabilité et nous avons calculé que, lorsque $n = 23$, elle est inférieure à $\frac{1}{2}$.

Nous pouvons estimer cette probabilité en utilisant l'approximation poissonnienne de la manière suivante. Imaginons que l'on a une épreuve pour chacune des $\binom{n}{2}$ paires d'individus i et j, $i \neq j$ et disons que l'épreuve $i - j$ est un succès si les personnes i et j ont le même jour d'anniversaire. Soit E_{ij} l'événement «l'épreuve $i - j$ est un succès». Bien que les $\binom{n}{2}$ événements, $1 \leqslant i < j \leqslant n$ ne sont pas indépendants (voir l'exercice théorique 4.7.14), leur dépendance est plutôt faible. (En fait, ces événements sont même «indépendants deux à deux», dans le sens que toute paire d'événements E_{ij} et E_{kl} sont indépendants – voir de nouveau l'exercice 4.7.14). Comme $P(E_{ij}) = 1/365$, il est raisonnable de penser que le nombre de succès doit suivre approximativement une loi de Poisson de paramètre

$$\binom{n}{2}\Big/365 \;=\; n(n-1)/730.$$

Par conséquent,

$$P\{2 \text{ personnes différentes n'ont pas le même jour d'anniversaire}\} \;=\; P\{0 \text{ succès}\}$$
$$\approx\; \exp\{-\,n(n-1)/730\}$$

Pour déterminer le plus petit entier n pour lequel cette probabilité est inférieure à ½, notons que l'inégalité

$$\exp\{-\,n(n-1)/730\} \;\leq\; \tfrac{1}{2}$$

est équivalente à

$$\exp\{n(n-1)/730\} \;\geq\; 2$$

ou, en prenant le logarithme dans les deux membres, à

$$n(n-1) \;\geq\; 730\,\ln 2$$
$$\approx\; 505.997$$

ce qui donne la solution $n = 23$, en accord avec le résultat de l'exemple 2.10.

Supposons maintenant que l'on demande la probabilité qu'aucun groupe de 3 personnes parmi n n'ont leur anniversaire le même jour. Alors que l'on est maintenant en présence d'un problème combinatoire difficile, une bonne approximation est facile à obtenir. Pour commencer, faisons correspondre une épreuve à chacun des $\binom{n}{3}$ triplets i, j, k tels que $1 \leq i < j < k \leq n$, et disons que l'épreuve $i-j-k$ est un succès si les personnes i, j et k ont leur anniversaire le même jour. Comme auparavant, nous pouvons conclure que le nombre de succès est approximativement une variable aléatoire de Poisson de paramètre

$$\binom{n}{3} P\{i, j, k \text{ ont leur anniversaire le même jour}\} \;=\; \binom{n}{3}\left(\frac{1}{365}\right)^2$$
$$=\; \frac{n(n-1)(n-2)}{6 \times (365)^2}$$

Par conséquent,

$$P\left\{\begin{array}{c} 3 \text{ personnes différentes} \\ \text{n'ont pas le même jour d'anniversaire} \end{array}\right\} \;\approx\; \exp\{-\,n(n-1)(n-2)/799350)\}$$

Cette probabilité sera inférieure à ½ lorsque n est tel que

$$n(n-1)(n-2) \;\geq\; 799350\ln 2 \;\approx\; 554067.1$$

qui est équivalent à $n \geq 84$. Ainsi, la probabilité qu'au moins 3 personnes d'un groupe de 84 personnes ou plus ont le même jour d'anniversaire dépasse ½.   ■

4.5.6 Introduction au processus de Poisson

Les situations où un événement particulier se reproduit à intervalles réguliers au cours du temps peuvent fournir des cas d'application de la loi de Poisson. On peut citer comme exemple d'un tel événement un tremblement de terre, ou l'entrée d'une personne dans un établissement donné (banque, poste, station d'essence, etc.), ou encore l'apparition d'une guerre. Supposons que l'on ait affaire à de tels événements et qu'en plus il existe une constante positive λ pour laquelle les conditions suivantes soient vérifiées:

- **Condition 1:** la probabilité qu'il advienne exactement 1 événement dans un intervalle de temps de durée h vaut $\lambda h + o(h)$, où $o(h)$ désigne toute fonction $f(h)$ telle que $\lim_{h \to 0} f(h)/h = 0$. (Par exemple $f(h) = h^2$ est $o(h)$, mais $f(h) = h$ ne l'est pas.)
- **Condition 2:** la probabilité qu'il survienne deux événements ou plus dans un laps de temps de durée h est $o(h)$.
- **Condition 3:** soit des entiers quelconques $n, j_1, ..., j_n$ et un ensemble quelconque de n intervalles sans intersection. Soient E_i les événements «il survient exactement j_i événements durant l'intervalle i». Les événements $E_1, E_2, ..., E_n$ seront toujours indépendants.

En termes approximatifs, les conditions 1 et 2 établissent que lorsque h est petit, la probabilité d'observer exactement 1 événement durant un intervalle de longueur h est λh plus quelque chose de petit comparé à h, tandis que celle d'observer deux événements ou plus est petite comparée à h. La condition 3 garantit que ce qui se passe au cours d'un intervalle n'a pas d'influence sur ce qui arrive durant tout autre intervalle disjoint du premier.

4.5.7 Processus de Poisson et variable aléatoire de Poisson

Nous allons montrer que sous les trois conditions précitées, le nombre d'événements survenant dans un laps de temps d'origine quelconque et de durée t est une variable aléatoire de Poisson avec paramètre λt. Pour plus de clarté, on notera l'intervalle $[0, t]$ et le nombre d'occurrences de l'événement $N(t)$. Dans le but d'obtenir une expression de $P\{N(t) = k\}$ on va partitionner l'intervalle $[0, t]$ en n intervalles disjoints de longueur t/n chacun (cf. fig. 4.6).

Figure 4.6

Or

$$P\{N(t) = k\} = P\{k \text{ des } n \text{ sous-intervalles contiennent exactement 1 événement et les } n - k \text{ autres 0}\}$$
$$+ P\{N(t) = k \text{ et au moins un sous-intervalle contient 2 événements ou plus}\}. \tag{4.9}$$

Ceci résulte du fait que les deux événements apparaissant dans le membre de droite de (4.9) sont mutuellement exclusifs. Désignons-les par A et B respectivement. On aura:

$P(B) \leqslant P\{$au moins l'un des sous-intervalles contient 2 occurrences ou plus de l'événement$\}$

$= P(\bigcup\limits_{i=1}^{n}$ {le i-ème sous-intervalle contient 2 occurrences ou plus}

$\leqslant \sum\limits_{i=1}^{n} P\{$le i-ème sous-intervalle contient 2 occurrences ou plus$\}$

(en vertu de l'inégalité de Boole)

$= \sum\limits_{i=1}^{n} o(\tfrac{t}{n})$ \qquad\qquad (en vertu de la condition 2)

$= no\left(\dfrac{t}{n}\right)$

$= t\left[\dfrac{o(t/n)}{t/n}\right]$

Or, pour tout t, t/n tend vers 0 lorsque n tend vers l'infini et donc $o(t/n)/(t/n)$ tend vers 0 lorsque n tend vers l'infini, par définition de $o(h)$. Par conséquent

$$P(B) \to 0 \text{ lorsque } n \to \infty \qquad\qquad (4.10)$$

D'autre part, du fait qu'on peut écrire grâce aux conditions 1 et 2

P {il ne survient aucun élément dans un intervalle de durée h}

$$= 1 - [\lambda h + o(h) + o(h)] = 1 - \lambda h - o(h)^{1}$$

on peut encore écrire en utilisant la condition 3 d'indépendance

$P(A) = P\{k$ des sous-intervalles contiennent exactement 1 occurrence et les $n - k$ autres aucune$\}$

$$= \binom{n}{k}\left[\frac{\lambda t}{n} + o\left(\frac{t}{n}\right)\right]^{k}\left[1 - \left(\frac{\lambda t}{n}\right) - o\left(\frac{t}{n}\right)\right]^{n-k}$$

Cependant, puisque

$$n\left[\frac{\lambda t}{n} + o\left(\frac{t}{n}\right)\right] = \lambda t + t\left[\frac{o(t/n)}{t/n}\right] \to \lambda t \text{ quand } n \to \infty$$

Il en résulte l'équation suivante, en utilisant l'argument déjà connu qui établit que la distribution binomiale peut être approximée par une distribution poissonienne:

---

[1] La somme des deux fonctions $o(h)$ est encore $o(h)$. Il en est ainsi du fait que si $\lim\limits_{h\to 0} f(h)/h = \lim\limits_{h\to 0} g(h)/h = 0$, alors $\lim\limits_{h\to 0} [f(h) + g(h)]/h = 0$.

$$P(A) \to e^{-\lambda t} \frac{(\lambda t)^k}{k!} \text{ lorsque } n \to \infty \qquad (4.11)$$

En exploitant (4.9), (4.10) et (4.11) on obtient donc, lorsque n tend vers l'infini

$$P\{N(t) = k\} = e^{-\lambda t} \frac{(\lambda t)^k}{k!} \qquad k = 0, 1, \ldots \qquad (4.12)$$

Ainsi le nombre d'occurrences d'événements est-il, sous les conditions 1, 2 et 3, une variable aléatoire de Poisson de paramètre λt; on dit alors que les événements se réalisent selon un *processus de Poisson* de paramètre λ. Cette grandeur doit être déterminée de manière empirique et on peut montrer qu'elle représente le taux d'occurrence d'événements par unité de temps.

Ce qui précède aide à comprendre pourquoi les variables aléatoires de Poisson donnent généralement de bonnes approximations de phénomènes très divers tels que par exemple
- le nombre de tremblements de terre survenant pendant une période de longueur donnée
- le nombre de guerres se déclarant chaque année
- le nombre d'électrons libérés par une cathode surchauffée durant une période de longueur donnée
- le nombre de décès parmi les assurés d'une compagnie d'assurance-vie, sur une période de longueur donnée.

4.5.8 Exemple d'application du processus de Poisson

Exemple 4.22 Supposons que les secousses sismiques dans la moitié ouest des Etats-Unis surviennent de manière telle que les conditions 1, 2 et 3 soient satisfaites, λ valant 2 et l'unité de temps étant la semaine. (Ceci revient à dire que des secousses se produisent, en accord avec les trois conditions précitées, au rythme de 2 par semaine). Trouver d'abord la probabilité qu'au moins 3 secousses aient lieu durant les 2 prochaines semaines. Trouver ensuite la distribution de la durée entre maintenant et la prochaine secousse.

SOLUTION. D'après (4.12) nous aurons

$$P\{N(2) \geq 3\} = 1 - P\{N(2) = 0\} - P\{N(2) = 1\} - P\{N(2) = 2\}$$

$$= 1 - e^{-4} - 4e^{-4} - \frac{4^2}{2}e^{-4}$$

$$= 1 - 13e^{-4}$$

Quant à la seconde question, désignons par X la durée d'attente jusqu'à la prochaine secousse, mesurée en semaines. Du fait que X sera supérieure à t si et seulement s'il ne survient aucune secousse durant les t prochaines semaines, (4.12) donne

$$P\{X > t\} = P\{N(t) = 0\} = e^{-\lambda t}$$

et ainsi la fonction de répartition F de X sera

$$F(t) = P\{X \le t\} = 1 - P\{X > t\} = 1 - e^{-\lambda t}$$
$$= 1 - e^{-2t}$$

■

4.5.9 Calcul de la fonction de répartition de Poisson

Si X est une variable aléatoire de Poisson de paramètre λ, alors

$$\frac{P\{X = i + 1\}}{P\{X = i\}} = \frac{e^{-\lambda}\lambda^{i+1}/(i + 1)!}{e^{-\lambda}\lambda^i/i!} = \frac{\lambda}{i + 1}. \qquad (4.13)$$

En commençant par $P\{X = 0\} = e^{-\lambda}$, nous pouvons utiliser la formule (4.13) pour calculer successivement

$$P\{X = 1\} = \lambda P\{X = 0\}$$

$$P\{X = 2\} = \frac{\lambda}{2} P\{X = 1\}$$

$$\vdots$$

$$P\{X = i + 1\} = \frac{\lambda}{i + 1} P\{X = i\}.$$

Un programme en langage Basic, qui utilise l'équation (4.13) pour calculer la fonction de répartition de Poisson, est présenté à la fin de ce chapitre. Il débute avec le calcul de $P\{X = 0\} = e^{-\lambda}$. Cependant, si la valeur retournée est nulle, comme dans le cas des grandes valeurs de λ, il commence avec $P\{X = J\}$ où

$$J = \begin{cases} i & \text{si} \quad i \le \lambda \\ \text{Int}(\lambda) & \text{si} \quad i > \lambda \end{cases}$$

où $\text{Int}(\lambda)$ est le plus grand entier inférieur ou égal à λ. Ce choix provient du fait que de toutes les valeurs $P\{X = k\}$, $k = 0, 1, ..., i$ que l'on doit calculer la plus grande est $P\{X = J\}$ (voir l'exercice 4.7.11). Le programme calcule $P\{X = J\}$ en évaluant d'abord

$$\ln P\{X = J\} = -\lambda + J \ln(\lambda) - \sum_{k=1}^{J} \ln k$$

puis en utilisant l'égalité

$$P\{X = J\} = \exp\{\ln P\{X = J\}\}.$$

Une fois $P\{X = J\}$ obtenu, on détermine, grâce à l'équation (4.13), les probabilités successives $P\{X = J - 1\}$, $P\{X = J - 2\}$, ..., $P\{X = 0\}$. Si $J < i$ on calcule à l'aide de (4.13) de nouveau $P\{X = J + 1\}$, ..., $P\{X = i\}$. En sommant toutes ces quantités, on obtient $P\{X \le i\}$.

Exemple 4.23

a) Déterminer $P\{X \leqslant 100\}$ quand X est une variable aléatoire de Poisson de moyenne 90.

b) Déterminer $P\{X \leqslant 1075\}$ quand X est une variable aléatoire de Poisson de moyenne 1000.

SOLUTION. Exécuter le programme suivant:

```
RUN
THIS PROGRAM COMPUTES THE PROBABILITY THAT A POISSON RANDOM VARIABLE
IS LESS THAN OR EQUAL TO i
ENTER THE MEAN OF THE RANDOM VARIABLE
? 100
ENTER THE DESIRED VALUE OF i
? 90
THE PROBABILITY THAT A POISSON RANDOM VARIABLE WITH MEAN   100
IS LESS THAN OR EQUAL TO 90 IS .1713914
Ok
RUN
THIS PROGRAM COMPUTES THE PROBABILITY THAT A POISSON RANDOM VARIABLE
IS LESS THAN OR EQUAL TO i
ENTER THE MEAN OF THE RANDOM VARIABLE
? 1000
ENTER THE DESIRED VALUE OF i
? 1075
THE PROBABILITY THAT A POISSON RANDOM VARIABLE WITH MEAN   1000
IS LESS THAN OR EQUAL TO 1075 IS .989354
Ok
```
■

4.6 AUTRES LOIS DISCRÈTES

4.6.1 Variables aléatoires géométriques

On exécute une série d'épreuves indépendantes ayant chacune la probabilité p d'être un succès, $0 < p < 1$, jusqu'à obtenir le premier succès. Si l'on désigne le nombre d'épreuves nécessaires jusqu'à ce résultat par X on aura

$$P\{X = n\} = (1 - p)^{n-1}p \qquad n = 1, 2, \ldots \qquad (4.14)$$

En effet, pour que X prenne n pour valeur, il faut et suffit que les $n - 1$ premières épreuves soient des échecs tandis que la n-ième devra être un succès. (4.14) est alors immédiate puisque les épreuves sont indépendantes.

Du fait que

$$\sum_{n=1}^{\infty} P\{X = n\} = p \sum_{n=1}^{\infty} (1 - p)^{n-1} = \frac{p}{1 - (1 - p)} = 1$$

il est établi qu'avec probabilité 1 un succès finira par se produire.

Les variables aléatoires dont la loi est donnée par (4.14) sont appelées *variables aléatoires géométriques (ou de Pascal)* de paramètre p.

Exemple 4.24 Une urne contient N boules blanches et M noires. On tire des boules une par une avec remise jusqu'à l'apparition d'une noire. Quelle est la probabilité qu'il faille exactement n tirages? Quelle est la probabilité qu'il faille au moins k tirages?

SOLUTION. Désignons par X le nombre de tirages nécessaires jusqu'à l'apparition de la première boule noire. X est régie par (4.14) avec $p = M/(M + N)$. D'où les deux résultats demandés:

1.
$$P\{X = n\} = \left(\frac{N}{M + N}\right)^{n-1} \frac{M}{M + N} = \frac{MN^{n-1}}{(M + N)^n}$$

2.
$$P\{X \geq k\} = \frac{M}{M + N} \sum_{n=k}^{\infty} \left(\frac{N}{M + N}\right)^{n-1}$$

$$= \left(\frac{M}{M + N}\right)\left(\frac{N}{M + N}\right)^{k-1} \bigg/ \left[1 - \frac{N}{M + N}\right]$$

$$= \left(\frac{N}{M + N}\right)^{k-1}$$

On aurait bien sûr pu obtenir le deuxième directement puisque la probabilité qu'il faille au moins k essais pour obtenir un premier succès est égale à celle de n'avoir que des échecs sur les $k - 1$ premières épreuves. Cette probabilité est, pour une variable géométrique

$$P\{X \geq k\} = (1 - p)^{k-1} \qquad\blacksquare$$

4.6.2 Variables aléatoires binomiales négatives

On exécute une série d'épreuves indépendantes ayant chacune une probabilité p de donner un succès, $0 < p < 1$, jusqu'à obtenir un total de r succès. Désignons par X le nombre d'épreuves nécessaires pour atteindre ce résultat. On aura

$$P\{X = n\} = \binom{n - 1}{r - 1} p^r (1 - p)^{n-r} \qquad n = r, r + 1, \ldots \qquad (4.15)$$

En effet, pour obtenir un r-ième succès lors de la n-ième épreuve il a fallu $r - 1$ succès lors des $n - 1$ premières épreuves et il faut que la n-ième épreuve soit un succès. La probabilité de la première condition est

$$\binom{n - 1}{r - 1} p^{r-1} (1 - p)^{n-r}$$

et celle de la seconde est p. De ce fait (4.15) est établie puisque les épreuves sont indépendantes.

On peut établir que la probabilité d'obtenir r succès est 1. Il existe une démonstration analytique de l'équation

$$\sum_{n=r}^{\infty} P\{X = n\} = \sum_{n=r}^{\infty} \binom{n - 1}{r - 1} p^r (1 - p)^{n-r} = 1 \qquad (4.16)$$

mais on peut donner l'argument probabiliste suivant: le nombre d'épreuves nécessaires à l'obtention de r succès peut être écrit $Y_1 + Y_2 + \ldots + Y_r$, Y_1 étant le nombre d'épreuves nécessaires jusqu'au premier succès, Y_2 le nombre d'épreuves supplémentaires nécessaires pour obtenir un deuxième succès, Y_3 celui menant au 3ème et ainsi de suite. Les tirages étant indépendants et ayant toujours la même probabilité de succès, chacune des variables Y_1, Y_2,..., Y_r est géométrique. On a vu que chacune est finie avec probabilité 1 et par conséquent leur somme X l'est aussi, ce qui établit (4.16).

Une variable aléatoire dont la loi est donnée par (4.15) est dite **variable aléatoire binomiale négative** de paramètres (r, p). On remarquera qu'une variable géométrique est binomiale négative de paramètre $(1, p)$.

Dans l'exemple suivant, le problème des points trouve une autre solution grâce à l'emploi d'une variable binomiale négative.

Exemple 4.25 On exécute une série d'épreuves indépendantes, chacune aboutissant à un succès avec la même probabilité p. Quelle est la probabilité que r succès apparaissent avant que le m-ième échec ne survienne?

SOLUTION. On parvient à cette solution en remarquant que r succès n'apparaissent avant le m-ième échec que si le r-ième succès survient au plus tard à la $(r + m - 1)$-ième épreuve. En effet, si le r-ième succès a lieu avant cette $(r + m - 1)$-ième épreuve ou au plus tard lors même de celle-ci, elle intervient avant le m-ième échec et l'implication inverse est vraie. On tire alors de (4.15) la probabilité voulue

$$\sum_{n=r}^{r+m-1} \binom{n - 1}{r - 1} p^r (1 - p)^{n-r} \qquad \blacksquare$$

Exemple 4.26 Le problème des allumettes de Banach

Un mathématicien se trouve être également fumeur de pipe et il porte à tout moment deux boîtes d'allumettes, une dans chacune de ses poches gauche et droite. Chaque fois qu'il a besoin d'une allumette, il a une chance sur deux d'aller la chercher dans sa poche gauche et autant pour l'autre. Il découvre subitement que la boîte tirée est vide. Les deux boîtes contenaient au départ N allumettes chacune. Quelle est la probabilité qu'il lui reste k allumettes dans l'autre boîte, $k = 0, 1,..., N$?

SOLUTION. Désignons par E l'événement «le mathématicien découvre que sa boîte droite est vide alors qu'il reste k allumettes dans l'autre». Cet événement n'aura lieu que s'il choisit la boîte droite pour la $(N + 1)$-ième fois lors du $N + 1 + N - k$ tirage. Grâce à (4.15) on peut alors écrire, en prenant $p = \frac{1}{2}, r = N + 1, n = 2N - k + 1$,

$$P(E) = \binom{2N - k}{N} \left(\frac{1}{2}\right)^{2N-k+1}$$

Comme la probabilité est la même que ce soit la poche gauche qui se vide tandis qu'il reste k allumettes dans la droite, la probabilité voulue est

$$2P(E) = \binom{2N - k}{N} \left(\frac{1}{2}\right)^{2N-k} \qquad \blacksquare$$

4.6.3 Variables aléatoires hypergéométriques

On tire sans remise un échantillon de n boules d'une urne en contenant N, desquelles Np sont blanches et $N - Np$ noires. Désignons par X le nombre de boules blanches tirées. On aura

$$P\{X = k\} = \frac{\binom{Np}{k}\binom{N - Np}{n - k}}{\binom{N}{n}} \qquad k = 0, 1, \ldots, \min(n, Np) \qquad (4.17)$$

S'il existe certaines valeurs de n, N et p pour lesquelles la loi d'une variable aléatoire vérifie (4.17), cette variable est dite **variable aléatoire hypergéométrique**.

Exemple 4.27 Le nombre d'animaux d'une certaine espèce habitant un territoire donné est N, inconnu. Pour obtenir une information sur la taille de cette population, les écologues ont souvent recours à l'expérience suivante: ils capturent en premier lieu une certaine quantité de ces animaux, mettons r. Ils les marquent puis les relâchent et leur laissent le temps de se disperser sur l'ensemble du territoire étudié. Dans un deuxième temps, ils font un certain nombre n de nouvelles captures. Désignons par X le nombre d'animaux marqués figurant parmi ces nouvelles captures. On admet que la population animale n'a pas changé entre les dates des deux séries de captures et que lors de chaque capture tous les animaux restant à ce stade ont la même probabilité d'être pris. X est alors une variable aléatoire hypergéométrique et

$$P\{X = i\} = \frac{\binom{r}{i}\binom{N - r}{n - i}}{\binom{N}{n}} \equiv P_i(N)$$

Supposons maintenant que la valeur observée de X soit i. Désignons par $P_i(N)$ la probabilité que ceci arrive alors que la population totale est N. Une estimation intuitivement raisonnable de N est donnée par la valeur pour laquelle $P_i(N)$ est maximale. (Une telle estimation est dite **estimation du maximum de vraisemblance**. Les exercices théoriques 4.7.8 et 4.7.13 sont d'autres exemples de ce type de procédé d'estimation).

Le moyen le plus simple de trouver le maximum de $P_i(N)$ se base sur le calcul du rapport

$$\frac{P_i(N)}{P_i(N - 1)} = \frac{(N - r)(N - n)}{N(N - r - n + i)}$$

Or, le rapport est supérieur à 1 si et seulement si

$$(N - r)(N - n) \geq N(N - r - n + i)$$

ou, ce qui est équivalent, si et seulement si,

$$N \leq \frac{rn}{i}$$

Ainsi, $P_i(N)$ est-elle d'abord croissante puis décroissante, prenant son maximum pour la partie entière de rn/i. Cette valeur est donc l'estimation du maximum de vraisemblance de N. Si par exemple la première campagne de capture a livré $r = 50$ animaux marqués puis relâchés et la 2ème campagne a permis de capturer $n = 40$ animaux dont $i = 4$ sont marqués, on estimera que la population de ces animaux se chiffre à 500 sur le territoire étudié. (On aurait aussi pu obtenir cette estimation en faisant l'hypothèse que la proportion i/n d'animaux marqués lors de la 2ème campagne de captures est égale à celle des animaux marqués dans toute la population, soit r/N).   ■

Exemple 4.28 Un électricien achète des composants par paquets de 10. Sa technique de contrôle est de n'examiner que 3 des composants, tirés au hasard dans le paquet, et de n'accepter le lot des 10 que si les 3 composants examinés sont sans défaut. Si 30% des paquets contiennent 4 composants à malfaçon tandis que les 70% restants n'en contiennent qu'un, quelle proportion des paquets notre électricien rejettera-t-il?

SOLUTION. Désignons par A l'événement «l'électricien accepte un paquet». On sait que

$$P(A) = P(A \mid \text{le paquet contient 4 mauvais composants}) \tfrac{3}{10} +$$
$$P(A \mid \text{le paquet contient 1 mauvais composant}) \tfrac{7}{10}$$

$$= \frac{\binom{4}{0}\binom{6}{3}}{\binom{10}{3}}\left(\frac{3}{10}\right) + \frac{\binom{1}{0}\binom{9}{3}}{\binom{10}{3}}\left(\frac{7}{10}\right)$$

$$= \frac{54}{100}$$

46% des paquets seront donc refusés.   ■

4.6.4 Variables aléatoires Zéta (ou de Zipf)

On dit qu'une variable aléatoire suit une **distribution zéta** (parfois aussi dite **de Zipf**) si sa loi de probabilité est

$$P\{X = k\} = \frac{C}{k^{\alpha+1}}, \qquad k = 1, 2, \ldots$$

où $\alpha > 0$. Du fait que la somme de ces probabilités doit donner 1, on peut calculer C:

$$C = \left[\sum_{k=1}^{\infty}\left(\frac{1}{k}\right)^{\alpha+1}\right]^{-1}$$

La loi zéta doit son nom au fait que la fonction

$$\zeta(s) = 1 + \left(\frac{1}{2}\right)^{s} + \left(\frac{1}{3}\right)^{s} + \cdots + \left(\frac{1}{k}\right)^{s} + \cdots$$

est appelée par les mathématiciens fonction zéta de Riemann (du nom du mathématicien allemand G.F.B. Riemann). Cette distribution zéta a été utilisée par le célèbre économiste italien Pareto pour décrire la répartition des revenus familiaux à travers un pays donné. Ce fut G.K. Zipf cependant qui popularisa leur usage en les appliquant à des domaines très variés.

4.7 EXERCICES THÉORIQUES

4.7.1 Il existe des coupons de N sortes. On les obtient à raison d'un à la fois et dans chaque cas le coupon reçu sera du type i avec probabilité P_i, $i = 1, 2,..., N$ indépendamment du type des coupons reçus auparavant. Soit T le nombre de coupons qu'il faut collectionner pour obtenir un assortiment complet comprenant un coupon de chaque type au moins. Calculer $P\{T = n\}$.

4.7.2 Etablir la propriété 3 des fonctions de répartition.

4.7.3 Exprimer $P\{X \geqslant a\}$ grâce à la fonction de répartition de X.

4.7.4 Démontrer ou infirmer au moyen d'un contre-exemple l'égalité suivante:

$$P\{X < b\} = \lim_{b_n \to b} P\{X < b_n\}$$

4.7.5 Soit F la fonction de répartition de X. Quelle est la fonction de répartition de $\alpha X + \beta$, où α et β sont des constantes, $\alpha \neq 0$?

4.7.6 On considère un alignement de n composants. Chacun d'entre eux fonctionne avec probabilité p. Quelle est la probabilité de ne pas rencontrer dans cet alignement de composants hors service voisins?

4.7.7 On exécute une série de n épreuves indépendantes ayant chacune une probabilité p d'aboutir à un succès. Montrer que les $n!/[k!(n - k)!]$ séquences contenant exactement k succès sont toutes équiprobables.

4.7.8 On considère une variable aléatoire binomiale X de paramètres (n, p). Pour quelle valeur de p la probabilité $P\{X = k\}$ est-elle maximale, dans les cas où $k = 1$, $2,..., n$? Ce résultat est utilisé en statistique pour estimer p lorsqu'on a observé que $X = k$. Le paramètre n étant connu, cette valeur de p qui rend maximale $P\{X = k\}$ est appelée estimation de p par la méthode du maximum de vraisemblance.

4.7.9 On admet que la probabilité qu'une famille ait n enfants est αp^n, $n \geqslant 1$, $\alpha \leqslant (1 - p)/p$.
- Quelle est la proportion parmi toutes les familles de celles qui n'auront aucun enfant?
- Les enfants ont autant de chances d'être des garçons que des filles, indépendamment du sexe de leurs aînés. Quelle est la proportion parmi toutes les familles de celles ayant exactement k filles, le nombre de garçons n'étant pas fixé?

4.7.10 On jette n fois une pièce, pile sortant avec probabilité p à chaque tirage indépendamment de ce qui a précédé. Montrer que la probabilité d'obtenir un nombre pair de piles est $\frac{1}{2}[1 + (q - p)^n]$, où $q = 1 - p$. Utiliser pour cela l'identité suivante, après l'avoir démontrée:

$$\sum_{i=0}^{[n/2]} \binom{n}{2i} p^{2i} q^{n-2i} = \frac{1}{2}[(p + q)^n + (q - p)^n]$$

où $[n/2]$ désigne la partie entière de $n/2$. Comparer cet exercice à l'exercice 3.6.13.

4.7.11 Soit X une variable aléatoire de Poisson avec paramètre λ. Montrer que $P\{X = i\}$ est une fonction monotone croissante puis décroissante de i prenant son maximum lorsque $i = [\lambda]$.
Etudier pour cela $P\{X = i\}/P\{X = i - 1\}$.

4.7.12 Soit X une variable aléatoire de Poisson de paramètre λ. Montrer que

$$P\{X \text{ est paire}\} = \frac{1}{2}[1 + e^{-2\lambda}]$$

a) en utilisant les résultats du problème 4.7.10 et la relation entre les variables aléatoires poissonnienne et binomiale.
b) Faire une vérification directe en s'aidant du développement de $e^{-\lambda} + e^{\lambda}$.

4.7.13 Soit X une variable aléatoire de Poisson avec paramètre λ. Quelle est la valeur de λ qui maximise $P\{X = k\}$, $k \geqslant 0$?

4.7.14 On considère un ensemble de n personnes choisies au hasard. Soit E_{ij} l'événement «les personnes i et j ont leur anniversaire le même jour». On suppose que chaque personne a son anniversaire qui tombe sur un des 365 jours de l'année, de façon équiprobable. Trouver

- $P(E_{3,4}|E_{1,2})$
- $P(E_{1,3}|E_{1,2})$
- $P(E_{2,3}|E_{1,2} \cap E_{1,3})$

Que peut-on conclure sur l'indépendance des $\binom{n}{2}$ événements E_{ij}?

4.7.15 Une urne contient $2n$ boules, dont 2 sont numérotées 1, 2 numérotées 2, ..., 2 numérotées n. Des couples de boules sont tirées successivement sans remise. Soit T le premier tirage lors duquel les boules obtenues ont le même numéro (T vaut infini si aucun couple de boules tirées n'ont le même numéro). Pour $0 < \alpha < 1$, on veut montrer que

$$\lim_{n} P\{T > \alpha n\} = e^{-\alpha/2}$$

Pour le vérifier, posons M_k le nombre de paires obtenues dans les k premiers tirages, $k = 1, ..., n$.
a) Justifier pourquoi, lorsque n est grand, M_k peut être associé au nombre de succès dans k épreuves (approximativement) indépendantes.
b) Dans le cas où n est grand, approximer $P\{M_k = 0\}$.
c) Décrire l'événement «$T > \alpha n$» en fonction de la valeur prise par l'une des variables M_k.
d) Vérifier la probabilité limite ci-dessus.

4.7.16 On admet que le nombre d'événements d'un certain type survenant pendant un laps de temps donné est une variable aléatoire de paramètre λ. Ces événements sont enregistrés avec probabilité p (certains passent inaperçus), les enregistrements étant indépendants les uns des autres. Montrer que le nombre d'événements enregistrés est une variable aléatoire de Poisson de paramètre λp. Donner une explication intuitive soutenant ce résultat.

En application de ce qui précède, on étudie une campagne de prospection pour découvrir des gisements d'uranium supposés clairement séparés les uns des autres. Dans une région donnée, le nombre de tels gisements distincts est une variable aléatoire de Poisson avec paramètre $\lambda = 10$. Pendant la durée de la campagne la probabilité qu'un gisement donné soit découvert est $\frac{1}{50}$. Trouver la probabilité que

- exactement un gisement,
- au moins un gisement,
- au plus un gisement

soit découvert lors de cette campagne.

4.7.17 Démontrer l'égalité

$$\sum_{i=0}^{n} e^{-\lambda} \frac{\lambda^{i}}{i!} = \frac{1}{n!} \int_{\lambda}^{\infty} e^{-x} x^{n}\, dx$$

en intégrant par parties.

4.7.18 Soit X une variable aléatoire géométrique. Montrer par un calcul analytique que

$$P\{X = n + k \,|\, X > n\} = P\{X = k\}$$

Formuler un argument intuitif en faveur de cette équation en se basant sur le modèle général auquel s'appliquent les variables géométriques.

4.7.19 Pour une variable aléatoire X hypergéométrique dont la loi de probabilité est donnée en (4.17), déterminer $P\{X = k + 1\}/P\{X = k\}$.

4.7.20 Une urne contient des boules numérotées de 1 à N. Supposons qu'on en tire n, $n \leq N$, au hasard et sans remise. Y désigne le plus grand numéro tiré. Donner la loi de Y.

4.7.21 Un bocal contient $m + n$ jetons numérotés de 1 à $n + m$. On en tire n. X désigne le nombre de jetons dont le numéro est supérieur à celui de tous les jetons restés dans le bocal. Donner la loi de X.

4.7.22 Un bocal contient n jetons. Un garçon tire les jetons un à un avec remise jusqu'à ce qu'il obtienne un jeton déjà tiré. X désigne le nombre de tirages. Donner la loi de probabilité de X.

4.7.23 Montrer que lorsque N tend vers l'infini

$$\frac{\binom{Np}{k}\binom{N-Np}{n-k}}{\binom{N}{n}} \to \binom{n}{k}p^k(1-p)^{n-k}$$

Cette relation établit la qualité de l'approximation d'une distribution hypergéométrique par une distribution binomiale. Donner un argument intuitif en faveur de cette approximation.

4.8 PROBLÈMES

4.8.1 On choisit deux boules au hasard d'une urne en contenant 8 blanches, 4 noires et 2 oranges. Supposons que l'on reçoive 2 \$ pour chaque boule noire tirée et que l'on perde 1 \$ pour chaque boule blanche tirée. Désignons les gains nets par X. Quelles sont les valeurs possibles pour X et quelles sont les probabilités associées à ces valeurs?

4.8.2 On jette deux dés équilibrés et X désigne le produit des deux nombres obtenus. Calculer $P\{X = i\}$, $i = 1, 2,...$

4.8.3 On jette 3 dés et on admet que les $6^3 = 216$ résultats possibles sont tous équiprobables. X désigne la somme des 3 nombres obtenus. Donner les probabilités attachées aux différentes valeurs que X peut prendre.

4.8.4 On classe cinq hommes et cinq femmes selon leurs résultats lors d'un examen. On fait l'hypothèse que tous les scores sont différents et que les 10! classements possibles ont tous la même probabilité. On désigne le rang de la meilleure femme par X (par exemple X vaudra 2 si le meilleur résultat a été obtenu par un homme et le suivant par une femme). Trouver $P\{X = i\}$, $i = 1, 2,..., 10$.

4.8.5 Soit X la variable aléatoire comptant la différence entre les nombres de faces et de piles lors d'une répétition de n jets d'une pièce. Quelles sont les valeurs que peut prendre X?

4.8.6 En admettant que dans le problème 4.8.5 la pièce ait été équilibrée, quelles sont les probabilités associées aux valeurs que X peut prendre lorsque $n = 3$?

4.8.7 On jette deux fois un dé. Quelles sont les valeurs que peuvent prendre les variables aléatoires suivantes:
- le plus grand des deux chiffres obtenus,
- le plus petit des deux chiffres obtenus,
- la somme des deux chiffres,
- la différence entre le premier chiffre et le second?

4.8.8 Si le dé utilisé pour le problème 4.8.7 est biaisé, calculer les probabilités associées aux valeurs des quatre variables aléatoires citées à ce même exercice.

4.8.9 Traiter l'exemple 4.2 dans le cas où les boules sont tirées avec remise.

4.8.10 Reprendre l'exemple 4.4 et calculer la probabilité de gagner i francs sachant que l'on gagne quelque chose; faire le calcul pour $i = 1, 2, 3$.

4.8.11
- On choisit au hasard un nombre entier N entre 1 et 1 000. Quelle est la probabilité que le nombre tiré soit divisible par 3? par 5? par 7? par 15? par 105? Que devient la réponse lorsqu'on remplace 1 000 par 10^k et que k devient de plus en plus grand?
- La fonction $\mu(n)$ de Möbius est importante en théorie des nombres. On peut montrer que ses propriétés sont en relation avec le problème non résolu sans doute le plus important en mathématiques, à savoir l'hypothèse de Riemann. Cette fonction est définie comme suit sur l'ensemble des entiers positifs: pour tout tel entier n, on considère sa décomposition en facteurs premiers. Si dans cette décomposition un facteur se répète, comme dans $12 = 2 \cdot 2 \cdot 3$ ou $49 = 7 \cdot 7$, $\mu(n)$ est déclaré nul. Si tous les facteurs sont distincts on affecte à $\mu(n)$ la valeur 1 dans le cas où ces facteurs sont en nombre impair et -1 s'ils sont en nombre pair. Par exemple $\mu(6) = -1$ car $6 = 2 \cdot 3$, mais $\mu(30) = 1$ car $30 = 2 \cdot 3 \cdot 5$. Soit donc un entier N choisi au hasard entre 1 et 10^k où k est grand. Donner la loi de probabilité de $\mu(N)$ lorsque k tend vers l'infini.
  Pour calculer $P\{\mu(N) \neq 0\}$ on peut utiliser l'identité

$$\prod_{i=1}^{\infty} \frac{P_i^2 - 1}{P_i^2} = \left(\frac{3}{4}\right)\left(\frac{8}{9}\right)\left(\frac{24}{25}\right)\left(\frac{48}{49}\right) \cdots = \frac{6}{\pi^2}$$

où P_i est le i-ème nombre premier en partant des plus petits, 1 n'étant pas considéré comme un nombre premier.

4.8.12 Dans le jeu «pair – impair» les deux participants montrent chacun un ou deux doigts et en même temps annoncent combien de doigts ils pensent que leur adversaire va montrer. Si l'un seulement des joueurs devine juste il gagne un nombre de francs égal au total des doigts montrés par lui et son concurrent. Si les deux devinent correctement ou si les deux se trompent aucun argent n'est échangé. On considère l'un des deux joueurs et désigne par X le montant qu'il gagnera lors d'une unique partie de «pair – impair».
- Si les joueurs agissent indépendamment l'un de l'autre et si les 4 issues possibles au jeu sont équiprobables, quelles valeurs X peut-elle prendre et quelles sont les probabilités qui leur sont associées?
- On admet toujours que les deux personnes jouent indépendamment l'une de l'autre. Mais chaque joueur décide maintenant de lever autant de doigts qu'il pense en voir apparaître chez l'autre. Chaque joueur a autant de chances de montrer 1 doigt que deux. Quelles sont les valeurs possibles de X et les probabilités qui leur sont associées?

4.8.13 La fonction de répartition d'une variable X est la suivante:

$$F(b) = \begin{cases} 0 & b < 0 \\[2mm] \dfrac{b}{4} & 0 \leq b < 1 \\[2mm] \dfrac{1}{2} + \dfrac{b-1}{4} & 1 \leq b < 2 \\[2mm] \dfrac{11}{12} & 2 \leq b < 3 \\[2mm] 1 & 3 \leq b \end{cases}$$

Trouver $P\{X = i\}$, $i = 1, 2, 3$. Trouver $P\{\frac{1}{2} < X < \frac{3}{2}\}$.

4.8.14 On lance quatre fois une pièce équilibrée. X désigne le nombre de piles obtenus. Représenter graphiquement la loi de probabilité de $X - 2$.

4.8.15 La fonction de répartition de X est donné par

$$F(b) = \begin{cases} 0 & b < 0 \\ \frac{1}{2} & 0 \leq b < 1 \\ \frac{3}{5} & 1 \leq b < 2 \\ \frac{4}{5} & 2 \leq b < 3 \\ \frac{9}{10} & 3 \leq b < 3.5 \\ 1 & b \geq 3.5 \end{cases}$$

Calculer la loi de probabilité de X.

4.8.16 On tire une boule d'une urne en contenant 3 blanches et 3 noires. On la replace après tirage, pour recommencer indéfiniment cette séquence d'opérations. Quelle est la probabilité de trouver exactement deux boules blanches parmi les quatre premières boules tirées?

4.8.17 Un examen est administré sous forme d'un questionnaire de 5 questions à 3 choix multiples chacune. Quelle est la probabilité qu'un étudiant obtienne 4 bonnes réponses ou plus en devinant?

4.8.18 Un homme prétend avoir des capacités de perception extrasensorielle. Le test qu'on lui administre consiste à lui faire deviner les 10 résultats des 10 jets d'une pièce équilibrée. Il donne 7 bonnes réponses. Quelle est la probabilité qu'il obtienne un résultat aussi bon ou meilleur s'il n'a aucune capacité de perception extrasensorielle?

4.8.19 Les moteurs d'un avion ont une probabilité $1 - p$ de défaillance en cours de vol, et ce indépendamment les uns des autres. Un avion a besoin d'une majorité de ses moteurs pour pouvoir terminer son vol. Pour quelles valeurs de p un avion à cinq moteurs est-il préférable à un trimoteur?

4.8.20 Un canal de transmission d'information ne peut traiter que des 0 et des 1. A cause de perturbations dues à l'électricité statique chaque chiffre transmis l'est avec une probabilité d'erreur de 0,2. Admettons que l'on veuille transmettre un message important limité à 1 signal binaire. Pour éviter une erreur on transmettra 00000 au lieu de 0 et 11111 au lieu de 1. Si le récepteur décode suivant la règle de majorité, quelle est la probabilité que le message soit mal interprété? Quelles hypothèses d'indépendance devez-vous faire?

4.8.21 Un système de communication par satellite se compose de n sous-systèmes et fonctionne un jour donné si ce jour-là au moins k des sous-systèmes sont opérationnels. Par temps pluvieux, chaque sous-système fonctionne avec probabilité p_1, indépendamment des autres. De même par temps sec, mais avec une probabilité p_2. Si α désigne la probabilité qu'il pleuve demain, quelle est la probabilité que le système total fonctionne alors?

4.8.22 Un étudiant se prépare à passer un examen oral important. Il se préoccupe de la question de savoir s'il sera en forme ou non. Son opinion est que s'il est en forme chacun de ses examinateurs le jugera suffisant avec une probabilité de 0,8 et indépendamment des autres examinateurs. Dans le cas contraire, cette probabilité tombe à 0,4. L'étudiant est promu si une majorité de ses examinateurs le juge suffisant. Par ailleurs, il pense avoir deux fois plus de chances d'être en méforme qu'en forme. A-t-il plus intérêt à demander un contrôle par 3 ou 5 examinateurs?

4.8.23 Au moins 9 des 12 jurés réunis doivent estimer l'accusé coupable pour rendre le jugement exécutoire. Supposons que la probabilité pour un juré d'estimer un coupable innocent est 0,2 tandis qu'elle est de 0,1 de commettre l'erreur contraire. Les jurés décident en toute indépendance et 65% des accusés sont coupables. Trouver la probabilité que le jury rende une sentence correcte. Quel pourcentage des accusés sera condamné?

4.8.24 Dans certains tribunaux militaires on désigne 9 juges pour une affaire. Cependant le procureur, autant que l'avocat de la défense, peuvent faire opposition à la désignation de tout juge, auquel cas le juge écarté n'est pas remplacé. Un accusé est déclaré coupable si la majorité des juges le déclarent coupable et est considéré comme innocent sinon. On suppose que dans le cas d'un accusé réellement coupable chaque juge votera la culpabilité (indépendamment des autres) avec probabilité 0,7; cette probabilité n'est que 0,3 lorsque l'accusé est innocent.
- Quelle est la probabilité qu'un accusé coupable soit jugé tel s'il y a 9 juges? 8 juges? 7 juges?
- Qu'en est-il si l'accusé est innocent?
- Dans un cas le procureur n'exerce pas son droit d'opposition. Par ailleurs l'avocat de la défense est limité à 2 oppositions. Combien d'oppositions a-t-il intérêt à faire s'il pense que son client a 60% de risques d'être coupable?

4.8.25 On sait que les disquettes produites par une certaine firme sont défectueuses avec une probabilité de 0,01, indépendamment les unes des autres. La compagnie vend les disquettes par lots de 10 et garantit contre remboursement qu'au plus 1 des 10 disquettes du lot est défectueuse. A l'achat de 3 lots, quelle est la probabilité qu'un lot exactement doive être retourné?

4.8.26 On suppose que 10% des puces produites par une usine de matériels d'ordinateurs sont défectueuses. Si l'on commande 100 puces, le nombre de puces défectueuses suit-il une loi binomiale?

4.8.27 On admet que le nombre d'accidents survenant sur une autoroute quotidiennement est une variable aléatoire de Poisson de paramètre $\lambda = 3$.
- Quelle est la probabilité qu'il survienne 3 accidents ou plus lors d'un jour donné?
- Même question si l'on sait qu'un accident au moins a eu lieu.

4.8.28 Comparer l'approximation poissonienne aux probabilités exactes données par la loi binomiale dans les cas suivants:

- $P\{X = 2\}$ lorsque $n = 8$, $p = 0,1$;
- $P\{X = 9\}$ lorsque $n = 10$, $p = 0,95$;
- $P\{X = 0\}$ lorsque $n = 10$, $p = 0,1$;
- $P\{X = 4\}$ lorsque $n = 9$, $p = 0,2$.

4.8.29 Vous participez à 50 tirages consécutifs d'une loterie. A chaque tirage la probabilité que vous gagniez un prix est $\frac{1}{100}$. Quelle est la probabilité (approximative) que vous gagniez un prix
- au moins une fois;
- exactement une fois;
- au moins deux fois?

4.8.30 Le nombre de rhumes attrapés par un individu en l'espace d'un an est une variable aléatoire de Poisson de paramètre $\lambda = 5$. Admettons qu'un remède miracle (basé sur l'effet de vitamine C à haute dose) ait été lancé sur le marché et qu'il abaisse le paramètre λ à 3 pour 75% de la population. Pour les 25 derniers pourcents de la population le remède n'a pas d'effet appréciable. Un individu essaie ce médicament pendant un an et attrape deux rhumes. Quelle est la probabilité que le remède ait un effet sur lui?

4.8.31 Au poker, la probabilité de se voir distribuer une main pleine est approximativement 0,0014. Calculer une approximation de la probabilité d'obtenir au moins deux mains pleines sur 1 000 donnes.

4.8.32 Si l'on place n couples mariés autour d'une table, calculer la probabilité approximative qu'aucune femme ne se trouve à côté de son mari. Lorsque $n = 10$ comparer le résultat avec la valeur exacte donnée dans l'exemple 2.13 du chapitre 2.

4.8.33 Les gens entrent dans un casino au rythme d'une personne toutes les deux minutes.
- Quelle est la probabilité qu'il n'entre personne entre 12 h et 12 h 05?
- Quelle est la probabilité que 4 personnes au moins se présentent durant cette même période?

4.8.34 Le taux de suicide pour un pays donné est de 1 personne pour 100 000 habitants et par mois.

- Quelle est la probabilité qu'il y ait 8 suicides ou plus en un mois dans une ville de 400 000 âmes?
- Quelle est la probabilité qu'au cours d'une année le nombre de suicides mensuels dépasse deux fois ou plus le niveau de 8?
- Le mois en cours étant appelé mois 1, quelle est la probabilité que le premier mois où l'on enregistre 8 suicides ou plus soit le mois i, $i \geqslant 1$?

Quelles hypothèses faites-vous?

4.8.35 On sait que 10% des personnes montrant un certain symptôme sont porteuses d'une maladie donnée. Dans la ville considérée cette maladie peut être qualifiée d'épidémie. Le diagnostic précis dépend d'un test sanguin qui est malheureusement assez coûteux. En conséquence, les hématologues attendent d'avoir reçu la visite de n porteurs du symptôme avant de réaliser ce test avec un mélange du sang de ces n personnes. Si aucune d'entre elles n'est malade, le test est négatif. Dans le cas contraire, le test est positif et le médecin doit effectuer des tests individuels sur le sang de chacun des patients pour détecter qui est malade.

- Quelle est la probabilité que le test collectif soit négatif lorsque $n = 2$, $n = 4$, $n = 6$ et $n = 10$?
- Soit X le nombre de tests à effectuer en général pour un groupe de n patients. Donner la loi de X pour $n = 2$, $n = 4$, $n = 6$ et $n = 10$.

4.8.36 Chacun des soldats d'une troupe de 500 hommes est porteur d'une certaine maladie avec probabilité $\frac{1}{1000}$. Cette maladie est détectable à l'aide d'un test sanguin et, pour faciliter les choses, on ne teste qu'un mélange du sang de chacun des 500 soldats.

- Quelle est la probabilité (approximative) que le test soit positif, indiquant par là qu'au moins une des personnes est malade?

On suppose par la suite que le test a été positif.

- Quelle est la probabilité que dans ce cas plus d'une personne soit malade?
- L'une de ces 500 personnes s'appelle Jones, et Jones sait qu'il est porteur de la maladie. Quelle doit être, de son point de vue, la probabilité qu'une autre personne au moins soit porteuse de la maladie?
- Le test étant positif, il est décidé que des tests individuels seront menés. Les $i - 1$ premiers de ces tests sont négatifs. Le i-ème est positif – c'est celui de Jones. Quelle est la probabilité qu'une des personnes restantes au moins soit encore malade, en fonction de i?

4.8.37 On considère une roue de roulette comprenant 38 cases numérotées 0, 00 et de 1 à 36. Smith parie régulièrement sur la sortie des numéros 1 à 12. Quelle est la probabilité qu'il perde ses 5 premiers paris? Quelle est la probabilité que son premier gain survienne lors du quatrième tirage?

4.8.38 Deux équipes de sportifs disputent une série de matchs. La première équipe à enregistrer 4 victoires est déclarée gagnante de la série. On admet que l'une d'elles est plus forte que l'autre et remporte un match avec probabilité 0,6, indépendamment de l'issue des autres parties. Trouver la probabilité que cette équipe remporte la série en

i jeux exactement. Calculer ce résultat pour $i = 4, 5, 6, 7$. Comparer ces résultats avec celui obtenu sous l'hypothèse que l'équipe gagnante est la première à enregistrer 2 victoires seulement.

4.8.39 Un journaliste se voit remettre une liste de personnes à interviewer. Il doit interroger 5 personnes au moins. Les interviewés potentiels n'acceptent de parler qu'avec une probabilité de $\frac{2}{3}$, indépendamment les uns des autres. Quelle est la probabilité qu'il puisse réaliser ses 5 entretiens si la liste compte
• 5 noms?
• 8 noms?
Dans ce dernier cas quelle est la probabilité qu'il puisse parler à
• 6 personnes exactement?
• 7 exactement?

4.8.40 On jette une pièce de monnaie jusqu'à obtenir pile pour la dixième fois. La variable X compte le nombre d'apparitions de face. Quelle est la loi de X?

4.8.41 Résoudre le problème des allumettes de Banach (exemple 4.26) lorsque la boîte de gauche contient initialement N_1 allumettes contre N_2 pour la boîte de droite.

4.8.42 Dans le problème des boîtes d'allumettes de Banach, trouver la probabilité que lorsque la première boîte est vidée (plutôt que trouvée vide), l'autre boîte contienne exactement k allumettes.

4.8.43 Une urne contient 4 boules blanches et 4 noires. On tire 4 boules au hasard. Si deux sont blanches et deux sont noires on s'arrête. Sinon on remet les boules dans l'urne et recommence le tirage, jusqu'à obtenir deux blanches et deux noires. Quelle est la probabilité qu'il faille exactement n tirages avant de s'arrêter?

4.8.44 Keno est le nom d'un jeu populaire dans les maisons de jeux du Nevada. On y joue comme suit: la banque choisit au hasard 20 nombres parmi l'ensemble des nombres compris entre 1 et 80. Un joueur peut choisir entre 1 et 15 de ces 80 nombres. Un gain survient lorsqu'une certaine fraction des nombres du joueur correspond à certains de ceux choisis par la banque. Le montant du gain dépend du nombre d'éléments dans le jeu du joueur et du nombre de correspondances. Par exemple, si le joueur ne prend qu'un nombre il gagnera si ce nombre est dans le lot des 20 nombres de la banque; le rapport sera dans ce cas 2,2 : 1, soit 2,20 dollars par dollar de mise. (Comme la probabilité de gagner dans cette situation est $\frac{3}{4}$, le rapport juste serait 3 : 1). Lorsqu'un joueur prend deux nombres, le rapport est 12 : 1 dans le cas où les deux nombres sont gagnants.
• Quel serait le juste rapport dans ce dernier cas?
On note par $P_{n,k}$ la probabilité que k exactement des n nombres pris par le joueur soient gagnants.
• Calculer $P_{n,k}$.
• La mise la plus courante au Keno consiste à prendre 10 nombres. Le tableau 4.7 indique les rapports payés par la banque. Construire la dernière colonne de ce tableau.

Nombre de concordances	Rapport brut par dollar de mise	Rapport équitable
0–4	−1	
5	1	
6	17	
7	179	
8	1,299	
9	2,599	
10	24,999	

Tableau 4.7 Rapports au Keno pour des prises de 10 nombres

4.8.45 On considère la situation présentée dans l'exemple 4.28. Quel pourcentage de lots à i composantes défectueuses sera-t-il rejeté par l'acheteur? Calculer le résultat pour $i = 1,...,4$. Si un lot est rejeté, quelle est la probabilité qu'il contienne 4 composants défectueux?

4.8.46 Un industriel achète les transistors par lots de 20. Sa stratégie consiste à tester seulement 4 transistors par lot, pris au hasard, et à n'accepter le lot que si tous sont en bon état. Si la probabilité pour un transistor isolé d'être malformé est 0,1, ceci indépendamment de l'état des autres transistors, quelle proportion des lots sera refusée par l'industriel?

Calcul de la fonction de répartition binomiale (voir section 4.4.6)

```
10 PRINT"THE DISTRIBUTION FUNCTION OF A BINOMIAL(n,p) RANDOM VARIABLE"
20 PRINT "ENTER n"
30 INPUT N
40 PRINT "ENTER p"
50 INPUT P
60 PRINT "ENTER i"
70 INPUT I
80 S=(1-P)^N
90 IF S=0 GOTO 180
100 A=P/(1-P)
110 T=S
120 IF I=0 GOTO 390
130 FOR K=0 TO I-1
140 S=S*A*(N-K)/(K+1)
150 T=T+S
160 NEXT K
170 GOTO 390
180 J=I
190 IF J>N*P THEN J=INT(N*P)
200 FOR K=1 TO J
210 L=L+LOG(N+1-K)-LOG(J+1-K)
220 NEXT K
230 L=L+J*LOG(P)+(N-J)*LOG(1-P)
240 L=EXP(L)
250 B=(1-P)/P
260 F=1
270 FOR K=1 TO J
280 F=F*B*(J+1-K)/(N-J+K)
290 T=T+F
```

```
300 NEXT K
310 IF J=I GOTO 380
320 C=1/B
330 F=1
340 FOR K=1 TO I-J
350 F=F*C*(N+1-J-K)/(J+K)
360 T=T+F
370 NEXT K
380 T=(T+1)*L
390 PRINT "THE PROBABILITY IS";T
400 END
```

Calcul de la fonction de répartition de Poisson (voir section 4.5.9)

```
10 PRINT "THE PROBABILITY THAT A POISSON VARIABLE  IS LESS THAN OR EQUAL TO i"
20 PRINT "ENTER THE MEAN OF THE RANDOM VARIABLE"
30 INPUT C
40 PRINT "ENTER THE DESIRED VALUE OF i"
50 INPUT I
60 S=EXP(-C)
70 IF S=0 GOTO 150
80 T=S
90 IF I=0 GOTO 340
100 FOR K=0 TO I-1
110 S=S*C/(K+1)
120 T=T+S
130 NEXT K
140 GOTO 340
150 J=I
160 IF J>C THEN J=INT(C)
170 FOR K=1 TO J
180 FAC=FAC+LOG(K)
190 NEXT K
200 L=-C-FAC+J*LOG(C)
210 L=EXP(L)
220 F=1
230 FOR K=1 TO J
240 F=F*(J+1-K)/C
250 T=T+F
260 NEXT K
270 IF J=I GOTO 330
280 F=1
290 FOR K=1 TO I-J
300 F=F*C/(K+J)
310 T=T+F
320 NEXT K
330 T=(T+1)*L
340 PRINT "THE PROBABILITY IS";T
350 END
```

CHAPITRE 5

Variables aléatoires continues

5.1 INTRODUCTION

5.1.1 Définitions

Dans le chapitre précédent nous avons traité des variables aléatoires discrètes, c'est-à-dire de variables dont l'ensemble des états est fini ou infini dénombrable. Il existe cependant des variables dont l'ensemble des états possibles est infini non dénombrable. On peut citer par exemple l'heure d'arrivée d'un train à une gare donnée ou encore la durée de vie d'un transistor. Désignons par X une telle variable. On qualifiera X de **variable aléatoire continue**[1] s'il existe une fonction f non négative définie pour tout $x \in \mathrm{R}$ et vérifiant pour tout ensemble B de nombres réels la propriété:

$$P\{X \in B\} = \int_B f(x)\, dx \qquad (5.1)$$

La fonction f est appelée **densité de probabilité** de la variable aléatoire X.

En d'autres termes, (5.1) signifie que la probabilité que X prenne une valeur de B peut être obtenue en intégrant la densité de probabilité sur B. Du fait que X doit bien prendre une valeur, il résulte la contrainte suivante pour f:

$$1 = P\{X \in (-\infty, \infty)\} = \int_{-\infty}^{\infty} f(x)\, dx$$

Tous les problèmes de probabilité relatifs à X peuvent être traités grâce à f. Par exemple pour $B = [a, b]$ on obtient grâce à (5.1):

---

[1] On dit parfois absolument continue.

$$P\{a \le X \le b\} = \int_a^b f(x)\,dx \qquad\qquad (5.2)$$

Si l'on pose $a = b$ dans (5.2), il résulte

$$P\{X = a\} = \int_a^a f(x)\,dx = 0$$

Ceci signifie en clair que la probabilité qu'une variable aléatoire continue prenne une valeur isolée fixe est toujours nulle. Aussi peut-on écrire pour une telle variable

$$P\{X < a\} = P\{X \le a\} = F(a) = \int_{-\infty}^a f(x)\,dx$$

5.1.2 Exemples de variables aléatoires continues

Exemple 5.1 Supposons que X soit une variable aléatoire continue dont la densité est

$$f(x) = \begin{cases} C(4x - 2x^2) & 0 < x < 2 \\ 0 & \text{sinon} \end{cases}$$

Quelle est la valeur de C ? Que vaut $P\{X > 1\}$?

SOLUTION. Du fait que f est une densité elle vérifie la relation $\int_{-\infty}^{+\infty} f(x)\,dx = 1$, ce qui entraîne à son tour que

$$C \int_0^2 (4x - 2x^2)\,dx = 1$$

ou

$$C\left[2x^2 - \frac{2x^3}{3}\right]\Big|_{x=0}^{x=2} = 1$$

ou

$$C = \frac{3}{8}$$

Donc

$$P\{X > 1\} = \int_1^\infty f(x)\,dx = \tfrac{3}{8} \int_1^2 (4x - 2x^2)\,dx = \tfrac{1}{2}$$

∎

Exemple 5.2 La durée de fonctionnement d'un ordinateur avant sa première panne est une variable aléatoire continue de densité donnée par

$$f(x) = \begin{cases} \lambda e^{-x/100} & x \ge 0 \\ 0 & x < 0 \end{cases}$$

Quelle est la probabilité que cette durée de fonctionnement soit comprise entre 50 et 150 heures? Quelle est la probabilité que l'ordinateur fonctionne moins de 100 heures?

SOLUTION. Comme

$$1 = \int_{-\infty}^{\infty} f(x)\, dx = \lambda \int_{0}^{\infty} e^{-x/100}\, dx$$

on obtient

$$1 = -\lambda(100)e^{-x/100}\Big|_{0}^{\infty} = 100\lambda \qquad \text{ou} \qquad \lambda = \frac{1}{100}$$

Ainsi la probabilité que la durée de fonctionnement de l'ordinateur soit comprise entre 50 et 150 heures est donnée par

$$P\{50 < X < 150\} = \int_{50}^{150} \frac{1}{100} e^{-x/100}\, dx = -e^{-x/100}\Big|_{50}^{150}$$

$$= e^{-1/2} - e^{-3/2} \approx .383$$

De la même manière

$$P\{X < 100\} = \int_{0}^{100} \frac{1}{100} e^{-x/100}\, dx = -e^{-x/100}\Big|_{0}^{100} = 1 - e^{-1} \approx .632$$

En d'autres termes, l'ordinateur tombera en panne avant sa 100-ième heure de service 63,3 fois sur 100 en moyenne. ■

Exemple 5.3 La durée de vie d'un certain type de diode de radio est une variable aléatoire de densité donnée par

$$f(x) = \begin{cases} 0 & x \le 100 \\ \dfrac{100}{x^2} & x > 100 \end{cases}$$

Quelle est la probabilité qu'exactement 2 des 5 diodes de ce type doivent être remplacées lors des 150 premières heures de service de la radio? On admettra que les événements E_i: «la i-ème diode doit être remplacée avant la 150-ième heure de service», $i = 1, 2, 3, 4, 5$, sont indépendants.

SOLUTION. On a

$$P(E_i) = \int_{0}^{150} f(x)\, dx$$

$$= 100 \int_{100}^{150} x^{-2}\, dx$$

$$= \frac{1}{3}$$

L'indépendance des E_i permet alors d'écrire la probabilité cherchée

$$\binom{5}{2}\left(\frac{1}{3}\right)^2\left(\frac{2}{3}\right)^3 = \frac{80}{243}$$ ∎

5.1.3 Fonction de répartition d'une variable aléatoire continue

La relation entre la fonction de répartition F et la densité f d'une variable aléatoire continue X est donnée par

$$F(a) = P\{X \in (-\infty, a]\} = \int_{-\infty}^{a} f(x)\, dx$$

La dérivation des deux membres dans l'équation ci-dessus livre

$$\frac{d}{da} F(a) = f(a)$$

Autrement dit, la densité d'une variable aléatoire continue est la dérivée de la fonction de répartition.

5.1.4 Interprétation intuitive de la densité

On peut dériver de (5.2) une interprétation plus intuitive de la notion de densité. En effet,

$$P\left\{a - \frac{\varepsilon}{2} \le X \le a + \frac{\varepsilon}{2}\right\} = \int_{a-\varepsilon/2}^{a+\varepsilon/2} f(x)\, dx \approx \varepsilon f(a)$$

lorsque ε est petit et si $f(\cdot)$ est continue en $x = a$. En d'autres termes, la probabilité que X prenne une valeur dans un intervalle de longueur ε centré en a est approximativement $\varepsilon f(a)$. On en conclut que $f(a)$ est une sorte de mesure de la probabilité que X soit proche de a.

En théorie des probabilités, il apparaît plusieurs classes importantes de variables aléatoires continues. Les sections suivantes sont consacrées à l'étude de quelques-unes de ces classes.

5.2 VARIABLE ALÉATOIRE UNIFORME

5.2.1 Variable uniforme sur (0, 1)

Une variable aléatoire est dite **uniformément** distribuée sur l'intervalle (0, 1) si sa densité est

$$f(x) = \begin{cases} 1 & 0 < x < 1 \\ 0 & \text{sinon} \end{cases} \tag{5.3}$$

On vérifie que (5.3) correspond bien à une densité puisque $f(x) \geqslant 0$ et $\int_{-\infty}^{+\infty} f(x)\,dx = \int_0^1 dx = 1$. Comme $f(x) > 0$ seulement lorsque $x \in (0, 1)$, on en déduit que X ne prend des valeurs que dans cet intervalle. De plus, X a autant de chances d'être près de n'importe quelle valeur de (0, 1) plutôt que de n'importe quelle autre puisque $f(x)$ est constante sur cet intervalle. On le vérifie en prenant deux nombres a et b quelconques tels que $0 < a < b < 1$; alors,

$$P\{a \leq X \leq b\} = \int_a^b f(x)\,dx = b - a$$

En d'autres termes, la probabilité que X prenne une valeur dans un sous-intervalle de (0, 1) est égale à la longueur de ce sous-intervalle.

5.2.2 Variable uniforme quelconque

En généralisant, une variable aléatoire est uniforme sur l'intervalle (α, β) si sa densité est

$$f(x) = \begin{cases} \dfrac{1}{\beta - \alpha} & \text{si } \alpha < x < \beta \\ 0 & \text{sinon} \end{cases} \tag{5.4}$$

5.2.3 Fonction de répartition de variable aléatoire uniforme

A partir de $F(a) = \int_{-\infty}^a f(x)\,dx$ et de (5.4) on obtient la fonction de répartition d'une variable aléatoire uniforme sur l'intervalle (α, β):

$$F(a) = \begin{cases} 0 & a \leq \alpha \\ \dfrac{a - \alpha}{\beta - \alpha} & \alpha < a < \beta \\ 1 & a \geq \beta \end{cases}$$

La figure 5.1 représente les graphes de f et F dans le cas général.

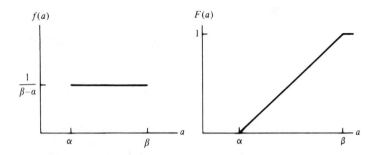

Figure 5.1 Graphes de f (à gauche) et F (à droite) pour une variable aléatoire uniforme sur (α, β).

5.2.4 Exemples de variables aléatoires uniformes

Exemple 5.4 Soit X une variable uniforme sur $(0, 10)$. Calculer les probabilités suivantes: $P\{X < 3\}$, $P\{X > 6\}$, $P\{3 < X < 8\}$.

SOLUTION.

$$P\{X < 3\} = \int_0^3 \tfrac{1}{10} \, dx = \tfrac{3}{10}$$

$$P\{X > 6\} = \int_6^{10} \tfrac{1}{10} \, dx = \tfrac{4}{10}$$

$$P\{3 < X < 8\} = \int_3^8 \tfrac{1}{10} \, dx = \tfrac{1}{2} \qquad \blacksquare$$

Exemple 5.5 A partir de 7 heures, les bus passent toutes les 15 minutes à un arrêt donné. Ils passent donc à 7 h 00, 7 h 15, 7 h 30 et ainsi de suite. Un usager se présente entre 7 h 00 et 7 h 30 à cet arrêt, l'heure exacte de son arrivée étant une variable uniforme sur cette période. Trouver la probabilité qu'il doive attendre moins de 5 minutes, puis plus de 10 minutes.

SOLUTION. Désignons par X le nombre de minutes s'écoulant à partir de 7 h 00 jusqu'à l'arrivée de l'usager. X est une variable uniforme sur $(0, 30)$, d'une part. D'autre part, l'attente n'est inférieure à 5 minutes que si l'usager arrive entre 7 h 10 et 7 h 15 ou entre 7 h 25 et 7 h 30. La probabilité d'attendre moins de 5 minutes est ainsi

$$P\{10 < X < 15\} + P\{25 < X < 30\} = \int_{10}^{15} \tfrac{1}{30} \, dx + \int_{25}^{30} \tfrac{1}{30} \, dx = \tfrac{1}{3}$$

De même, il n'attendra plus de 10 minutes que s'il arrive entre 7 h 00 et 7 h 05 ou entre 7 h 15 et 7 h 20, ce qui livre la probabilité de cet événement:

$$P\{0 < X < 5\} + P\{15 < X < 20\} = \tfrac{1}{3} \qquad\qquad\blacksquare$$

L'exemple suivant fut étudié pour la première fois par le mathématicien français L.F. Bertrand en 1889. Il est souvent appelé *paradoxe de Bertrand*. Il servira d'introduction à la notion de probabilité géométrique.

Exemple 5.6 Choisissons au hasard une corde dans un cercle. Quelle est la probabilité que la longueur de cette corde dépasse le côté du triangle équilatéral inscrit dans le même cercle?

SOLUTION. Le problème tel qu'énoncé ne peut être résolu car l'expression «choisir une corde au hasard» n'est pas claire. Pour qu'elle le devienne il faut reformuler le problème, ce que nous ferons de deux manières différentes.

Voici la première: ce n'est pas la corde, mais la distance de la corde au centre du cercle de rayon r qui est choisie au hasard. Si cette distance est inférieure à $r/2$, la corde sera d'une longueur supérieure à celle du côté du triangle équilatéral inscrit dans le cercle. Admettons maintenant que D, la distance de la corde au centre, soit une variable uniformément distribuée entre 0 et r. La probabilité cherchée est

$$P\left\{D < \frac{r}{2}\right\} = \frac{r/2}{r} = \frac{1}{2}$$

Dans la seconde formulation du problème, c'est l'angle θ entre la corde et la tangente à l'une de ses extrémités qui est choisi au hasard, θ variant de 0 à 150° (voir figure 5.2). Dans ce cas, la longueur de la corde sera supérieure au côté du triangle équilatéral inscrit si l'angle θ est compris entre 60° et 120°. Si l'on admet que cet angle est une variable uniforme entre 0° et 180°, la réponse correspondant à cette formulation est

$$P\{60 < \theta < 120\} = \frac{120 - 60}{180} = \frac{1}{3}$$

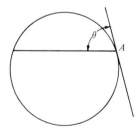

Figure 5.2

On remarquera qu'il est possible de construire des expériences aléatoires pour lesquelles les probabilités résultantes sont alternativement $\tfrac{1}{2}$ et $\tfrac{1}{3}$. Pour la première formulation par exemple, l'expérience consisterait à lancer au hasard un disque de rayon r sur une table portant des droites parallèles distantes de $2r$ les unes des autres. Il y aura dans ce cas nécessairement une et une seule droite en intersection avec le disque, ce qui définira une corde. Toutes les distances de cette corde au centre du disque ont la même probabilité d'apparaître, ainsi la probabilité cherchée sera-t-elle $\frac{1}{2}$. D'autre part, l'expérience peut consister à faire tourner au hasard une aiguille à partir d'un point A du cercle (voir figure 5.2). Dans ce cas la réponse est $\frac{1}{3}$.   ■

5.3 VARIABLES ALÉATOIRES NORMALES

5.3.1 Définition

Une variable aléatoire X est dite ***normale*** – ou parfois distribuée normalement – avec paramètres μ et σ^2 si la densité de X est donnée par

$$f(x) = \frac{1}{\sqrt{2\pi}\,\sigma}\, e^{-(x-\mu)^2/2\sigma^2} \qquad -\infty < x < \infty$$

Le graphe de cette densité est une courbe en forme de cloche avec un axe de symétrie vertical en μ (voir figure 5.3). Les grandeurs μ et σ^2 représentent d'une certaine manière la valeur moyenne de X et une mesure de ses variations. (Ces indications seront développées de manière plus précise au chapitre 7).

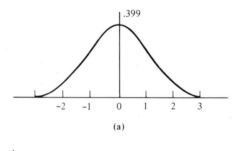

(a)

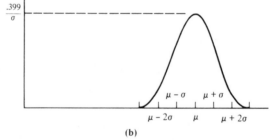

(b)

Figure 5.3 Densité de variable normale
(a) avec $\mu = 0$, $\sigma = 1$
(b) μ et σ^2 quelconques

La distribution normale fut introduite par le mathématicien français De Moivre en 1733; celui-ci l'utilisa pour approximer les probabilités associées à toute variable aléatoire binomiale, pourvu que le paramètre n de celle-ci soit assez grand. Ce résultat fut ensuite progressivement généralisé par Laplace et d'autres pour devenir le théorème actuellement connu sous le nom de théorème central limite, qui sera discuté au chapitre 8. Ce théorème, l'un des deux résultats les plus importants de la théorie des probabilités [1], sert de base théorique pour expliquer un fait empirique souvent relevé, à savoir qu'en pratique de très nombreux phénomènes aléatoires suivent approximativement une distribution normale. On peut citer à titre d'exemple de variables qui illustrent ce comportement la taille d'un individu choisi au hasard, la vitesse en norme d'une molécule de gaz ou encore l'erreur lors de la mesure d'une quantité physique.

5.3.2 Validation de la définition

Il faut, en fait, prouver que f est bien une densité de probabilité, c'est-à-dire montrer que

$$\frac{1}{\sqrt{2\pi}\,\sigma} \int_{-\infty}^{\infty} e^{-(x-\mu)^2/2\sigma^2}\,dx = 1$$

En effectuant le changement de variable $y = (x - \mu)/\sigma$, on obtient

$$\frac{1}{\sqrt{2\pi}\,\sigma} \int_{-\infty}^{\infty} e^{-(x-\mu)^2/2\sigma^2}\,dx = \frac{1}{\sqrt{2\pi}} \int_{-\infty}^{\infty} e^{-y^2/2}\,dy$$

et il reste donc à montrer que

$$\int_{-\infty}^{\infty} e^{-y^2/2}\,dy = \sqrt{2\pi}$$

Pour ce faire, posons

$$I = \int_{-\infty}^{\infty} e^{-y^2/2}\,dy.$$

On aura

$$I^2 = \int_{-\infty}^{\infty} e^{-y^2/2}\,dy \int_{-\infty}^{\infty} e^{-x^2/2}\,dx$$

$$= \int_{-\infty}^{\infty} \int_{-\infty}^{\infty} e^{-(y^2+x^2)/2}\,dy\,dx$$

En passant à un système de coordonnées polaires, on peut évaluer cette intégrale double. Il suffit de poser $x = r\cos\theta$, $y = r\sin\theta$, $dy\,dx = r\,d\theta\,dr$. Dès lors,

---

[1] L'autre étant la loi forte des grands nombres.

$$I^2 = \int_0^\infty \int_0^{2\pi} e^{-r^2/2} r \, d\theta \, dr$$

$$= 2\pi \int_0^\infty r e^{-r^2/2} \, dr$$

$$= -2\pi e^{-r^2/2} \Big|_0^\infty$$

$$= 2\pi$$

Ceci établit bien que I vaut $\sqrt{2\pi}$, et le résultat annoncé est ainsi démontré.

5.3.3 Propriété des variables aléatoires normales

Une propriété importante de la famille des variables normales est que si X est normalement distribuée avec paramètres μ et σ^2, alors $Y = \alpha X + \beta$ est normalement distribuée avec paramètres $\alpha\mu + \beta$ et $\alpha^2\sigma^2$. Ceci résulte du fait que F_Y [1], la fonction de répartition de la variable Y, est donné par (lorsque $\alpha > 0$):

$$F_Y(a) = P\{Y \le a\}$$

$$= P\{\alpha X + \beta \le a\}$$

$$= P\left\{X \le \frac{a - \beta}{\alpha}\right\}$$

$$= F_X\left(\frac{a - \beta}{\alpha}\right)$$

$$= \int_{-\infty}^{[(a-\beta)/\alpha]} \frac{1}{\sqrt{2\pi}\,\sigma} e^{-(x-\mu)^2/2\sigma^2} \, dx$$

$$= \int_{-\infty}^a \frac{1}{\sqrt{2\pi}\,\alpha\sigma} \exp\left\{-\frac{[y - (\alpha\mu + \beta)]^2}{2\alpha^2\sigma^2}\right\} dy \qquad (5.5)$$

où l'équation (5.5) est obtenue grâce au changement de variables $y = \alpha x + \beta$. Mais comme $F_Z(a) = \int_{-\infty}^a f_Z(y) \, dy$, il résulte de (5.5) que f_Y, la densité de Y, est donnée par

---

[1] La fonction de répartition de Z sera notée F_z dès qu'il y aura plus d'une variable aléatoire en considération. De même, la densité de Z sera notée f_Z.

$$f_Y(y) = \frac{1}{\sqrt{2\pi}\,\alpha\sigma} \exp\left\{ -\frac{[y - (\alpha\mu + \beta)]^2}{2(\alpha\sigma)^2} \right\}$$

La variable aléatoire Y est donc bien distribuée normalement avec paramètres $\alpha\mu + \beta$ et $(\alpha\sigma)^2$.

5.3.4 Variable normale centrée réduite

La conséquence importante du résultat précédent est que si X est une variable normalement distribuée et de paramètres μ et σ^2, la variable $Z = (X - \mu)/\sigma$ est normalement distribuée de paramètres 0 et 1. Une variable normale ayant ces deux paramètres est dite **standard** ou **centrée réduite**.

L'usage s'est établi de noter la fonction de répartition d'une variable normale centrée réduite par le symbole Φ. En clair,

$$\Phi(x) = \frac{1}{\sqrt{2\pi}} \int_{-\infty}^{x} e^{-y^2/2}\, dy$$

Les valeurs $\Phi(x)$ pour des arguments x non négatifs sont données dans le tableau 5.4. Pour les arguments x négatifs, on calcule $\Phi(x)$ grâce à l'équation

$$\Phi(-x) = 1 - \Phi(x) \qquad -\infty < x < \infty \tag{5.6}$$

La démonstration de (5.6) est laissée en exercice. Elle résulte de la symétrie de la densité normale standard. Grâce à (5.6) on peut encore écrire, pour une variable normale Z centrée réduite:

$$P\{Z \le -x\} = P\{Z > x\} \qquad -\infty < x < \infty$$

Si l'on considère maintenant une variable normale X de paramètres μ et σ^2 quelconques, la variable $Z = (X - \mu)/\sigma$ sera normale centrée réduite. Par conséquent, on peut exprimer la fonction de répartition de X de la manière suivante:

$$F_X(a) = P\{X \le a\}$$
$$= P\left(\frac{X - \mu}{\sigma} \le \frac{a - \mu}{\sigma}\right)$$
$$= \Phi\left(\frac{a - \mu}{\sigma}\right)$$

Tableau 5.4 Aire $\Phi(x)$ située sous la densité normale standard à gauche de x

x	.00	.01	.02	.03	.04	.05	.06	.07	.08	.09
.0	.5000	.5040	.5080	.5120	.5160	.5199	.5239	.5279	.5319	.5359
.1	.5398	.5438	.5478	.5517	.5557	.5596	.5636	.5675	.5714	.5753
.2	.5793	.5832	.5871	.5910	.5948	.5987	.6026	.6064	.6103	.6141
.3	.6179	.6217	.6255	.6293	.6331	.6368	.6406	.6443	.6480	.6517
.4	.6554	.6591	.6628	.6664	.6700	.6736	.6772	.6808	.6844	.6879
.5	.6915	.6950	.6985	.7019	.7054	.7088	.7123	.7157	.7190	.7224
.6	.7257	.7291	.7324	.7357	.7389	.7422	.7454	.7486	.7517	.7549
.7	.7580	.7611	.7642	.7673	.7704	.7734	.7764	.7794	.7823	.7852
.8	.7881	.7910	.7939	.7967	.7995	.8023	.8051	.8078	.8106	.8133
.9	.8159	.8186	.8212	.8238	.8264	.8289	.8315	.8340	.8365	.8389
1.0	8413	.8438	.8461	.8485	.8508	.8531	.8554	.8557	.8599	.8621
1.1	.8643	.8665	.8686	.8708	.8729	.8749	.8770	.8790	.8810	.8830
1.2	.8849	.8869	.8888	.8907	.8925	.8944	.8962	.8980	.8997	.9015
1.3	.9032	.9049	.9066	.9082	.9099	.9115	.9131	.9147	.9162	.9177
1.4	.9192	.9207	.9222	.9236	.9251	.9265	.9279	.9292	.9306	.9319
1.5	.9332	.9345	.9357	.9370	.9382	.9394	.9406	.9418	.9429	.9441
1.6	.9452	.9463	.9474	.9484	.9495	.9505	.9515	.9525	.9535	.9545
1.7	.9554	.9564	.9573	.9582	.9591	.9599	.9608	.9616	.9625	.9633
1.8	.9641	.9649	.9656	.9664	.9671	.9678	.9686	.9693	.9699	.9706
1.9	.9713	.9719	.9726	.9732	.9738	.9744	.9750	.9756	.9761	.9767
2.0	.9772	.9778	.9783	.9788	.9793	.9798	.9803	.9808	.9812	.9817
2.1	.9821	.9826	.9830	.9834	.9838	.9842	.9846	.9850	.9854	.9857
2.2	.9861	.9864	.9868	.9871	.9875	.9878	.9881	.9884	.9887	.9890
2.3	.9893	.9896	.9898	.9901	.9904	.9906	.9909	.9911	.9913	.9916
2.4	.9918	.9920	.9922	.9925	.9927	.9929	.9931	.9932	.9934	.9936
2.5	.9938	.9940	.9941	.9943	.9945	.9946	.9948	.9949	.9951	.9952
2.6	.9953	.9955	.9956	.9957	.9959	.9960	.9961	.9962	.9963	.9964
2.7	.9965	.9966	.9967	.9968	.9969	.9970	.9971	.9972	.9973	.9974
2.8	.9974	.9975	.9976	.9977	.9977	.9978	.9979	.9979	.9980	.9981
2.9	.9981	.9982	.9982	.9983	.9984	.9984	.9985	.9985	.9986	.9986
3.0	.9987	.9987	.9987	.9988	.9988	.9989	.9989	.9989	.9990	.9990
3.1	.9990	.9991	.9991	.9991	.9992	.9992	.9992	.9992	.9993	.9993
3.2	.9993	.9993	.9994	.9994	.9994	.9994	.9994	.9995	.9995	.9995
3.3	.9995	.9995	.9995	.9996	.9996	.9996	.9996	.9996	.9996	.9997
3.4	.9997	.9997	.9997	.9997	.9997	.9997	.9997	.9997	.9997	.9998

5.3.5 Exemples d'application de variables normales

Exemple 5.7 Soit X une variable aléatoire de paramètres $\mu = 3$ et $\sigma^2 = 9$. Calculer
a) $P\{2 < X < 5\}$,
b) $P\{X > 0\}$,
c) $P\{|X - 3| > 6\}$.

SOLUTION.

a)
$$P\{2 < X < 5\} = P\left\{\frac{2-3}{3} < \frac{X-3}{3} < \frac{5-3}{3}\right\} = P\left\{-\frac{1}{3} < Z < \frac{2}{3}\right\}$$

$$= \Phi\left(\frac{2}{3}\right) - \Phi\left(-\frac{1}{3}\right)$$

$$= \Phi\left(\frac{2}{3}\right) - \left[1 - \Phi\left(\frac{1}{3}\right)\right] = .3779$$

b)
$$P\{X > 0\} = P\left\{\frac{X-3}{3} > \frac{0-3}{3}\right\} = P\{Z > -1\}$$

$$= 1 - \Phi(-1)$$

$$= \Phi(1)$$

$$= .8413$$

c)
$$P\{|X - 3| > 6\} = P\{X > 9\} + P\{X < -3\}$$

$$= P\left\{\frac{X-3}{3} > \frac{9-3}{3}\right\} + P\left\{\frac{X-3}{3} < \frac{-3-3}{3}\right\}$$

$$= P\{Z > 2\} + P\{Z < -2\}$$

$$= 1 - \Phi(2) + \Phi(-2)$$

$$= 2[1 - \Phi(2)]$$

$$= .0456$$ ∎

Exemple 5.8 Il est courant d'admettre qu'un examen est bien construit (dans le sens où il permet de construire une fourchette serrée et fiable pour la note d'un candidat) si la répartition des scores obtenus par les participants se rapproche de la densité d'une variable normale. En d'autres mots, cette répartition devrait affecter la forme en cloche des densités normales. L'enseignant utilise alors les scores pour évaluer les paramètres μ et σ^2 puis assigne souvent des notes selon le principe que voici: ceux dont le score est supérieur à $\mu + \sigma$ reçoivent la note A; ceux dont le score est compris entre μ et $\mu + \sigma$ reçoivent B; ceux dont le score est entre $\mu - \sigma$ et μ reçoivent C, tandis que ceux qui tombent entre $\mu - 2\sigma$ et $\mu - \sigma$ reçoivent D. En dessous de $\mu - 2\sigma$ la note est

F. Il s'agit d'une espèce d'évaluation «à échelle mobile» basée sur des divisions fixes de la courbe de répartition. On aura:

$$P\{X > \mu + \sigma\} = P\left\{\frac{X - \mu}{\sigma} > 1\right\} = 1 - \Phi(1) = .1587$$

$$P\{\mu < X < \mu + \sigma\} = P\left\{0 < \frac{X - \mu}{\sigma} < 1\right\} = \Phi(1) - \Phi(0) = .3413$$

$$P\{\mu - \sigma < X < \mu\} = P\left\{-1 < \frac{X - \mu}{\sigma} < 0\right\}$$

$$= \Phi(0) - \Phi(-1) = .3413$$

$$P\{\mu - 2\sigma < X < \mu - \sigma\} = P\left\{-2 < \frac{X - \mu}{\sigma} < -1\right\}$$

$$= \Phi(2) - \Phi(1) = .1359$$

$$P\{X < \mu - 2\sigma\} = P\left\{\frac{X - \mu}{\sigma} < -2\right\} = \Phi(-2) = .0228$$

Il en résulte que 16% des candidats recevront la note A, 34% recevront B, autant auront C, 14% recevant D et 2% F. ∎

Exemple 5.9 Lors d'un procès en attribution de paternité, un expert témoigne que la durée de la grossesse, en jours, c'est-à-dire le laps de temps entre la conception et la naissance de l'enfant, est de distribution approximativement normale avec paramètres $\mu = 270$ et $\sigma^2 = 100$. L'un des pères putatifs est en mesure de prouver son absence du pays pendant une période s'étendant entre le 290-ième et le 240-ième jour précédant l'accouchement. Quelle est la probabilité que la conception de l'enfant ait eu lieu plus de 290 jours avant sa naissance ou moins de 240 jours avant?

SOLUTION. Soit X la durée de la grossesse et admettons que le père putatif soit bien le géniteur. La probabilité cherchée est alors

$$P\{X > 290 \text{ ou } X < 240\} = P\{X > 290\} + P\{X < 240\}$$

$$= P\left\{\frac{X - 270}{10} > 2\right\} + P\left\{\frac{X - 270}{10} < -3\right\}$$

$$= 1 - \Phi(2) + 1 - \Phi(3)$$

$$= .0241 \qquad ∎$$

Exemple 5.10 On désire envoyer un signal binaire - c'est-à-dire valant 0 ou 1 - par câble électrique d'un point A à un point B. Cependant, la transmission est affectée par des perturbations, dites bruit. Aussi émet-on un signal d'intensité 2 lorsqu'on veut communiquer 1 et d'intensité -2 lorsqu'on veut indiquer 0. Si on désigne par x (où $x = \pm 2$) la valeur émise en A et par R la valeur enregistrée en B, on aura $R = x + N$ où N représente l'erreur due au bruit du canal de transmission. Le décodage du signal en B obéit à la règle suivante:

$R \geqslant 0,5$ est interprété comme signifiant 1

$R < 0,5$ est interprété comme signifiant 0.

Le bruit N du canal est souvent de distribution normale. On supposera ici que sa répartition est normale centrée réduite.

Deux types d'erreurs peuvent survenir: un signal 1 peut être faussement compris comme un 0, ou l'inverse. Le premier type d'erreur sera observé si le signal est 1 et $2 + N < 0,5$. Le second le sera lorsque le signal est 0 et $-2 + N \geqslant 0,5$. Ainsi,

$$P\{\text{erreur} | \text{le message est } 1\} = P\{N < -1.5\}$$
$$= 1 - \Phi(1.5) = .0668$$

et

$$P\{\text{erreur} | \text{le message est } 0\} = P\{N \geq 2.5\}$$
$$= 1 - \Phi(2.5) = .0062 \qquad \blacksquare$$

5.3.6 Approximation de Φ

L'inégalité suivante sur $\Phi(x)$ est de portée théorique:

$$\frac{1}{\sqrt{2\pi}}\left(\frac{1}{x} - \frac{1}{x^3}\right)e^{-x^2/2} < 1 - \Phi(x) < \frac{1}{\sqrt{2\pi}}\frac{1}{x}e^{-x^2/2} \quad \text{pour tout } x > 0 \quad (5.7)$$

Pour démontrer (5.7), on partira de l'inégalité évidente:

$$(1 - 3y^{-4})e^{-y^2/2} < e^{-y^2/2} < (1 + y^{-2})e^{-y^2/2}$$

ce qui implique que

$$\int_x^\infty (1 - 3y^{-4})e^{-y^2/2}\, dy < \int_x^\infty e^{-y^2/2}\, dy < \int_x^\infty (1 + y^{-2})e^{-y^2/2}\, dy \quad (5.8)$$

Or

$$\frac{d}{dy}[(y^{-1} - y^{-3})e^{-y^2/2}] = -(1 - 3y^{-4})e^{-y^2/2}$$

$$\frac{d}{dy}[y^{-1}e^{-y^2/2}] = -(1 + y^{-2})e^{-y^2/2}$$

et ainsi, pour $x > 0$,

$$-(y^{-1} - y^{-3})e^{-y^2/2}\Big|_x^\infty < \int_x^\infty e^{-y^2/2}\, dy < -y^{-1}e^{-y^2/2}\Big|_x^\infty$$

ou

$$(x^{-1} - x^{-3})e^{-x^2/2} < \int_x^\infty e^{-y^2/2}\, dy < x^{-1}e^{-x^2/2}$$

ce qui établit (5.7).

Il résulte en plus de (5.7) la relation

$$1 - \Phi(x) \sim \frac{1}{x\sqrt{2\pi}}\, e^{-x^2/2}$$

pour de grandes valeurs de x [la notation $a(x) \sim b(x)$ lorsque x est grand signifie que $\lim_{x \to \infty} a(x)/b(x) = 1$].

5.3.7 Approximation normale d'une répartition binomiale

Le théorème présenté ci-dessous est connu sous le nom de théorème limite de De Moivre-Laplace. De Moivre fut le premier à l'établir dans le cas particulier $p = \frac{1}{2}$ en 1733, tandis que Laplace a pu le généraliser pour toute valeur de p en 1812.

Théorème limite de De Moivre-Laplace
Soit S_n le nombre de succès lors de la réalisation de n épreuves indépendantes, la probabilité de réussite pour chaque épreuve étant p. Alors, pour tout $a < b$ on peut écrire

$$P\left\{ a \le \frac{S_n - np}{\sqrt{np(1 - p)}} \le b \right\} \to \Phi(b) - \Phi(a)$$

lorsque $n \to \infty$.

Ce théorème ne constituant qu'un cas particulier du théorème central limite, lequel sera présenté au chapitre 8, nous n'en donnerons pas de démonstration.

On remarquera qu'à ce stade deux approximations de la répartition binomiale ont été proposées: l'approximation de Poisson, satisfaisante lorsque n est grand et lorsque np n'est pas extrême; l'approximation normale, de laquelle on peut montrer qu'elle est de bonne qualité lorsque $np(1 - p)$ est grand. [En règle générale, cette approximation est tout à fait satisfaisante dès que $np(1 - p)$ dépasse 10].

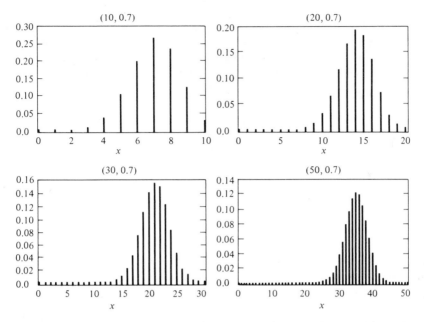

Figure 5.5 Illustre comment la loi de probabilité d'une variable aléatoire binomiale (n, p) devient de plus en plus «normale» à mesure que n augmente.

5.3.8 Exemples d'approximation normale de répartitions binomiales

Exemple 5.11 Soit X la variable aléatoire comptant le nombre d'occurrences de pile lors d'une série de 40 jets. On veut calculer $P\{X = 20\}$ par approximation normale puis comparer le résultat à la valeur exacte.

SOLUTION. Comme X est une variable discrète tandis qu'une variable normale est continue, la meilleure approximation de la probabilité cherchée sera

$$P\{X = 20\} = P\{19.5 < X < 20.5\}$$

$$= P\left\{\frac{19.5 - 20}{\sqrt{10}} < \frac{X - 20}{\sqrt{10}} < \frac{20.5 - 20}{\sqrt{10}}\right\}$$

$$= P\left\{-.16 < \frac{X - 20}{\sqrt{10}} < .16\right\}$$

$$\approx \Phi(.16) - \Phi(-.16) = .1272$$

Le résultat exact est

$$P\{X = 20\} = \binom{40}{20}\left(\frac{1}{2}\right)^{40}$$

qui peut être évalué à 0,1254. ∎

Exemple 5.12 La taille idéale pour une classe de première année dans un collège donné est de 150 étudiants. La politique de ce collège est d'admettre 450 étudiants et est basée sur la constatation expérimentale que 30% seulement des étudiants admis suivront vraiment le cours. Quelle est la probabilité que le collège se retrouve avec une première classe de plus de 150 étudiants lors d'une année donnée ?

SOLUTION. On désigne par X le nombre d'étudiants qui suivent effectivement le cours. Cette variable X est donc binomiale de paramètres $n = 450$ et $p = 0,3$. L'approximation normale livre

$$P\{X \geq 150.5\} = P\left\{\frac{X - (450)(.3)}{\sqrt{450(.3)(.7)}} \geq \frac{151 - (450)(.3)}{\sqrt{450(.3)(.7)}}\right\} \approx 1 - \Phi(1.59)$$

$$= .0559$$

Ainsi, dans moins de 6% des cas seulement la première année aura un effectif supérieur à l'optimum. (On remarque que ce calcul est basé sur une hypothèse d'indépendance. Laquelle?). ∎

Exemple 5.13 On impose à 100 personnes un régime alimentaire thérapeutique pour évaluer l'effet de ce régime sur la concentration en cholestérol du sang. Leur taux de cholésterol est mesuré après une période suffisante d'application du régime. Le spécialiste en nutrition qui réalise l'expérience a décidé de recommander ce régime si 65% au moins des sujets montrent une baisse du taux de cholestérol. Quelle est la probabilité qu'il prenne une décision erronée et recommande le régime alors que celui-ci est sans effet?

SOLUTION. Admettons que dans le cas où le régime est sans effet, une personne donnée verra son taux de cholestérol baisser lors du régime sous le seul effet du hasard et avec une probabilité de ½. Désignons par X le nombre de personnes dont le taux s'est abaissé. La probabilité de recommander un régime qui n'a en réalité pas d'effet du tout est alors:

$$\sum_{i=65}^{100} \binom{100}{i}\left(\frac{1}{2}\right)^{100} = P\{X \geq 64.5\}$$

$$= P\left\{\frac{X - (100)(\frac{1}{2})}{\sqrt{100(\frac{1}{2})(\frac{1}{2})}} \geq 2.9\right\}$$

$$\approx 1 - \Phi(2.9)$$

$$= .0019 \qquad ∎$$

5.4 VARIABLES ALÉATOIRES EXPONENTIELLES

5.4.1 Définition

Une variable aléatoire dont la densité est donnée par l'équation suivante, où λ est positif,

$$f(x) = \begin{cases} \lambda e^{-\lambda x} & \text{si } x \geq 0 \\ 0 & \text{si } x < 0 \end{cases}$$

est dite variable aléatoire *exponentielle* (ou plus simplement est dite de distribution exponentielle) de paramètre λ. La fonction de répartition F d'une variable exponentielle est donnée par

$$F(a) = P\{X \leq a\}$$

$$= \int_0^a \lambda e^{-\lambda x}\, dx$$

$$= -e^{-\lambda x}\,\Big|_0^a$$

$$= 1 - e^{-\lambda a} \qquad a \geq 0$$

On remarquera que $F(\infty) = \int_0^\infty \lambda e^{-\lambda x} dx = 1$ comme il se doit. Il sera démontré au chapitre 7 que la grandeur λ est égale à l'inverse de la valeur moyenne associée à la variable.

Dans la pratique, on rencontre souvent la distribution exponentielle lorsqu'il s'agit de représenter le temps d'attente avant l'arrivée d'un événement spécifié. Par exemple, le temps qui nous sépare du prochain tremblement de terre, de la prochaine guerre ou du prochain appel téléphonique mal aiguillé sont toutes des variables aléatoires dont les distributions tendent à toutes fins utiles à se rapprocher de distributions exponentielles. (Le lecteur trouvera une explication de nature théorique à ces faits à la section 4.5, en particulier dans l'exemple 4.18).

Exemple 5.14 On suppose que la durée d'une conversation téléphonique, mesurée en minutes, est une variable aléatoire exponentielle de paramètre $\lambda = \frac{1}{10}$. Vous arrivez à une cabine téléphonique et quelqu'un passe juste devant vous. Avec quelle probabilité devrez-vous attendre
- plus de 10 minutes;
- entre 10 et 20 minutes?

SOLUTION. X désignera la durée de la conversation de la personne qui vous a devancé. Les probabilités cherchées seront respectivement:

$$P\{X > 10\} = \int_{10}^\infty \tfrac{1}{10} e^{-x/10}\, dx = -e^{-x/10}\,\Big|_{10}^\infty = e^{-1} \approx .368$$

$$P\{10 < X < 20\} = \int_{10}^{20} \tfrac{1}{10} e^{-x/10}\, dx = -e^{-x/10}\,\Big|_{10}^{20}$$

$$= e^{-1} - e^{-2} \approx .233 \qquad \blacksquare$$

5.4.2 Propriété d'absence de mémoire

On dira qu'une variable aléatoire non négative X est **sans mémoire** lorsque

$$P\{X > s + t | X > t\} = P\{X > s\} \text{ pour tous } s, t \geq 0 \qquad (5.9)$$

Représentons-nous X comme la durée de vie d'un certain instrument. Dans ce cas (5.9) signifie que la probabilité pour l'instrument de durer au moins $s + t$ heures sachant qu'il en a déjà vécu t est la même que la probabilité non conditionnelle qu'il dure s heures à partir de la mise en fonction initiale. En d'autres termes, si l'instrument fonctionne encore après t heures de service, la distribution de sa durée de vie à partir de là est la même que la distribution de la durée de vie de l'appareil neuf. On peut dire que l'appareil fonctionne sans mémoire du temps d'usage déjà écoulé.

Or, (5.9) est équivalent à

$$\frac{P\{X > s + t, X > t\}}{P\{X > t\}} = P\{X > s\}$$

ou

$$P\{X > s + t\} = P\{X > s\}P\{X > t\} \qquad (5.10)$$

Comme (5.10) est vérifiée par toute variable exponentielle X (puisque $e^{-\lambda(s + t)} = e^{-\lambda s} \cdot e^{-\lambda t}$), la classe des variables exponentielles est sans mémoire.

5.4.3 Exemples d'application de variables exponentielles

Exemple 5.15 Dans un bureau de poste, le service est assuré par deux employés. Lorsque Smith y entre, l'un des employés sert Jones tandis que l'autre répond à Brown. On admettra que Smith sera à son tour servi dès le départ de Jones ou de Brown. Le temps passé par un employé de poste pour chaque client est distribué exponentiellement avec paramètre λ. Quelle est la probabilité que Smith soit le dernier des trois clients à sortir de ce bureau de poste?

SOLUTION. On peut adopter l'approche suivante: au moment où Smith trouve un postier libre, l'un des deux autres clients vient de partir tandis que l'autre est encore au guichet. Mais ce dernier, en vertu de l'absence de mémoire des variables exponentielles, va encore rester pendant un temps qui est toujours exponentiellement distribué avec paramètre λ. Tout se passe comme si ce client venait d'arriver au guichet. Par conséquent Smith a une chance sur deux de sortir le dernier, du fait de la symétrie des deux situations. ∎

Exemple 5.16 Le nombre de miles couvert par une batterie de voiture avant défaillance est distribuée exponentiellement et sa valeur moyenne est de 10 000 miles. Une personne souhaite se lancer dans un voyage de 5 000 miles. Avec quelle probabilité terminera-t-elle son voyage sans avarie de batterie? Que devient cette probabilité si la distribution n'est pas exponentielle?

SOLUTION. Du fait que les variables exponentielles sont sans mémoire, la durée de vie résiduelle de la batterie sera distribuée exponentiellement avec paramètre $\lambda = \frac{1}{10}$ en prenant comme unité le millier de miles. La probabilité voulue est donc

$$P\{\text{durée de vie résiduelle} > 5\} = 1 - F(5) = e^{-5\lambda} = e^{-1/2} \approx .607$$

Si, par contre, la distribution de cette durée résiduelle n'est pas exponentielle, ce que l'on cherche peut être écrit

$$P\{\text{durée résiduelle} > t + 5 \,|\, \text{durée résiduelle} > t\} = \frac{1 - F(t + 5)}{1 - F(t)}$$

où t est la durée de service de la batterie jusqu'au moment où le voyage commence. Et l'on voit que dans ce cas une information supplémentaire (à savoir t) est nécessaire au calcul de la réponse. ∎

5.4.4 Unicité de la classe des variables aléatoires sans mémoire

Non seulement les variables exponentielles n'ont pas de mémoire, elles sont de plus la seule classe de variables à jouir de cette propriété. Pour la vérifier, supposons qu'une variable X soit sans mémoire et posons $\bar{F}(x) = P\{X > x\}$. De (5.10), on tire

$$\bar{F}(s + t) = \bar{F}(s)\bar{F}(t)$$

Cela veut dire que $\bar{F}$ satisfait l'équation fonctionnelle

$$g(s + t) = g(s)g(t)$$

Cependant, la seule solution continue à droite et non triviale de cette équation fonctionnelle est[1]

$$g(x) = e^{-\lambda x} \tag{5.11}$$

---

[1] On obtient (5.11) de la manière suivante: si $g(s + t) = g(s) \cdot g(t)$, alors

$$g\left(\frac{2}{n}\right) = g\left(\frac{1}{n} + \frac{1}{n}\right) = g^2\left(\frac{1}{n}\right)$$

et par itération on obtient $g(m/n) = g^m(1/n)$. D'autre part,

$$g(1) = g\left(\frac{1}{n} + \frac{1}{n} + \cdots + \frac{1}{n}\right) = g^n\left(\frac{1}{n}\right) \qquad \text{ou} \qquad g\left(\frac{1}{n}\right) = (g(1))^{1/n}$$

et par conséquent $g(m/n) = (g(1))^{m/n}$. Comme g est continue à droite, on peut écrire $g(x) = (g(1))^x$. On peut encore poser $\lambda = ln(g(1))$ puisque $g(1) = (g(\frac{1}{2}))^2 \geqslant 0$, ce qui laisse $g(x) = e^{-\lambda x}$.

La continuité à droite des solutions peut être supposée puisque toutes les fonctions de répartition le sont. Il reste que

$$\bar{F}(x) = e^{-\lambda x} \qquad \text{ou} \qquad F(x) = P\{X \le x\} = 1 - e^{-\lambda x}$$

ce qui établit que X est nécessairement exponentielle.

5.4.5 Distribution de Laplace

La *distribution de Laplace* est une variante de la distribution exponentielle. Une telle distribution est symétrique par rapport à l'origine et la valeur absolue d'une variable laplacienne est exponentiellement distribuée[2]. Si le paramètre de cette exponentielle est $\lambda > 0$, λ sera également le paramètre de la variable laplacienne. La densité d'une telle variable est

$$f(x) = \begin{cases} \frac{1}{2}\lambda e^{-\lambda x} & x > 0 \\ \frac{1}{2}\lambda e^{\lambda x} & x < 0 \end{cases}$$
$$= \frac{1}{2}\lambda e^{-\lambda |x|} \qquad -\infty < x < \infty$$

Sa fonction de répartition est donnée par

$$F(x) = \begin{cases} \dfrac{1}{2}\displaystyle\int_{-\infty}^{x} \lambda e^{\lambda x}\, dx & x < 0 \\[4mm] \dfrac{1}{2}\displaystyle\int_{-\infty}^{0} \lambda e^{\lambda x}\, dx + \dfrac{1}{2}\displaystyle\int_{0}^{x} \lambda e^{-\lambda x}\, dx & x > 0 \end{cases}$$
$$= \begin{cases} \frac{1}{2}e^{\lambda x} & x < 0 \\[2mm] 1 - \frac{1}{2}e^{-\lambda x} & x > 0 \end{cases}$$

Exemple 5.17 Revenons à l'exemple 5.10 qui traitait de l'émission d'un signal binaire de A à B; lorsque le signal valait 1 on émettait avec une intensité de $+2$, tandis que s'il valait 0 on émettait avec une intensité de -2. On suppose cependant maintenant que le bruit du canal de transmission est une variable aléatoire laplacienne de paramètre $\lambda = 1$. Comme auparavant, R désigne le signal reçu en B et la convention de décodage reste

$R \geqslant 0{,}5$: on admet que 1 a été émis
$R < 0{,}5$: on admet que 0 a été émis.

---

[2] Pour cette raison, une variable laplacienne est parfois dite exponentielle double.

Dans le cas présent, où le bruit est laplacien de paramètre $\lambda = 1$, les probabilités des deux types d'erreurs sont respectivement

$$P\{\text{erreur} \,|\, \text{message à transmettre} = 1\} = P\{N < -1.5\}$$
$$= \tfrac{1}{2} e^{-1.5}$$
$$= .1116$$

$$P\{\text{erreur} \,|\, \text{message à transmettre} = 0\} = P\{N \geq 2.5\}$$
$$= \tfrac{1}{2} e^{-2.5}$$
$$= .041$$

En comparant ces résultats avec ceux de l'exemple 5.10, on constate que les probabilités d'erreur sont plus élevées si le bruit est laplacien de paramètre $\lambda = 1$, plutôt que de distribution normale centrée réduite. (Comme on le verra au chapitre 7, ces deux variables ont même valeur moyenne 0 et par rapport à 0 ont même carré des écarts moyen 1). ■

5.4.6 Fonctions taux de panne

Considérons une variable aléatoire continue à valeurs positives qui puisse représenter la durée de vie d'un certain composant, de fonction de répartition F et de densité f. La fonction **taux de panne** $\lambda(t)$ de F est définie par l'équation

$$\lambda(t) = \frac{f(t)}{\bar{F}(t)}, \qquad \bar{F} = 1 - F$$

Pour obtenir une interprétation de $\lambda(t)$, supposons que notre composant ait déjà t heures de service et que l'on veuille calculer la probabilité de sa défaillance dans l'espace de temps dt qui suit. En d'autres termes, on cherche à calculer $P\{X \in (t, t + dt) \,|\, X > t\}$. Or,

$$P\{X \in (t, t + dt) \,|\, X > t\} = \frac{P\{X \in (t, t + dt), X > t\}}{P\{X > t\}}$$

$$= \frac{P\{X \in (t, t + dt)\}}{P\{X > t\}}$$

$$\approx \frac{f(t)}{\bar{F}(t)} \, dt$$

ce qui peut s'interpréter comme suit: $\lambda(t)$ représente un taux de panne conditionnel instantané, la condition étant que le composant ait pu assurer déjà t heures de service.

Dans le cas d'une durée de vie exponentielle, l'absence de mémoire de cette distribution signifie que la durée de vie résiduelle d'un composant conditionnellement à une durée de service t jusque-là est de même distribution que la durée de vie initiale. Aussi λ devrait-elle être une fonction constante. Cela est confirmé par le calcul suivant:

$$\lambda(t) = \frac{f(t)}{\bar{F}(t)}$$

$$= \frac{\lambda e^{-\lambda t}}{e^{-\lambda t}}$$

$$= \lambda$$

Ainsi, le taux de panne d'une variable exponentielle est-il constant. C'est la raison pour laquelle le paramètre λ est souvent appelé le **taux** d'une telle distribution.

On peut par ailleurs établir que la fonction taux de panne λ détermine de manière univoque la fonction de répartition F des variables aléatoires obéissant à ce taux. En effet, par définition

$$\lambda(t) = \frac{\dfrac{d}{dt} F(t)}{1 - F(t)}$$

L'intégration des deux membres donne

$$\ln(1 - F(t)) = -\int_0^t \lambda(t)\, dt + k$$

ou

$$1 - F(t) = e^k \exp\left\{-\int_0^t \lambda(t)\, dt\right\}$$

Or $k = 0$, ce que l'on voit en posant $t = 0$. Donc,

$$F(t) = 1 - \exp\left\{-\int_0^t \lambda(t)\, dt\right\} \qquad (5.12)$$

Par conséquent, la fonction de répartition d'une variable aléatoire continue à valeurs positives est entièrement déterminée par la donnée d'une fonction taux de panne. A titre d'exemple, si ce taux de panne est une fonction linéaire, donc du type

$$\lambda(t) = a + bt$$

sa fonction de répartition sera

$$F(t) = 1 - e^{-at - bt^2/2}$$

et sa densité, par dérivation

$$f(t) = (a + bt)e^{-(at + bt^2/2)}, \qquad t \geq 0$$

Pour $a = 0$ la densité ci-dessus porte le nom de **densité de Rayleigh.**

Exemple 5.18 On entend souvent dire que le taux de mortalité chez les fumeurs, à tout âge, est le double de celui des non-fumeurs. Qu'est-ce que cela veut dire? Cela signifie-t-il qu'un non-fumeur a une probabilité deux fois plus grande de survivre à un nombre d'années donné qu'un fumeur du même âge?

SOLUTION. Soit $\lambda_f(t)$ le taux de mortalité pour un fumeur âgé de t années et $\lambda_n(t)$ celui d'un non-fumeur du même âge. Alors l'affirmation ci-dessus équivaut à dire que

$$\lambda_f(t) = 2\lambda_n(t).$$

La probabilité qu'un non-fumeur âgé de A années survive à l'âge B, A < B est

P{un fumeur âgé de A atteigne l'âge B}

$= P\{$la durée de vie des non-fumeurs $> B \mid$ la durée de vie des non-fumeurs $> A\}$

$$= \frac{1 - F_{\text{non}}(B)}{1 - F_{\text{non}}(A)}$$

$$= \frac{\exp\left\{-\int_0^B \lambda_n(t)\, dt\right\}}{\exp\left\{-\int_0^A \lambda_n(t)\, dt\right\}} \qquad \text{grâce à (5.12)}$$

$$= \exp\left\{-\int_A^B \lambda_n(t)\, dt\right\}$$

alors que la probabilité correspondante pour un fumeur est, par le même raisonnement,

$$P\{\text{un fumeur âgé de A atteigne l'âge B}\} = \exp\left\{-\int_A^B \lambda_f(t)\, dt\right\}$$

$$= \exp\left\{-2\int_A^B \lambda_n(t)\, dt\right\}$$

$$= \left[\exp\left\{-\int_A^B \lambda_n(t)\, dt\right\}\right]^2$$

En d'autres termes, si l'on a deux individus de même âge, dont l'un est fumeur et l'autre pas, la probabilité que le fumeur survive à un âge donné est le *carré* (non la moitié) de celle du non-fumeur. Par exemple, si $\lambda_n(t) = \frac{1}{30}$, $50 \leqslant t \leqslant 60$, alors la probabilité qu'un non-fumeur âgé de 50 ans atteigne l'âge de 60 ans est $e^{-1/3} = 0{,}7165$ alors que pour un fumeur elle vaut $e^{-2/3} = 0{,}5134$.

5.5 AUTRES DISTRIBUTIONS CONTINUES

5.5.1 Distribution gamma

On dira qu'une variable aléatoire suit une *loi gamma* de paramètres (t, λ), $\lambda > 0$ et $t > 0$ si sa densité est

$$f(x) = \begin{cases} \dfrac{\lambda e^{-\lambda x}(\lambda x)^{t-1}}{\Gamma(t)} & x \geq 0 \\ 0 & x < 0 \end{cases}$$

où

$$\Gamma(t) = \int_0^\infty e^{-y}y^{t-1}\,dy$$

Une intégration par parties de l'intégrale donnant $\Gamma(t)$ livre

$$\Gamma(t) = -e^{-y}y^{t-1}\Big|_0^\infty + \int_0^\infty e^{-y}(t-1)y^{t-2}\,dy$$

$$= (t-1)\int_0^\infty e^{-y}y^{t-2}\,dy$$

$$= (t-1)\Gamma(t-1) \tag{5.13}$$

Pour des valeurs n entières de t, l'utilisation itérée de (5.13) donne

$$\Gamma(n) = (n-1)\Gamma(n-1)$$
$$= (n-1)(n-2)\Gamma(n-2)$$
$$= \cdots$$
$$= (n-1)(n-2)\cdots 3 \cdot 2\Gamma(1)$$

Comme $\Gamma(1) = \int_0^\infty e^{-x}dx = 1$, on aura pour tout entier n

$$\Gamma(n) = (n-1)!$$

Lorsque t prend des valeurs entières positives, disons $t = n$, la loi gamma de paramètres (t, λ) représente fréquemment la distribution du temps d'attente avant la n-ième occurrence d'un certain type d'événements. Plus précisément, supposons que des événements se répètent au hasard dans le temps et satisfassent aux trois conditions exposées dans la section 4.5. Dans ce cas, le temps d'attente avant la n-ième occurrence suivra une répartition gamma de paramètres (n, λ). Pour s'en assurer, notons par T_n l'heure à laquelle le n-ième événement se produit. On remarquera que $T_n \leq t$ si et seulement si le nombre d'occurrences enregistrées au temps t est de n au moins. En posant que ce nombre d'événements dans l'intervalle $[0, t]$ est $N(t)$, on aura

$$P\{T_n \leq t\} = P\{N(t) \geq n\}$$

$$= \sum_{j=n}^\infty P\{N(t) = j\}$$

$$= \sum_{j=n}^\infty \frac{e^{-\lambda t}(\lambda t)^j}{j!}$$

La dernière de ces équations résulte du fait que le nombre d'événements dans $[0, t]$ suit une loi de Poisson de paramètre λt, et sa dérivation donne la densité f de T_n:

$$
\begin{aligned}
f(t) &= \sum_{j=n}^{\infty} \frac{e^{-\lambda t} j (\lambda t)^{j-1} \lambda}{j!} - \sum_{j=n}^{\infty} \frac{\lambda e^{-\lambda t} (\lambda t)^{j}}{j!} \\
&= \sum_{j=n}^{\infty} \frac{\lambda e^{-\lambda t} (\lambda t)^{j-1}}{(j-1)!} - \sum_{j=n}^{\infty} \frac{\lambda e^{-\lambda t} (\lambda t)^{j}}{j!} \\
&= \frac{\lambda e^{-\lambda t} (\lambda t)^{n-1}}{(n-1)!}
\end{aligned}
$$

On constate bien que T_n suit une loi gamma de paramètres (n, λ). (Dans la littérature mathématique, cette loi est aussi fréquemment appelée **loi d'Erlang** de paramètre n.) On remarquera que pour $n = 1$ cette distribution n'est autre que l'exponentielle.

Une loi gamma de paramètre $\lambda = \frac{1}{2}$ et $t = n/2$ (n étant ici entier positif) est aussi appelée loi χ_n^2 (lire chi-carré à n degrés de liberté). A titre d'exemple de variable de loi χ_n^2, on peut citer l'erreur commise lors d'un tir sur une cible à n dimensions lorsque l'erreur dans chaque dimension est normalement distribuée. La loi χ_n^2 sera étudiée au chapitre 6 où son lien avec la loi normale sera expliqué.

5.5.2 Loi de Weibull

Cette loi possède de nombreuses applications en sciences de l'ingénieur. Originellement utilisée pour représenter les effets de l'usure de pièces, son usage s'est ensuite beaucoup étendu. En biologie, en particulier, on l'utilise pour modéliser la durée de vie d'un organisme, surtout lorsque la vie de cet organisme dépend de son «maillon le plus faible». En d'autres termes, considérons un organisme constitué de plusieurs composants et admettons que cet organisme meure dès la défaillance de n'importe lequel de ses composants. Il a été établi (au niveau théorique autant qu'empirique) que dans ce modèle la loi de Weibull donne une bonne approximation de la durée de vie de l'organisme étudié.

La fonction de répartition d'une variable de Weibull est

$$
F(x) = \begin{cases} 0 & x \leq v \\ 1 - \exp\left\{ -\left(\frac{x-v}{\alpha}\right)^{\beta} \right\} & x > v \end{cases}
\tag{5.14}
$$

Une variable ayant une telle fonction de répartition est dite **variable de Weibull** avec paramètres v, α et β. Par dérivation on obtient sa densité:

$$
f(x) = \begin{cases} 0 & x \leq v \\ \left(\frac{\beta}{\alpha}\right)\left(\frac{x-v}{\alpha}\right)^{\beta-1} \exp\left\{ -\left(\frac{x-v}{\alpha}\right)^{\beta} \right\} & x > v \end{cases}
$$

5.5.3 Loi de Cauchy

Une *variable de Cauchy* de paramètre θ, $-\infty < \theta < +\infty$, a pour densité:

$$f(x) = \frac{1}{\pi} \frac{1}{[1 + (x - \theta)^2]} \qquad -\infty < x < \infty$$

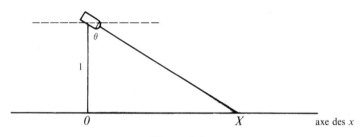

θ

1

0 X axe des x

Figure 5.6

Exemple 5.19 Un projecteur à faisceau fin est mis en rotation autour de son axe, lequel est situé à une unité de distance de l'axe des abscisses (figure 5.5). X représente l'abscisse de l'intersection du faisceau avec l'axe $0x$ une fois que le projecteur s'est arrêté de tourner. (Si le faisceau n'est pas dirigé vers l'axe, on recommence l'expérience).

Comme on peut le constater sur la figure 5.5, X est déterminée par la valeur de l'angle θ entre le faisceau lumineux et l'axe $0y$. On admettra l'hypothèse de nature physique que θ est uniformément distribuée entre $\pi/2$ et $\pi/2$. La fonction de répartition de X sera alors

$$\begin{aligned}
F(x) &= P\{X \leq x\} \\
&= P\{\text{tg } \theta \leq x\} \\
&= P\{\theta \leq \text{Arc tg } x\} \\
&= \frac{1}{2} + \frac{1}{\pi} \text{Arc tg } x
\end{aligned}$$

Cette dernière équation résulte de la suivante, valide en raison de l'uniformité de la distribution de θ entre $-\pi/2$ et $\pi/2$:

$$P\{\theta \leq a\} = \frac{a - (-\pi/2)}{\pi} = \frac{1}{2} + \frac{a}{\pi}, \qquad -\frac{\pi}{2} < a < \frac{\pi}{2}$$

Aussi la densité de X est-elle

$$f(x) = \frac{d}{dx} F(x) = \frac{1}{\pi(1 + x^2)} \qquad -\infty < x < \infty$$

ce qui établit que X suit une loi de Cauchy de paramètre 0^1.

5.5.4 Loi bêta

On dit qu'une variable aléatoire suit une *loi bêta* si sa densité est

$$f(x) = \begin{cases} \dfrac{1}{B(a, b)} x^{a-1}(1 - x)^{b-1} & 0 < x < 1 \\[2mm] 0 & \text{sinon} \end{cases}$$

où

$$B(a, b) = \int_0^1 x^{a-1}(1 - x)^{b-1} \, dx$$

La loi bêta s'applique à des phénomènes lors desquels la variable aléatoire peut prendre les valeurs comprises dans un certain intervalle $[c, d]$. En déclarant que c représente l'origine et en adoptant $d - c$ comme unité, cela revient à s'intéresser à l'intervalle $[0, 1]$.

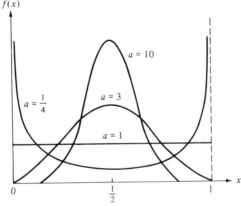

Figure 5.7
Densités bêta lorsque les paramètres a et b sont égaux

---

[1] La relation d/dx Arc tg $x = 1/(1 + x^2)$ est établie comme suit: si $y =$ Arc tg x, alors tg $y = x$ et par conséquent

$$1 = \frac{d}{dx}(\text{tg } y) = \frac{d}{dy}(\text{tg } y)\frac{dy}{dx} = \frac{d}{dy}\left(\frac{\sin y}{\cos y}\right)\frac{dy}{dx}$$

$$= \left(\frac{\cos^2 y + \sin^2 y}{\cos^2 y}\right)\frac{dy}{dx}$$

ou

$$\frac{dy}{dx} = \cos^2 y = \frac{\cos^2 y}{\sin^2 y + \cos^2 y} = \frac{1}{\text{tg}^2 y + 1} = \frac{1}{x^2 + 1}$$

Comme le montre la figure 5.6, les densités bêta sont symétriques autour de ½ lorsque $a = b$ et donnent de plus en plus de poids à cette région centrale au fur et à mesure que a augmente. La figure 5.7 montre que lorsque $b > a$ les densités sont ramassées à gauche, ce qui signifie que les petites valeurs de la variable sont plus probables. Lorsque $a > b$, les densités, inversement, sont ramassées à droite.

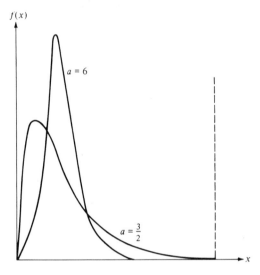

Figure 5.8
Densités bêta de paramètres (a, b) tels que

$$\frac{a}{a + b} = \frac{1}{20}$$

5.6 DISTRIBUTION D'UNE FONCTION DE VARIABLE ALÉATOIRE

5.6.1 Illustration du problème

Il arrive souvent que la distribution d'une variable aléatoire soit connue mais que l'on s'intéresse plutôt à celle d'une fonction de cette variable. En d'autres termes, on connaîtrait la distribution de X mais souhaiterait connaître celle de $g(X)$. Pour y parvenir, il faut exprimer l'événement $g(X) \leqslant y$ sous forme d'une condition où X appartient à un certain ensemble, comme l'illustrent les exemples suivants.

Exemple 5.20 Soit X uniformément distribuée dans l'intervalle $(0, 1)$. On obtiendra la distribution de $Y = X^n$ de la manière suivante: pour $0 \leqslant y \leqslant 1$,

$$\begin{aligned}
F_Y(y) &= P\{Y \leq y\} \\
&= P\{X^n \leq y\} \\
&= P\{X \leq y^{1/n}\} \\
&= F_X(y^{1/n}) \\
&= y^{1/n}
\end{aligned}$$

Aussi peut-on donner à la densité de Y la forme suivante, par exemple:

$$f_Y(y) = \begin{cases} \dfrac{1}{n} \, y^{-[(n-1)/n]} & 0 \le y \le 1 \\[2mm] 0 & \text{sinon} \end{cases}$$

∎

Exemple 5.21 Pour toute variable aléatoire continue X de densité f_X, on obtient la fonction de répartition de $Y = X^2$ de la manière suivante: pour $y \geqslant 0$,

$$\begin{aligned} F_Y(y) &= P\{Y \le y\} \\ &= P\{X^2 \le y\} \\ &= P\{-\sqrt{y} \le X \le \sqrt{y}\} \\ &= F_X(\sqrt{y}) - F_X(-\sqrt{y}) \end{aligned}$$

Une dérivation livre la densité

$$f_Y(y) = \frac{1}{2\sqrt{y}} [f_X(\sqrt{y}) + f_X(-\sqrt{y})]$$

∎

Exemple 5.22 Soit X de densité f_X. La densité de $Y = |X|$ peut être calculée ainsi pour $y \geqslant 0$

$$\begin{aligned} F_Y(y) &= P\{Y \le y\} \\ &= P\{|X| \le y\} \\ &= P\{-y \le X \le y\} \\ &= F_X(y) - F_X(-y) \end{aligned}$$

et par dérivation de nouveau on obtient

$$f_Y(y) = f_X(y) + f_X(-y) \qquad y \ge 0$$

∎

5.6.2 Densité d'une fonction de variable aléatoire

La méthode utilisée pour traiter les exemples 5.19 à 5.21 peut servir de démonstration au théorème général suivant:

Théorème 5.1
Soit X une variable aléatoire continue de densité f_x. Soit g une fonction strictement monotone (croissante ou décroissante) et dérivable, donc continue. La densité de la variable aléatoire $Y = g(X)$ est alors

$$f_Y(y) = \begin{cases} f_X[g^{-1}(y)] \left| \dfrac{d}{dy} g^{-1}(y) \right| & \text{si } y = g(x) \text{ pour un } x \text{ quelconque} \\ 0 & \text{si } y \neq g(x) \text{ pour tout } x \end{cases}$$

où $g^{-1}(y)$ est défini comme étant égal à x tel que $g(x) = y$.

La démonstration de ce théorème est laissée en exercice.

5.7 EXERCICES THÉORIQUES

5.7.1 Donner un contre-exemple de la proposition suivante: si $P(E_a) = 1$ pour tout $0 < a < 1$, alors $P(\bigcap_a E_a) = 1$, où l'intersection est prise sur tout $a \in (0, 1)$. Pour cela, considérer une variable aléatoire X uniformément distribuée sur l'intervalle $(0, 1)$ et définir E_a en termes de X.

5.7.2 La vitesse d'une molécule au sein d'un gaz homogène en état d'équilibre est une variable aléatoire, dont la fonction de densité est donnée par

$$f(x) = \begin{cases} ax^2 e^{-bx^2} & x \geq 0 \\ 0 & x < 0 \end{cases}$$

où $b = m/2kT$ et k, T, m sont respectivement la constante de Boltzmann, la température absolue et la masse de la molécule. Evaluer a en termes de b.

5.7.3 Prouver l'équation (5.6)

5.7.4 Si Z est une variable aléatoire normale standard, montrer que pour chaque $a > 0$,

$$\lim_{x \to \infty} \frac{P\{Z \geq x + a/x\}}{P\{Z \geq x\}} = e^{-a}$$

5.7.5 La médiane d'une variable aléatoire continue ayant une fonction de répartition F est la valeur m, telle que $F(m) = \frac{1}{2}$. En d'autres termes une variable aléatoire a autant de chances d'être plus grande ou plus petite que sa médiane. Trouver la médiane de X si X est une variable:
a) uniformément distribuée sur (a, b);
b) normale de paramètres μ, σ^2;
c) exponentielle de paramètre λ.

5.7.6 Le mode d'une variable aléatoire continue ayant une densité f est la valeur x pour laquelle $f(x)$ atteint son maximum. Calculer le mode de X dans les cas a), b) et c) de l'exercice théorique 5.7.5.

5.7.7 Si X est une variable aléatoire exponentielle de paramètre λ, et $c > 0$, montrer que cX est exponentielle de paramètre λ/c.

5.7.8 Calculer le taux de panne de X quand X est uniformément distribuée sur l'intervalle $(0, a)$.

5.7.9 Si X a un taux de panne $\lambda_X(t)$, calculer le taux de panne de aX, où a est une constante positive.

5.7.10 Vérifier que l'intégrale de la fonction de densité de la loi gamma donne 1.

5.7.11 Calculer $\Gamma(n + \frac{1}{2})$ pour $n = 1, 2,..$

5.7.12 Calculer la fonction taux de panne d'une variable aléatoire gamma de paramètre (t, λ) et montrer qu'elle est croissante quand $t \geqslant 1$ et décroissante quand $t \leqslant 1$.

5.7.13 Calculer la fonction taux de panne d'une variable aléatoire de Weibull et montrer qu'elle est croissante quand $\beta \geqslant 1$ et décroissante quand $\beta \leqslant 1$.

5.7.14 Montrer que le graphe de $\ln(\ln(1 - F(x))^{-1})$ en fonction de $\ln(x)$ est une droite de pente β quand $F(\cdot)$ est une fonction de répartition de Weibull. Montrer également qu'approximativement 63,2% de toutes les observations d'une telle distribution sont inférieures à α. Supposer que $v = 0$.

5.7.15 Soit

$$Y = \left(\frac{X - v}{\alpha}\right)^{\beta}$$

Montrer que si X est une variable aléatoire de Weibull dont les paramètres sont v, α, β, alors Y est une variable aléatoire exponentielle de paramètre $\lambda = 1$ et vice versa.

5.7.16 Montrer que

$$B(a, b) = \frac{\Gamma(a)\Gamma(b)}{\Gamma(a + b)}$$

5.7.17 Si X est uniformément distribuée sur l'intervalle (a, b), quelle est la variable aléatoire dépendant linéairement de X qui admet une distribution uniforme sur l'intervalle $(0, 1)$?

5.7.18 On considère la distribution bêta de paramètres (a, b). Montrer que:
- quand $a > 1$, $b > 1$, la densité est unimodale (c'est-à-dire qu'elle a un mode unique) de mode égal à $(a - 1)/(a + b - 2)$;
- quand $a \leqslant 1$, $b \leqslant 1$, $a + b < 2$, la densité est soit unimodale, avec un mode en 0 ou en 1, soit en forme de U avec des modes à la fois en 0 et en 1;
- quand $a = 1 = b$ tous les points dans l'intervalle $[0, 1]$ sont des modes.

5.7.19 Soit X une variable aléatoire continue ayant une fonction de répartition F. On définit la variable aléatoire Y par $Y = F(X)$. Montrer que Y est uniformément distribuée sur l'intervalle $(0, 1)$.

5.7.20 Soit X une variable aléatoire de densité de probabilité f_X. Trouver la fonction de densité de la variable aléatoire définie par $Y = aX + b$.

5.7.21 Trouver la fonction de densité de $Y = e^X$ quand X est distribuée selon une loi normale de paramètres μ et σ^2. La variable aléatoire Y suit une distribution dite log-normale (puisque ln Y a une distribution normale) de paramètres μ et σ^2.

5.7.22 Prouver le théorème 5.1.

5.7.23 Soit X et Y des variables aléatoires indépendantes qui toutes deux ont la même chance d'être égales à 1, 2,..., $(10)^N$, où N est très grand. Appelons D le plus grand commun diviseur de X et Y et soit $Q_k = P\{D = k\}$.
a) Montrer par un argument heuristique que $Q_k = 1/k^2 \, Q_1$. On peut remarquer que pour que D soit égal à k, k doit diviser X et Y et X/k et Y/k doivent être premiers entre eux (c'est-à-dire que leur plus grand commun diviseur doit être égal à 1).
b) Utiliser a) pour montrer que
$$Q_1 = P\{X \text{ et } Y \text{ soient premiers entre eux}\} = \frac{1}{\displaystyle\sum_{k=1}^{\infty} 1/k^2}$$

En vertu d'une identité bien connue selon laquelle $\sum_{1}^{\infty} 1/k^2 = \pi^2/6$, il s'ensuit que $Q_1 = 6/\pi^2$.
(En théorie des nombres ceci est connu sous le nom de théorème de Legendre).
c) Maintenant établir que

$$Q_1 = \prod_{i=1}^{\infty} \left(\frac{P_i^2 - 1}{P_i^2} \right)$$

où P_i est le i-ème des nombres premiers rangés dans l'ordre de croissance, P_1 étant 2. A titre d'indication, on peut noter que X et Y seront premiers entre eux s'ils n'ont pas de facteurs premiers communs.

Ainsi de b) on voit que $\prod_{i=1}^{\infty} (\frac{P_i^2 - 1}{P_i^2}) = 6/\pi^2$; ce résultat a déjà été mentionné sans explication dans le problème 4.8.11 (la relation entre ce problème et le problème 4.8.11 réside dans le fait que X et Y sont premiers entre eux si leur produit XY n'a pas de facteur premier répété).

5.8 PROBLÈMES

5.8.1 Soit X une variable aléatoire dont la fonction de probabilité est:

$$f(x) = \begin{cases} c(1 - x^2) & -1 < x < 1 \\ 0 & \text{sinon} \end{cases}$$

- Quelle est la valeur de c?
- Quelle est la fonction de répartition de X?

5.8.2 Pour fonctionner, un système utilise une cellule interchangeable. On dispose de la pièce originale et d'une cellule de rechange. Si le système a une durée de vie aléatoire X et que sa densité est donnée (en mois) par:

$$f(x) = \begin{cases} cxe^{-x/2} & x > 0 \\ 0 & x \leq 0 \end{cases}$$

quelle est la probabilité que le système fonctionne pendant au moins 5 mois?

5.8.3 On considère la fonction

$$f(x) = \begin{cases} c(2x - x^3) & 0 < x < \frac{5}{2} \\ 0 & \text{sinon} \end{cases}$$

La fonction f représente-t-elle une fonction de densité? Si oui, déterminer c. Même question avec $f(x)$ donnée par

$$f(x) = \begin{cases} c(2x - x^2) & 0 < x < \frac{5}{2} \\ 0 & \text{sinon} \end{cases}$$

5.8.4 La fonction de densité de X, variable aléatoire représentant la durée de vie en heures d'un certain composant électronique, est donnée par:

$$f(x) = \begin{cases} \dfrac{10}{x^2} & x > 10 \\ 0 & x \leq 10 \end{cases}$$

- Trouver $P\{X > 20\}$.
- Quelle est la fonction de répartition de X?
- Quelle est la probabilité que parmi 6 composants au moins 3 d'entre eux fonctionnent durant au moins 15 heures? Quelles hypothèses faites-vous?

5.8.5 Une station service est approvisionnée en essence une fois par semaine. Si son volume de vente hebdomadaire, en milliers de litres, est une variable aléatoire de fonction de densité:

$$f(x) = \begin{cases} 5(1 - x)^4 & 0 < x < 1 \\ 0 & \text{sinon} \end{cases}$$

quelle est la capacité que doit avoir le réservoir pour que la probabilité d'épuiser l'approvisionnement d'une semaine soit égal à 0,01?

5.8.6 Les trains à destination de A arrivent à la gare toutes les 15 min. à partir de 7 h. du matin, et les trains à destination de B arrivent toutes les 15 min. également, mais à partir de 7 h 05 du matin. Un certain passager arrive à la gare à une heure uniformément distribuée entre 7 h et 8 h du matin et prend le premier train qui se présente. Dans quelle proportion des cas se rendra-t-il à la destination A? Qu'en est-il si le passager arrive à une heure uniformément distribuée entre 7 h 10 et 8 h 10 du matin?

5.8.7 Un point est choisi au hasard sur un segment de longueur L. Interpréter cet énoncé et trouver la probabilité que le rapport entre le plus petit et le plus grand segment soit inférieure à $\frac{1}{4}$.

5.8.8 Un bus circule entre 2 villes A, B distantes de 100 miles. On admet que lorsque le bus tombe en panne, la distance de l'endroit de la panne à la ville A a une distribution uniforme sur l'intervalle (0, 100). Il y a une station de réparation en A, une en B et une autre à mi-distance entre A et B. On suggère qu'il serait plus efficace d'avoir les 3 stations localisées respectivement à 25, 50 et 75 miles de A. Etes-vous de cet avis? Pourquoi?

5.8.9 Vous arrivez à un arrêt de bus à 10 h sachant que le bus arrivera à un certain instant qui est distribué uniformément entre 10 h et 10 h 30. Quelle est la probabilité que vous deviez attendre plus de 10 min.? Si à 10 h 15 le bus n'est pas encore arrivé, quelle est la probabilité que vous deviez attendre au moins 10 min. supplémentaires?

5.8.10 Si X est une variable aléatoire normale de paramètres $\mu = 10$ et $\sigma^2 = 36$, calculer:
- (a) $P\{X > 5\}$;   (b) $P\{4 < X < 16\}$;   (c) $P\{X < 8\}$;
- (d) $P\{X < 20\}$;   (e) $P\{X > 16\}$.

5.8.11 La quantité annuelle de précipitations (en cm) dans une certaine région est distribuée selon une loi normale avec $\mu = 140$ et $\sigma^2 = 16$. Quelle est la probabilité qu'à partir de cette année, il faille attendre plus de 10 ans avant d'obtenir une année avec une quantité annuelle de pluie supérieure à 150 cm? Quelles hypothèses faites-vous?

5.8.12 On suppose que la taille, en centimètres, d'un homme âgé de 25 ans est une variable aléatoire normale de paramètres $\mu = 175$ et $\sigma^2 = 36$. Quel est le pourcentage d'hommes de 25 ans ayant une taille supérieure à 185 cm? Parmi les hommes mesurant plus de 180 cm, quel pourcentage d'entre eux dépassent 192 cm?

5.8.13 La largeur (en cm) d'une fente entaillée dans une pièce fabriquée en aluminium est distribuée selon une loi normale de paramètres $\mu = 2$ et $\sigma = 0{,}007$. Les limites de tolérance sont données comme étant $2{,}0000 \pm 0{,}0120$. Quel sera le pourcentage de pièces défectueuses? Quelle est la valeur maximale que peut prendre σ afin que le pourcentage de pièces défectueuses ne dépasse pas 1%, si la largeur des fentes suit une distribution normale de paramètres $\mu = 2$ et σ?

5.8.14 On considère 1000 jets indépendants d'un dé homogène. Calculer une approximation de la probabilité que la face 6 apparaisse entre 150 et 200 fois. Si la face 6 apparaît exactement 200 fois, trouver la probabilité que la face 5 apparaisse moins de 150 fois.

5.8.15 La durée de vie des puces d'ordinateur interactif produites par un fabricant de semi-conducteurs est distribuée normalement de paramètres $\mu = 1{,}4 \times 10^6$ heures et $\sigma = 3 \times 10^5$ heures. Quelle est la probabilité approximative qu'un lot de 100 puces contienne au moins 20 puces dont la durée de vie ne dépasse pas $1{,}8 \times 10^6$?

5.8.16 Utiliser le programme présenté à la fin du chapitre 4 pour calculer $P\{X \leq 25\}$, quand X est une variable aléatoire binomiale de paramètres $n = 300$, $p = 0,1$. Comparer le résultat avec son approximation
a) poissonienne et
b) normale.
En utilisant l'approximation normale, écrire la probabilité cherchée sous la forme $P\{X \leq 25,5\}$ afin d'introduire la correction de continuité. (Vous aurez besoin du programme donné à la fin du chapitre 4 pour calculer l'approximation de Poisson.)

5.8.17 Deux types de pièces de monnaie sont produites dans une fabrique: des pièces homogènes et des pièces biaisées, lesquelles montrent la face pile dans 55% des cas. Supposons que nous possédions une pièce de cette fabrique et que nous ignorions si elle est homogène ou biaisée. Pour pouvoir déterminer de quelle pièce il s'agit, nous effectuons le test statistique suivant: la pièce est lancée 1000 fois; si l'on obtient pile 525 fois ou plus, alors on conclut que c'est une pièce biaisée, tandis que si l'on obtient pile moins de 525 fois, alors on conclut que c'est une pièce homogène. Si la pièce est réellement homogène, quelle est la probabilité que l'on aboutisse à une conclusion fausse? Qu'en est-il si la pièce est biaisée?

5.8.18 Sur 10 000 jets indépendants, une pièce de monnaie donne 5800 fois pile. Est-il raisonnable de présumer que la pièce n'est pas homogène? Expliquer pourquoi.

5.8.19 Une image est composée de 2 régions, l'une blanche et l'autre noire. Lors d'une lecture digitale, un point choisi aléatoirement dans la zone blanche donnera une valeur qui est distribuée selon une loi normale de paramètres (4, 4). Un point choisi aléatoirement dans la partie noire aura une valeur distribuée selon la même loi, mais de paramètres (6, 9). Considérons un point choisi aléatoirement sur l'image et qui présente une valeur égale à 5. Désignons par α la fraction de l'image qui est noire. Pour quelle valeur de α a-t-on la même probabilité de se tromper en concluant que le point choisi provient de la zone noire ou le contraire?

5.8.20 Le temps (en heures) nécessaire pour réparer une machine est une variable aléatoire exponentiellement distribuée de paramètre $\lambda = \frac{1}{2}$.
• Quelle est la probabilité que le temps de réparation excède 2 heures?
• Quelle est la probabilité conditionnelle qu'une réparation prenne au moins 10 heures, étant donné que sa durée a déjà dépassé 9 heures?

5.8.21 Le nombre d'années de fonctionnement d'une radio est distribué selon une loi exponentielle de paramètre $\lambda = \frac{1}{8}$. Si Jones achète une radio d'occasion, quelle est la probabilité qu'elle fonctionne encore après 8 nouvelles années d'usage?

5.8.22 Jones estime que le nombre total de milliers de miles que peut parcourir une voiture avant qu'elle ne soit mise à la ferraille est une variable aléatoire exponentielle de paramètre $\lambda = \frac{1}{20}$. Smith a une voiture dont il prétend qu'elle n'a roulé que 10 000 miles. Si Jones achète la voiture, quelle est la probabilité qu'il puisse encore l'utiliser pendant au moins 20 000 miles? Refaire le problème en considérant l'hypothèse que la durée de vie de la voiture (exprimée en milliers de miles) suit une distribution uniforme sur l'intervalle (0, 40) et non plus une loi exponentielle.

5.8.23 Le taux de cancer des poumons chez les fumeurs âgés de t années, $\lambda(t)$, est tel que

$$\lambda(t) \ = \ .027 \ + \ .00025(t \ - \ 40)^2, \quad t \geq 40$$

En supposant qu'un fumeur de 40 ans survive à toute autre maladie, quelle est la probabilité qu'il survive à l'âge de
a) 50 ans,
b) 60 ans
sans contracter un cancer des poumons.

5.8.24 Supposons que la distribution de la durée de vie d'un élément a une fonction taux de panne $\lambda(t) = t^3$, $t > 0$.
a) Quelle est la probabilité que l'élément survive à l'âge de 2 ans?
b) Quelle est la probabilité que la durée de vie de l'élément se situe entre 0,4 et 1,4?
c) Quelle est la probabilité qu'un élément âgé de 1 année survive à l'âge de 2 ans?

5.8.25 Si X est uniformément distribuée sur l'intervalle $(-1, 1)$, trouver:
• $P\{|X| > \frac{1}{2}\}$;
• $P\{\sin(\pi X/2) > \frac{1}{3}\}$;
• la densité de la variable aléatoire $|X|$.

5.8.26 Si Y est de distribution uniforme sur l'intervalle $(0, 5)$, quelle est la probabilité que les racines de l'équation $4x^2 + 4xY + Y + 2 = 0$ soient toutes deux réelles?

5.8.27 Si X est une variable aléatoire exponentielle de paramètre $\lambda = 1$, calculer la densité de la variable aléatoire Y définie par $Y = \ln X$.

5.8.28 Si X est uniformément distribuée sur l'intervalle $(0,1)$, trouver la densité de $Y = e^X$.

5.8.29 Trouver la distribution de $R = A \sin \theta$, où A est une constante fixée et où θ est uniformément distribuée sur l'intervalle $(-\pi/2, \pi/2)$. Une telle variable aléatoire R apparaît en théorie de la balistique. Si un projectile est tiré de l'origine avec un angle α par rapport à la terre et avec une vitesse V, alors son point de chute R peut s'exprimer par $R = (v^2/g) \sin 2\alpha$ où g est la constante de gravitation égale à 9,81 m/s^2.

Chapitre 6

Variables aléatoires simultanées

6.1 DÉFINITION DES DISTRIBUTIONS SIMULTANÉES

6.1.1 Fonction de répartition conjointe

Nous n'avons traité jusqu'ici que de distributions de variables isolées. Or, il est souvent nécessaire de considérer des événements relatifs à deux variables simultanément, ou même à plus de deux variables. On définit pour traiter de tels problèmes une *fonction F de répartition simultanée,* ou *conjointe,* pour toute paire de variables aléatoires X et Y:

$$F(a, b) = P\{X \le a, Y \le b\} \qquad -\infty < a, b < \infty$$

6.1.2 Fonction de répartition marginale

La fonction de répartition de X peut être déduite de la fonction de répartition conjointe de X et Y comme suit:

$$F_X(a) = P\{X \le a\}$$

$$= P\{X \le a, Y < \infty\}$$

$$= P\left(\lim_{b \to \infty} \{X \le a, Y \le b\}\right)$$

$$= \lim_{b \to \infty} P\{X \le a, Y \le b\}$$

$$= \lim_{b \to \infty} F(a, b)$$

$$\equiv F(a, \infty)$$

Le lecteur remarquera qu'il a une fois de plus été fait usage, dans les équations ci-dessus, de la propriété de continuité des fonctions de probabilité. On obtient par ailleurs de manière similaire la fonction de répartition de Y:

$$F_Y(b) = P\{Y \le b\}$$

$$= \lim_{a \to \infty} F(a, b)$$

$$\equiv F(\infty, b)$$

Les fonctions de répartition F_x et F_y sont parfois dites *fonctions de répartition marginales* de X et Y.

6.1.3 Universalité des fonctions simultanées

La probabilité de tous les événements simultanément relatifs à X et Y peut théoriquement être calculée grâce aux fonctions conjointes définies plus haut. Supposons par exemple que l'on veuille calculer la probabilité que simultanément X soit supérieure à a et Y à b. On procédera par exemple comme suit:

$$
\begin{aligned}
P\{X > a, Y > b\} &= 1 - P(\{X > a, Y > b\}^c) \\
&= 1 - P(\{X > a\}^c \cup \{Y > b\}^c) \\
&= 1 - P(\{X \le a\} \cup \{Y \le b\}) \\
&= 1 - [P\{X \le a\} + P\{Y \le b\} - P\{X \le a, Y \le b\}] \\
&= 1 - F_X(a) - F_Y(b) + F(a, b) \qquad (6.1)
\end{aligned}
$$

Cette dernière formule est un cas particulier de (6.2) ci-dessous, dont la démonstration est laissée en exercice.

$$
\begin{aligned}
P\{a_1 < X \le a_2, b_1 < Y \le b_2\} \\
= F(a_2, b_2) + F(a_1, b_1) - F(a_1, b_2) - F(a_2, b_1)
\end{aligned}
\qquad (6.2)
$$

sous les conditions $a_1 < a_2$, $b_1 < b_2$.

6.1.4 Loi discrète conjointe

Dans le cas où X et Y sont deux variables discrètes, il est commode de définir la fonction p suivante, dite *loi de probabilité simultanée ou conjointe* de X et Y:

$$p(x, y) = P\{X = x, Y = y\}$$

La loi de probabilité marginale de X s'en déduit ainsi:

$$p_X(x) = P\{X = x\}$$

$$= \sum_{y : p(x,y) > 0} p(x, y)$$

De façon similaire

$$p_Y(y) = \sum_{x:p(x,y)>0} p(x, y)$$

6.1.5 Exemples de variables aléatoires simultanées

Exemple 6.1 On tire au hasard 3 boules d'une urne en contenant 3 rouges, 4 blanches et 5 bleues. X et Y désignent respectivement le nombre de boules rouges et celui de boules blanches tirées. La loi de probabilité simultanée $p(i, j) = P\{X = i, Y = j\}$ de X et Y est alors:

$$p(0, 0) = \binom{5}{3} \Big/ \binom{12}{3} = \frac{10}{220}$$

$$p(0, 1) = \binom{4}{1}\binom{5}{2} \Big/ \binom{12}{3} = \frac{40}{220}$$

$$p(0, 2) = \binom{4}{2}\binom{5}{1} \Big/ \binom{12}{3} = \frac{30}{220}$$

$$p(0, 3) = \binom{4}{3} \Big/ \binom{12}{3} = \frac{4}{220}$$

$$p(1, 0) = \binom{3}{1}\binom{5}{2} \Big/ \binom{12}{3} = \frac{30}{220}$$

$$p(1, 1) = \binom{3}{1}\binom{4}{1}\binom{5}{1} \Big/ \binom{12}{3} = \frac{60}{220}$$

$$p(1, 2) = \binom{3}{1}\binom{4}{2} \Big/ \binom{12}{3} = \frac{18}{220}$$

$$p(2, 0) = \binom{3}{2}\binom{5}{1} \Big/ \binom{12}{3} = \frac{15}{220}$$

$$p(2, 1) = \binom{3}{2}\binom{4}{1} \Big/ \binom{12}{3} = \frac{12}{220}$$

$$p(3, 0) = \binom{3}{3} \Big/ \binom{12}{3} = \frac{1}{220}$$

Il est commode d'exprimer ces probabilités à l'aide d'un tableau à deux entrées tel que le tableau 6.1.

Tableau 6.1

i \ j	0	1	2	3	Somme de ligne $= P\{X = i\}$
0	$\frac{10}{220}$	$\frac{40}{220}$	$\frac{30}{220}$	$\frac{4}{220}$	$\frac{84}{220}$
1	$\frac{30}{220}$	$\frac{60}{220}$	$\frac{18}{220}$	0	$\frac{108}{220}$
2	$\frac{15}{220}$	$\frac{12}{220}$	0	0	$\frac{27}{220}$
3	$\frac{1}{220}$	0	0	0	$\frac{1}{220}$
Somme de colonne $= P\{Y = j\}$	$\frac{56}{220}$	$\frac{112}{220}$	$\frac{48}{220}$	$\frac{4}{220}$	

Le lecteur remarquera que la loi marginale de X est calculée en faisant les totaux par ligne, tandis que celle de Y l'est en faisant les totaux par colonne. C'est le fait que les lois de X et Y individuellement puissent être lues dans les marges du tableau qui leur vaut leur nom de lois marginales. ∎

Exemple 6.2 On sait que 15% des familles d'une certaine localité n'ont pas d'enfant, 20% d'entre elles en ont 1, 35% en ont 2 et 30% en ont 3. On sait de plus que pour chaque famille un enfant a autant de chances d'être un garçon qu'une fille, indépendamment du sexe de ses frères et soeurs. La loi de probabilité conjointe de G, le nombre de garçons d'une famille tirée au hasard, et de F, le nombre de filles dans cette famille, est donnée dans le tableau 6.2.

Tableau 6.2

i \ j	0	1	2	3	Somme de ligne $= P\{G = i\}$
0	.15	.10	.0875	.0375	.3750
1	.10	.175	.1125	0	.3875
2	.0875	.1125	0	0	.2000
3	.0375	0	0	0	.0375
Somme de colonne $= P\{F = j\}$	.375	.3875	.2000	.0375	

SOLUTION. On obtient ces probabilités de la manière suivante:

$P\{G = 0, F = 0\} = P\{\text{n'avoir pas d'enfant}\} = 0{,}15$

$P\{G = 0, F = 1\} = P\{\text{avoir 1 fille et 1 enfant au total}\}$
$= P\{\text{avoir 1 enfant}\} \cdot P\{\text{avoir 1 fille} \,|\, \text{on a 1 enfant}\}$
$= (0{,}20)(\tfrac{1}{2})$

$P\{G = 0, F = 2\} = P\{\text{avoir 2 filles et un total de 2 enfants}\}$
$= P\{\text{avoir 2 enfants}\} \cdot P\{\text{avoir 2 filles} \,|\, \text{on a 2 enfants}\}$
$= (0{,}35)(\tfrac{1}{2})^2.$

La vérification des autres résultats du tableau 6.2 est laissée au lecteur. ∎

6.1.6 Densité conjointe

Les variables X et Y sont dites ***conjointement continues*** s'il existe une fonction f de deux arguments réels ayant pour tout sous-ensemble C du plan la propriété suivante:

$$P\{(X, Y) \in C\} = \iint\limits_{(x,y)\in C} f(x, y) \, dx \, dy \qquad (6.3)$$

La fonction f est appelée ***densité conjointe*** ou ***simultanée*** de X et Y. Notons par A et B deux ensembles de nombres réels. En définissant $C = \{(x,y): x \in A, y \in B\}$, on obtient grâce à (6.3)

$$P\{X \in A, Y \in B\} = \int_B \int_A f(x, y) \, dx \, dy$$

Car

$$F(a, b) = P\{X \in (-\infty, a], Y \in (-\infty, b]\} \qquad (6.4)$$

$$= \int_{-\infty}^b \int_{-\infty}^a f(x, y) \, dx \, dy$$

il suffit de dériver pour obtenir

$$f(a, b) = \frac{\partial^2}{\partial a \, \partial b} F(a, b)$$

pour autant que les dérivées partielles soient définies. Au-delà de cette propriété on peut donner une interprétation intuitive à une densité conjointe en partant de (6.4) et grâce au calcul suivant:

$$P\{a < X < a + da, b < Y < b + db\} = \int_b^{b+db} \int_a^{a+da} f(x, y) \, dx \, dy$$

$$\approx f(a, b) \, da \, db$$

à condition que *da* et *db* soient petits et que *f* soit continue au point (*a,b*). Aussi $f(a,b)$ est-elle une indication de la probabilité avec laquelle (*X*, *Y*) sera dans le voisinage du point (*a, b*).

   Enfin, si *X* et *Y* sont des variables aléatoires conjointement continues, alors elles sont individuellement continues, également. On obtient leurs densités marginales ainsi:

$$P\{X \in A\} = P\{X \in A, \ Y \in (-\infty, \infty)\}$$

$$= \int_A \int_{-\infty}^{\infty} f(x, y) \, dy \, dx$$

$$= \int_A f_X(x) \, dx$$

où

$$f_X(x) = \int_{-\infty}^{\infty} f(x, y) \, dy$$

Cette dernière fonction est clairement identifiable à la densité de *X*. On obtient de même l'expression de la densité de *Y*:

$$f_Y(y) = \int_{-\infty}^{\infty} f(x, y) \, dx$$

6.1.7 Exemples d'applications des densités conjointes

Exemple 6.3 La densité conjointe de *X* et *Y* est donnée par

$$f(x, y) = \begin{cases} 2e^{-x}e^{-2y} & 0 < x < \infty, 0 < y < \infty \\ 0 & \text{sinon} \end{cases}$$

On veut calculer:
- $P\{X > 1, \ Y < 1\}$,
- $P\{X < Y\}$ et
- $P\{X < a\}$.

SOLUTION.

$$P\{X > 1, Y < 1\} = \int_0^1 \int_1^\infty 2e^{-x}e^{-2y}\, dx\, dy$$

$$= \int_0^1 2e^{-2y}\left(-e^{-x}\Big|_1^\infty\right) dy$$

$$= e^{-1}\int_0^1 2e^{-2y}\, dy$$

$$= e^{-1}(1 - e^{-2})$$

$$P\{X < Y\} = \iint\limits_{(x,y):x<y} 2e^{-x}e^{-2y}\, dx\, dy$$

$$= \int_0^\infty \int_0^y 2e^{-x}e^{-2y}\, dx\, dy$$

$$= \int_0^\infty 2e^{-2y}(1 - e^{-y})\, dy$$

$$= \int_0^\infty 2e^{-2y}\, dy - \int_0^\infty 2e^{-3y}\, dy$$

$$= 1 - \tfrac{2}{3}$$

$$= \tfrac{1}{3}$$

$$P\{X < a\} = \int_0^a \int_0^\infty 2e^{-2y}e^{-x}\, dy\, dx$$

$$= \int_0^a e^{-x}\, dx$$

$$= 1 - e^{-a}$$

■

Exemple 6.4 On considère un cercle de rayon R et l'on y choisit un point au hasard, ce qui signifie que toutes les régions de taille donnée incluses dans le cercle ont la même probabilité de contenir ce point. En d'autres termes, la distribution de ce point dans le cercle est uniforme. On admet que le centre du cercle est à l'origine des axes de coordonnées. Les variables aléatoires X et Y représentent les coordonnées du point choisi (figure 6.3). La répartition conjointe de X et Y étant uniforme, il doit exister une constante c telle que

$$f(x, y) = \begin{cases} c & \text{si } x^2 + y^2 \le R^2 \\ 0 & \text{si } x^2 + y^2 > R^2 \end{cases}$$

On veut
a) trouver c,
b) trouver les densités marginales de X et Y et
c) calculer la probabilité que la distance du point choisi au centre soit inférieure ou égale à a.

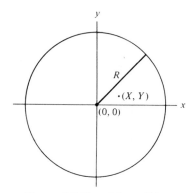

Figure 6.3 Densité conjointe

SOLUTION.
a) Du fait que

$$\int_{-\infty}^{\infty} \int_{-\infty}^{\infty} f(x, y) \, dy \, dx = 1$$

il suit que

$$c \iint_{x^2+y^2 \leq R^2} dy \, dx = 1$$

Cette dernière intégrale peut être évaluée en passant à un système de coordonnées polaires ou plus simplement en utilisant le fait qu'elle représente l'aire du cercle de rayon R. Elle vaut donc πR^2 et par conséquent

$$c = \frac{1}{\pi R^2}$$

b)

$$f_X(x) = \int_{-\infty}^{\infty} f(x, y) \, dy$$

$$= \frac{1}{\pi R^2} \int_{x^2+y^2 \leq R^2} dy$$

$$= \frac{1}{\pi R^2} \int_{-\sqrt{R^2-x^2}}^{+\sqrt{R^2-x^2}} dy \qquad x^2 \leq R^2$$

$$= \frac{2}{\pi R^2} \sqrt{R^2 - x^2} \qquad x^2 \leq R^2$$

Lorsque $x^2 > R^2$, cette densité est nulle. La densité marginale de Y est donnée pour des raisons de symétrie par

$$f_Y(y) = \frac{2}{\pi R^2}\sqrt{R^2 - y^2} \qquad y^2 \le R^2$$

$$= 0 \qquad\qquad\qquad y^2 > R^2$$

c) La fonction de répartition de $Z = \sqrt{X^2 + Y^2}$, distance du point choisi à l'origine, peut être calculée comme suit: pour $0 \le a \le R$,

$$F_Z(a) = P\{\sqrt{X^2 + Y^2} \le a\}$$

$$= P\{X^2 + Y^2 \le a^2\}$$

$$= \iint\limits_{x^2+y^2 \le a^2} f(x, y)\, dy\, dx$$

$$= \frac{1}{\pi R^2} \iint\limits_{x^2+y^2 \le a^2} dy\, dx$$

$$= \frac{\pi a^2}{\pi R^2}$$

$$= \frac{a^2}{R^2}$$

où il a de nouveau été fait usage de la formule de l'aire d'un cercle de rayon a pour calculer la dernière intégrale. ∎

Exemple 6.5 La densité conjointe de X et Y est

$$f(x, y) = \begin{cases} e^{-(x+y)} & 0 < x < \infty, 0 < y < \infty \\ 0 & \text{sinon} \end{cases}$$

On veut calculer la densité de la variable aléatoire X/Y.

SOLUTION. Cherchons d'abord la fonction de répartition de X/Y. Pour $a > 0$,

$$F_{X/Y}(a) = P\left\{\frac{X}{Y} \le a\right\}$$

$$= \iint\limits_{x/y \le a} e^{-(x+y)}\, dx\, dy$$

$$= \int_0^\infty \int_0^{ay} e^{-(x+y)}\, dx\, dy$$

$$= \int_0^\infty (1 - e^{-ay})e^{-y}\, dy$$

$$= \left[-e^{-y} + \frac{e^{-(a+1)y}}{a+1} \right]\Big|_0^\infty$$

$$= 1 - \frac{1}{a+1}$$

On obtient la densité de X/Y par dérivation de ce dernier résultat, ce qui donne $f_{X/Y}(a) = 1/(a+1)^2, 0 < a < \infty$. ∎

6.1.8 Distribution conjointe de plusieurs variables

On peut définir les éléments de la distribution conjointe de n variables en suivant la même démarche que celle utilisée dans le cas $n = 2$. Par exemple, la **fonction de répartition conjointe F de n variables** $X_1, X_2, ..., X_n$ a pour définition

$$F(a_1, a_2, \ldots, a_n) = P\{X_1 \le a_1, X_2 \le a_2, \ldots, X_n \le a_n\}$$

Par ailleurs, ces n variables seront dites **conjointement continues,** s'il existe une fonction f de n arguments, appelée **densité conjointe de ces variables,** telle que pour tout sous-ensemble C de l'espace à n dimensions

$$P\{(X_1, X_2, \ldots, X) \in C\} = \underset{(x_1,\ldots,x_n) \in C}{\int\int \cdots \int} f(x_1, \ldots, x_n)\, dx_1\, dx_2 \cdots dx_n$$

On pourra écrire en particulier que pour toute collection de n sous-ensembles A_1, A_2,..., A_n de l'ensemble des nombres réels

$$P\{X_1 \in A_1, X_2 \in A_2, \ldots, X_n \in A_n\}$$

$$= \int_{A_n} \int_{A_{n-1}} \cdots \int_{A_1} f(x_1, \ldots, x_n)\, dx_1\, dx_2 \cdots dx_n$$

Exemple 6.6 Distribution multinomiale

L'une des distributions conjointes les plus importantes est la distribution multinomiale. Celle-ci modélise l'expérience consistant à répéter n fois indépendamment une épreuve admettant r issues différentes, de probabilités respectives $p_1, p_2, ..., p_r$ telles que $\sum_{i=1}^r p_i = 1$. Désignons par X_i le nombre d'épreuves ayant abouti au résultat de type i dans la série complète des n réalisations. On aura

$$P\{X_1 = n_1, X_2 = n_2, \ldots, X_r = n_r\} = \frac{n!}{n_1! n_2! \ldots n_r!} p_1^{n_1} p_2^{n_2} \cdots p_r^{n_r} \quad (6.5)$$

pour tous les choix tels que $\sum_{i=1}^r n_i = n$.

On peut vérifier (6.5) de la manière suivante: toute séquence de n résultats composée de n_i occurrences du type i, $i = 1, 2,..., r$, aura pour probabilité $p_1^{n_1} p_2^{n_2} ... p_r^{n_r}$ en raison de l'indépendance des épreuves successives. Or il y a $n!/n_1!n_2!...n_r!$ séquences de ce genre puisque le total des $n!$ permutations possibles doit être divisé par le nombre $n_1!$ des permutations des occurrences du type 1, indistinguables entre elles, puis par $n_2!$ pour les mêmes raisons et ainsi de suite. Ceci établit (6.5).

On appelle **distribution multinomiale** une distribution dont la loi de probabilité conjointe est donnée par (6.5). Le lecteur constatera que, pour $n = 2$, cette distribution n'est autre que la distribution binomiale.

A titre d'application de cette distribution multinomiale, prenons le cas d'un dé équilibré que l'on jette 9 fois. La probabilité que 1 apparaisse trois fois, que 2 et 3 apparaissent deux fois chacun, que 4 et 5 n'apparaissent qu'une fois et 6 jamais sera

$$\frac{9!}{3!\,2!\,2!\,1!\,1!\,0!} \left(\frac{1}{6}\right)^3 \left(\frac{1}{6}\right)^2 \left(\frac{1}{6}\right)^2 \left(\frac{1}{6}\right)^1 \left(\frac{1}{6}\right)^1 \left(\frac{1}{6}\right)^0 = \frac{9!}{3!\,2!\,2!} \left(\frac{1}{6}\right)^9$$

6.2 VARIABLES ALÉATOIRES INDÉPENDANTES

6.2.1 Définition, critères d'indépendance

Deux variables aléatoires X et Y sont dites **indépendantes** si, pour tout choix d'une paire d'ensembles A et B de nombres réels, on a

$$P\{X \in A, Y \in B\} = P\{X \in A\}P\{Y \in B\} \tag{6.6}$$

En d'autres termes, X et Y sont indépendantes si, quels que soient A et B, les événements $E_A = \{X \in A\}$ et $F_B = \{Y \in B\}$ sont indépendants.

On peut montrer, en s'appuyant sur les trois axiomes de la théorie des probabilités, que (6.6) est vraie si et seulement si pour tout couple a,b de réels

$$P\{X \leq a, Y \leq b\} = P\{X \leq a\}P\{Y \leq b\}$$

ce qui revient à écrire que X et Y sont indépendantes si pour tout couple a, b

$$F(a, b) = F_X(a)F_Y(b)$$

Lorsque X et Y sont discrètes, la condition (6.6) est équivalente à

$$p(x, y) = p_X(x)p_Y(y) \tag{6.7}$$

pour tout x et tout y. L'équivalence résulte d'une part du fait qu'en choisissant $A = \{x\}$ et $B = \{y\}$ dans (6.6), on obtient (6.7); d'autre part du fait qu'en supposant (6.7) vraie, on aura pour toute paire d'ensembles A et B

$$P\{X \in A, Y \in B\} = \sum_{y \in B} \sum_{x \in A} p(x, y)$$

$$= \sum_{y \in B} \sum_{x \in A} p_X(x) p_Y(y)$$

$$= \sum_{y \in B} p_Y(y) \sum_{x \in A} p_X(x)$$

$$= P\{Y \in B\} P\{X \in A\}$$

ce qui établit que (6.6) est un critère d'indépendance.

Lorsque X et Y sont des variables conjointement continues, le critère d'indépendance sera

$$f(x, y) = f_X(x) f_Y(y)$$

pour tout x et tout y.

Intuitivement parlant, on pourra donc dire que X et Y sont indépendantes si le fait de connaître la valeur de l'une n'influe pas sur la distribution de l'autre. Des variables qui ne sont pas indépendantes sont dites **dépendantes**.

6.2.2 Exemples de variables aléatoires indépendantes

Exemple 6.7 On réalise $n + m$ épreuves indépendantes ayant chacune p pour probabilité de succès. La variable X est le nombre de succès lors des n premières épreuves, Y étant le nombre de succès lors des m dernières. X et Y sont alors indépendantes puisque le fait de connaître le nombre de succès lors des n premières épreuves n'influe en rien sur celui des succès lors des m dernières (c'est là la traduction de l'indépendance des épreuves). On peut d'ailleurs écrire, pour toute paire d'entiers x et y

$$P\{X = x, Y = y\} = \binom{n}{x} p^x (1 - p)^{n-x} \binom{m}{y} p^y (1 - p)^{m-y}, \qquad 0 \leq x \leq n$$
$$0 \leq y \leq m$$

$$= P\{X = x\} P\{Y = y\}$$

Par contre X et Z sont des variables dépendantes si Z représente le nombre total de succès au cours des $n + m$ épreuves (pourquoi cela?). ∎

Exemple 6.8 On admet que le nombre de clients d'un bureau de poste en l'espace d'un jour est une variable aléatoire poissonienne de paramètre λ. On note par p la probabilité qu'une personne pénétrant dans ce bureau de poste soit un homme. On veut montrer que, dans ce cas, le nombre des hommes et celui des femmes parmi les clients quotidiens sont des variables aléatoires poissoniennes de paramètres respectifs λp et $\lambda(1 - p)$ et qu'elles sont indépendantes.

SOLUTION. Désignons par X et Y respectivement le nombre de clients masculins et féminins de ce bureau de poste. Ces variables X et Y seront indépendantes si (6.7) peut être vérifiée. Pour obtenir une expression de $P\{X = i, Y = j\}$, on peut conditionner selon les valeurs prises par $X + Y$ de la manière suivante:

$$P\{X = i, Y = j\} = P\{X = i, Y = j \mid X + Y = i + j\}P\{X + Y = i + j\}$$
$$+ P\{X = i, Y = j \mid X + Y \neq i + j\}P\{X + Y \neq i + j\}$$

[Le lecteur remarquera que cette équation n'est qu'une illustration de la formule $P(E) = P(E \mid F) \cdot P(F) + P(E \mid F^c) \cdot P(F^c)$]. Comme manifestement $P\{X = i, Y = j \mid X + Y \neq i + j\} = 0$, il reste

$$P\{X = i, Y = j\} = P\{X = i, Y = j \mid X + Y = i + j\}P\{X + Y = i + j\} \quad (6.8)$$

Comme maintenant $X + Y$ n'est autre que le nombre total des clients, on peut écrire par hypothèse que

$$P\{X + Y = i + j\} = e^{-\lambda}\frac{\lambda^{i+j}}{(i + j)!} \quad (6.9)$$

Par ailleurs, si l'on sait que $i + j$ personnes sont venues au bureau de poste, la probabilité que i d'entre elles soient des hommes et j des femmes n'est autre que la probabilité binomiale $\binom{i + j}{i} p^i (1 - p)^j$. Donc,

$$P\{X = i, Y = j \mid X + Y = i + j\} = \binom{i + j}{i} p^i(1 - p)^j \quad (6.10)$$

La substitution des membres appropriés de (6.9) et (6.10) dans (6.8) livre

$$P\{X = i, Y = j\} = \binom{i + j}{i} p^i(1 - p)^j e^{-\lambda}\frac{\lambda^{i+j}}{(i + j)!}$$

$$= e^{-\lambda}\frac{(\lambda p)^i}{i! \, j!}[\lambda(1 - p)]^j$$

$$= \frac{e^{-\lambda p}(\lambda p)^i}{i!} e^{-\lambda(1-p)}\frac{[\lambda(1 - p)]^j}{j!} \quad (6.11)$$

Donc

$$P\{X = i\} = e^{-\lambda p}\frac{(\lambda p)^i}{i!} \sum_j e^{-\lambda(1-p)}\frac{[\lambda(1 - p)]^j}{j!} = e^{-\lambda p}\frac{(\lambda p)^i}{i!} \quad (6.12)$$

et de façon analogue

$$P\{Y = j\} = e^{-\lambda(1-p)}\frac{[\lambda(1 - p)]^j}{j!} \quad (6.13)$$

Finalement (6.11), (6.12) et (6.13) établissent les résultats attendus.   ∎

Exemple 6.9 Un homme et une femme se donnent rendez-vous. L'heure d'arrivée de chacune de ces deux personnes sur les lieux du rendez-vous est une variable aléatoire uniforme entre midi et une heure. Ces deux variables sont indépendantes. Quelle est la probabilité que la première arrivée doive attendre plus de 10 minutes?

SOLUTION. Désignons par X et Y respectivement l'écart (en minutes) entre midi et l'arrivée de l'homme ou de la femme. X et Y sont alors des variables aléatoires indépendantes et uniformément distribuées dans l'intervalle (0, 60). La probabilité cherchée, à savoir $P\{X + 10 < Y\} + P\{Y + 10 < X\}$, est par symétrie égale à $2P\{X + 10 < Y\}$. On l'obtient ainsi:

$$2P\{X + 10 < Y\} = 2 \cdot \iint\limits_{x+10<y} f(x, y) \, dx \, dy$$

$$= 2 \iint\limits_{x+10<y} f_X(x) f_Y(y) \, dx \, dy$$

$$= 2 \int_{10}^{60} \int_0^{y-10} \left(\frac{1}{60}\right)^2 dx \, dy$$

$$= \frac{2}{(60)^2} \int_{10}^{60} (y - 10) \, dy$$

$$= \frac{25}{36} \qquad \blacksquare$$

L'exemple qui suit est le plus ancien des problèmes traitant de probabilité en relation avec des modèles géométriques. Le naturaliste français Buffon fut le premier au dix-huitième siècle à s'intéresser à ce problème et il lui donna une solution. Aussi ce problème est-il dit «de l'aiguille de Buffon».

Exemple 6.10 Problème de l'aiguille de Buffon.
Sur une table on trace des lignes parallèles espacées d'un écart D les unes des autres. On y jette une aiguille de longueur L, avec $L \leqslant D$. Quelle est la probabilité que l'aiguille coupe une ligne (l'alternative étant que l'aiguille soit complètement située dans une des bandes délimitées par les lignes)?

SOLUTION. On repèrera la position de l'aiguille grâce à la distance X entre le milieu de celle-ci et la parallèle la plus proche, et grâce à l'angle θ entre l'aiguille et une perpendiculaire aux lignes (voir figure 6.4). L'aiguille chevauchera une parallèle si l'hypothénuse du triangle rectangle de la figure 6.4 est de longueur inférieure à $L/2$, c'est-à-dire si

$$\frac{X}{\cos\theta} < \frac{L}{2} \qquad \text{ou} \qquad X < \frac{L}{2}\cos\theta$$

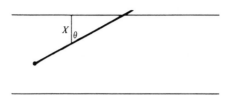

Figure 6.4

La variable X varie entre 0 et $D/2$ tandis que θ varie entre 0 et $\pi/2$. Il est raisonnable d'admettre que, dans ces limites, X et θ sont de distributions indépendantes et uniformes. Aussi aura-t-on

$$P\left\{X < \frac{L}{2}\cos\theta\right\} = \iint\limits_{x < L/2\cos y} f_X(x)f_\theta(y)\,dx\,dy$$

$$= \frac{4}{\pi D}\int_0^{\pi/2}\int_0^{L/2\cos y} dx\,dy$$

$$= \frac{4}{\pi D}\int_0^{\pi/2}\frac{L}{2}\cos y\,dy$$

$$= \frac{2L}{\pi D}\qquad\blacksquare$$

Exemple 6.11 Caractérisation d'une distribution normale.
Appelons X et Y l'écart horizontal, respectivement vertical, entre le point d'impact d'une balle et le centre de la cible. On admettra que
- X et Y sont des variables indépendantes continues de densités dérivables
- la densité conjointe de X et Y, qui vérifie $f(x, y) = f_X(x)\cdot f_Y(y)$ pour tout couple (x, y), ne dépend des valeurs x et y qu'à travers la fonction $\sqrt{x^2 + y^2}$.

En gros, la seconde hypothèse indique que la probabilité d'impact sur une zone minuscule entourant un point donné de la cible ne dépend que de la distance entre ce point et le centre de la cible mais pas de l'orientation de ce point. On peut encore exprimer cette propriété en disant que la densité conjointe est invariante par rotation.

Ces deux hypothèses entraînent une conséquence tout à fait remarquable: X et Y sont normalement distribuées. La démonstration s'appuie d'abord sur une conséquence directe des hypothèses, à savoir qu'il existe une fonction g telle que

$$f(x, y) = f_X(x)f_Y(y) = g(x^2 + y^2) \qquad (6.14)$$

La dérivation des deux membres de (6.14) par rapport à x livre

$$f'_X(x)f_Y(y) = 2xg'(x^2 + y^2) \qquad (6.15)$$

On divise ensuite (6.15) par (6.14) membre à membre

$$\frac{f'_X(x)}{f_X(x)} = \frac{2xg'(x^2 + y^2)}{g(x^2 + y^2)}$$

ou

$$\frac{f'_X(x)}{2xf_X(x)} = \frac{g'(x^2 + y^2)}{g(x^2 + y^2)} \tag{6.16}$$

Dans (6.16), le membre de gauche est constant car il ne dépend que de x, tandis que celui de droite dépend de $x^2 + y^2$; ceci permet en effet d'écrire, en choisissant pour tout couple x_1, x_2 deux valeurs y_1, y_2 telles que $x_1^2 + y_1^2 = x_2^2 + y_2^2$, et en utilisant (6.16):

$$\frac{f'_X(x_1)}{2x_1f_X(x_1)} = \frac{g'(x_1^2 + y_1^2)}{g(x_1^2 + y_1^2)} = \frac{g'(x_2^2 + y_2^2)}{g(x_2^2 + y_2^2)} = \frac{f'_X(x_2)}{2x_2f_X(x_2)}$$

Ce membre de gauche étant constant, on peut écrire

$$\frac{f'_X(x)}{xf_X(x)} = c \qquad \text{ou} \qquad \frac{d}{dx}(\ln f_X(x)) = cx$$

ce qui donne, après intégration des deux membres,

$$\ln f_X(x) = a + \frac{cx^2}{2} \qquad \text{ou} \qquad f_X(x) = ke^{cx^2/2}$$

Par ailleurs, f_X vérifie $\int_{-\infty}^{+\infty} f_X(x)\,dx = 1$. La constante c sera donc nécessairement négative et nous l'écrirons $c = -1/\sigma^2$. Par conséquent

$$f_X(x) = ke^{-x^2/2\sigma^2}$$

En conclusion, X est donc une variable aléatoire normale de paramètres $\mu = 0$ et σ^2. Grâce à un raisonnement tout à fait similaire, on peut établir que

$$f_Y(y) = \frac{1}{\sqrt{2\pi}\bar{\sigma}} e^{-y^2/2\bar{\sigma}^2}$$

La seconde hypothèse du problème entraîne par ailleurs que $\sigma^2 = \bar{\sigma}^2$. Les variables X et Y sont donc identiquement distribuées, en plus d'être indépendantes et normales de paramètres $\mu = 0$ et σ^2. ∎

6.2.3 Indépendance de plus de deux variables aléatoires

On peut évidemment étendre la notion d'indépendance de variables aléatoires à plus de deux variables. Les n variables $X_1, X_2,..., X_n$ seront dites indépendantes si, pour tout choix de n ensembles de nombres réels $A_1, A_2,..., A_n$,

$$P\{X_1 \in A_1, X_2 \in A_2, \ldots, X_n \in A_n\} = \prod_{i=1}^{n} P\{X_i \in A_i\}$$

On peut comme plus haut montrer que cette dernière égalité est équivalente à

$$P\{X_1 \leq a_1, X_2 \leq a_2, \ldots, X_n \leq a_n\}$$

$$= \prod_{i=1}^{n} P\{X_i \leq a_i\} \text{ pour tous } a_1, a_2, \ldots, a_n$$

Une collection infinie de variables aléatoires est indépendante si tout sous-ensemble fini que l'on puisse en tirer est composé de variables indépendantes.

6.2.4 Exemples d'indépendance de plusieurs variables

Exemple 6.12 Comment faire engendrer par un ordinateur un sous-ensemble de composition aléatoire? La plupart des ordinateurs sont capables d'engendrer par simulation des «nombres aléatoires» qui sont, avec un certain degré d'approximation, de distribution uniforme dans $(0, 1)$. Il est facile de construire à partir de là un simulateur de variable aléatoire indicatrice, plus précisément, dans notre cas, un générateur de variable de Bernoulli; supposons que I soit une variable aléatoire indicatrice qui doive vérifier

$$P\{I = 1\} = p = 1 - P\{I = 0\}$$

L'ordinateur peut simuler I en tirant un nombre aléatoire U de distribution uniforme dans $(0, 1)$ puis en posant

$$I = \begin{cases} 1 & \text{si } U \leq p \\ 0 & \text{si } U > p \end{cases}$$

Admettons maintenant que nous nous intéressions à la sélection aléatoire d'un sous-ensemble de taille k, $k \leq n$, de l'ensemble $\{1, 2, \ldots, n\}$ de telle manière que chacun des $\binom{n}{k}$ résultats possibles soit équiprobable aux autres. La méthode qui est exposée ci-après permet d'effectuer ce tirage. Pour ce, commençons par simuler le tirage séquentiel de n variables indicatrices $I_1, I_2, \ldots, I_n$ de telle manière qu'exactement k de ces indicatrices aient 1 pour valeur. Les indices i pour lesquels $I_i = 1$ seront les éléments du sous-ensemble à construire.

Pour engendrer les variables aléatoires $I_1, I_2, \ldots, I_n$, commençons par simuler le tirage de n variables indépendantes uniformes sur $(0, 1)$, notées $U_1, U_2, \ldots, U_n$. On définit ensuite

$$I_1 = \begin{cases} 1 & \text{si } U_1 < \dfrac{k}{n} \\ 0 & \text{sinon} \end{cases}$$

et subséquemment on pose de manière récursive

$$I_{i+1} = \begin{cases} 1 & \text{si } U_{i+1} < \dfrac{k - (I_1 + \cdots + I_i)}{n - i} \\[2ex] 0 & \text{sinon} \end{cases}$$

En d'autres termes, on attribuera à I_{i+1} la valeur 1 avec une probabilité égale au nombre de places qu'il faut encore pourvoir dans le sous-ensemble à tirer (à savoir $k - \sum_{j=1}^{i} I_j$) divisé par le nombre restant $n - i$ d'occasions qu'il reste de pourvoir ces places. (On rappelle ici que si $I_{i+1} = 1$, le nombre $i + 1$ sera inclus dans le sous-ensemble à tirer). La loi conjointe des variables I_1, I_2,..., I_n est donc donnée par

$$P\{I_1 = 1\} = \frac{k}{n}$$

$$P\{I_{i+1} = 1 \,|\, I_1, \ldots, I_i\} = \frac{k - \sum_{j=1}^{i} I_j}{n - i} \qquad 1 < i < n$$

La preuve que les sous-ensembles ainsi choisis sont tous équiprobables peut être faite par induction sur $k + n$. Elle est immédiate lorsque $k + n = 2$, donc lorsque $k = 1$ et $n = 1$. Supposons donc qu'elle soit établie pour $k + n \leq l$. Montrons qu'elle le sera pour $k + n = l + 1$. On considère un sous-ensemble de taille k quelconque, $i_1 \leq i_2 \ldots \leq i_k$ par exemple, et distingue les deux cas suivants:

• Cas 1: $i_1 = 1$.

$$P\{I_1 = I_{i_2} = \cdots = I_{i_k} = 1, I_j = 0 \quad \text{ailleurs}\}$$

$$= P\{I_1 = 1\}P\{I_{i_2} = \cdots = I_{i_k} = 1, I_j = 0 \quad \text{ailleurs} \,|\, I_1 = 1\}$$

Etant donné que $I_1 = 1$, le reste des éléments du sous-ensemble sera choisi comme s'il fallait tirer un sous-ensemble de taille $k - 1$ parmi $n - 1$ éléments, nommément les nombres 2, 3,..., n. En vertu de l'hypothèse d'induction, la probabilité conditionnelle d'obtenir un sous-ensemble bien déterminé de taille $k - 1$ sera $1/\binom{n-1}{k-1}$. Aussi

$$P\{I_1 = I_{i_2} = \cdots = I_{i_k} = 1, I_j = 0 \quad \text{ailleurs}\}$$

$$= \frac{k}{n} \frac{1}{\dbinom{n-1}{k-1}} = \frac{1}{\dbinom{n}{k}}$$

- Cas 2: $i_1 \neq 1$.

$$P\{I_{i_1} = I_{i_2} = \cdots = I_{i_k} = 1, I_j = 0 \quad \text{ailleurs}\}$$

$$= P\{I_{i_1} = \cdots = I_{i_k} = 1, I_j = 0 \quad \text{ailleurs} \mid I_1 = 0\} P\{I_1 = 0\}$$

$$= \frac{1}{\binom{n-1}{k}} \left(1 - \frac{k}{n}\right) = \frac{1}{\binom{n}{k}}$$

où nous avons fait usage de l'hypothèse d'induction lors de l'évaluation de la probabilité conditionnelle que nous avons fait apparaître.

Aussi a-t-on l'assurance que tout sous-ensemble de taille k donné apparaîtra avec probabilité $1/\binom{n}{k}$. ∎

REMARQUE. Cette méthode pour générer un sous-ensemble aléatoire nécessite une très faible quantité de mémoire. Un algorithme plus rapide mais qui requiert plus de mémoire est présenté dans la section 10.1.2 du chapitre 10. (Cette dernière méthode utilise les k derniers éléments d'une permutation aléatoire de 1, 2, ..., n.)

Exemple 6.13 Admettons que X, Y et Z sont trois variables aléatoires indépendantes et uniformément réparties sur $(0, 1)$. On souhaite calculer $P\{X \geqslant YZ\}$.

SOLUTION. On sait que

$$f_{X,Y,Z}(x, y, z) = f_X(x) f_Y(y) f_Z(z) = 1 \qquad 0 \leq x \leq 1, 0 \leq y \leq 1, 0 \leq z \leq 1$$

on a

$$P\{X \geq YZ\} = \iiint_{x \geq yz} f_{X,Y,Z}(x, y, z) \, dx \, dy \, dz$$

$$= \int_0^1 \int_0^1 \int_{yz}^1 dx \, dy \, dz$$

$$= \int_0^1 \int_0^1 (1 - yz) \, dy \, dz$$

$$= \int_0^1 \left(1 - \frac{z}{2}\right) dz$$

$$= \frac{3}{4} \qquad \blacksquare$$

Exemple 6.14 Une interprétation probabiliste de la demi-vie.

Soit $N(t)$ le nombre de noyaux contenus dans une masse radioactive d'un matériau, au temps t. Le concept de demi-vie est souvent défini de manière déterministe; en effet, c'est l'expérience qui a permis d'établir que pour une valeur h appelée la demi-vie

$$N(t) = 2^{-t/h} N(0), \quad t > 0.$$

(Remarquer que $N(h) = N(0)/2$.) Puisque l'égalité ci-dessus implique que pour tous s et t non négatifs

$$N(t + s) = 2^{-(s+t)/h} N(0) = 2^{-t/h} N(s)$$

il s'ensuit que, indépendamment du temps s écoulé, pendant un temps additionnel t, le nombre de noyaux restants sera diminué d'un facteur $2^{-t/h}$.

Comme la relation déterministe précédente résulte d'observations de masses radioactives contenant une grande quantité de noyaux, elle pourrait bien être consistante avec une interprétation probabiliste. La clé pour la déduction du modèle probabiliste approprié pour la demi-vie réside dans l'observation empirique suivante: la proportion de désintégration dans un intervalle de temps donné ne dépend ni du nombre total de noyaux au début de l'intervalle ni de la location de cet intervalle (vu que $N(t + s)/N(s)$ ne dépend ni de $N(s)$ ni de s). Par conséquent, il apparaît que chaque noyau individuel réagit indépendamment des autres et selon une distribution de durée de vie sans mémoire. Etant donné que l'unique distribution sans mémoire est la distribution exponentielle et qu'exactement la moitié de la quantité de masse donnée disparaît toutes les h unités de temps, on propose le modèle probabiliste suivant pour la désintégration radioactive.

Interprétation probabiliste de la demi-vie h: Les durées de vie des noyaux individuels sont des variables aléatoires indépendantes de distribution exponentielle dont la médiane est égale à h. En d'autres termes, si L représente la durée de vie d'un noyau donné, alors

$$P\{L < t\} = 1 - 2^{-t/h}$$

(Comme $P\{L < h\} = \frac{1}{2}$ et que l'égalité précédente peut être écrite sous la forme $P\{L < t\} = 1 - \exp\left\{-t\dfrac{\ln 2}{h}\right\}$, on voit que L suit effectivement une distribution exponentielle de médiane h.)

On notera qu'avec cette interprétation probabiliste de la demi-vie, si l'on compte $N(0)$ noyaux au temps 0, alors $N(t)$, le nombre de noyaux restants au temps t, suivra une loi binomiale de paramètres $n = N(0)$ et $p = 2^{-t/h}$. Des résultats du chapitre 8 montreront que cette interprétation de la demi-vie est consistante avec le modèle déterministe lorsque l'on considère la proportion d'un grand nombre de noyaux qui se désintègrent pendant un laps de temps donné. Cependant, la différence entre l'interprétation déterministe et probabiliste devient apparente au moment où l'on considère le nombre actuel de noyaux désintégrés. Nous allons maintenant mentionner ce fait par rapport à la question relative à la désintégration des protons.

Il y a une controverse sur la désintégration ou non des protons. Une théorie prévoit la disparition des protons avec une demi-vie d'environ $h = 10^{30}$ années. Une vérification empirique consiste à suivre un grand nombre de protons pendant, disons, 1 ou 2 ans, et à déterminer s'il y a une diminution pendant cette période. (Il est clair qu'il n'est pas possible de suivre une masse de protons pendant 10^{30} années pour vérifier si la moitié d'entre eux disparaît.) Supposons que l'on puisse garder trace de 10^{30} protons pendant c années. Le nombre de désintégration prédit par le modèle déterministe serait donné par

$$N(0) - N(c) = h(1 - 2^{-c/h})$$

$$= \frac{1 - 2^{-c/h}}{1/h}$$

$$\approx \lim_{x \to 0} (1 - 2^{-cx})/x \qquad \text{puisque } 1/h = 10^{-30} \approx 0$$

$$= \lim_{x \to 0} (c2^{-cx} \ln 2) \qquad \text{d'après la règle de l'Hôpital}$$

$$= c\ln 2 \approx .6931c$$

Par exemple, le modèle déterministe prévoit 1,3863 disparus en 2 ans, et l'on entre donc sérieusement en conflit avec l'hypothèse que les protons meurent avec une demi-vie de 10^{30} années si aucune désintégration n'a été observée pendant ces 2 ans.

Comparons maintenant ces conclusions avec celles obtenues à partir du modèle probabiliste. Supposons de nouveau que la demi-vie des protons est $h = 10^{30}$ ans et suivons h protons pendant c années. Comme il y a un grand nombre de protons indépendants, chacun ayant une très petite probabilité de mourir pendant cette période, cela implique que le nombre de désintégration aura (avec une très forte approximation) une distribution de Poisson de paramètre égal à $h(1 - 2^{-c/h}) \approx c\ln 2$. Ainsi

$$P\{0 \text{ perte}\} = e^{-c\ln 2}$$
$$= e^{-\ln(2^c)} = 1/2^c$$

et, de façon générale,

$$P\{n \text{ pertes}\} = [c \ln 2]^n/(2^c n!), \qquad n \geq 0$$

Ainsi, bien que le nombre moyen de disparitions sur 2 ans soit (selon le modèle déterministe) 1,3863, il y a une chance sur 4 qu'aucun proton ne meure, indiquant par là qu'un tel résultat ne peut en aucune façon valider l'hypothèse originale sur la désintégration des protons. ∎

6.3 SOMMES DE VARIABLES ALÉATOIRES INDÉPENDANTES

6.3.1 Convolution

Il est très souvent nécessaire de déterminer la distribution de la somme $X + Y$ de deux variables aléatoires X et Y indépendantes en se basant sur leurs distributions marginales. Supposons que ces distributions soient données par les densités f_X et f_Y. Le calcul suivant résout le problème

$$F_{X+Y}(a) = P\{X + Y \le a\}$$

$$= \iint\limits_{x+y \le a} f_X(x) f_Y(y)\, dx\, dy$$

$$= \int_{-\infty}^{\infty} \int_{-\infty}^{a-y} f_X(x) f_Y(y)\, dx\, dy \qquad (6.17)$$

$$= \int_{-\infty}^{\infty} \int_{-\infty}^{a-y} f_X(x)\, dx\, f_Y(y)\, dy$$

$$= \int_{-\infty}^{\infty} F_X(a-y) f_Y(y)\, dy$$

La fonction obtenue dans (6.17), ici fonction de répartition de $X + Y$, est appelée **convolution** des fonctions F_x et f_Y. La densité f_{X+Y} d'une somme est obtenue par convolution également, tout comme sa fonction de répartition. Il suffit en effet de dériver (6.17) pour obtenir f_{X+Y} :

$$f_{X+Y}(a) = \frac{d}{da} \int_{-\infty}^{\infty} F_X(a-y) f_Y(y)\, dy$$

$$= \int_{-\infty}^{\infty} \frac{d}{da} F_X(a-y) f_Y(y)\, dy \qquad (6.18)$$

$$= \int_{-\infty}^{\infty} f_X(a-y) f_Y(y)\, dy$$

qui est bien une convolution, celle de f_X et f_Y.

Exemple 6.15 Cas de la somme de deux variables aléatoires uniformes indépendantes. Admettons que X et Y soient uniformes sur $(0, 1)$ et indépendantes. Déterminons la densité de $X + Y$.

SOLUTION. On a

$$f_X(a) = f_Y(a) = \begin{cases} 1 & 0 < a < 1 \\ 0 & \text{sinon} \end{cases}$$

En application de (6.18), on peut écrire

$$f_{X+Y}(a) = \int_0^1 f_X(a-y)\, dy$$

Pour $0 \le a \le 1$, on obtient

$$f_{X+Y}(a) = \int_0^a dy = a$$

tandis que pour $1 < a < 2$, on aura

$$f_{X+Y}(a) = \int_{a-1}^{1} dy = 2 - a$$

Ainsi

$$f_{X+Y}(a) = \begin{cases} a & 0 \le a \le 1 \\ 2 - a & 1 < a < 2 \\ 0 & \text{sinon} \end{cases} \qquad \blacksquare$$

6.3.2 Additivité de la loi Gamma

On se souvient que la densité d'une variable aléatoire suivant une loi gamma est de la forme

$$f(y) = \frac{\lambda e^{-\lambda y}(\lambda y)^{t-1}}{\Gamma(t)} \qquad 0 < y < \infty$$

où (λ, t) est le couple des paramètres spécifiques à cette variable. La famille des distributions gamma possède une importante propriété d'additivité lorsque λ est constant. Enoncé autrement, lorsque λ est constant, la famille est stable pour la convolution; ce qu'explicite le théorème suivant:

Théorème 6.1
Si X et Y sont deux variables indépendantes suivant des lois gamma de paramètres respectifs (s, λ) et (t, λ), $X + Y$ sera également une variable de loi gamma avec paramètres $(s + t, \lambda)$.

DÉMONSTRATION. On utilise (6.18):

$$f_{X+Y}(a) = \frac{1}{\Gamma(s)\Gamma(t)} \int_{0}^{a} \lambda e^{-\lambda(a-y)}[\lambda(a - y)]^{s-1} \lambda e^{-\lambda y}(\lambda y)^{t-1} \, dy$$

$$= K e^{-\lambda a} \int_{0}^{a} (a - y)^{s-1} y^{t-1} \, dy$$

on pose alors $x = y/a$, ce qui donne

$$K e^{-\lambda a} a^{s+t-1} \int_{0}^{1} (1 - x)^{s-1} x^{t-1} \, dx$$

$$= C e^{-\lambda a} a^{s+t-1}$$

où la valeur de la constante C ne dépend pas de a. Cette dernière expression étant une densité, son intégration devra donner 1, ce qui déterminera la valeur de C. On trouve après calculs

$$f_{X+Y}(a) = \frac{\lambda e^{-\lambda a}(\lambda a)^{s+t-1}}{\Gamma(s + t)}$$

ce qui établit le théorème. $\blacksquare$

Il est à partir de là facile de démontrer par induction que si X_i, $i = 1,..., n$ sont des variables indépendantes suivant des lois gamma de paramètres respectifs (t_i, λ), $i = 1,..., n$, alors $\sum_{i=1}^{n} X_i$ suivra aussi une loi gamma de paramètres $(\sum_{i=1}^{n} t_i, \lambda)$. Ce travail est laissé en exercice.

6.3.3 Première application: somme de variables exponentielles

On considère n variables aléatoires exponentielles indépendantes de même paramètre λ. Une variable exponentielle de paramètre λ étant en fait également une variable de loi gamma $(1, \lambda)$, le théorème 6.1 permet de conclure que la somme $X_1 + X_2 + ... + X_n$ suit une loi gamma de paramètres (n, λ).

6.3.4 Deuxième application: densité des lois χ^2

Soient n variables aléatoires Z_1, Z_2,..., Z_n normales centrées réduites et indépendantes. La distribution de la variable $Y = \sum_{i=1}^{n} Z_i^2$ est appelée **distribution chi-carré** à n degrés de liberté, que l'on note parfois distribution χ_n^2.

Nous allons déterminer sa densité. Pour $n = 1$ et $Y = Z_1^2$, la densité de Y a été calculée à l'occasion de la résolution de l'exemple 5.21 où l'on avait trouvé

$$f_{Z^2}(y) = \frac{1}{2\sqrt{y}} [f_Z(\sqrt{y}) + f_Z(-\sqrt{y})]$$

$$= \frac{1}{2\sqrt{y}} 2 \left(\frac{1}{\sqrt{2\pi}} e^{-y/2} \right)$$

$$= \frac{\frac{1}{2} e^{-1/2 y} \left(\frac{1}{2} y\right)^{1/2-1}}{\sqrt{\pi}}$$

On reconnaîtra ici la densité de la loi gamma de paramètres $(\frac{1}{2}, \frac{1}{2})$. [En comparant l'expression ci-dessus à la densité gamma mentionnée et en se souvenant que ces deux fonctions sont des densités dont l'intégrale vaut nécessairement 1, on obtient le résultat secondaire intéressant $\Gamma(\frac{1}{2}) = \sqrt{\pi}$ et par suite l'identité annoncée]. Puisqu'alors Z_i^2 suit pour tout i une loi gamma $(\frac{1}{2}, \frac{1}{2})$, en vertu du théorème 6.1 la loi χ_n^2 n'est rien d'autre que la loi gamma $(n/2, \frac{1}{2})$. Sa densité est donc

$$f_{\chi^2}(y) = \frac{\frac{1}{2} e^{-y/2} \left(\frac{y}{2}\right)^{n/2-1}}{\Gamma\left(\frac{n}{2}\right)} \qquad y > 0$$

$$= \frac{e^{-y/2} y^{n/2-1}}{2^{n/2} \Gamma\left(\frac{n}{2}\right)} \qquad y > 0$$

Lorsque n est un entier pair, on calcule $\Gamma(n/2)$ en utilisant la relation
$\Gamma(n/2) = [(n/2) - 1]!$. Si n est impair, on utilise autant de fois que nécessaire la relation $\Gamma(t) = (t - 1) \Gamma(t - 1)$ et le résultat précédemment obtenu $\Gamma(\frac{1}{2}) = \sqrt{\pi}$. [A titre d'exemple, $\Gamma(\frac{5}{2}) = (\frac{3}{2}) \Gamma(\frac{3}{2}) = (\frac{3}{2})(\frac{1}{2}) \Gamma(\frac{1}{2}) = (\frac{3}{4}) \sqrt{\pi}$].

Dans la pratique, on rencontre la distribution χ^2 comme étant la répartition du carré de l'erreur obtenue lors d'un tir sur une cible à n dimensions, lorsque les erreurs le long de chaque axe sont de répartition normale standard. Au-delà de cet exemple, la distribution χ^2 joue également un rôle important dans le domaine de la statistique inférentielle.

6.3.5 Additivité de la loi normale

On peut grâce à (6.18) établir également l'important résultat suivant concernant des variables normales:

Théorème 6.2
Soient X_1, X_2,..., X_n des variables aléatoires indépendantes normales de paramètres
$(\mu_i \, \sigma_i^2)$, $i = 1$,..., n. *La variable $\sum\limits_{i=1}^{n} X_i$ est alors normale de paramètres $\sum\limits_{i=1}^{n} \mu_i$ et $\sum\limits_{i=1}^{n} \sigma_i^2$.*
La démonstration de ce théorème est laissée en exercice.

6.3.6 Additivité de lois discrètes: loi de Poisson, loi binomiale

Plutôt que d'essayer d'exhiber une formule générale donnant la distribution d'une somme de variables discrètes, deux cas particuliers seront traités à travers des exemples: celui de la somme de variables poissoniennes puis binomiales.

Exemple 6.16 Somme de deux variables aléatoires de Poisson indépendantes. On veut ici déterminer la loi de probabilité de $X + Y$ où X et Y suivent des lois de Poisson de paramètres λ_1 et λ_2.

SOLUTION. L'événement $\{X + Y = n\}$ est l'union disjointe des événements $\{X = k, Y = n - k\}$ pour $k = 0, 1,..., n$. Donc

$$P\{X + Y = n\} = \sum_{k=0}^{n} P\{X = k, Y = n - k\}$$

$$= \sum_{k=0}^{n} P\{X = k\}P\{Y = n - k\}$$

$$= \sum_{k=0}^{n} e^{-\lambda_1} \frac{\lambda_1^k}{k!} e^{-\lambda_2} \frac{\lambda_2^{n-k}}{(n-k)!}$$

$$= e^{-(\lambda_1 + \lambda_2)} \sum_{k=0}^{n} \frac{\lambda_1^k \lambda_2^{n-k}}{k!(n-k)!}$$

$$= \frac{e^{-(\lambda_1 + \lambda_2)}}{n!} \sum_{k=0}^{n} \frac{n!}{k!(n-k)!} \lambda_1^k \lambda_2^{n-k}$$

$$= \frac{e^{-(\lambda_1 + \lambda_2)}}{n!} (\lambda_1 + \lambda_2)^n$$

En d'autres termes, $X + Y$ suit une loi de Poisson de paramètre $\lambda_1 + \lambda_2$. ∎

Exemple 6.17 Somme de variables binomiales indépendantes.
On cherche toujours la loi de $X + Y$, les variables X et Y étant ici binomiales de paramètres (n, p) et (m, p) respectivement.

SOLUTION. Sans faire le moindre calcul, on peut déterminer que $X + Y$ suit une loi binomiale de paramètre $(n + m, p)$. Il suffit de revenir à l'interprétation qui présente une variable binomiale X de loi notée $b(n, p)$ comme le nombre de succès obtenus lors de la répétition de n épreuves indépendantes ayant chacune une probabilité p de succès. Si Y compte le nombre de succès de probabilité p lors d'une suite de m épreuves, et si de plus X et Y sont indépendantes, alors $X + Y$ peut représenter le nombre de succès de probabilité p lors d'une suite de $n + m$ épreuves. Il s'agit bien là d'une variable de loi binomiale $b(n + m, p)$. Mais on peut établir ce même résultat de manière analytique:

$$P\{X + Y = k\} = \sum_{i=0}^{n} P\{X = i, Y = k - i\}$$

$$= \sum_{i=0}^{n} P\{X = i\}P\{Y = k - i\}$$

$$= \sum_{i=0}^{n} \binom{n}{i} p^i q^{n-i} \binom{m}{k-i} p^{k-i} q^{m-k+i}$$

où $q = 1 - p$ et où $\binom{r}{j} = 0$ lorsque $j > r$. Donc

$$P\{X + Y = k\} = p^k q^{n+m-k} \sum_{i=0}^{n} \binom{n}{i} \binom{m}{k-i}$$

et le résultat attendu apparaît après application de l'identité combinatoire

$$\binom{n + m}{k} = \sum_{i=0}^{n} \binom{n}{i} \binom{m}{k-i} \qquad ■$$

6.4 DISTRIBUTIONS CONDITIONNELLES

6.4.1 Cas discret

On se souvient que, pour toute paire d'événements E et F, la probabilité de E sous condition que F soit réalisé est, pour autant que $P(F) > 0$,

$$P(E \mid F) = \frac{P(EF)}{P(F)}$$

Il est naturel à partir de là de définir la **loi de probabilité de X sous la condition $Y = y$:**

$$p_{X|Y}(x|y) = P\{X = x \mid Y = y\}$$

$$= \frac{P\{X = x, Y = y\}}{P\{Y = y\}}$$

$$= \frac{p(x, y)}{p_Y(y)}$$

pour tous les cas où $p_Y(y) > 0$. On définit également la **fonction de répartition conditionnelle** de X, sachant que $Y = y$, pour autant que $p_Y(y) > 0$ toujours:

$$F_{X|Y}(x|y) = P\{X \le x \mid Y = y\}$$

$$= \sum_{a \le x} p_{X|Y}(a|y)$$

On constate donc que les définitions sont exactement les mêmes que dans le cas où il n'existe pas de condition. Simplement, les probabilités sont toutes modifiées par le fait que l'on sache que $Y = y$.

Lorsque X et Y sont indépendantes, les lois conditionnelles et non conditionnelles sont identiques. On peut se convaincre de cette évidence grâce au calcul suivant:

$$p_{X|Y}(x|y) = P\{X = x \mid Y = y\}$$

$$= \frac{P\{X = x, Y = y\}}{P\{Y = y\}}$$

$$= \frac{P\{X = x\}P\{Y = y\}}{P\{Y = y\}}$$

$$= P\{X = x\}$$

6.4.2 Exemples de distributions conditionnelles discrètes

Exemple 6.18 La loi conjointe de probabilité $p(x, y)$ de deux variables X et Y est donnée ainsi:

$$p(0, 0) = .4 \qquad p(0, 1) = .2 \qquad p(1, 0) = .1 \qquad p(1, 1) = .3$$

On veut trouver la loi conditionnelle de X lorsque $Y = 1$.

SOLUTION. On calcule d'abord

$$p_Y(1) = \sum_x p(x, 1) = p(0, 1) + p(1, 1) = .5$$

Ainsi

$$p_{X|Y}(0|1) = \frac{p(0, 1)}{p_Y(1)} = \frac{2}{5}$$

et

$$p_{X|Y}(1|1) = \frac{p(1, 1)}{p_Y(1)} = \frac{3}{5} \qquad \blacksquare$$

Exemple 6.19 Soient deux variables poissoniennes X et Y indépendantes et de paramètres λ_1 et λ_2. On souhaite connaître la loi conditionnelle de X lorsqu'on sait que $X + Y = n$.

SOLUTION. Cette loi sera obtenue ainsi:

$$P\{X = k \mid X + Y = n\} = \frac{P\{X = k, X + Y = n\}}{P\{X + Y = n\}}$$

$$= \frac{P\{X = k, Y = n - k\}}{P\{X + Y = n\}}$$

$$= \frac{P\{X = k\}P\{Y = n - k\}}{P\{X + Y = n\}}$$

où la dernière transformation se fonde sur l'indépendance de X et Y. La loi de la somme $X + Y$ ayant déjà été calculée (d'après l'exemple 6.15, il s'agit d'une loi de Poisson de paramètres $\lambda_1 + \lambda_2$), l'expression précédente devient

$$P\{X = k \mid X + Y = n\} = \frac{e^{-\lambda_1}\lambda_1^k}{k!} \frac{e^{-\lambda_2}\lambda_2^{n-k}}{(n-k)!} \left[\frac{e^{-(\lambda_1+\lambda_2)}(\lambda_1 + \lambda_2)^n}{n!}\right]^{-1}$$

$$= \frac{n!}{(n-k)!\,k!} \frac{\lambda_1^k \lambda_2^{n-k}}{(\lambda_1 + \lambda_2)^n}$$

$$= \binom{n}{k}\left(\frac{\lambda_1}{\lambda_1 + \lambda_2}\right)^k \left(\frac{\lambda_2}{\lambda_1 + \lambda_2}\right)^{n-k}$$

En d'autres termes, la variable X suit, sous la condition que $X + Y = n$, une loi binomiale de paramètres n et $\lambda_1/(\lambda_1 + \lambda_2)$. ∎

6.4.3 Cas continu

Soient X et Y des variables de densité conjointe $f(x, y)$. On définit la **densité conditionnelle de X** sous la condition $Y = y$, et lorsque $f_Y(y) > 0$ par la relation

$$f_{X|Y}(x \mid y) = \frac{f(x, y)}{f_Y(y)}$$

On peut donner un fondement intuitif à cette définition en multipliant le membre de gauche par dx et celui de droite par $(dx\,dy)/dy$ pour obtenir

$$f_{X|Y}(x \mid y)\,dx = \frac{f(x, y)\,dx\,dy}{f_Y(y)\,dy}$$

$$\approx \frac{P\{x \leq X \leq x + dx, y \leq Y \leq y + dy\}}{P\{y \leq Y \leq y + dy\}}$$

$$= P\{x \leq X \leq x + dx \mid y \leq Y \leq y + dy\}$$

En d'autres termes, lorsque dx et dy sont assez petits, la quantité $f_{X|Y}(x|y)\,dx$ représente la probabilité conditionnelle que X soit entre x et $x + dx$, sachant que Y est comprise entre y et $y + dy$.

L'usage de ces densités conditionnelles rend possible le calcul de probabilités d'événements relatifs à une variable, sous condition qu'une seconde ait pris une valeur connue. Nommément, lorsque X et Y sont conjointement continues et pour tout événement A relatif à X, on aura

$$P\{X \in A \mid Y = y\} = \int_A f_{X|Y}(x|y)\,dx$$

Si en particulier on choisit $A = (-\infty, a]$, on aboutit à la définition de la **fonction de répartition conditionnelle de X** sous la condition $Y = y$:

$$F_{X|Y}(a|y) \equiv P\{X \le a \mid Y = y\} = \int_{-\infty}^{a} f_{X|Y}(x|y)\,dx$$

Il faut noter le fait que les notions qui viennent d'être présentées permettent le calcul de probabilités conditionnelles même dans les cas où la probabilité de la condition (à savoir $Y = y$) est nulle, ce qui est assez remarquable.

6.4.4 Exemples de distributions conditionnelles continues

Exemple 6.20 Soient X et Y des variables ayant pour densité conjointe

$$f(x, y) = \begin{cases} \frac{12}{5}x(2 - x - y) & 0 < x < 1, 0 < y < 1 \\ 0 & \text{sinon} \end{cases}$$

On cherche la densité conditionnelle de X, sachant que $Y = y$, où $0 < y < 1$.

SOLUTION. On aura, lorsque $0 < x < 1$ et $0 < y < 1$

$$f_{X|Y}(x|y) = \frac{f(x, y)}{f_Y(y)}$$

$$= \frac{f(x, y)}{\int_{-\infty}^{\infty} f(x, y)\,dx}$$

$$= \frac{x(2 - x - y)}{\int_0^1 x(2 - x - y)\,dx}$$

$$= \frac{x(2 - x - y)}{\frac{2}{3} - y/2}$$

$$= \frac{6x(2 - x - y)}{4 - 3y} \qquad \blacksquare$$

Exemple 6.21 Supposons que X et Y aient pour densité conjointe

$$
f(x, y) = \begin{cases} \dfrac{e^{-x/y}e^{-y}}{y} & 0 < x < \infty, 0 < y < \infty \\ 0 & \text{sinon} \end{cases}
$$

On cherche à calculer $P\{X > 1 \mid Y = y\}$.

SOLUTION. Cherchons d'abord la densité conditionnelle de X lorsque $Y = y$:

$$
\begin{aligned}
f_{X|Y}(x \mid y) &= \frac{f(x, y)}{f_Y(y)} \\
&= \frac{e^{-x/y}e^{-y}/y}{e^{-y}\int_0^\infty (1/y)e^{-x/y}\, dx} \\
&= \frac{1}{y} e^{-x/y}
\end{aligned}
$$

Ainsi

$$
\begin{aligned}
P\{X > 1 \mid Y = y\} &= \int_1^\infty \frac{1}{y} e^{-x/y}\, dx \\
&= -e^{-x/y}\Big|_1^\infty \\
&= e^{-1/y}
\end{aligned}
$$

Comme dans le cas discret, X et Y ont une même densité conditionnelle et non conditionnelle en cas d'indépendance. En effet, sous cette hypothèse

$$
f_{X|Y}(x \mid y) = \frac{f(x, y)}{f_Y(y)} = \frac{f_X(x)f_Y(y)}{f_Y(y)} = f_X(x) \qquad \blacksquare
$$

6.4.5 Autres cas de distributions conditionnelles

On peut parler de distribution conditionnelle même lorsque les variables mises en jeu ne sont ni conjointement continues ni conjointement discrètes. On peut par exemple imaginer le cas de deux variables, l'une notée X continue de densité f, l'autre discrète notée N, et s'intéresser à la densité conditionnelle de X sous la condition $N = n$. Tout d'abord

$$
\frac{P\{x < X < x + dx \mid N = n\}}{dx}
$$

$$
= \frac{P\{N = n \mid x < X < x + dx\}}{P\{N = n\}} \frac{P\{x < X < x + dx\}}{dx}
$$

lorsque dx tend vers 0, on peut récrire cette égalité ainsi:

$$\lim_{dx \to 0} \frac{P\{x < X < x + dx \mid N = n\}}{dx} = \frac{P\{N = n \mid X = x\}}{P\{N = n\}} f(x)$$

où l'on voit que la densité cherchée est

$$f_{X \mid N}(x \mid n) = \frac{P\{N = n \mid X = x\}}{P\{N = n\}} f(x)$$

Exemple 6.22 On considère une suite de $n + m$ épreuves indépendantes identiques. Leur probabilité de succès n'est cependant pas connue d'avance. On admet qu'elle est aléatoire et distribuée uniformément dans l'intervalle $(0, 1)$. Que devient cette distribution si l'on apprend qu'une réalisation des $m + n$ épreuves a donné n succès ?

SOLUTION. Désignons par X la probabilité de succès à l'occasion d'une épreuve isolée. X est uniforme sur $(0, 1)$. Si l'on sait que $X = x$, les $n + m$ épreuves sont indépendantes et la probabilité de succès de chacune est x. Le nombre N des succès est donc une variable binomiale de paramètres $(n + m, x)$. Dès lors, la densité conditionnelle de X sous la condition $N = n$ est

$$\begin{aligned} f_{X \mid N}(x \mid n) &= \frac{P\{N = n \mid X = x\} f_X(x)}{P\{N = n\}} \\ &= \frac{\binom{n + m}{n} x^n (1 - x)^m}{P\{N = n\}} \qquad 0 < x < 1 \\ &= c x^n (1 - x)^m \end{aligned}$$

où c ne dépend pas de x. On reconnaît la densité de la loi bêta de paramètres $(n + 1, m + 1)$.

Ce dernier résultat présente un intérêt supplémentaire: si dans notre expérience la distribution a priori (c'est-à-dire avant toute réalisation) de la probabilité de succès d'un tirage est uniforme sur $(0, 1)$ – ce qui équivaut à dire qu'elle suit une loi bêta de paramètres $(1, 1)$ – la probabilité a posteriori (donc conditionnelle) suit une loi bêta $(1 + n, 1 + m)$ lorsqu'il y a eu n succès parmi les $n + m$ épreuves. Cet exemple donne donc un fondement intuitif qui permet de mieux sentir ce que représente l'hypothèse pour une variable de suivre une loi bêta. ∎

6.5 STATISTIQUES D'ORDRE

6.5.1 Définition

Considérons X_1, X_2,..., X_n, un groupe de n variables aléatoires indépendantes identiquement distribuées, continues de densité f et ayant une fonction de répartition F. On définit les variables aléatoires suivantes:

$X_{(1)}(\omega_1, \omega_2,..., \omega_n)$ vaudra le plus petit des $X_i(\omega_i)$

$X_{(2)}(\omega_1, \omega_2,..., \omega_n)$ vaudra le second plus petit des $X_i(\omega_i)$

.

.

.

$X_{(j)}(\omega_1, \omega_2,..., \omega_n)$ vaudra le j-ème plus petit des $X_i(\omega_i)$

.

.

$X_{(n)}(\omega_1, \omega_2,..., \omega_n)$ vaudra le plus grand des $X_i(\omega_i)$,

où $(\omega_1, \omega_2,..., \omega_n)$ est un événement de l'ensemble fondamental associé aux variables conjointes $X_1, X_2,..., X_n$. Les fonctions ordonnées $X_{(1)} \leqslant X_{(2)} \leqslant ... \leqslant X_{(n)}$ sont appelées **statistiques d'ordre** associées à $X_1, X_2,..., X_n$. En d'autres termes, ces variables font correspondre à un événement conjoint non pas les valeurs directes mais les valeurs classées par ordre croissant.

6.5.2 Densité conjointe

On peut obtenir la densité conjointe des statistiques d'ordre en prenant pour point de départ le fait que les variables $X_{(1)}, X_{(2)},..., X_{(n)}$ prendront les valeurs $x_1 \leqslant x_2 ... \leqslant x_n$ si et seulement s'il existe une permutation $(i_1, i_2,..., i_n)$ de $(1, 2,..., n)$ telle que

$$X_1 = x_{i_1}, X_2 = x_{i_2}, \ldots, X_n = x_{i_n}$$

Or, pour toute permutation semblable, on peut écrire

$$P\left\{x_{i_1} - \frac{\varepsilon}{2} < X_1 < x_{i_1} + \frac{\varepsilon}{2}, \ldots, x_{i_n} - \frac{\varepsilon}{2} < X_n < x_{i_n} + \frac{\varepsilon}{2}\right\}$$

$$\approx \varepsilon^n f_{X_1,...,X_n}(x_{i_1}, \ldots, x_{i_n})$$

$$= \varepsilon^n f(x_{i_1}) \cdots f(x_{i_n})$$

$$= \varepsilon^n f(x_1) \cdots f(x_n)$$

De ce fait, en passant aux statistiques d'ordre, on aura

$$P\left\{x_1 - \frac{\varepsilon}{2} < X_{(1)} < x_1 + \frac{\varepsilon}{2}, \ldots, x_n - \frac{\varepsilon}{2} < X_{(n)} < x_n + \frac{\varepsilon}{2}\right\}$$

$$\approx n!\,\varepsilon^n f(x_1) \cdots f(x_n)$$

Lorsqu'on divise par ε^n et à condition que ε tende vers 0, on obtient

$$f_{X_{(1)},...,X_{(n)}}(x_1, x_2, \ldots, x_n) = n!\,f(x_1) \cdots f(x_n) \qquad x_1 < x_2 < \cdots < x_n \quad (6.19)$$

Il existe une justification intuitive à (6.19): dès que $(X_1, X_2,..., X_n)$ prend pour valeur l'une des $n!$ permutations de $(x_1, x_2,..., x_n)$, les variables conjointes $(X_{(1)}, X_{(2)},..., X_{(n)})$

prennent pour valeur $(x_1, x_2, ..., x_n)$ précisément. Il y a d'ailleurs équivalence. Comme la densité de probabilité pour toute permutation de $(x_1, x_2, ..., x_n)$ est $f(x_1) ... f(x_n)$, (6.19) se trouve expliquée.

Exemple 6.23 Trois personnes sont échelonnées «au hasard» sur une route de un kilomètre de longueur. On se demande la probabilité que les personnes soient espacées d'au moins d kilomètre, d étant inférieur ou égal à 0,5.

SOLUTION. Admettons que l'hypothèse «échelonnés au hasard» signifie que la position de chacune des trois personnes soit uniformément distribuée le long de ce bout de route et indépendante de celle des autres. On désigne par X_i la position de la i-ème personne. Ce que l'on cherche à calculer est donc $P\{X_{(i)} > X_{(i-1)} + d, i = 2, 3\}$. Comme

$$f_{X_{(1)}, X_{(2)}, X_{(3)}}(x_1, x_2, x_3) = 3! \qquad 0 < x_1 < x_2 < x_3 < 1$$

On peut écrire

$$P\{X_{(i)} > X_{(i-1)} + d, i = 2, 3\} = \iiint_{\substack{x_i > x_{i-1} + d \\ i = 2,3}} f_{X_{(1)}, X_{(2)}, X_{(3)}}(x_1, x_2, x_3) dx_1 \, dx_2 \, dx_3$$

$$= 3! \int_0^{1-2d} \int_{x_1+d}^{1-d} \int_{x_2+d}^{1} dx_3 \, dx_2 \, dx_1$$

$$= 6 \int_0^{1-2d} \int_{x_1+d}^{1-d} (1 - d - x_2) \, dx_2 \, dx_1$$

$$= 6 \int_0^{1-2d} \int_0^{1-2d-x_1} y_2 \, dy_2 \, dx_1$$

où l'on a effectué le changement de variable $y_2 = 1 - d - x_2$. La dernière expression devient

$$= 6 \int_0^{1-2d} \frac{(1 - 2d - x_1)^2}{2} \, dx_1$$

$$= 6 \int_0^{1-2d} \frac{y_1^2}{2} \, dy_1$$

$$= (1 - 2d)^3$$

La probabilité cherchée, à savoir celle que les personnes soient espacées d'au moins d kilomètre, est donc $(1 - 2d)^3$ lorsque $d \leqslant 0,5$. Grâce à un calcul analogue, on peut établir que la probabilité correspondante lorsqu'on place n personnes au hasard sur une route mesurant un kilomètre de longueur est

$$[1 - (n-1)d]^n \quad \text{lorsque } d \le \frac{1}{n-1}$$

La preuve en est laissée en exercice.   ∎

6.5.3 Densités marginales

On peut obtenir la densité marginale de la j-ième statistique d'ordre $X_{(j)}$ en intégrant la densité conjointe donnée dans (6.19). Mais on peut alternativement faire le raisonnement suivant: pour que $X_{(j)}$ prenne la valeur x, il faut et suffit que $j - 1$ des n valeurs prises par $X_1,\ldots, X_n$ soient inférieures à x, que $n - j$ d'entre elles soient supérieures à x et que la dernière soit x précisément. La densité de probabilité calculée en un point $(x_1, x_2,\ldots, x_n)$ dont les coordonnées satisfont les conditions précitées est

$$[F(x)]^{j-1}[1 - F(x)]^{n-j}f(x)$$

Or il y a

$$\binom{n}{j-1, n-j, 1} = \frac{n!}{(n-j)!(j-1)!}$$

partitions de n nombres en trois groupes tels que ceux décrits. Par conséquent la densité de $X_{(j)}$ sera

$$f_{X_{(j)}}(x) = \frac{n!}{(n-j)!(j-1)!}[F(x)]^{j-1}[1 - F(x)]^{n-j}f(x) \tag{6.20}$$

Exemple 6.24 On appelle échantillon de taille $2n + 1$ tout groupe de $2n + 1$ variables aléatoires indépendantes et identiquement distribuées. La médiane d'un tel échantillon est $X_{(n+1)}$. Supposons que l'on observe un échantillon de taille 3 de variables uniformes sur $(0, 1)$. On s'intéresse à la probabilité que la médiane prenne une valeur comprise entre $\frac{1}{4}$ et $\frac{3}{4}$.

SOLUTION. La densité de $X_{(2)}$ est donnée selon (6.20) par

$$f_{X_{(2)}}(x) = \frac{3!}{1!\,1!}\, x(1-x) \qquad 0 < x < 1$$

Ainsi

$$P\{\tfrac{1}{4} < X_{(2)} < \tfrac{3}{4}\} = 6 \int_{1/4}^{3/4} x(1-x)\,dx$$

$$= 6\left\{\frac{x^2}{2} - \frac{x^3}{3}\right\}\Bigg|_{x=1/4}^{x=3/4} = \frac{11}{16}$$ ∎

6.5.4 Fonction de répartition

On peut calculer la fonction de répartition de $X_{(j)}$ par intégration de (6.20), ce qui donne

$$F_{X_{(j)}}(y) = \frac{n!}{(n-j)!(j-1)!} \int_{-\infty}^{y} [F(x)]^{j-1}[1-F(x)]^{n-j}f(x)\,dx \qquad (6.21)$$

Mais il existe une autre méthode assez directe pour le calcul de $F_{X_{(j)}}$. En effet, $X_{(j)}$ prendra une valeur inférieure à un nombre y si et seulement si j des variables au moins prennent des valeurs inférieures ou égales à y. Comme le nombre des variables X_i à valeur inférieure ou égale à y est une variable binomiale de paramètres $(n, p = F(y))$, on peut écrire

$$F_{X_{(j)}}(y) = P\{X_{(j)} \le y\} = P\{ \text{ au moins } j \text{ des } X_i \text{ sont } \le y\}$$

$$= \sum_{k=j}^{n} \binom{n}{k} [F(y)]^{k}[1-F(y)]^{n-k} \qquad (6.22)$$

En marge de ce résultat général, on peut appliquer (6.21) et (6.22) au cas où F correspond à une distribution uniforme sur $(0, 1)$. On aura alors évidemment $F(x) = x$ lorsque $0 < x < 1$. Cela nous fait aboutir à une identité intéressante:

$$\sum_{k=j}^{n} \binom{n}{k} y^{k}(1-y)^{n-k} = \frac{n!}{(n-j)!(j-1)!} \int_{0}^{y} x^{j-1}(1-x)^{n-j}\,dx \qquad 0 \le y \le 1 \quad (6.23)$$

6.5.5 Densité conjointe de deux statistiques d'ordre

On peut déterminer la densité conjointe de deux statistiques d'ordre $X_{(i)}$ et $X_{(j)}$ en invoquant le même genre d'argument que celui qui a permis d'établir (6.20). En supposant que l'on soit dans le cas où $i < j$, cette densité est

$$f_{X_{(i)},X_{(j)}}(x_i, x_j) = \frac{n!}{(i-1)!(j-i-1)!(n-j)!}$$
$$\times [F(x_i)]^{i-1}[F(x_j) - F(x_i)]^{j-i-1}[1-F(x_j)]^{n-j}f(x_i)f(x_j) \qquad (6.24)$$

pour tous les arguments satisfaisant $x_i < x_j$.

Exemple 6.25 Distribution de l'étendue d'un échantillon.
Soient n variables indépendantes et identiquement distribuées $X_1, X_2,..., X_n$. L'*étendue* de cet échantillon est la variable aléatoire $R = X_{(n)} - X_{(1)}$. Si l'on note f et F respectivement la densité et la fonction de répartition des variables X_i, la fonction de répartition de R peut être calculée à partir de (6.24) comme suit pour $a \ge 0$:

$$P\{R \le a\} = P\{X_{(n)} - X_{(1)} \le a\}$$

$$= \iint_{x_n - x_1 \le a} f_{X_{(1)},X_{(n)}}(x_1, x_n)\,dx_1\,dx_n$$

$$= \int_{-\infty}^{\infty} \int_{x_1}^{x_1+a} \frac{n!}{(n-2)!} [F(x_n) - F(x_1)]^{n-2}f(x_1)f(x_n)\,dx_n\,dx_1$$

En effectuant le changement de variable $y = F(x_n) - F(x_1)$, $dy = f(x_n)\,dx_n$, on trouve

$$\int_{x_1}^{x_1+a} [F(x_n) - F(x_1)]^{n-2} f(x_n)\,dx_n = \int_0^{F(x_1+a)-F(x_1)} y^{n-2}\,dy$$

$$= \frac{1}{n-1}[F(x_1 + a) - F(x_1)]^{n-1}$$

et donc

$$P\{R \le a\} = n \int_{-\infty}^{\infty} [F(x_1 + a) - F(x_1)]^{n-1} f(x_1)\,dx_1 \tag{6.25}$$

L'évaluation explicite de (6.25) n'est possible que dans quelques cas particuliers. Par exemple, celui où les X_i sont uniformément distribuées dans $(0, 1)$. On obtient alors en appliquant (6.25) et pour $0 < a < 1$:

$$P\{R < a\} = n \int_0^1 [F(x_1 + a) - F(x_1)]^{n-1} f(x_1)\,dx_1$$

$$= n \int_0^{1-a} a^{n-1}\,dx_1 + n \int_{1-a}^1 (1 - x_1)^{n-1}\,dx_1$$

$$= n(1 - a)a^{n-1} + a^n$$

Par dérivation on peut calculer la densité de R, à savoir ici

$$f_R(a) = \begin{cases} n(n-1)a^{n-2}(1-a) & 0 \le a \le 1 \\ 0 & \text{sinon} \end{cases} \qquad \blacksquare$$

6.6 CHANGEMENT DE VARIABLES MULTIDIMENSIONNELLES

6.6.1 Cas bidimensionnel

Considérons deux variables aléatoires X_1 et X_2 conjointement continues de densité f_{X_1, X_2}. Il arrive qu'on s'intéresse à la densité conjointe de Y_1 et Y_2, deux fonctions de X_1 et X_2. Supposons pour être plus précis que $Y_1 = g_1(X_1, X_2)$ et $Y_2 = g_2(X_1, X_2)$. Admettons encore que les fonctions g_1 et g_2 satisfassent les deux conditions suivantes:
a) on peut résoudre par rapport à x_1 et x_2 le système d'équations $y_1 = g_1(x_1, x_2)$, $y_2 = g_2(x_1, x_2)$. Les solutions sont notées $x_1 = h_1(y_1, y_2)$ et $x_2 = h_2(y_1, y_2)$;
b) les fonctions g_1 et g_2 sont continûment différentiables et de *Jacobien* partout non nul. Ceci revient à écrire, en utilisant la définition du Jacobien:

$$J(x_1, x_2) = \begin{vmatrix} \dfrac{\partial g_1}{\partial x_1} & \dfrac{\partial g_1}{\partial x_2} \\ \dfrac{\partial g_2}{\partial x_1} & \dfrac{\partial g_2}{\partial x_2} \end{vmatrix} \equiv \frac{\partial g_1}{\partial x_1}\frac{\partial g_2}{\partial x_2} - \frac{\partial g_1}{\partial x_2}\frac{\partial g_2}{\partial x_1} \ne 0$$

pour tout couple (x_1, x_2).

Sous ces conditions, on peut montrer que les variables Y_1 et Y_2 sont conjointement continues et de densité

$$f_{Y_1,Y_2}(y_1, y_2) = f_{X_1,X_2}(x_1, x_2) |J(x_1, x_2)|^{-1} \qquad (6.26)$$

où il faut remplacer x_1 par $h_1(y_1, y_2)$ et x_2 par $h_2(y_1, y_2)$.

La démarche suivante mènerait à la démonstration de (6.26). D'abord calculer

$$p\{Y_1 \leq y_1, Y_2 \leq y_2\} = \iint\limits_{\substack{(x_1,x_2): \\ g_1(x_1,x_2) \leq y_1 \\ g_2(x_1,x_2) \leq y_2}} f_{X_1,X_2}(x_1, x_2)\, dx_1\, dx_2 \qquad (6.27)$$

La dérivation de (6.27) par rapport à y_1 puis y_2 donnerait alors la densité conjointe voulue. La preuve que cette dérivation donne bien le membre de droite de (6.26) est un exercice avancé d'analyse qui ne sera pas traité dans cet ouvrage.

6.6.2 Exemples de changement de variables bidimensionnelles

Exemple 6.26 Soient X_1 et X_2 deux variables aléatoires conjointement continues de densité f_{X_1,X_2}. Posons $Y_1 = X_1 + X_2$ et $Y_2 = X_1 - X_2$. Exprimer la densité conjointe de Y_1 et Y_2 en fonction de f_{X_1,X_2}.

SOLUTION. Posons $g_1(x_1, x_2) = x_1 + x_2$ et $g_2(x_1, x_2) = x_1 - x_2$. On a

$$J(x_1, x_2) = \begin{vmatrix} 1 & 1 \\ 1 & -1 \end{vmatrix} = -2$$

Comme la solution du système $y_1 = x_1 + x_2$, $y_2 = x_1 - x_2$ est $x_1 = (y_1 + y_2)/2$, $x_2 = (y_1 - y_2)/2$, l'application de (6.26) livre

$$f_{Y_1,Y_2}(y_1, y_2) = \frac{1}{2} f_{X_1,X_2}\left(\frac{y_1 + y_2}{2}, \frac{y_1 - y_2}{2}\right)$$

Dans le cas où X_1 et X_2 sont indépendantes et uniformes sur $(0, 1)$, ce dernier résultat devient

$$f_{Y_1,Y_2}(y_1, y_2) = \begin{cases} \frac{1}{2} & 0 \leq y_1 + y_2 \leq 2, 0 \leq y_1 - y_2 \leq 2 \\ 0 & \text{sinon} \end{cases}$$

Si, par contre, X_1 et X_2 sont indépendantes et exponentielles de paramètres λ_1 et λ_2 respectivement, on obtient

$$f_{Y_1,Y_2}(y_1, y_2)$$

$$= \begin{cases} \dfrac{\lambda_1 \lambda_2}{2} \exp\left\{-\lambda_1\left(\dfrac{y_1 + y_2}{2}\right) - \lambda_2\left(\dfrac{y_1 - y_2}{2}\right)\right\} & y_1 + y_2 \geq 0, y_1 - y_2 \geq 0 \\ 0 & \text{sinon} \end{cases}$$

Si enfin X_1 et X_2 sont indépendantes et normales centrées réduites, on aura

$$f_{Y_1,Y_2}(y_1, y_2) = \frac{1}{4\pi} e^{-[(y_1+y_2)^2/8 + (y_1-y_2)^2/8]}$$

$$= \frac{1}{4\pi} e^{-(y_1^2 + y_2^2)/4}$$

$$= \frac{1}{\sqrt{4\pi}} e^{-y_1^2/4} \frac{1}{\sqrt{4\pi}} e^{-y_2^2/4}$$

où l'on découvre un résultat secondaire intéressant: $X_1 + X_2$ est ici indépendante de $X_1 - X_2$. Incidemment, on peut montrer que pour deux variables aléatoires X_1 et X_2 indépendantes et de même fonction de répartition F, les variables $X_1 + X_2$ et $X_1 - X_2$ sont indépendantes si et seulement si F est une fonction de répartition de variable normale. ∎

Exemple 6.27 On désigne par (X, Y) les coordonnées d'un point aléatoirement choisi dans le plan. On suppose que X et Y sont de distribution normale centrée et réduite. On voudrait connaître la distribution de R et θ, les coordonnées polaires du même point (voir figure 6.5).

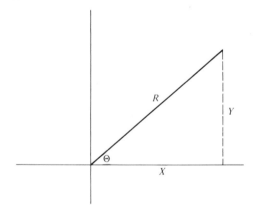

Figure 6.5

Si l'on écrit $r = g_1(x, y) = \sqrt{x^2 + y^2}$ et $\theta = g_2(x, y) = \text{Arc tg } y/x$, on peut calculer

$$\frac{\partial g_1}{\partial x} = \frac{x}{\sqrt{x^2 + y^2}} \qquad \frac{\partial g_1}{\partial y} = \frac{y}{\sqrt{x^2 + y^2}}$$

$$\frac{\partial g_2}{\partial x} = \frac{1}{1 + (y/x)^2}\left(\frac{-y}{x^2}\right) = \frac{-y}{x^2 + y^2} \qquad \frac{\partial g_2}{\partial y} = \frac{1}{x[1 + (y/x)^2]} = \frac{x}{x^2 + y^2}$$

Ainsi
$$J(x, y) = \frac{x^2}{(x^2 + y^2)^{3/2}} + \frac{y^2}{(x^2 + y^2)^{3/2}} = \frac{1}{\sqrt{x^2 + y^2}} = \frac{1}{r}$$

Or la densité conjointe de X et Y est

$$f(x, y) = \frac{1}{2\pi} e^{-(x^2+y^2)/2}$$

Par conséquent, la densité conjointe de R et θ sera

$$f(r, \theta) = \frac{1}{2\pi} re^{-r^2/2} \qquad 0 < \theta < 2\pi \qquad 0 < r < \infty$$

Cette densité étant décomposable et constituée du produit des densités marginales de R et θ, il en résulte que ces deux variables sont indépendantes. θ est ici uniformément distribuée sur $(0, 2\pi)$, tandis que R suit une distribution de Rayleigh de densité

$$f(r) = re^{-r^2/2} \qquad 0 < r < \infty$$

A titre d'illustration, lors du tir sur une cible bidimensionnelle, il peut arriver que les erreurs verticales et horizontales soient de distribution normale centrée réduite. Dans ce cas, la distance entre le centre de la cible et l'impact du tir suit une distribution de Rayleigh.

Ces résultats sont remarquables. Il n'est en effet pas évident a priori que le vecteur des erreurs, dont les coordonnées aléatoires sont de distribution normale centrée réduite et indépendantes, soit d'orientation uniformément répartie, et ce, de plus, à n'importe quelle distance du centre.

On peut ainsi s'intéresser à la distribution conjointe de R^2 et θ: le Jacobien de la transformation $d = g_1(x, y) = x^2 + y^2$, $\theta = g_2(x, y) = \text{Arc tg}\,(y/x)$ étant

$$J = \begin{vmatrix} 2x & 2y \\ \dfrac{-y}{x^2 + y^2} & \dfrac{x}{x^2 + y^2} \end{vmatrix} = 2$$

on voit que

$$f_{R^2,\Theta}(d, \theta) = \frac{1}{2} e^{-d/2} \frac{1}{2\pi} \qquad 0 < d < \infty, 0 < \theta < 2\pi$$

on constate que R^2 et θ sont indépendantes, R^2 suivant une distribution exponentielle de paramètre $\frac{1}{2}$. Comme par définition $R^2 = X^2 + Y^2$ suit par ailleurs une loi χ^2 à deux degrés de liberté, on vérifie un résultat déjà présenté: la loi χ^2 à deux degrés de liberté et la loi exponentielle de paramètre $\frac{1}{2}$ ne font qu'une. ∎

Exemple 6.28 Les résultats précédents permettent de réaliser un simulateur ou générateur de nombres aléatoires distribués normalement, et ce, à partir d'un générateur de nombres uniformément distribués.

Notons par U_1 et U_2 deux variables de distribution uniforme sur $(0, 1)$. Nous allons déterminer une transformation de U_1, U_2 qui donne deux variables normales centrées réduites X_1, X_2 en considérant d'abord les variables (R, θ) associées à (X_1, X_2) par un passage aux coordonnées polaires. On vient de voir que si X_1, X_2 sont indépendantes et normales standard, alors $R^2 = X_1^2 + X_2^2$ et θ seront indépendantes, R^2 étant de plus de distribution exponentielle avec paramètre $\lambda = \frac{1}{2}$. Or, $-2\ln U_1$ suit une telle distribution puisque, lorsque $x > 0$,

$$P\{-2\ln U_1 < x\} = P\left\{\ln U_1 > -\frac{x}{2}\right\}$$

$$= P\{U_1 > e^{-x/2}\}$$

$$= 1 - e^{-x/2}$$

Par ailleurs, on peut utiliser pour simuler θ la variable $2\pi U_2$ qui suit une loi uniforme sur $(0, 2\pi)$. De ce fait, en posant

$$\begin{cases} R^2 = -2\ln U_1 \\ \theta = 2\pi U_2 \end{cases}$$

R^2 peut être considéré comme le carré de la distance à l'origine et θ l'angle donnant l'orientation du point (X_1, X_2). Comme $X_1 = R\cos\theta$ et $X_2 = R\sin\theta$, les deux variables seront bien indépendantes et normales centrées réduites.   ■

Exemple 6.29 Soient X et Y deux variables aléatoires indépendantes suivant des lois gamma de paramètres respectifs (α, λ) et (β, λ). On veut connaître la densité conjointe de $U = X + Y$ et $V = X/(X + Y)$.

SOLUTION. La densité conjointe de X et Y est

$$f_{X,Y}(x, y) = \frac{\lambda e^{-\lambda x}(\lambda x)^{\alpha-1}}{\Gamma(\alpha)} \frac{\lambda e^{-\lambda y}(\lambda y)^{\beta-1}}{\Gamma(\beta)}$$

$$= \frac{\lambda^{\alpha+\beta}}{\Gamma(\alpha)\Gamma(\beta)} e^{-\lambda(x+y)} x^{\alpha-1} y^{\beta-1}$$

Mais, si $g_1(x, y) = x + y$, $g_2(x, y) = x/(x + y)$, alors

$$\frac{\partial g_1}{\partial x} = \frac{\partial g_1}{\partial y} = 1 \qquad \frac{\partial g_2}{\partial x} = \frac{y}{(x + y)^2} \qquad \frac{\partial g_2}{\partial y} = -\frac{x}{(x + y)^2}$$

et ainsi

$$J(x, y) = \begin{vmatrix} 1 & 1 \\ \dfrac{y}{(x + y)^2} & -\dfrac{x}{(x + y)^2} \end{vmatrix} = -\frac{1}{x + y}$$

Comme la solution du système $u = x + y$, $v = x/(x + y)$ est $x = uv$, $y = u(1 - v)$, on peut écrire

$$f_{U,V}(u, v) = f_{X,Y}[uv, u(1 - v)]u$$

$$= \frac{\lambda e^{-\lambda u}(\lambda u)^{\alpha+\beta-1}}{\Gamma(\alpha + \beta)} \frac{v^{\alpha-1}(1 - v)^{\beta-1}\Gamma(\alpha + \beta)}{\Gamma(\alpha)\Gamma(\beta)}$$

On constate que $X + Y$ et $X/(X + Y)$ sont indépendantes; de plus, $X + Y$ suit une loi gamma de paramètres $(\alpha + \beta, \lambda)$ tandis que $X/(X + Y)$ suit une loi bêta de paramètres (α, β). On peut de plus en tirer que $B(\alpha, \beta)$, le facteur d'ajustement dans l'expression de la densité des variables bêta, est

$$B(\alpha, \beta) \equiv \int_0^1 v^{\alpha-1}(1 - v)^{\beta-1}\, dv$$

$$= \frac{\Gamma(\alpha)\Gamma(\beta)}{\Gamma(\alpha + \beta)}$$

Ce dernier résultat est très intéressant et peut être illustré de la manière suivante: supposons que $n + m$ tâches doivent être exécutées et que la durée d'exécution de chacune soit une variable aléatoire exponentielle de paramètre λ et soit indépendante des autres durées. On dispose de deux travailleurs pour mener à bien ces tâches. Le premier de ces travailleurs exécutera les tâches 1, 2,..., n, tandis que l'autre se chargera des m tâches restantes. Désignons par X et Y respectivement le temps de travail total de ces deux personnes. On peut alors affirmer – d'après ce qui précède ou ce qui a été établi au paragraphe 6.3.3 – que X et Y seront des variables gamma indépendantes de paramètres (n, λ) et (m, λ) respectivement. De plus, les résultats précédents indiquent qu'indépendamment de la durée totale d'exécution des $n + m$ tâches (donc indépendamment de $X + Y$), la part réalisée par le premier employé suit une distribution bêta de paramètres (n, m). ∎

6.6.3 Cas général

L'approche du cas général est similaire. On a ici n variables $X_1, X_2,..., X_n$ de densité conjointe connue et l'on s'intéresse à la densité conjointe de $Y_1, Y_2,..., Y_n$ où

$$Y_1 = g_1(X_1, \ldots, X_n) \qquad Y_2 = g_2(X_1, \ldots, X_n), \ldots$$
$$Y_n = g_n(X_1, \ldots, X_n)$$

On admettra que ces fonctions g_i ont des dérivées partielles continues et que leur Jacobien $J(x_1,..., x_n)$ est partout non nul. Par $J(x_1,..., x_n)$, on entend

$$J(x_1, \ldots, x_n) = \begin{vmatrix} \dfrac{\partial g_1}{\partial x_1} & \dfrac{\partial g_1}{\partial x_2} & \cdots & \dfrac{\partial g_1}{\partial x_n} \\[2mm] \dfrac{\partial g_2}{\partial x_1} & \dfrac{\partial g_2}{\partial x_2} & \cdots & \dfrac{\partial g_2}{\partial x_n} \\[2mm] \dfrac{\partial g_n}{\partial x_1} & \dfrac{\partial g_n}{\partial x_2} & \cdots & \dfrac{\partial g_n}{\partial x_n} \end{vmatrix}$$

On admettra encore que le système d'équations $y_1 = g_1(x_1,..., x_n)$, $y_2 = g_2(x_1,..., x_n)$,..., $y_n = g_n(x_1,..., x_n)$ a une solution unique notée $x_1 = h_1(y_1,..., y_n)$,..., $x_n = h_n(y_1,..., y_n)$. Si ces conditions sont réalisées, la densité conjointe des variables Y_i est

$$f_{Y_1,...,Y_n}(y_1, \ldots, y_n) = f_{X_1,...,X_n}(x_1, \ldots, x_n) |J(x_1, \ldots, x_n)|^{-1} \qquad (6.28)$$

où x_i est à remplacer par $h_i(y_1,..., y_n)$, $i = 1, 2,..., n$.

Exemple 6.30 Les trois variables X_1, X_2, et X_3 sont normales centrées réduites et indépendantes. On cherche ici la densité conjointe de $Y_1 = X_1 + X_2 + X_3$, $Y_2 = X_1 - X_2$, $Y_3 = X_1 - X_3$.

SOLUTION. Le Jacobien de la transformation décrite est

$$J = \begin{vmatrix} 1 & 1 & 1 \\ 1 & -1 & 0 \\ 1 & 0 & -1 \end{vmatrix} = 3$$

La transformation réciproque donne

$$X_1 = \frac{Y_1 + Y_2 + Y_3}{3} \qquad X_2 = \frac{Y_1 - 2Y_2 + Y_3}{3} \qquad X_3 = \frac{Y_1 + Y_2 - 2Y_3}{3}$$

et par conséquent, d'après (6.28), la densité cherchée est

$$f_{Y_1,Y_2,Y_3}(y_1, y_2, y_3)$$
$$= \frac{1}{3} f_{X_1,X_2,X_3}\left(\frac{y_1 + y_2 + y_3}{3}, \frac{y_1 - 2y_2 + y_3}{3}, \frac{y_1 + y_2 - 2y_3}{3}\right)$$

Ainsi, comme

$$f_{X_1,X_2,X_3}(x_1, x_2, x_3) = \frac{1}{(2\pi)^{3/2}} e^{-\sum_{i=1}^{3} x_i^2/2}$$

on voit que

$$f_{Y_1,Y_2,Y_3}(y_1, y_2, y_3) = \frac{1}{3(2\pi)^{3/2}} e^{-Q(y_1,y_2,y_3)/2}$$

où

$$Q(y_1, y_2, y_3) = \left(\frac{y_1 + y_2 + y_3}{3}\right)^2 + \left(\frac{y_1 - 2y_2 + y_3}{3}\right)^2 + \left(\frac{y_1 + y_2 - 2y_3}{3}\right)^2$$
$$= \frac{y_1^2}{3} + \frac{2}{3} y_2^2 + \frac{2}{3} y_3^2 - \frac{2}{3} y_2 y_3.$$

6.7 EXERCICES THÉORIQUES

6.7.1 Vérifier l'équation 6.2.

6.7.2 Supposons que le nombre d'événements qui se produisent durant un intervalle de temps donné soit une variable aléatoire de Poisson, de paramètre λ. Si chaque événement est classé comme étant un événement de type i associé à une probabilité p_i, $i = 1,..., n$, $\Sigma\, p_i = 1$, et ceci indépendamment des autres événements, montrer que les nombres d'événements de type i qui se produisent, $i = 1,..., n$, sont des variables aléatoires de Poisson, de paramètres respectifs $\lambda\, p_i$, $i = 1,..., n$ et qui de plus sont indépendantes.

6.7.3 Proposer une méthode utilisant le problème de l'aiguille de Buffon afin d'estimer π. Il est assez surprenant de noter que c'était une méthode commune autrefois pour estimer π.

6.7.4 Résoudre le problème de l'aiguille de Buffon quand $L > D$.

RÉPONSE. $\dfrac{2L}{\pi D} (1 - \sin\theta) + 2\theta/\pi$, où θ est tel que $\cos\theta = D/L$.

6.7.5 Si X et Y sont des variables aléatoires indépendantes continues et positives, exprimer la fonction de densité de
- $Z = X/Y$ et
- $Z = XY$

en termes de fonctions de densité de X et Y. Evaluer ces expressions dans le cas particulier où X et Y sont toutes deux des variables aléatoires exponentielles.

6.7.6 Montrer analytiquement (par un raisonnement d'induction) que $X_1 + ... + X_n$ suit une distribution binomiale négative quand les X_i, $i = 1,..., n$ sont des variables aléatoires géométriques indépendantes et identiquement distribuées. Donner également un second argument qui vérifie ce qui précède, ceci sans calcul.

6.7.7
a) Si X suit une distribution gamma de paramètres (t, λ), quelle est la distribution de cX, $c > 0$?
b) Montrer que

$$\frac{1}{2\lambda}\, \chi^2_{2n}$$

possède une distribution gamma de paramètres n, λ lorsque n est un entier positif et χ^2_{2n} est une variable aléatoire chi-carré avec $2n$ degrés de liberté.

6.7.8 Soient X et Y des variables aléatoires continues indépendantes avec des fonctions taux de panne respectives $\lambda_X(t)$ et $\lambda_Y(t)$, et soit $W = \min(X, Y)$.

a) Déterminer la fonction de répartition de W en fonction de celles de X et de Y.
b) Montrer que $\lambda_W(t)$, la fonction taux de panne de W, est donnée par

$$\lambda_W(t) = \lambda_X(t) + \lambda_Y(t)$$

6.7.9 Soient $X_1, \ldots, X_n$ des variables aléatoires indépendantes exponentielles de paramètre commun λ. Déterminer la distribution de $\min(X_1, \ldots, X_n)$.

6.7.10 Les durées de vie de batteries sont des variables aléatoires indépendantes exponentielles de même paramètre λ. Une torche électrique a besoin de 2 batteries pour fonctionner. Si l'on a une torche et n batteries de réserve, quelle est la distribution du temps de fonctionnement de la torche?

6.7.11 Soient X_1, X_2, X_3, X_4 et X_5 des variables aléatoires continues indépendantes identiquement distribuées de fonction de répartition F et de densité f et soit

$$I = P\{X_1 < X_2 > X_3 < X_4 > X_5\}$$

a) Montrer que I ne dépend pas de F. Pour cela, exprimer I comme une intégrale à 5 dimensions et effectuer le changement de variables $u_i = F(x_i)$, $i = 1, \ldots, 5$.
b) Evaluer I.

6.7.12 Etablir le théorème 6.2.
Pour cela, l'établir d'abord pour $n = 2$, puis utiliser un raisonnement d'induction.

6.7.13 Dans l'exemple 6.22, nous avons calculé la densité conditionnelle de la probabilité d'obtenir un succès, qui était variable, ceci sachant qu'une suite de $n + m$ premières épreuves avait donné n succès. Est-ce que cette densité conditionnelle aurait changé si, parmi toutes les épreuves, nous avions spécifié celles représentant les n succès?

6.7.14 Calculer la loi de probabilité conditionnelle de X, étant donné que $X + Y = n$, où X et Y sont des variables aléatoires indépendantes et distribuées selon la même loi géométrique.

6.7.15 Si X et Y sont des variables aléatoires binomiales indépendantes et de même paramètres n et p, montrer analytiquement que la distribution conditionnelle de X, étant donné que $X + Y = m$, est une loi hypergéométrique. Donner également un second argument qui permette d'obtenir le même résultat, mais sans calcul.
   A titre d'indication, supposons que l'on jette $2n$ fois une pièce de monnaie. Soit X le nombre de piles dans les n premiers jets et Y le nombre de piles dans les n jets suivants. Montrer que, le total des piles étant fixé à m, le nombre de piles dans les n premiers jets a la même distribution que le nombre de boules blanches obtenues lorsqu'un échantillon de taille m est tiré parmi n boules blanches et n boules noires.

6.7.16 Considérer une expérience pouvant aboutir à trois résultats et où le résultat i apparaît avec une probabilité p_i, $i = 1, 2, 3$. Supposons que cette expérience soit effectuée n fois de façon indépendante et soit X_i, $i = 1, 2, 3$ le nombre de fois où le résultat i se produit. Déterminer la loi de probabilité conditionnelle de X_1, étant donné que $X_2 = m$.

6.7.17 Soit X_1, X_2, X_3 trois variables aléatoires continues indépendantes et identiquement distribuées. Calculer:

- $P\{X_1 > X_2 | X_1 > X_3\}$;
- $P\{X_1 > X_2 | X_1 < X_3\}$;
- $P\{X_1 > X_2 | X_2 > X_3\}$;
- $P\{X_1 > X_2 | X_2 < X_3\}$.

6.7.18 Soit U une variable aléatoire uniformément distribuée sur l'intervalle $(0, 1)$. Calculer la distribution conditionnelle de U étant donné que:
- $U > a$;
- $U < a$

où $0 < a < 1$.

6.7.19 Supposons que W, le taux d'humidité de l'air un jour donné, soit une variable aléatoire gamma de paramètres (t, β). Cela veut dire que sa densité est $f(w) = \beta e^{-\beta w}(\beta w)^{t-1}/\Gamma(t)$, $w > 0$. Supposons également qu'étant donné que $W = w$, le nombre d'accidents durant ce jour – appelons le N – suit une distribution de Poisson de moyenne w. Montrer que la distribution conditionnelle de W, étant donné que $N = n$, est la distribution bêta de paramètres $(t + n, \beta + 1)$.

6.7.20 Soit W une variable aléatoire gamma de paramètres (t, β) et supposons que conditionnellement à $W = w$, $X_1,..., X_n$ sont des variables aléatoires exponentielles indépendantes de paramètre w. Montrer que la distribution conditionnelle de W, étant donné que $X_1 = x_1$, $X_2 = x_2,..., X_n = x_n$, est la distribution gamma de paramètres $(t + n, \beta + \sum_{i=1}^{n} x_i)$.

6.7.21 Un tableau rectangulaire de mn nombres arrangés en n lignes et m colonnes est dit contenir *un point de selle* s'il y a un nombre qui est à la fois le minimum de sa ligne et le maximum de sa colonne. Par exemple dans le tableau

$$
\begin{array}{rrr}
1 & 3 & 2 \\
0 & -2 & 6 \\
.5 & 12 & 3
\end{array}
$$

le nombre 1 de la première ligne et de la première colonne est un point de selle. L'existence d'un point de selle revêt une importance dans la théorie des jeux. Considérons un tableau rectangulaire de nombres comme décrit précédemment et supposons que deux personnes A et B jouent au jeu suivant: A choisit un des nombres 1, 2,..., n et B un des nombres 1, 2,..., m. Ces choix sont annoncés simultanément; si A choisit i et B choisit j, alors A reçoit de B la somme spécifiée par le nombre situé à la i-ème ligne et j-ème colonne du tableau. Supposons maintenant que le tableau contienne un point de selle – disons le nombre se trouvant à la ligne r et à la colonne k – et appelons ce nombre x_{rk}. Si le joueur A choisit la ligne r, alors il peut être sûr de réaliser un gain au moins égal à x_{rk} (puisque x_{rk} est le nombre minimum de la ligne r). D'autre part, si le joueur B choisit la colonne k, alors il peut être sûr qu'il ne perdra pas plus que x_{rk} (puisque x_{rk} est le nombre maximum de la colonne k). Ainsi, comme A a une possibilité de jeu qui lui assure un gain de x_{rk}, et comme B a une possibilité de jeu lui garantissant qu'il ne perdra pas plus que x_{rk}, il semble raisonnable de considérer ces deux stratégies comme optimales et de déclarer que la valeur du jeu pour le joueur A est x_{rk}.

Si les nm nombres du tableau rectangulaire décrit ci-dessus sont tirés de manière indépendante d'une distribution continue quelconque, quelle est la probabilité que le tableau obtenu contienne un point de selle?

6.7.22 On dit que les variables aléatoires X et Y ont une distribution normale bivariée si leur fonction de densité conjointe est donnée par:

$$f(x, y) = \frac{1}{2\pi\sigma_x\sigma_y\sqrt{1 - \rho^2}}$$

$$\times \exp\left\{-\frac{1}{2(1 - \rho^2)}\left[\left(\frac{x - \mu_x}{\sigma_x}\right)^2 + \left(\frac{y - \mu_y}{\sigma_y}\right)^2 - 2\rho\frac{(x - \mu_x)(y - \mu_y)}{\sigma_x\sigma_y}\right]\right\}$$

- Montrer que la densité conditionnelle de X, étant donné que $Y = y$, est la densité normale de paramètres

$$\mu_x + \rho\frac{\sigma_x}{\sigma_y}(y - \mu_y) \qquad \text{et} \qquad \sigma_x^2(1 - \rho^2)$$

- Montrer que X et Y sont toutes deux des variables aléatoires normales de paramètres μ_x, σ_x^2 et μ_y, σ_y^2 respectivement.
- Montrer que X et Y sont indépendantes quand $\rho = 0$.

6.7.23 Soit $F(x)$ une fonction de répartition. Montrer que
a) $F^n(x)$ et
b) $1 - [1 - F(x)]^n$
sont aussi des fonctions de répartition quand n est un entier positif.

A titre d'indication, considérer n variables aléatoires indépendantes $X_1,..., X_n$ ayant la même fonction de répartition F. Définir alors des variables aléatoires Y et Z en termes de X_i de telle sorte que $P\{Y \leq x\} = F^n(x)$ et $P\{Z \leq x\} = 1 - [1 - F(x)]^n$.

6.7.24 Montrer que si n personnes sont réparties au hasard le long d'une route de L km, alors la probabilité de ne jamais rencontrer deux personnes situées à une distance inférieure à D km est $[1 - (n - 1)D/L]^n$, dans le cas où $D \leq L/(n - 1)$. Qu'en est-il si $D > L/(n - 1)$?

6.7.25 Etablir l'équation (6.20) en dérivant l'équation (6.22).

6.7.26 Montrer que la médiane d'un échantillon de taille $2n + 1$ provenant d'une distribution uniforme sur l'intervalle $(0, 1)$ a une distribution bêta de paramètres $(n + 1, n + 1)$.

6.7.27 Vérifier l'équation (6.24) qui donne la densité conjointe de $X_{(i)}$ et $X_{(j)}$.

6.7.28 Calculer la densité de l'étendue d'un échantillon de taille n provenant d'une distribution continue de fonction de densité f.

6.7.29 Soient $X_{(1)} \leqslant X_{(2)} \leqslant ... \leqslant X_{(n)}$ les valeurs ordonnées de n variables aléatoires uniformes sur l'intervalle $(0, 1)$. Prouver que pour $1 \leqslant k \leqslant n + 1$

$$P\{X_{(k)} - X_{(k-1)} > t\} = (1 - t)^n$$

où $X_0 \equiv 0$, $X_{n+1} \equiv t$.

6.7.30 Soient $X_1, ..., X_n$ un ensemble de variables aléatoires continues indépendantes et identiquement distribuées selon une fonction de répartition F et soient $X_{(i)}$, $i = 1, ..., n$ leurs valeurs ordonnées. Si X, indépendant des X_i, $i = 1, ..., n$, a la même fonction de répartition F, déterminer

a) $P\{X > X_{(n)}\}$,
b) $P\{X > X_{(1)}\}$ et
c) $P\{X_{(i)} < X < X_{(j)}\}$, $1 \leq i < j \leq n$.

6.7.31 Soient $X_1, ..., X_n$ des variables aléatoires indépendantes et identiquement distribuées de fonction de répartition F et de densité f. La quantité $M \equiv [X_{(1)} + X_{(n)}]/2$, définie comme la moyenne de la plus petite et de la plus grande valeur, est appelée le milieu de l'étendue. Montrer que sa fonction de répartition est:

$$F_M(m) = n \int_{-\infty}^{m} [F(2m - x) - F(x)]^{n-1} f(x)\, dx$$

6.7.32 Soient $X_1, ..., X_n$ des variables aléatoires indépendantes et uniformes sur l'intervalle $(0, 1)$. Soit $R = X_{(n)} - X_{(1)}$ l'étendue et $M = [X_{(n)} + X_{(1)}]/2$ le milieu de l'étendue. Calculer la fonction de densité conjointe de R et M.

6.8 PROBLÈMES

6.8.1 On jette deux dés équilibrés. Trouver la loi de probabilité conjointe de X et Y dans les cas suivants:
- X est la plus grande des deux valeurs obtenues et Y en est la somme;
- X est la valeur obtenue avec le premier dé et Y est la plus grande des deux valeurs;
- X et Y sont respectivement la plus petite et la plus grande des deux valeurs obtenues.

6.8.2 On sait qu'il y a deux transistors défectueux dans un emballage en contenant 5. Les transistors sont testés, l'un après l'autre, jusqu'à ce que les deux éléments défectueux aient été identifiés. Soit N_1 le nombre de tests effectués pour trouver le premier transistor défectueux et soit N_2 le nombre de tests additionnels pour trouver le second transistor défectueux; établir la loi de probabilité conjointe de N_1 et N_2.

6.8.3 On considère une suite d'épreuves de Bernoulli indépendantes avec une probabilité de succès p pour chacune d'entre elles. Soit X_1 le nombre d'échecs avant le premier succès et X_2 le nombre d'échecs entre le premier et le second succès. Trouver la loi de probabilité simultanée de X_1 et X_2.

6.8.4 Soit la fonction de densité conjointe de X et Y donnée par:

$$f(x, y) = c(y^2 - x^2)e^{-y} \qquad -y \le x \le y, 0 < y < \infty$$

- Trouver c.
- Trouver les densités marginales de X et de Y.

6.8.5 Considérons la fonction de densité simultanée de X et Y donnée par:

$$f(x, y) = \frac{6}{7}\left(x^2 + \frac{xy}{2}\right) \qquad 0 < x < 1, 0 < y < 2$$

- Vérifier que c'est bien là une fonction de densité conjointe.
- Déterminer la fonction de densité de X.
- Trouver $P\{X > Y\}$.
- Trouver $P\{Y > \frac{1}{2}|X < \frac{1}{2}\}$.

6.8.6 La fonction de densité de X et Y est donnée par:

$$f(x, y) = e^{-(x+y)} \qquad 0 \le x < \infty, 0 \le y < \infty$$

Trouver:
- $P\{X < Y\}$;
- $P\{X < a\}$.

6.8.7 Le propriétaire d'un magasin de télévisions évalue que 45% des clients entrant dans son magasin achètent un appareil de télévision ordinaire, 15% achètent un appareil de télévision couleur et 40% d'entre eux font juste du lèche-vitrine. Si cinq clients entrent dans son magasin un jour donné, quelle est la probabilité qu'il vende exactement 2 appareils ordinaires et 1 poste TV couleur ce jour-là?

6.8.8 Le nombre de personnes qui entrent dans un magasin durant une heure donnée est une variable aléatoire de Poisson de paramètre $\lambda = 10$. Déterminer la probabilité conditionnelle qu'au plus 3 hommes entrent dans ce magasin, étant donné que 10 femmes y sont entrées durant cette heure-là. Quelles hypothèses faites-vous?

6.8.9 Un homme et une femme se sont donnés rendez-vous à un endroit donné à 12 h 30 environ. Si l'homme arrive entre 12 h 15 et 12 h 45, et si la femme arrive indépendamment à une heure uniformément distribuée entre 12 h 00 et 13 h 00, trouver la probabilité que le premier arrivé n'attende pas plus de 5 minutes. Quelle est la probabilité que l'homme arrive le premier?

6.8.10 Une ambulance fait la navette à vitesse constante le long d'une route de longueur L. A un certain moment, un accident se produit en un point aléatoire qui est uniformément distribué sur la route (c'est-à-dire que la distance de ce point à une extrémité de la route servant de référence est uniformément distribuée sur l'intervalle $(0, L)$). En supposant que l'emplacement de l'ambulance, au moment de l'accident, est aussi uniformément distribué, calculer, en admettant les hypothèses d'indépendance nécessaires, la distribution de la distance de l'ambulance au point de l'accident. Que se passe-t-il si l'ambulance ne se déplace plus à vitesse constante, mais roule à des vitesses différentes en fonction de son emplacement?

6.8.11 Supposons qu'un point soit uniformément choisi dans un carré de surface unité, ayant les sommets $(0, 0)$, $(0, 1)$, $(1, 0)$ et $(1, 1)$. Soit X et Y les coordonnées du point choisi.
- Trouver les distributions marginales de X et de Y.
- X et Y sont-elles des variables indépendantes?
- Trouver la probabilité que la distance de (X, Y) au centre du carré soit plus grande que ¼.

6.8.12 Trois points X_1, X_2, X_3 sont choisis au hasard sur une droite de longueur L. Quelle est la probabilité que X_2 se trouve entre X_1 et X_3?

6.8.13 Deux points sont choisis sur une droite de longueur L, de manière à ce qu'ils soient de part et d'autre du milieu de la droite. En d'autres termes, les deux points X et Y sont des variables aléatoires indépendantes telles que X soit uniformément distribué sur $(0, L/2)$ et Y soit uniformément distribué sur $(L/2, L)$. Trouver la probabilité que la distance entre les deux points soit plus grande que $L/3$.

6.8.14 Dans 6.8.13, trouver la probabilité que les trois segments de droite, de 0 à X, de X à Y et de Y à L, puissent constituer les trois côtés d'un triangle (noter que trois segments de droite peuvent former un triangle si la longueur de chacun d'entre eux est inférieure à la somme des longueurs des deux autres).

6.8.15 Soit la densité conjointe de X et Y donnée par:

$$f(x, y) = \begin{cases} xe^{-(x+y)} & x > 0, y > 0 \\ 0 & \text{sinon} \end{cases}$$

X et Y sont-elles indépendantes? Qu'en est-il si f est donnée par:

$$f(x, y) = \begin{cases} 2 & 0 < x < y, 0 < y < 1 \\ 0 & \text{sinon} \end{cases}$$

6.8.16 Supposons que 10^6 personnes arrivent à une station-service à des temps qui sont des variables aléatoires indépendantes, chacune de ces variables étant uniformément distribuée sur l'intervalle $(0, 10^6)$. Soit N le nombre de personnes qui arrivent pendant la première heure. Trouver une approximation pour $P\{N = i\}$.

6.8.17 Supposons que A, B, C sont des variables aléatoires indépendantes, chacune étant uniformément distribuée sur l'intervalle $(0, 1)$.

- Quelle est la fonction de répartition conjointe de A, B, C?
- Quelle est la probabilité que toutes les racines de l'équation $Ax^2 + Bx + C = 0$ soient réelles?

6.8.18 Si X est uniformément distribuée sur l'intervalle $(0, 1)$ et Y exponentiellement distribuée avec un paramètre $\lambda = 1$, trouver la distribution de:
a) $Z = X + Y$ et de
b) $Z = X/Y$.
Supposer l'indépendance de X et de Y.

6.8.19 Si X_1 et X_2 sont des variables aléatoires exponentielles indépendantes avec paramètres respectifs λ_1 et λ_2, trouver la distribution de $Z = X_1/X_2$. Calculer aussi $P\{X_1 < X_2\}$.

6.8.20 Quand un courant I (mesuré en ampères) traverse une résistance R (mesurée en ohms), la puissance dégagée est donnée par $W = R\,I^2$ (mesurée en watts). Supposons que I et R soient des variables aléatoires indépendantes de densité:

$$\begin{cases} f_I(x) = 6x(1 - x) & 0 \le x \le 1 \\ f_R(x) = 2x & 0 \le x \le 1 \end{cases}$$

Déterminer la densité de W.

6.8.21 Choisissons un nombre X au hasard dans l'ensemble des nombres $\{1, 2, 3, 4, 5\}$. Puis choisissons au hasard un nombre du sous-ensemble $\{1, 2,..., X\}$. Appelons Y ce second nombre.
- Trouver la loi de probabilité simultanée de X et Y.
- Trouver la loi de probabilité conditionnelle de X, étant donné que $Y = i$. Le faire pour $i = 1, 2, 3, 4, 5$.
- X et Y sont-elles indépendantes? Pourquoi?

6.8.22 On jette deux dés. Soient X et Y respectivement la plus grande et la plus petite des valeurs obtenues. Calculer la loi de probabilité conditionnelle de Y, étant donné que $X = i$ pour $i = 1, 2,..., 6$. X et Y sont-elles indépendantes? Pourquoi?

6.8.23 La loi de probabilité conjointe de X et Y est donnée par:

$$p(1, 1) = \tfrac{1}{8} \qquad p(1, 2) = \tfrac{1}{4}$$
$$p(2, 1) = \tfrac{1}{8} \qquad p(2, 2) = \tfrac{1}{2}$$

- Calculer la loi de probabilité conditionnelle de X étant donné que $Y = i, i = 1, 2$.
- X et Y sont-elles indépendantes?
- Calculer $P\{XY \le 3\}$, $P\{X + Y > 2\}$, $P\{X/Y > 1\}$.

6.8.24 La densité conjointe de X et Y est donnée par

$$f(x, y) = xe^{-x(y+1)} \qquad x > 0, y > 0$$

- Trouver la densité conditionnelle de X, étant donné que $Y = y$, et celle de Y, étant donné que $X = x$.
- Trouver la densité de $Z = XY$.

6.8.25 La densité conjointe de X et Y est:

$$f(x, y) = c(x^2 - y^2)e^{-x} \qquad 0 \le x < \infty, -x \le y \le x$$

Trouver la distribution conditionnelle de Y, étant donné que $X = x$.

6.8.26 Si X_1, X_2, X_3 sont des variables aléatoires indépendantes uniformément distribuées sur l'intervalle (a, b), calculer la probabilité que la plus grande des trois soit plus élevée que la somme des deux autres.

6.8.27 Une machine complexe est effectivement opérationnelle tant que trois au moins de ses cinq moteurs fonctionnent. Si pour chaque moteur la durée de fonctionnement est une variable aléatoire indépendante, dont la densité est $f(x) = xe^{-x}$, $x > 0$, calculer la densité du temps de fonctionnement de la machine.

6.8.28 Si trois camions tombent en panne en des endroits aléatoirement distribués sur une route de longueur L, trouver la probabilité que chaque camion soit à une distance supérieure à d des deux autres lorsque $d \le L/2$.

6.8.29 Considérons un échantillon de taille 5 issu d'une distribution uniforme sur l'intervalle $(0, 1)$. Calculer la probabilité que la médiane se trouve dans l'intervalle $(\frac{1}{4}, \frac{3}{4})$.

6.8.30 Si X_1, X_2, X_3, X_4, X_5 sont des variables aléatoires exponentielles indépendantes, identiquement distribuées et de paramètre λ, calculer:
- $P\{\min(X_1,..., X_5) \le a\}$ et
- $P\{\max(X_1,..., X_5) \le a\}$.

6.8.31 Déterminer la distribution de l'étendue d'un échantillon de taille 2 provenant d'une distribution dont la densité est $f(x) = 2x$, $0 < x < 1$.

6.8.32 Soient X et Y les coordonnées d'un point choisi de façon uniforme dans un cercle de rayon 1 centré à l'origine, c'est-à-dire que leur densité conjointe est:

$$f(x, y) = \frac{1}{\pi} \qquad x^2 + y^2 \le 1$$

Trouver la densité simultanée des coordonnées polaires $R = (X^2 + Y^2)^{1/2}$ et $\theta = \text{Arc tg}(Y/X)$.

6.8.33 Si X et Y sont des variables aléatoires indépendantes toutes deux uniformément distribuées sur l'intervalle $(0, 1)$, trouver la densité conjointe de $R = \sqrt{X^2 + Y^2}$ et $\theta = \text{Arc tg}(Y/X)$.

6.8.34 Si U est uniforme sur l'intervalle $(0, 2\pi)$ et Z, indépendante de U, est exponentielle de paramètre 1, montrer directement (sans utiliser les résultats de l'exemple 6.27) que X et Y définies par:

$$\begin{cases} X = \sqrt{2Z} \cos U \\ Y = \sqrt{2Z} \sin U \end{cases}$$

sont des variables aléatoires normales centrées réduites.

6.8.35 Si X et Y ont pour densité simultanée

$$f(x, y) = \frac{1}{x^2 y^2} \qquad x \geq 1, y \geq 1$$

- Calculer la densité conjointe de $U = XY$, $V = X/Y$.
- Quelles sont leurs densités marginales?

6.8.36 Si X et Y sont des variables aléatoires indépendantes de distribution uniforme sur l'intervalle $(0, 1)$, déterminer la densité conjointe de

- $U = X + Y$, $V = X/Y$;
- $U = X$, $V = X/Y$;
- $U = X + Y$, $V = X/(X + Y)$.

6.8.37 Refaire le problème 6.8.36 quand X et Y sont des variables aléatoires indépendantes exponentielles, chacune de paramètre $\lambda = 1$.

6.8.38 Si X_1 et X_2 sont des variables aléatoires indépendantes exponentielles, chacune de paramètre λ, trouver la densité simultanée de $Y_1 = X_1 + X_2$ et $Y_2 = e^{X_1}$.

6.8.39 Si X, Y et Z sont des variables aléatoires indépendantes et identiquement distribuées de densité $f(x) = e^{-x}$, $0 < x < \infty$, déterminer la distribution conjointe de $U = X + Y$, $V = X + Z$ et $W = Y + Z$.

6.8.40 Dans l'exemple 6.30, montrer que Y_2 et Y_3 ont une distribution normale bivariée.

6.8.41 Les âges de futurs parents contrôlés dans un hôpital sont approximativement distribués suivant une loi normale bivariée de paramètres $\mu_x = 28,4$, $\sigma_x = 6,8$, $\mu_y = 31,6$, $\sigma_y = 7,4$ et $\rho = 0,82$. (Les paramètres avec l'indice x se réfèrent à l'âge de la future mère et ceux indicés par y à l'âge du futur père.) En utilisant les résultats de l'exercice théorique 6.7.22, déterminer
a) la proportion de femmes enceintes âgées de plus de 30 ans,
b) la proportion de futurs pères âgés de 35 ans dont la femme a plus de 30 ans.

CHAPITRE 7

Espérance mathématique

7.1 INTRODUCTION ET DÉFINITIONS

7.1.1 Définition et interprétation du cas discret

L'espérance d'une variable aléatoire est l'un des concepts les plus importants en théorie des probabilités. Pour une variable aléatoire discrète X de loi de probabilité $p(\cdot)$, on définit l'*espérance* de X, notée $E[X]$, par l'expression

$$E[X] = \sum_{x:p(x)>0} xp(x)$$

En termes concrets, l'espérance de X est la moyenne pondérée des valeurs que X peut prendre, les poids étant les probabilités que ces valeurs soient prises. Si, par exemple, la loi de probabilité de X est

$$p(0) = \tfrac{1}{2} = p(1)$$

alors

$$E[X] = 0(\tfrac{1}{2}) + 1(\tfrac{1}{2}) = \tfrac{1}{2}$$

n'est autre que la simple moyenne des deux valeurs 0 et 1 que X peut prendre. Si, par contre,

$$p(0) = \tfrac{1}{3} \qquad p(1) = \tfrac{2}{3}$$

alors

$$E[X] = 0(\tfrac{1}{3}) + 1(\tfrac{2}{3}) = \tfrac{2}{3}$$

sera la moyenne pondérée des deux valeurs possibles 0 et 1, la valeur 1 recevant un poids deux fois plus important que la valeur 0; ceci s'explique du fait que $p(1) = 2p(0)$.

On peut trouver une autre origine de la définition de l'espérance dans l'interprétation des probabilités comme mesures de fréquences relatives. Aux termes de cette interprétation (partiellement étayée par la loi forte des grands nombres qui sera présentée au chapitre 8), la proportion du nombre d'apparitions d'un résultat E dans une séquence infiniment longue d'expériences identiques est $P(E)$. Imaginons maintenant qu'une variable aléatoire X prenne les valeurs x_1, x_2,..., x_n avec probabilités respectives $p(x_1)$, $p(x_2)$,..., $p(x_n)$. On admettra que X représente des gains nets lors d'un jeu. Le joueur gagnera donc la somme x_i avec probabilité $p(x_i)$, $i = 1, 2,..., n$. Selon l'hypothèse de l'interprétation discutée ici, au bout d'un nombre infiniment grand de parties, le joueur aura gagné x_i sur une proportion $p(x_i)$ de l'ensemble des tirages. Ceci étant vrai pour tout i, $i = 1, 2,..., n$, le gain moyen par jeu sera

$$\sum_{i=1}^{n} x_i p(x_i) = E[X]$$

7.1.2 Exemples d'espérances de variables discrètes

Exemple 7.1 On cherche l'espérance $E[X]$ de la variable X, résultat du lancer d'un dé équilibré.

SOLUTION. Comme $p(1) = p(2) = p(3) = p(4) = p(5) = p(6) = \frac{1}{6}$, on aura

$$E[X] = 1(\tfrac{1}{6}) + 2(\tfrac{1}{6}) + 3(\tfrac{1}{6}) + 4(\tfrac{1}{6}) + 5(\tfrac{1}{6}) + 6(\tfrac{1}{6}) = \tfrac{7}{2} \qquad \blacksquare$$

Exemple 7.2 Espérance d'une variable de Bernoulli
On cherche l'espérance d'une telle variable de paramètre p.

SOLUTION. On sait que $p(0) = 1 - p$ et $p(1) = p$, d'où

$$E[X] = 0(1 - p) + 1(p) = p \qquad \blacksquare$$

Exemple 7.3 Espérance d'une variable binomiale
Le résultat de l'exemple 7.2 revient à dire que dans le cas d'une variable de Bernoulli l'espérance de la variable, ou la valeur attendue du nombre de succès, est tout simplement la valeur p du paramètre. A partir de là, il semble raisonnable de penser que le nombre attendu de succès lors d'une série de n épreuves de Bernoulli est np, ceci pour autant que chaque épreuve donne un succès avec la même probabilité p. Cette conjecture est confirmée par le résultat suivant, où l'on s'intéresse à l'espérance d'une variable binomiale de paramètres n et p.

SOLUTION.

$$E[X] = \sum_{i=0}^{n} i p(i)$$

$$= \sum_{i=0}^{n} i \binom{n}{i} p^i (1 - p)^{n-i}$$

$$= \sum_{i=1}^{n} \frac{in!}{(n-i)!\,i!} p^{i}(1-p)^{n-i}$$

$$= np \sum_{i=1}^{n} \frac{(n-1)!}{(n-i)!\,(i-1)!} p^{i-1}(1-p)^{n-i}$$

$$= np \sum_{k=0}^{n-1} \binom{n-1}{k} p^{k}(1-p)^{n-1-k}$$

$$= np[\,p + (1-p)\,]^{n-1}$$

$$= np$$

où l'antépénultième de ces égalités s'obtient en posant $k = i - 1$. ∎

Exemple 7.4 Espérance d'une variable de Poisson
Comme une variable poissonienne de paramètre λ est une approximation de variable binomiale de paramètres n, p lorsque n est grand et $\lambda = np$ ne l'est pas trop, on peut penser que l'espérance d'une telle variable est justement λ. On le vérifie ainsi:

SOLUTION.

$$E[X] = \sum_{i=0}^{\infty} ip(i)$$

$$= \sum_{i=0}^{\infty} ie^{-\lambda}\frac{\lambda^{i}}{i!}$$

$$= \sum_{i=1}^{\infty} ie^{-\lambda}\frac{\lambda^{i}}{i!}$$

$$= \sum_{i=1}^{\infty} e^{-\lambda}\frac{\lambda^{i}}{(i-1)!}$$

$$= \lambda e^{-\lambda} \sum_{i=1}^{\infty} \frac{\lambda^{i-1}}{(i-1)!}$$

$$= \lambda e^{-\lambda}e^{\lambda}$$

$$= \lambda$$

où l'on a utilisé l'identité

$$\sum_{i=1}^{\infty} \frac{\lambda^{i-1}}{(i-1)!} = \sum_{k=0}^{\infty} \frac{\lambda^{k}}{k!} = e^{\lambda}$$ ∎

Exemple 7.5 Espérance d'une variable géométrique
On calcule ici l'espérance d'une telle variable de paramètre p.

SOLUTION.

$$P\{X = n\} = p(1-p)^{n-1} \qquad n \geq 1$$

Donc

$$E[X] = \sum_{n=1}^{\infty} np(1-p)^{n-1}$$

$$= p \sum_{n=1}^{\infty} nq^{n-1}$$

où $q = 1 - p$. Par conséquent

$$E[X] = p \sum_{n=1}^{\infty} \frac{d}{dq}(q^n)$$

$$= p \frac{d}{dq} \left(\sum_{n=1}^{\infty} q^n \right)$$

$$= p \frac{d}{dq} \left(\frac{q}{1-q} \right)$$

$$= \frac{p}{(1-q)^2}$$

$$= \frac{1}{p}$$

En d'autres termes, et en supposant que l'on répète des épreuves indépendantes de Bernoulli avec même probabilité p de succès jusqu'à l'obtention du premier succès, le nombre moyen des répétitions nécessaires est $1/p$. Il faut ainsi s'attendre à jeter 6 fois un dé équilibré avant d'obtenir le premier 1, en moyenne. ∎

Exemple 7.6 On pose deux questions au participant d'un jeu télévisé. Il peut choisir l'ordre dans lequel il va répondre à ces questions, numérotées 1 et 2. S'il répond juste à la première, il est autorisé à continuer avec la seconde, sinon il doit s'arrêter. Il recevra V_i francs pour une bonne réponse à la question i, $i = 1, 2$. Par exemple, s'il répond aux deux questions, il gagnera $V_1 + V_2$ francs. Supposons qu'il connaisse la probabilité P_i, $i = 1, 2$, avec laquelle il répondra juste à la question i. A quelle question doit-il répondre d'abord pour maximiser son gain prospectif? On admet que les deux questions sont indépendantes.

SOLUTION. S'il commence par la question 1, ses gains seront

0	avec probabilité $1 - P_1$
V_1	avec probabilité $P_1(1 - P_2)$
$V_1 + V_2$	avec probabilité $P_1 P_2$.

Son gain moyen sera donc

$$V_1 P_1(1 - P_2) + (V_1 + V_2)P_1 P_2$$

Si, par contre, il commence avec la question 2, le gain moyen devient

$$V_2 P_2(1 - P_1) + (V_1 + V_2)P_1 P_2$$

Il est alors préférable de commencer par la question 1 si

$$V_1 P_1 (1 - P_2) \geq V_2 P_2 (1 - P_1)$$

ce qui équivaut à

$$\frac{V_1 P_1}{1 - P_1} \geq \frac{V_2 P_2}{1 - P_2}$$

A titre d'illustration, prenons le cas où il a 60 chances sur 100 de répondre juste à la question 1, qui lui rapporte 200 francs, contre 80 chances sur 100 pour la question 2 qui ne lui rapporte que 100 francs en cas de réponse correcte. Il doit ici répondre d'abord à la question 2 car

$$\frac{(200)(.6)}{(.4)} = 300 < \frac{(100)(.8)}{(.2)} = 400 \qquad \blacksquare$$

7.1.3 Définition du cas continu

Nous n'avons à ce stade défini d'espérance que pour les variables discrètes. Il existe également une définition pour le cas d'une variable continue. Si X est une telle variable admettant pour densité f, et comme

$$f(x)\, dx \approx P\{x \leq X \leq x + dx\}$$

si dx est petit, il est raisonnable d'admettre la définition suivante de $E[X]$

$$E[X] = \int_{-\infty}^{\infty} x f(x)\, dx$$

7.1.4 Exemples d'espérance de variables continues

Exemple 7.7 Espérance d'une variable uniforme
On cherche l'espérance d'une telle variable prenant ses valeurs dans l'intervalle (a, b).

SOLUTION. La densité d'une variable uniforme entre a et b est

$$f(x) = \begin{cases} \dfrac{1}{b - a} & a < x < b \\ 0 & \text{ailleurs} \end{cases}$$

Par conséquent

$$E[X] = \int_a^b \frac{x}{b - a}\, dx$$

$$= \left(\frac{1}{b - a}\right)\left(\frac{b^2 - a^2}{2}\right)$$

$$= \frac{(b-a)(b+a)}{(b-a)2}$$

$$= \frac{b+a}{2}$$

Ceci revient à dire que l'espérance d'une variable uniforme sur un intervalle est l'abscisse du milieu de cet intervalle. ∎

Exemple 7.8 Espérance d'une variable exponentielle
On considère ici le calcul de l'espérance d'une variable exponentielle de paramètre λ.

SOLUTION. La densité d'une telle variable étant

$$f(x) = \begin{cases} \lambda e^{-\lambda x} & x \geq 0 \\ 0 & x < 0 \end{cases}$$

on obtient

$$E[X] = \int_0^\infty x\lambda e^{-\lambda x}\, dx$$

Une intégration par parties ($\lambda e^{-\lambda x}\, dx = dv,\ u = x$) donne

$$E[X] = -xe^{-\lambda x}\Big|_0^\infty + \int_0^\infty e^{-\lambda x}\, dx$$

$$= 0 - \frac{e^{-\lambda x}}{\lambda}\Big|_0^\infty$$

$$= \frac{1}{\lambda}$$ ∎

Exemple 7.9 Espérance d'une variable normale
Le calcul est souhaité pour une variable de paramètres μ et σ^2.

SOLUTION.

$$E[X] = \frac{1}{\sqrt{2\pi}\,\sigma} \int_{-\infty}^\infty xe^{-(x-\mu)^2/2\sigma^2}\, dx$$

En décomposant x en $(x - \mu) + \mu$, on obtient

$$E[X] = \frac{1}{\sqrt{2\pi}\,\sigma} \int_{-\infty}^\infty (x-\mu)e^{-(x-\mu)^2/2\sigma^2}\, dx + \mu\frac{1}{\sqrt{2\pi}\,\sigma} \int_{-\infty}^\infty e^{-(x-\mu)^2/2\sigma^2}\, dx$$

Puis on pose $y = x - \mu$ dans la première intégrale:

$$E[X] = \frac{1}{\sqrt{2\pi}\,\sigma} \int_{-\infty}^{\infty} y e^{-y^2/2\sigma^2}\, dy + \mu \int_{-\infty}^{\infty} f(x)\, dx$$

où f est la densité de la loi normale de paramètres μ et σ^2. L'intégrant de gauche étant une fonction symétrique, la valeur de l'intégrale est nulle. Il reste

$$E[X] = \mu \int_{-\infty}^{\infty} f(x)\, dx = \mu \qquad\blacksquare$$

7.1.5 Analogie avec une notion de mécanique

Le concept d'espérance est à rapprocher de la notion de *centre de gravité* d'un groupe de masses, au sens de la mécanique. Considérons en effet une variable X de loi de probabilité $P(x_i)$, $i \geq 1$. On sait que si des masses $P(x_i)$, $i \geq 1$ sont réparties sur une barre sans poids aux abscisses x_i, $i \geq 1$, le point sur lequel la barre pourra être posée et rester en équilibre est appelé centre de gravité (figure 7.1). Il est facile de voir, pour les lecteurs ayant quelques connaissances élémentaires en statique, que l'abscisse du centre de gravité est $E[X]$ [1].

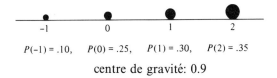

$$P(-1) = .10, \qquad P(0) = .25, \qquad P(1) = .30, \qquad P(2) = .35$$

centre de gravité: 0.9

Figure 7.1

7.1.6 Considérations techniques sur l'existence de l'espérance

Nous avons défini l'espérance d'une variable aléatoire comme une somme dans le cas discret, ou comme une intégrale dans le cas continu. De ce fait, l'espérance n'existe que pour autant que ces sommes ou ces intégrales existent elles-mêmes. Or, en théorie générale de la mesure, $\int_{-\infty}^{+\infty} g(x)\, dx$ est définie dans un premier temps pour des fonctions non négatives; puis on étend la définition à des fonctions g quelconques, ainsi:

$$\int_{-\infty}^{\infty} g(x)\, dx = \int_{x:\,g(x)\geq 0} g(x)\, dx - \int_{x:\,g(x)<0} [-g(x)]\, dx$$

---

[1] Pour le montrer, il suffit d'établir que la somme des moments des forces gravitationnelles par rapport au point d'abscisse $E[X]$ est 0. En d'autres termes, il suffit de montrer que $0 = \sum_i (x_i - E[X])\, P(x_i)$, ce qui est immédiat.

On peut le formuler autrement: $\int_{-\infty}^{+\infty} g(x)\, dx$ est définie comme la différence de $\int_{-\infty}^{+\infty} g^+(x)\, dx$ et de $\int_{-\infty}^{+\infty} g^-(x)\, dx$ où g^+ et g^- sont des fonctions non négatives définies comme suit:

$$g^+(x) = \begin{cases} g(x) & \text{si } g(x) \geq 0 \\ 0 & \text{si } g(x) < 0 \end{cases} \qquad g^-(x) = \begin{cases} 0 & \text{si } g(x) \geq 0 \\ -g(x) & \text{si } g(x) < 0 \end{cases}$$

En effet, $g = g^+ - g^-$. Dans ces conditions, $\int_{-\infty}^{+\infty} g(x)\, dx$ n'est définie que si $\int_{-\infty}^{+\infty} g^+(x)\, dx$ et $\int_{-\infty}^{+\infty} g^-(x)\, dx$ ne sont pas simultanément infinies. Si elles le sont, $\int_{-\infty}^{+\infty} g(x)\, dx$ sera dite indéterminée. Si l'une d'elles seulement l'est, l'autre étant finie, $\int_{-\infty}^{+\infty} g(x)\, dx$ sera infinie positive ou négative, selon celle des intégrales partielles qui l'est aussi.

On peut donc écrire dans le cas continu

$$E[X] = \int_{x \geq 0} xf(x)\, dx - \int_{x < 0} (-x)f(x)\, dx$$

et $E[X]$ n'est donc définie que pour autant que ces deux intégrales ne soient pas infinies simultanément. Il n'existe qu'un seul cas de variable aléatoire d'espérance indéterminée parmi les exemples traités dans cet ouvrage, celui de la variable de Cauchy. Sa densité est, dans le cas le plus simple,

$$f(x) = \frac{1}{\pi(1 + x^2)} \qquad -\infty < x < \infty$$

On peut montrer que

$$\frac{1}{\pi}\int_0^{\infty} \frac{x}{1 + x^2}\, dx = \frac{1}{\pi}\int_{-\infty}^0 \frac{(-x)}{1 + x^2}\, dx = \infty \tag{7.1}$$

ce qui entraîne le caractère indéterminé de l'espérance d'une telle variable.

Dans le cas discret, on peut écrire par comparaison

$$E[X] = \sum_{x \geq 0} xp(x) - \sum_{x < 0} (-x)p(x)$$

où $E[X]$ n'est définie que pour autant que les deux sommes ne soient pas infinies.

7.2 ESPÉRANCE D'UNE FONCTION DE VARIABLE ALÉATOIRE

7.2.1 Première approche

Considérons une variable aléatoire X et sa distribution; il arrive qu'on cherche à calculer non l'espérance de X, mais celle de $g(X)$, où g est une fonction qui nous intéresse. Par exemple, on souhaite parfois calculer $E[X^2]$ ou $E[e^X]$. Comment peut-on s'y prendre?

Un moyen est de remarquer que $g(X)$ étant une variable aléatoire, elle aussi, elle doit avoir une distribution que l'on devrait d'ailleurs pouvoir déduire de celle de X. Si l'on a pu déterminer la distribution de $g(X)$, il suffit d'appliquer la définition de l'espérance pour obtenir $E[g(X)]$.

Exemple 7.10 On désigne par X le nombre d'apparitions du côté face lorsqu'on jette deux fois une pièce équilibrée. On cherche $E[X^2]$.

SOLUTION. La loi de probabilité de X est

$$P\{X = 0\} = \tfrac{1}{4} \qquad P\{X = 1\} = \tfrac{1}{2} \qquad P\{X = 2\} = \tfrac{1}{4}$$

Si donc l'on pose $Y = X^2$, la loi de Y sera

$$
\begin{aligned}
P\{Y = 0\} &= P\{X = 0\} = \tfrac{1}{4} \\
P\{Y = 1\} &= P\{X = 1\} = \tfrac{1}{2} \\
P\{Y = 4\} &= P\{X = 2\} = \tfrac{1}{4}
\end{aligned}
$$

D'où

$$E[X^2] = E[Y] = 0(\tfrac{1}{4}) + 1(\tfrac{1}{2}) + 4(\tfrac{1}{4}) = \tfrac{3}{2}$$

Le lecteur remarquera que

$$\tfrac{3}{2} = E[X^2] \neq (E[X])^2 = 1 \qquad \blacksquare$$

Exemple 7.11 On cherche $E[e^X]$ où X est une variable uniforme sur $(0, 1)$.

SOLUTION. Posons $Y = e^X$. La fonction de répartition de Y peut être calculée ainsi: pour $1 \leqslant a \leqslant e$,

$$
\begin{aligned}
F_Y(a) &= P\{Y \leq a\} \\
&= P\{e^X \leq a\} \\
&= P\{X \leq \ln a\} \\
&= \ln a
\end{aligned}
$$

où l'égalité finale résulte du fait que X est uniforme sur $(0, 1)$. Par dérivation, on obtient la densité de Y:

$$f_Y(a) = \frac{1}{a} \qquad 1 \leq a \leq e$$

Par conséquent

$$
\begin{aligned}
E[e^X] = E[Y] &= \int_{-\infty}^{\infty} a f_Y(a)\, da \\
&= \int_{1}^{e} da \\
&= e - 1 \qquad \blacksquare
\end{aligned}
$$

7.2.2 Approche rapide et théorème de calcul

En théorie, la démarche décrite ci-dessus permet toujours de déterminer l'espérance d'une variable pour autant que celle-ci existe. On a heureusement pu démontrer une règle qui rend ce calcul plus facile et direct.

Nous aurons cependant besoin, pour la démonstration mentionnée, du théorème suivant:

Théorème 7.1
Pour toute variable aléatoire Y,

$$E[Y] = \int_0^\infty P\{Y > y\}\, dy - \int_0^\infty P\{Y < -y\}\, dy$$

DÉMONSTRATION. La démonstration qui suit s'applique à une variable aléatoire Y continue de densité f_Y. On sait que

$$\int_0^\infty P\{Y > y\}\, dy = \int_0^\infty \int_y^\infty f_Y(x)\, dx\, dy \qquad (7.2)$$

car $P\{Y > y\} = \int_y^{+\infty} f_Y(x)\, dx$. En permutant les intégrales dans (7.2), on obtient

$$\int_0^\infty P\{Y > y\}\, dy = \int_0^\infty \left(\int_0^x dy \right) f_Y(x)\, dx$$

$$= \int_0^\infty x f_Y(x)\, dx \qquad (7.3)$$

De même

$$\int_0^\infty P\{Y < -y\}\, dy = \int_0^\infty \int_{-\infty}^{-y} f_Y(x)\, dx\, dy$$

$$= \int_{-\infty}^0 \left(\int_0^{-x} dy \right) f_Y(x)\, dx$$

$$= -\int_{-\infty}^0 x f_Y(x)\, dx \qquad (7.4)$$

De (7.3) et (7.4), on déduit enfin

$$\int_0^\infty P\{Y > y\}\, dy - \int_0^\infty P\{Y < -y\}\, dy = \int_0^\infty x f_Y(x)\, dx + \int_{-\infty}^0 x f_Y(x)\, dx$$

$$= \int_{-\infty}^\infty x f_Y(x)\, dx$$

$$= E[Y] \qquad \blacksquare$$

Le théorème 7.1 a une importance en soi, au-delà de son rôle dans le présent texte. Son énoncé le plus fréquent dans la littérature est le suivant: pour toute variable aléatoire Y à valeurs non négatives,

$$E[Y] = \int_0^\infty P\{Y > y\}\, dy$$

On peut maintenant en venir au théorème de calcul annoncé. Ce théorème est souvent appliqué, sans qu'ils ne s'en rendent compte, par des statisticiens peu rigoureux (certains l'appellent parfois «loi du statisticien simpliste»), ce qui semble confirmer qu'il simplifie avantageusement les calculs. Il permet en effet de calculer l'espérance de $g(X)$ sans avoir à en déterminer la distribution.

Théorème 7.2

- *Cas d'une variable aléatoire X discrète: si la loi de probabilité de cette variable est p, alors pour toute fonction réelle g on aura*

$$E[g(X)] = \sum_{x:p(x)>0} g(x)p(x)$$

- *Cas d'une variable aléatoire X continue: si cette variable est de densité f, alors pour toute fonction réelle g on aura*

$$E[g(X)] = \int_{-\infty}^\infty g(x)f(x)\, dx$$

Avant de donner la démonstration de ce théorème, vérifions rapidement que son application aux exemples 7.10 et 7.11 confirme bien les résultats trouvés. Dans le cas de l'exemple 7.10, l'application du théorème donne

$$E[X^2] = 0^2(\tfrac{1}{4}) + 1^2(\tfrac{1}{2}) + 2^2(\tfrac{1}{4}) = \tfrac{3}{2}$$

tandis que dans celui de l'exemple 7.11 on obtient

$$E[e^X] = \int_0^1 e^x\, dx \qquad \text{puisque } f(x) = 1, 0 < x < 1$$
$$= e - 1$$

et c'est bien ce que l'on espérait trouver.

DÉMONSTRATION. Dans le cas discret, cette démonstration est assez directe. Elle est laissée en exercice. Dans le cas continu, on aura pour toute fonction g et en application du théorème 7.1:

$$E[g(X)] = \int_0^\infty P\{g(X) > y\}\, dy - \int_0^\infty P\{g(X) < -y\}\, dy$$
$$= \int_0^\infty \int_{x:g(x)>y} f(x)\, dx\, dy - \int_0^\infty \int_{x:g(x)<-y} f(x)\, dx\, dy$$

$$= \int_{x:g(x)>0} \int_0^{g(x)} dy\, f(x)\, dx - \int_{x:g(x)<0} \int_0^{-g(x)} dy\, f(x)\, dx$$

$$= \int_{x:g(x)>0} g(x) f(x)\, dx + \int_{x:g(x)<0} g(x) f(x)\, dx$$

$$= \int_{-\infty}^{\infty} g(x) f(x)\, dx$$

ce qui établit le théorème.   ■

7.2.3 Exemple de calcul d'espérance de fonction de variable aléatoire

Exemple 7.12 Un produit de saison rapporte un bénéfice net de b francs par unité vendue mais, inversément, chaque unité invendue à la fin de la saison engendre une perte de d francs. Le nombre X d'unités commandées auprès d'un certain magasin au cours des saisons de vente successives suit une loi de probabilité $p(\cdot)$ à valeurs non négatives. On admet que le magasin doit avoir constitué tout son stock avant la saison. Quelle doit être la taille de ce stock si l'on veut maximiser le résultat net moyen de l'opération?

SOLUTION. Désignons par s la taille du stock. Le résultat net sera noté $r_s(X)$ et son expression est

$$r_s(X) = bX - (s - X)d \qquad \text{si } X \le s$$
$$= sb \qquad\qquad\quad \text{si } X > s$$

Le résultat moyen de l'opération sera donc

$$E[r_s(X)] = \sum_{i=0}^{s} [bi - (s-i)d]p(i) + \sum_{i=s+1}^{\infty} sb\,p(i)$$

$$= (b+d) \sum_{i=0}^{s} ip(i) - sd \sum_{i=0}^{s} p(i) + sb\left[1 - \sum_{i=0}^{s} p(i)\right]$$

$$= (b+d) \sum_{i=0}^{s} ip(i) - (b+d)s \sum_{i=0}^{s} p(i) + sb$$

$$= sb + (b+d) \sum_{i=0}^{s} (i-s)p(i)$$

Pour déterminer la valeur optimale de s, voyons comment varie notre profit lorsque s augmente d'une unité. Par substitution, on obtient:

$$E[r_{s+1}(X)] = b(s+1) + (b+d) \sum_{i=0}^{s+1} (i-s-1)p(i)$$

$$= b(s+1) + (b+d) \sum_{i=0}^{s} (i-s-1)p(i)$$

D'où

$$E[r_{s+1}(X)] - E[r_s(X)] = b - (b+d) \sum_{i=0}^{s} p(i)$$

Il sera préférable de stocker $s + 1$ unités plutôt que s tant que

$$\sum_{i=0}^{s} p(i) < \frac{b}{b+d} \qquad (7.5)$$

Comme le membre de gauche de (7.5) est croissant pour s tandis que celui de droite est constant, l'inégalité (7.5) sera satisfaite pour toutes les valeurs de s inférieures ou égales à s^*, où s^* est la plus grande des valeurs vérifiant encore (7.5). Ce qui donne

$$E[r_0(X)] < \ldots < E[r_{s^*}(X)] < E[r_{s^*+1}(X)] > E[r_{s^*+2}(X)] > \ldots$$

On constate que le stockage de $s^* + 1$ unités conduira au résultat net moyen le plus élevé.

La solution est similaire dans le cas d'un problème à variable continue, comme le montre l'exemple 7.13. ∎

Exemple 7.13 On admet que la demande, dans le cadre du problème de stock 7.12, est cette fois continue de densité f. On se demande comme précédemment combien d'unités il faut stocker pour maximiser le profit moyen.

SOLUTION. Comme plus haut, on désigne par s la taille du stock, par X la demande aléatoire et par $r_s(X)$ le revenu net de l'opération, c'est-à-dire le bénéfice. On a de nouveau

$$r_s(X) = bX - (s - X)d \qquad \text{si } X \le s$$
$$= sb \qquad \text{si } X > s$$

Par conséquent

$$r_s(X)] = \int_0^s (bx - (s-x)d)f(x)\,dx + \int_s^\infty sbf(x)\,dx$$

$$= (b+d) \int_0^s xf(x)\,dx - sd \int_0^s f(x)\,dx + sb\left[1 - \int_0^s f(x)\,dx\right]$$

$$= sb + (b+d) \int_0^s (x-s)f(x)\,dx \qquad (7.6)$$

La valeur de s maximisant l'expression (7.6) peut être obtenue en utilisant les propriétés de la dérivée:

$$\frac{d}{ds} E[r_s(X)] = b + (b+d) \frac{d}{ds}\left[\int_0^s xf(x)\,dx - s\int_0^s f(x)\,dx\right]$$

$$= b + (b+d)\left[sf(s) - sf(s) - \int_0^s f(x)\,dx\right]$$

$$= b - (b+d) \int_0^s f(x)\,dx$$

Cette dernière expression devient nulle lorsque s est choisi pour que

$$F(s) = \frac{b}{b + d}$$

où $F(s) = \int_0^s f(x)\, dx$ est la fonction de répartition de la demande   ■

7.2.4 Linéarité de l'espérance

Le théorème suivant est une conséquence immédiate du théorème 7.2:

Théorème 7.3
Pour toute paire a, b de constantes, on peut écrire

$$E[aX + b] = aE[X] + b$$

DÉMONSTRATION. Dans le cas discret,

$$E[aX + b] = \sum_{x:p(x)>0} (ax + b)p(x)$$

$$= a \sum_{x:p(x)>0} xp(x) + b \sum_{x:p(x)>0} p(x)$$

$$= aE[X] + b$$

Et dans le cas continu,

$$E[aX + b] = \int_{-\infty}^{\infty} (ax + b)f(x)\, dx$$

$$= a \int_{-\infty}^{\infty} xf(x)\, dx + b \int_{-\infty}^{\infty} f(x)\, dx$$

$$= aE[X] + b$$ ■

7.2.5 Autres moments à l'origine

L'espérance d'une variable X, notée $E[X]$, est parfois nommée ***premier moment par rapport à l'origine***. La quantité $E[X^n]$, $n \geqslant 1$ est de manière générale appelée ***n-ième moment de X par rapport à l'origine***. D'après le théorème 7.2, on peut calculer ainsi ces moments:

$$E[X^n] = \begin{cases} \sum_{x:p(x)>0} x^n p(x) & \text{si } X \text{ est discrète} \\ \int_{-\infty}^{\infty} x^n f(x)\, dx & \text{si } X \text{ est continue.} \end{cases}$$

7.3 ESPÉRANCE DE SOMMES DE VARIABLES ALÉATOIRES

7.3.1 Espérance de fonction de plusieurs variables

Il existe un équivalent bidimensionnel au théorème 7.2, aux termes duquel on peut écrire, si X et Y sont deux variables aléatoires et g une fonction de deux variables:

$$E[g(X, Y)] = \sum_y \sum_x g(x, y)p(x, y)$$

dans le cas où X et Y sont discrètes de loi $p(\cdot, \cdot)$ et

$$= \int_{-\infty}^{\infty} \int_{-\infty}^{\infty} g(x, y)f(x, y)\, dx\, dy$$

dans celui où X et Y sont continues de densité conjointe $f(\cdot, \cdot)$.

7.3.2 Application au cas d'une somme de variables

Admettons que deux variables X et Y admettent des espérances $E[X]$ et $E[Y]$ finies. On pose $g(X, Y) = X + Y$. En appliquant le résultat précédent, on obtient, dans le cas continu,

$$\begin{aligned}
E[X + Y] &= \int_{-\infty}^{\infty} \int_{-\infty}^{\infty} (x + y)f(x, y)\, dx\, dy \\
&= \int_{-\infty}^{\infty} \int_{-\infty}^{\infty} xf(x, y)\, dy\, dx + \int_{-\infty}^{\infty} \int_{-\infty}^{\infty} yf(x, y)\, dx\, dy \\
&= \int_{-\infty}^{\infty} xf_X(x)\, dx + \int_{-\infty}^{\infty} yf_Y(y)\, dy \\
&= E[X] + E[Y]
\end{aligned}$$

Ce résultat est valable de manière tout à fait générale; à savoir, on peut écrire:

$$E[X + Y] = E[X] + E[Y]$$

dès que $E[X]$ et $E[Y]$ sont toutes deux finies.

Une démonstration par induction permet d'établir sans difficulté que si $E[X_i]$ est finie pour tout $i = 1, 2,..., n$, alors

$$E[X_1 + X_2 + \cdots + X_n] = E[X_1] + E[X_2] + \cdots + E[X_n] \qquad (7.7)$$

Cette équation est d'une haute utilité, ce que tentent de montrer les exemples du paragraphe suivant.

7.3.3 Exemples de calculs d'espérances de sommes

Exemple 7.14 Soit à calculer l'espérance de la somme des dix chiffres obtenus lors du lancer d'autant de dés équilibrés et indépendants.

SOLUTION. Soit X cette somme. Le calcul de $E[X]$ basé sur la détermination préalable de la distribution de X est plutôt long. On peut alors remarquer que

$$X = X_1 + X_2 + \cdots + X_{10}$$

où X_i désigne la valeur indiquée par le i-ème dé. On voit facilement que

$$E[X] = E[X_1] + \cdots + E[X_{10}] = 10(\tfrac{7}{2}) = 35 \qquad \blacksquare$$

Exemple 7.15 Espérance d'une variable aléatoire binomiale
Pour montrer encore une fois l'utilité de (7.7), appliquons-la au calcul de l'espérance d'une variable binomiale de paramètres n et p. On se souvient qu'une telle variable X représente le nombre de succès lors de la réalisation de n épreuves indépendantes, chaque épreuve débouchant sur un succès avec la même probabilité p. On peut donc écrire

$$X = X_1 + X_2 + \cdots + X_n$$

où

$$X_i = \begin{cases} 1 & \text{si la } i\text{-ème épreuve est un succès} \\ 0 & \text{si la } i\text{-ème épreuve est un échec} \end{cases}$$

Chaque variable X_i est une variable de Bernoulli ayant par conséquent pour espérance $E[X_i] = 1(p) + 0(1 - p) = p$. D'où

$$E[X] = E[X_1] + E[X_2] + \cdots + E[X_n] = np$$

Ce calcul peut être rapproché de celui effectué dans l'exemple 7.3. $\blacksquare$

Exemple 7.16 Espérance du nombre de rencontres
Chacun des N hommes d'une assemblée jette son chapeau au milieu de la pièce. On mélange les chapeaux et chacun en ramasse un au hasard. On veut savoir le nombre moyen de rencontres, c'est-à-dire d'hommes ayant récupéré leur propre chapeau.

SOLUTION. Désignons le nombre de rencontres par X. Le moyen le plus simple de calculer $E[X]$ consiste à écrire

$$X = X_1 + X_2 + \cdots + X_N$$

où

$$X_i = \begin{cases} 1 & \text{si le } i\text{-ème homme ramasse son chapeau} \\ 0 & \text{s'il ramasse celui de quelqu'un d'autre} \end{cases}$$

Comme le i-ème homme a autant de chances de ramasser n'importe lequel des N chapeaux,

$$E[X_i] = P\{X_i = 1\} = \frac{1}{N}$$

pour tout $i = 1, 2,..., N$. Par conséquent

$$E[X] = E[X_1] + \cdots + E[X_N] = \left(\frac{1}{N}\right) N = 1$$

On conclut qu'en moyenne un participant seulement aura ramassé son propre chapeau. ∎

Exemple 7.17 Espérance d'une variable aléatoire binomiale négative
On réalise une séquence d'épreuves indépendantes, chacune ayant la probabilité p d'aboutir à un succès. Le nombre d'épreuves à réaliser pour obtenir le r-ième succès est une variable aléatoire suivant une distribution binomiale négative. On cherche l'espérance de cette variable.

SOLUTION. Désignons par X cette variable. Sa loi de probabilité est

$$P\{X = n\} = \binom{n-1}{r-1} p^r (1-p)^{n-r}, \qquad n = r, r+1,\ldots$$

On peut donc calculer

$$E[X] = \sum_{n=r}^{\infty} n \binom{n-1}{r-1} p^r (1-p)^{n-r} \tag{7.8}$$

Cependant, une expression de $E[X]$ plus facile à évaluer s'appuie sur l'égalité

$$X = X_1 + X_2 + \cdots + X_r$$

où X_1 est le nombre d'épreuves nécessaires à l'obtention du premier succès, X_2 le nombre supplémentaire d'épreuves pour obtenir un deuxième succès, X_3 celui des épreuves à ajouter pour avoir un troisième succès, etc. De manière générale X_i représente le nombre d'épreuves supplémentaires nécessaires à partir du $(i-1)$-ième succès pour obtenir le i-ème. Une courte réflexion permet de voir que chacune des variables X_i suit une loi géométrique de paramètre p. D'après les résultats obtenus dans l'exemple 7.5, $E[X_i] = 1/p$, $i = 1, 2, ..., r$. Donc

$$E[X] = E[X_1] + \cdots + E[X_r] = \frac{r}{p} \tag{7.9}$$

∎

Exemple 7.18 Espérance d'une variable hypergéométrique
On tire au hasard n boules d'une urne en contenant N de couleur blanche et M noires. On cherche le nombre moyen de boules blanches tirées.

SOLUTION. Désignons par X le nombre des boules blanches tirées. On a

$$P\{X = k\} = \frac{\binom{N}{k}\binom{M}{n-k}}{\binom{N+M}{n}}$$

Donc

$$E[X] = \frac{\sum_{k=0}^{n} k \binom{N}{k}\binom{M}{n-k}}{\binom{N+M}{n}}$$

On peut cependant obtenir une expression plus facilement évaluable de $E[X]$ en écrivant

$$X = X_1 + \cdots + X_N$$

où

$$X_i = \begin{cases} 1 & \text{si la } i\text{-ème boule blanche a été tirée} \\ 0 & \text{si elle ne l'a pas été} \end{cases}$$

Or

$$E[X_i] = P\{X_i = 1\}$$

$$= P\{\text{la } i\text{-ème boule blanche a été tirée}\}$$

$$= \frac{\binom{1}{1}\binom{M+N-1}{n-1}}{\binom{M+N}{n}}$$

$$= \frac{n}{M+N}$$

Et donc

$$E[X] = E[X_1] + \cdots + E[X_N] = \frac{Nn}{M+N}$$

On aurait évidemment pu obtenir ce résultat en utilisant cette autre décomposition:

$$X = Y_1 + \cdots + Y_n$$

où

$$Y_i = \begin{cases} 1 & \text{si la } i\text{-ème boule tirée est blanche} \\ 0 & \text{si elle est noire.} \end{cases}$$

Or, les chances pour chacune des $N + M$ boules initiales d'être tirée en i-ème position sont les mêmes. Par conséquent,

$$E[Y_i] = \frac{N}{M + N}$$

et par suite

$$E[X] = E[Y_1] + \cdots + E[Y_n] = \frac{nN}{M + N} \qquad \blacksquare$$

Exemple 7.19 Le problème ci-dessous fut posé pour la première fois et résolu par Daniel Bernoulli au 18e siècle. On suppose qu'une urne contient $2N$ cartes, deux d'entre elles portant le numéro 1, deux autres le 2, deux autres le 3, etc. On tire m cartes au hasard. Quel est le nombre moyen de paires encore présentes dans l'urne après ce tirage? (Il est intéressant de savoir que Bernoulli a proposé ce modèle comme l'un de ceux permettant de déterminer combien de couples mariés il reste après la mort de m personnes dans un groupe composé exclusivement de couples au départ, au nombre de N).

SOLUTION. On définit pour $i = 1, 2,..., N$

$$X_i = \begin{cases} 1 & \text{si la } i\text{-ème paire est intacte} \\ 0 & \text{si elle a disparu, totalement ou en partie} \end{cases}$$

Or

$$E[X_i] = P\{X_i = 1\}$$

$$= \frac{\binom{2N - 2}{m}}{\binom{2N}{m}}$$

$$= \frac{\dfrac{(2N - 2)!}{m!(2N - 2 - m)!}}{\dfrac{(2N)!}{m!(2N - m)!}}$$

$$= \frac{(2N - m)(2N - m - 1)}{(2N)(2N - 1)}$$

aussi le résultat cherché est-il

$$E[X_1 + X_2 + \cdots + X_N] = E[X_1] + \cdots + E[X_N]$$

$$= \frac{(2N - m)(2N - m - 1)}{2(2N - 1)} \qquad \blacksquare$$

Exemple 7.20 Problème de collection de bons à compléter

Il existe N sortes de bons différents, aucune sorte n'étant plus rare que les autres. Le but du jeu est de rassembler une collection complète où les N sortes soient représentées.

a) On se procure un lot de n bons. Il faut d'abord trouver le nombre moyen de sortes qui y seront représentées;

b) on cherche encore le nombre moyen de bons à amasser pour obtenir une collection complète.

SOLUTION.

a) Soit X le nombre de sortes différentes représentées dans le lot de taille n considéré. On calcule $E[X]$ en utilisant la décomposition

$$X = X_1 + \cdots + X_N$$

où

$$X_i = \begin{cases} 1 & \text{si la sorte } i \text{ est représentée dans le lot} \\ 0 & \text{si elle ne l'est pas} \end{cases}$$

Or

$$E[X_i] = P\{X_i = 1\}$$

$$= 1 - P\{\text{la sorte } i \text{ n'est pas représentée dans le lot}\}$$

$$= 1 - \left(\frac{N-1}{N}\right)^n$$

Donc

$$E[X] = E[X_1] + \cdots + E[X_N] = N\left[1 - \left(\frac{N-1}{N}\right)^n\right]$$

b) Désignons par Y la variable qui compte le nombre de bons à amasser pour former une collection complète. On calcule $E[Y]$ en utilisant la même technique que celle appliquée au calcul de l'espérance d'une variable binomiale négative (exemple 7.17). En l'occurrence, on appelle Y_i, $i = 0, 1,..., N - 1$ le nombre de bons à ajouter, une fois que i sortes sont représentées, pour faire apparaître une sorte de plus. On a bien sûr

$$Y = Y_0 + Y_1 + \cdots + Y_{N-1}$$

Lorsque i sortes sont déjà représentées, un nouveau bon sera d'une nouvelle sorte avec probabilité $(N - i)/N$. Par conséquent,

$$P\{Y_i = k\} = \frac{N-i}{N}\left(\frac{i}{N}\right)^{k-1} \qquad k \geq 1$$

En d'autres termes, Y_i est une variable géométrique de paramètre $(N - i)/N$. D'après l'exemple 7.5, on sait déjà que

$$E[Y_i] = \frac{N}{N - i}$$

qui entraîne

$$E[Y] = 1 + \frac{N}{N - 1} + \frac{N}{N - 2} + \cdots + \frac{N}{1} = N\left[1 + \cdots + \frac{1}{N - 1} + \frac{1}{N}\right] \quad \blacksquare$$

Exemple 7.21 Dix chasseurs guettent le passage d'un vol de canards. Lorsque les canards passent en groupe, les chasseurs font tous feu en même temps, mais chacun choisit sa cible au hasard, indépendamment des autres. On admet que chaque chasseur touche son canard avec la même probabilité p. Combien de canards survivront-ils au tir lorsque le vol se compose de 10 oiseaux?

SOLUTION. Disons que la variable X_i vaudra 1 si le i-ème canard survit et 0 sinon, $i = 1, 2,..., 10$. Le nombre moyen de canards épargnés sera

$$E[X_1 + \cdots + X_{10}] = E[X_1] + \cdots + E[X_{10}]$$

Pour le calcul de $E[X_i] = P\{X_i = 1\}$, on remarque que chacun des tireurs atteindra indépendamment des autres le i-ème canard avec la probabilité $p/10$. Aussi,

$$P\{X_i = 1\} = \left(1 - \frac{p}{10}\right)^{10}$$

Et donc

$$E[X] = 10\left(1 - \frac{p}{10}\right)^{10} \quad \blacksquare$$

Exemple 7.22 Nombre moyen de chaînes

On considère les diverses permutations composées de n caractères «1» et de m caractères «0». On admet que l'une d'entre elles est tirée au hasard, si bien que chacune des $(n + m)!/(n!m!)$ permutations distinguables a la même probabilité de sortir. Toute succession ininterrompue de 1 sera appelée chaîne de 1. Si par exemple $n = 6$ et $m = 4$, et si l'ordre de tirage est 1, 1, 1, 0, 1, 1, 0, 0, 1, 0, nous serons en présence de trois chaînes de 1. On souhaite ici déterminer le nombre moyen de ces chaînes.

SOLUTION. Pour ce faire on peut poser

$$I_i = \begin{cases} 1 & \text{si une chaîne de 1 commence au } i\text{-ème caractère} \\ 0 & \text{sinon} \end{cases}$$

On peut donc écrire $C(1)$, le nombre de chaînes de 1, de la manière suivante:

$$C(1) = \sum_{i=1}^{n+m} I_i$$

et par conséquent

$$E[C(1)] = \sum_{i=1}^{n+m} E[I_i]$$

Or

$$E[I_1] = P\{\text{le premier caractère est un 1}\}$$

$$= \frac{n}{n+m}$$

et pour $1 < i \leqslant n + m$

$$E[I_i] = P\{0 \text{ occupe la } (i-1)\text{-ième position et } 1 \text{ la } i\text{-ème}\}$$

$$= \frac{m}{n+m} \frac{n}{n+m-1}$$

Donc

$$E[C(1)] = \frac{n}{n+m} + (n+m-1) \frac{nm}{(n+m)(n+m-1)}$$

De manière similaire, $E[C(0)]$, le nombre moyen de séquences de 0, sera

$$E[C(0)] = \frac{m}{n+m} + \frac{nm}{n+m}$$

et le nombre moyen de séquences de tous types sera

$$E[C(1) + C(0)] = 1 + \frac{2nm}{n+m} \qquad \blacksquare$$

Exemple 7.23 On pose une à une les cartes d'un jeu ordinaire sur une table, ouvertes et côte à côte. On se demande combien il faut poser de cartes en moyenne pour obtenir
a) le premier as;
b) le premier pique.

SOLUTION. Les questions a) et b) ne sont que des cas particuliers du problème plus général suivant: une urne contient n boules blanches et m noires. On prélève ces boules une à une jusqu'à ce que la première boule blanche apparaisse. Si on désigne par X le nombre des boules alors prélevées, quelle est l'espérance de X?

Pour résoudre la version générale du problème, on va rendre distinguables les boules noires de l'urne en les baptisant N_1, N_2, ..., N_m. Posons encore

$$X_i = \begin{cases} 1 & \text{si } N_i \text{ est prélevée avant l'apparition de la première boule blanche} \\ 0 & \text{sinon.} \end{cases}$$

On voit facilement que

$$X = 1 + \sum_{i=1}^{m} X_i$$

Donc

$$E[X] = 1 + \sum_{i=1}^{m} P\{X_i = 1\}$$

Or, X_i vaudra 1 si la boule N_i est tirée avant toutes les boules blanches. Mais chacune de ces $n + 1$ boules (à savoir les n blanches et la boule N_i) a la même probabilité d'être la première dans l'ordre des prélèvements, ce qui permet d'écrire

$$E[X_i] = P\{X_i = 1\} = \frac{1}{n + 1}$$

et ainsi

$$E[X] = 1 + \frac{m}{n + 1}$$

La réponse à la question a) sera donc, avec $n = 4$ et $m = 48$: $\frac{53}{5}$, c'est-à-dire 10,6 cartes en moyenne. Pour b) on aura $n = 13$ et $m = 39$, ce qui donne un nombre moyen de $\frac{53}{14} = 3,79$ cartes avant d'obtenir le premier pique. ∎

Exemple 7.24 Déplacement aléatoire dans le plan
On considère une particule située dans un plan et se déplaçant par sauts de longueur fixe mais orientés dans n'importe quelle direction. Plus précisément, on admettra que la longueur des sauts est égale à une unité, tandis que l'angle entre l'axe des abscisses et la direction prise à la suite d'un saut est une variable uniforme sur $(0, 2\pi)$ (voir figure 7.2). On cherche le carré de la distance entre la particule et sa position initiale après n sauts.

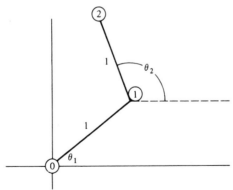

⓪ = position initiale
① = position après le premier saut
② = position après le second saut

Figure 7.2

SOLUTION. Désignons les variations de coordonnées associées au i-ème saut par (X_i, Y_i), $i = 1, 2,..., n$. On a les relations

$$\begin{cases} X_i = \cos \theta_i \\ Y_i = \sin \theta_i \end{cases}$$

où les θ_i, $i = 1, 2,..., n$ sont par hypothèses des variables uniformes sur $(0, 2\pi)$. La position au bout de n sauts aura pour coordonnées $(\sum_{i=1}^{n} X_i, \sum_{i=1}^{n} Y_i)$. On voit donc que la grandeur D^2 cherchée, le carré de la distance de la particule à l'origine, est

$$\begin{aligned} D^2 &= \left(\sum_{i=1}^{n} X_i \right)^2 + \left(\sum_{i=1}^{n} Y_i \right)^2 \\ &= \sum_{i=1}^{n} (X_i^2 + Y_i^2) + \sum\sum_{i \neq j} (X_i X_j + Y_i Y_j) \\ &= n + \sum\sum_{i \neq j} (\cos \theta_i \cos \theta_j + \sin \theta_i \sin \theta_j) \end{aligned}$$

où l'on a utilisé la relation $\cos^2 \theta_i + \sin^2 \theta_i = 1$. En passant aux espérances, en utilisant l'indépendance de θ_i et θ_j lorsque $i \neq j$, ainsi que les relations

$$E[\cos \theta_i] = \int_0^{2\pi} \cos u \, du = \sin 2\pi - \sin 0 = 0$$

$$E[\sin \theta_i] = \int_0^{2\pi} \sin u \, du = \cos 0 - \cos 2\pi = 0$$

on trouve

$$E[D^2] = n \qquad \blacksquare$$

7.3.4 Espérance de la somme d'une infinité de variables

Lorque l'on traite d'un ensemble infini de variables aléatoires X_i, $i \geq 1$, ayant toutes une espérance finie, il n'est pas certain que

$$E\left[\sum_{i=1}^{\infty} X_i \right] = \sum_{i=1}^{\infty} E[X_i] \qquad (7.10)$$

Pour déterminer dans quels cas (7.10) est valable, on calcule son premier membre en s'appuyant sur la relation $\sum_{i=1}^{\infty} X_i = \lim_{n \to \infty} \sum_{i=1}^{n} X_i$

$$E\left[\sum_{i=1}^{\infty} X_i\right] = E\left[\lim_{n \to \infty} \sum_{i=1}^{n} X_i\right]$$

$$\overset{?}{=} \lim_{n \to \infty} E\left[\sum_{i=1}^{n} X_i\right] \qquad (7.11)$$

$$= \lim_{n \to \infty} \sum_{i=1}^{n} E[X_i]$$

$$= \sum_{i=1}^{\infty} E[X_i]$$

Ces calculs – et par conséquent (7.10) – ne sont fondés que lorsque la permutation de l'espérance et de la prise de limite est correcte à la deuxième ligne du calcul de (7.11). Dans le cas général, cette permutation n'est pas justifiée. Cependant, on peut montrer que dans les deux cas particuliers suivants elle est néanmoins acceptable:
a) les variables X_i sont toutes à valeurs non négatives, ce qui signifie que $P\{X_i \geq 0\} = 1$;

b) $\sum_{i=1}^{\infty} E[|X_i|] < \infty$.

Exemple 7.25 Considérons une variable discrète X quelconque à valeurs positives ou nulles. On définit pour tout $i \geq 1$

$$X_i = \begin{cases} 1 & \text{si } X \geq i \\ 0 & \text{si } X < i \end{cases}$$

Alors

$$\sum_{i=1}^{\infty} X_i = \sum_{i=1}^{X} X_i + \sum_{i=X+1}^{\infty} X_i$$

$$= \sum_{i=1}^{X} 1 + \sum_{i=X+1}^{\infty} 0$$

$$= X$$

De ce fait, les X_i étant toutes à valeurs non négatives,

$$E[X] = \sum_{i=1}^{\infty} E(X_i)$$

$$= \sum_{i=1}^{\infty} P\{X \geq i\} \qquad (7.12)$$

qui est une identité intéressante. ∎

Exemple 7.26 On souhaite stocker en mémoire d'ordinateur une liste ordonnée comportant n éléments que nous appellerons 1, 2,..., n. On sait que l'utilisateur de cette liste aura à consulter un élément de la liste par unité de temps. L'élément i sera consulté indépendamment du passé avec probabilité $P(i)$, $i \geq 1$ et $\sum\limits_{i=1}^{n} P(i) = 1$. Ces probabilités étant supposées connues, quel est l'ordre de stockage qui minimisera le temps d'accès moyen à un élément appelé pour consultation?

SOLUTION. On numérote les éléments de telle manière que $P(1) \geq P(2) \geq \ldots \geq P(n)$. Nous allons montrer que 1, 2,..., n est la permutation optimale. Pour ce faire, désignons par X la position de l'élément consulté. Pour toute permutation envisageable $O = i_1, i_2,..., i_n$

$$P_O\{X \geq k\} = \sum_{j=k}^{n} P(i_j)$$

$$\geq \sum_{j=k}^{n} P(j)$$

$$= P_{1,2,\ldots,n}\{X \geq k\}$$

En sommant sur k et en utilisant (7.12), on obtient

$$E_O[X] \geq E_{1,2,\ldots,n}[X]$$

ce qui montre bien que disposer les éléments dans l'ordre des probabilités décroissantes minimise effectivement le temps moyen d'accès à un élément demandé. ∎

Exemple 7.27 Probabilité d'une réunion d'événements

Soient les événements $A_1, \ldots, A_n$ et les variables indicatrices X_i, $i = 1, \ldots, n$ définies par

$$X_i = \begin{cases} 1 & \text{si } A_i \text{ a lieu} \\ 0 & \text{sinon} \end{cases}$$

Remarquons que

$$1 - \prod_{i=1}^{n} (1 - X_i) = \begin{cases} 1 & \text{si } \cup A_i \text{ a lieu} \\ 0 & \text{sinon} \end{cases}$$

Alors

$$E\left[1 - \prod_{i=1}^{n} (1 - X_i)\right] = P\left(\bigcup_{i=1}^{n} A_i\right)$$

Le développement du membre de gauche de cette expression donne

$$P\left(\bigcup_{i=1}^{n} A_i\right) = E\left[\sum_{i=1}^{n} X_i - \sum_{i<j}\sum X_i X_j + \sum_{i<j<k}\sum\sum X_i X_j X_k \right.$$
$$\left. - \cdots + (-1)^{n+1} X_1 \cdots X_n\right] \tag{7.13}$$

Mais, puisque

$$X_{i_1} X_{i_2} \cdots X_{i_k} = \begin{cases} 1 & \text{si } A_{i_1} A_{i_2} \cdots A_{i_k} \text{ a lieu} \\ 0 & \text{sinon} \end{cases}$$

on voit que

$$E[X_{i_1} \cdots X_{i_k}] = P(A_{i_1} \cdots A_{i_k})$$

Ainsi (7.13) n'établit rien d'autre que la formule bien connue pour la réunion d'événements

$$P(\cup A_i) = \sum P(A_i) - \sum \sum_{i<j} P(A_i A_j) + \sum \sum \sum_{i<j<k} P(A_i A_j A_k)$$
$$- \cdots + (-1)^{n+1} P(A_1 \cdots A_n) \qquad \blacksquare$$

7.4 VARIANCE

7.4.1 Introduction et définition

Une variable X et sa fonction F de répartition étant données, il serait pratique de pouvoir résumer les propriétés de F en deux ou trois mesures bien choisies. L'espérance $E[X]$ est une telle mesure. Cependant, si $E[X]$ nous donne une moyenne pondérée des valeurs possibles de X, elle ne nous dit rien des variations de X autour de l'espérance. On peut s'en rendre compte grâce aux exemples suivants. Soit les variables

$$W = 0 \qquad \text{avec probabilité } 1$$
$$Y = \begin{cases} -1 & \text{avec probabilité } \frac{1}{2} \\ +1 & \text{avec probabilité } \frac{1}{2} \end{cases}$$
$$Z = \begin{cases} -100 & \text{avec probabilité } \frac{1}{2} \\ +100 & \text{avec probabilité } \frac{1}{2} \end{cases}$$

Si toutes ont la même espérance – à savoir 0 –, il y a de bien plus grands écarts entre les différentes valeurs de Y qu'entre celle de W (qui est constante) et de plus grands écarts entre celles de Z qu'entre celles de Y.

Comme on s'attend à voir toute variable X prendre ses valeurs autour de son espérance $E[X]$, il paraît raisonnable de mesurer les variations de X en considérant l'écart moyen entre X et son espérance. Cela reviendrait à s'intéresser à la grandeur $E[|X - \mu|]$, où $\mu = E[X]$. Techniquement, cependant, il n'est pas facile de manipuler cette quantité, aussi lui préfère-t-on d'habitude l'espérance du carré de l'écart entre X et son espérance. On appelle *variance* de X, que l'on note Var(X), la quantité

$$\text{Var}(X) = E[(X - \mu)^2]$$

où μ représente l'espérance de X.

On peut établir une autre formule pour le calcul de Var(X) en procédant ainsi:

$$\begin{aligned}
\text{Var}(X) &= E[(X - \mu)^2] \\
&= E[X^2 - 2\mu X + \mu^2] \\
&= E[X^2] - E[2\mu X] + E[\mu^2] \\
&= E[X^2] - 2\mu E[X] + \mu^2 \\
&= E[X^2] - \mu^2
\end{aligned}$$

ce qui revient à écrire

$$\text{Var}(X) = E[X^2] - (E[X])^2 \qquad (7.14)$$

ou à dire que la variance de X peut être calculée en soustrayant à l'espérance de X^2 le carré de l'espérance de X. Dans la pratique, cette méthode de calcul est en général plus commode.

7.4.2 Exemples de calcul de variance

Exemple 7.28 Variance d'une variable aléatoire normale
On cherche à déterminer la variance d'une variable normale de paramètres (μ, σ^2).

SOLUTION. On se souvient (exemple 7.9) que $E[X] = \mu$. Il s'agit donc de calculer

$$\begin{aligned}
\text{Var}(X) &= E[(X - \mu)^2] \\
&= \frac{1}{\sqrt{2\pi}\,\sigma} \int_{-\infty}^{\infty} (x - \mu)^2 e^{-(x-\mu)^2/2\sigma^2}\, dx
\end{aligned} \qquad (7.15)$$

Si dans (7.15) on substitue y à $(x - \mu)/\sigma$ on obtient

$$\begin{aligned}
\text{Var}(X) &= \frac{\sigma^2}{\sqrt{2\pi}} \int_{-\infty}^{\infty} y^2 e^{-y^2/2}\, dy \\
&= \frac{\sigma^2}{\sqrt{2\pi}} \left[-ye^{-y^2/2} \Big|_{-\infty}^{\infty} + \int_{-\infty}^{\infty} e^{-y^2/2}\, dy \right] \qquad \text{après intégration par parties} \\
&= \sigma^2 \frac{1}{\sqrt{2\pi}} \int_{-\infty}^{\infty} e^{-y^2/2}\, dy \\
&= \sigma^2
\end{aligned}$$

∎

Exemple 7.29 On cherche $\text{Var}(X)$ où X est le nombre obtenu lors du jet d'un dé équilibré.

SOLUTION. On a vu dans l'exemple 7.1 que $E[X] = \frac{7}{2}$. De plus

$$\begin{aligned}
E[X^2] &= 1^2(\tfrac{1}{6}) + 2^2(\tfrac{1}{6}) + 3^2(\tfrac{1}{6}) + 4^2(\tfrac{1}{6}) + 5^2(\tfrac{1}{6}) + 6^2(\tfrac{1}{6}) \\
&= (\tfrac{1}{6})(91)
\end{aligned}$$

Et donc

$$\text{Var}(X) = \tfrac{91}{6} - (\tfrac{7}{2})^2 = \tfrac{35}{12}$$

∎

Exemple 7.30 On cherche la variance d'une variable X binomiale de paramètres n et p.

SOLUTION. On calcule d'abord $E[X^2]$ comme suit:

$$E[X^2] = \sum_{i=0}^{n} i^2 \binom{n}{i} p^i (1-p)^{n-i}$$

Pour évaluer cette expression, on utilise l'identité $i^2 = i(i-1) + i$, ce qui donne

$$E[X^2] = \sum_{i=0}^{n} i(i-1) \frac{n!}{(n-i)!\, i!} p^i (1-p)^{n-i} + \sum_{i=0}^{n} i \binom{n}{i} p^i (1-p)^{n-i}$$

$$= \sum_{i=2}^{n} \frac{n!}{(n-i)!\,(i-2)!} p^i (1-p)^{n-i} + E[X]$$

$$= n(n-1)p^2 \sum_{i=2}^{n} \binom{n-2}{i-2} p^{i-2} (1-p)^{n-i} + E[X]$$

$$= n(n-1)p^2 [p + (1-p)]^{n-2} + E[X]$$

$$= n(n-1)p^2 + E[X]$$

Comme on a vu (exemple 7.3) que $E[X] = np$, il reste

$$\mathrm{Var}\,(X) = n(n-1)p^2 + np - n^2p^2$$
$$= np(1-p) \qquad \blacksquare$$

7.4.3 Propriété de la variance

Pour toute paire (a, b) de constantes, on peut établir l'identité suivante, fort utile:

$$\mathrm{Var}\,(aX + b) = a^2 \,\mathrm{Var}\,(X) \qquad (7.16)$$

Pour démontrer (7.16), on utilise un résultat du théorème 7.3, à savoir que $E[aX + b] = a\,E[X] + b$. Donc

$$\mathrm{Var}\,(aX + b) = E[(aX + b - (aE[X] + b))^2]$$
$$= E[(aX - aE[X])^2]$$
$$= E[a^2(X - E[X])^2]$$
$$= a^2 E[(X - E[X])^2]$$
$$= a^2 \,\mathrm{Var}\,(X)$$

7.4.4 Interprétation grâce à une analogie tirée de la mécanique

De même que l'espérance avait été comparée au centre de gravité d'un ensemble de masses, la variance peut être rapprochée du concept mécanique de moment d'inertie (par rapport à l'espérance).

7.5 COVARIANCE, VARIANCE DE SOMMES, CORRÉLATION

7.5.1 Espérance d'un produit de variables indépendantes

A titre de préliminaire à cette section 7.5, nous présentons le théorème suivant, établissant que l'espérance du produit de deux variables indépendantes est égale au produit de leurs espérances.

Théorème 7.4

Soient X et Y deux variables aléatoires indépendantes et h et g deux fonctions. Alors

$$E[g(X)h(Y)] = E[g(X)]E[h(Y)]$$

DÉMONSTRATION. Plaçons-nous dans le cas où X et Y sont conjointement continues de densité $f(\cdot, \cdot)$. On peut écrire

$$\begin{aligned}
E[g(X)h(Y)] &= \int_{-\infty}^{\infty} \int_{-\infty}^{\infty} g(x)h(y)f(x, y)\, dx\, dy \\
&= \int_{-\infty}^{\infty} \int_{-\infty}^{\infty} g(x)h(y)f_X(x)f_Y(y)\, dx\, dy \\
&= \int_{-\infty}^{\infty} h(y)f_Y(y)\, dy \int_{-\infty}^{\infty} g(x)f_X(x)\, dx \\
&= E[h(Y)]E[g(X)]
\end{aligned}$$

et la démonstration est similaire dans le cas discret.   ∎

7.5.2 Covariance

La **covariance** de deux variables aléatoires quelconques X et Y est notée $\text{Cov}(X, Y)$ et est définie par l'expression:

$$\text{Cov}(X, Y) = E[(X - E[X])(Y - E[Y])]$$

Le développement du membre de droite donne

$$\begin{aligned}
\text{Cov}(X, Y) &= E[XY - E[X]Y - XE[Y] + E[Y]E[X]] \\
&= E[XY] - E[X]E[Y] - E[X]E[Y] + E[X]E[Y] \\
&= E[XY] - E[X]E[Y]
\end{aligned}$$

On remarquera qu'en application du théorème 7.4, la covariance de deux variables indépendantes X et Y est nulle. La réciproque n'est cependant pas vraie. On peut donner comme contre-exemple simple le cas des deux variables X et Y suivantes; X est telle que

$$P\{X = 0\} = P\{X = 1\} = P\{X = -1\} = \tfrac{1}{3}$$

et on définit Y par rapport à X

$$Y = \begin{cases} 0 & \text{si } X \neq 0 \\ 1 & \text{si } X = 0 \end{cases}$$

Or XY est clairement nulle, donc $E[XY]$ aussi. Comme $E[X]$ l'est aussi, il reste

$$\text{Cov}(X, Y) = E[XY] - E[X]E[Y] = 0$$

Il est pourtant manifeste que X et Y ne sont pas indépendantes.

7.5.3 Variance de sommes

Le calcul ci-dessous permet d'obtenir une expression intéressante pour la variance de la somme de deux variables aléatoires en fonction de leur covariance

$$
\begin{aligned}
\text{Var}\,(X + Y) &= E[(X + Y - E[X + Y])^2] \\
&= E[(X + Y - EX - EY)^2] \\
&= E[((X - EX) + (Y - EY))^2] \\
&= E[(X - EX)^2 + (Y - EY)^2 + 2(X - EX)(Y - EY)] \\
&= E[(X - EX)^2] + E[(Y - EY)^2] \\
&\quad + 2E[(X - EX)(Y - EY)] \\
&= \text{Var}\,(X) + \text{Var}\,(Y) + 2\,\text{Cov}\,(X,\,Y)
\end{aligned}
$$

On peut d'ailleurs développer un argument similaire pour établir

$$
\text{Var}\left(\sum_{i=1}^{n} X_i\right) = \sum_{i=1}^{n} \text{Var}\,(X_i) + 2\sum\sum_{i<j} \text{Cov}\,(X_i,\,X_j) \tag{7.17}
$$

Dans le cas où les variables $X_1, ..., X_n$ sont indépendantes deux à deux, (7.17) se réduit à

$$
\text{Var}\left(\sum_{i=1}^{n} X_i\right) = \sum_{i=1}^{n} \text{Var}\,(X_i) \tag{7.18}
$$

7.5.4 Exemples de variance de sommes

Exemple 7.31 Variance d'une variable aléatoire binomiale
On considère ici le cas d'une variable aléatoire binomiale de paramètres n et p.

SOLUTION. Une telle variable représentant le nombre de succès lors de n épreuves indépendantes de même probabilité de succès p, on peut écrire

$$
X = X_1 + \cdots + X_n
$$

où chaque X_i est une variable de Bernoulli indépendante des autres et telle que

$$
X_i = \begin{cases} 1 & \text{si la } i\text{-ème épreuve est réussie} \\ 0 & \text{sinon} \end{cases}
$$

D'après (7.18), on obtient

$$
\text{Var}\,(X) = \text{Var}\,(X_1) + \cdots + \text{Var}\,(X_n)
$$

Mais

$$
\begin{aligned}
\text{Var}\,(X_i) &= E[X_i^2] - (E[X_i])^2 \\
&= E[X_i] - (E[X_i])^2 \quad \text{puisque } X_i^2 = X_i \\
&= p - p^2
\end{aligned}
$$

et donc

$$
\text{Var}\,(X) = np(1 - p) \qquad \blacksquare
$$

Exemple 7.32 Variance d'un nombre de rencontres
On cherche la variance de X, la variable comptant le nombre d'hommes ramassant leur propre chapeau dans la situation de l'exemple 7.16.

SOLUTION. On utilise la même décomposition de X que dans l'exemple 7.16, à savoir

$$X = X_1 + \cdots + X_N$$

où

$$X_i = \begin{cases} 1 & \text{si le } i\text{-ème homme ramasse son chapeau} \\ 0 & \text{sinon} \end{cases}$$

D'après l'équation (7.17), on a

$$\text{Var}(X) = \sum_{i=1}^{N} \text{Var}(X_i) + 2\sum\sum_{i<j} \text{Cov}(X_i, X_j) \qquad (7.19)$$

Comme $P\{X_i = 1\} = 1/N$, on peut écrire en s'inspirant de l'exemple précédent que

$$\text{Var}(X_i) = \frac{1}{N}\left(1 - \frac{1}{N}\right) = \frac{N-1}{N^2}$$

De plus

$$\text{Cov}(X_i, X_j) = E[X_iX_j] - E[X_i]E[X_j]$$

Or

$$X_iX_j = \begin{cases} 1 & \text{si le } i\text{-ème et le } j\text{-ème hommes récupèrent leurs propres chapeaux} \\ 0 & \text{sinon} \end{cases}$$

et par conséquent

$$\begin{aligned} E[X_iX_j] &= P\{X_i = 1, X_j = 1\} \\ &= P\{X_i = 1\}P\{X_j = 1 \mid X_i = 1\} \\ &= \frac{1}{N}\frac{1}{N-1} \end{aligned}$$

$$\text{Cov}(X_i, X_j) = \frac{1}{N(N-1)} - \left(\frac{1}{N}\right)^2 = \frac{1}{N^2(N-1)}$$

ce qui d'après (7.19) donne

$$\begin{aligned} \text{Var}(X) &= \frac{N-1}{N} + 2\binom{N}{2}\frac{1}{N^2(N-1)} \\ &= \frac{N-1}{N} + \frac{1}{N} \\ &= 1 \end{aligned}$$

On constate donc que la variance du nombre de rencontres aussi bien que son espérance valent 1. Ce résultat était d'une certaine manière prévisible puisqu'on a montré à la section 2.5 que lorsque N est grand, la probabilité d'obtenir i rencontres est approximativement $e^{-1}/i!$. Ceci revient à dire que pour N grand toujours le nombre de rencontres suit approximativement une loi de Poisson d'espérance 1. Comme l'exercice 7.10.10 permet d'établir l'égalité de l'espérance et de la variance pour une variable poissonienne, le résultat obtenu est sans surprise. ∎

Exemple 7.33 Echantillon de population finie
On considère un groupe comptant N individus; chacun d'entre eux s'est fait une opinion sur un certain sujet, opinion que l'on mesure au moyen d'un nombre réel v appelé intensité du sentiment de l'individu relativement au sujet. On note v_i l'intensité du sentiment de l'individu i, $i = 1,..., N$. Les quantités v_i, $i = 1,..., N$ sont inconnues et pour acquérir de l'information à leur sujet on choisit au hasard un sous-groupe de n personnes. Choisir au hasard signifie qu'on s'y prend de manière telle qu'aucun sous-groupe de taille n parmi les $\binom{N}{n}$ sélections possibles n'a une plus grande chance d'être tiré qu'un autre. On interroge alors ces n personnes et mesure les v_i correspondants. On forme la somme S de ces n valeurs. Que vaudront l'espérance et la variance de S?

A titre d'application importante de ce problème on peut mentionner les élections à l'occasion desquelles chaque électeur est pour ou contre un certain candidat. On prendra alors $v_i = 1$ si l'électeur est favorable au candidat, $v_i = 0$ sinon. La grandeur $\bar{v} = \sum_{i=1}^{N} v_i/N$ représente alors la proportion de la population soutenant ce candidat, autrement dit sa cote. Pour estimer $\bar{v}$ on choisit au hasard un échantillon de n personnes que l'on interroge. La proportion S/n favorable au candidat est souvent utilisée pour estimer $\bar{v}$.

SOLUTION. On définit pour chaque électeur i, $i = 1,..., N$, une variable indicatrice I_i indiquant si cette personne appartient ou non à l'échantillon. Plus précisément,

$$I_i = \begin{cases} 1 & \text{si la personne } i \text{ est dans l'échantillon} \\ 0 & \text{sinon} \end{cases}$$

Dès lors, S peut être écrite

$$S = \sum_{i=1}^{N} v_i I_i$$

donc

$$E[S] = \sum_{i=1}^{N} v_i E[I_i]$$

$$\text{Var}(S) = \sum_{i=1}^{N} \text{Var}(v_i I_i) + 2 \sum \sum_{i<j} \text{Cov}(v_i I_i, v_j I_j)$$

$$= \sum_{i=1}^{N} v_i^2 \text{Var}(I_i) + 2 \sum \sum_{i<j} v_i v_j \text{Cov}(I_i, I_j)$$

Comme

$$E[I_i] = \frac{n}{N}$$

$$E[I_i I_j] = \frac{n}{N}\frac{n-1}{N-1}$$

on voit que

$$\text{Var}(I_i) = \frac{n}{N}\left(1 - \frac{n}{N}\right)$$

$$\text{Cov}(I_i, I_j) = \frac{n(n-1)}{N(N-1)} - \left(\frac{n}{N}\right)^2$$

$$= \frac{-n(N-n)}{N^2(N-1)}$$

Alors

$$E[S] = n\sum_{i=1}^{N}\frac{v_i}{N} = n\bar{v}$$

$$\text{Var}(S) = \frac{n}{N}\left(\frac{N-n}{N}\right)\sum_{i=1}^{N}v_i^2 - \frac{2n(N-n)}{N^2(N-1)}\sum_{i<j}\sum v_i v_j$$

L'expression de Var(S) peut être transformée en utilisant l'identité
$(v_1 + \ldots + v_N)^2 = \sum_{i=1}^{N}v_i^2 + 2\sum_{i<j}^{N}\sum^{N}v_i v_j$, ce qui laisse après simplifications

$$\text{Var}(S) = \frac{n(N-n)}{N-1}\left(\frac{\sum_{i=1}^{N}v_i^2}{N} - \bar{v}^2\right)$$

On peut considérer le problème sous un autre angle et supposer que le nombre de v égaux à 1 est Np. La variable S pouvant dans ce cas être considérée comme une variable hypergéométrique, son espérance et sa variance seront

$$E[S] = n\bar{v} = np \quad \text{puisque} \quad \bar{v} = \frac{Np}{N} = p$$

$$\text{Var}(S) = \frac{n(N-n)}{(N-1)}\left(\frac{Np}{N} - p^2\right)$$

$$= \frac{n(N-n)}{N-1}p(1-p)$$

Si par ailleurs, plutôt qu'à S, on s'intéresse à S/n, la proportion dans l'échantillon des électeurs favorables à notre condidat, on aura

$$E\left[\frac{S}{n}\right] = p$$

$$\mathrm{Var}\left(\frac{S}{n}\right) = \frac{(N-n)}{n(N-1)}p(1-p) \qquad \blacksquare$$

7.5.5 Corrélation

La *corrélation* entre deux variables aléatoires X et Y est notée $\rho(X, Y)$ et est définie ainsi, pour autant que $\mathrm{Var}(X)\,\mathrm{Var}(Y)$ soit non nul:

$$\rho(X, Y) = \frac{\mathrm{Cov}(X, Y)}{\sqrt{\mathrm{Var}(X)\,\mathrm{Var}(Y)}}$$

On peut montrer que

$$-1 \le \rho(X, Y) \le 1 \tag{7.20}$$

Pour établir (7.20), admettons que X et Y aient des variances σ_x^2 et σ_y^2 respectivement. On a

$$0 \le \mathrm{Var}\left(\frac{X}{\sigma_x} + \frac{Y}{\sigma_y}\right)$$

$$= \frac{\mathrm{Var}(X)}{\sigma_x^2} + \frac{\mathrm{Var}(Y)}{\sigma_y^2} + \frac{2\,\mathrm{Cov}(X, Y)}{\sigma_x \sigma_y}$$

$$= 2[1 + \rho(X, Y)]$$

qui implique que

$$-1 \le \rho(X, Y)$$

D'autre part

$$0 \le \mathrm{Var}\left(\frac{X}{\sigma_x} - \frac{Y}{\sigma_y}\right)$$

$$= \frac{\mathrm{Var}(X)}{\sigma_x^2} + \frac{\mathrm{Var}\,Y}{(-\sigma_y)^2} - \frac{2\,\mathrm{Cov}(X, Y)}{\sigma_x \sigma_y}$$

$$= 2[1 - \rho(X, Y)]$$

entraîne

$$\rho(X, Y) \le 1$$

ce qui finit d'établir (7.20).

On sait que $\mathrm{Var}(Z) = 0$ entraîne que Z est constante avec probabilité 1 (ce résultat intuitif sera rigoureusement démontré au chapitre 8). La démonstration de (7.20) établit donc, compte tenu de cette implication, que $\rho(X, Y) = 1$ entraîne

$Y = a + bX$ où $b = \sigma_y/\sigma_x > 0$ tandis que $\rho(X, Y) = -1$ entraîne $Y = a + bX$ où $b = -\sigma_y/\sigma_x < 0$. On laisse au lecteur le soin de prouver que la réciproque est également vraie: si $Y = a + bX$, alors $\rho(X, Y)$ vaudra 1 ou -1 selon que le signe de b est positif ou négatif.

Le coefficient de corrélation est une mesure du degré de linéarité entre X et Y. Les valeurs de ρ proches de 1 ou -1 indiquent une linéarité quasiment rigoureuse entre X et Y, tandis que des valeurs proches de 0 indiquent une absence de toute relation linéaire. Lorsque $\rho(X, Y)$ est positif, Y a tendance à augmenter si X en fait autant, tandis que pour $\rho(X, Y) < 0$, Y a tendance à diminuer si X augmente. Si $\rho(X, Y) = 0$, on dit que ces deux statistiques sont **non corrélées**.

7.5.6 Exemple de calcul de corrélation

Exemple 7.34 Soient I_A et I_B les variables indicatrices des événements A et B. Par définition

$$I_A = \begin{cases} 1 & \text{si } A \text{ survient} \\ 0 & \text{sinon} \end{cases}$$

$$I_B = \begin{cases} 1 & \text{si } B \text{ survient} \\ 0 & \text{sinon.} \end{cases}$$

Alors

$$E[I_A] = P(A)$$
$$E[I_B] = P(B)$$
$$E[I_A I_B] = P(AB)$$

et ainsi

$$\text{Cov}(I_A, I_B) = P(AB) - P(A)P(B)$$
$$= P(B)[P(A|B) - P(A)]$$

On vient d'obtenir un résultat annoncé par une approche intuitive de la situation: les variables indicatrices de A et B sont positivement corrélées, non corrélées ou négativement corrélées selon que, respectivement, $P(A|B)$ est plus grande, égale ou inférieure à $P(A)$. ∎

7.5.7 Corrélation de sommes de variables

Le résultat suivant, qui concerne la covariance, est souvent utilisé. L'exemple qui suit l'illustre d'ailleurs.

$$\text{Cov}\left(\sum_{i=1}^{n} X_i, \sum_{i=1}^{m} Y_i\right) = \sum_{i=1}^{n} \sum_{j=1}^{m} \text{Cov}(X_i, Y_j) \tag{7.21}$$

La démonstration en est laissée à titre d'exercice.

Exemple 7.35 On considère m épreuves indépendantes. Chacune peut donner r résultats de probabilités P_1, P_2,..., P_r avec $\sum_{i=1}^{r} P_i = 1$. On désigne par N_i, $i = 1$,..., r le nombre parmi ces m épreuves de celles qui aboutissent au résultat i. N_1, N_2,..., N_r suit alors une distribution multinomiale

$$P\{N_1 = n_1, N_2 = n_2, \ldots, N_r = n_r\}$$

$$= \frac{m!}{n_1! \, n_2! \ldots n_r!} P_1^{n_1} P_2^{n_2} \cdots P_r^{n_r} \qquad \sum_{i=1}^{r} n_i = m$$

Lorsque $i \neq j$, il semble raisonnable qu'une grande valeur de N_i soit associée à de petites valeurs de N_j, aussi s'attend-on intuitivement à ce que ces deux variables soient négativement corrélées. Calculons leur covariance en utilisant (7.21) et la décomposition

$$N_i = \sum_{k=1}^{m} I_i(k) \qquad \text{et} \qquad N_j = \sum_{k=1}^{m} I_j(k)$$

où

$$I_i(k) = \begin{cases} 1 & \text{si la } k\text{-ième épreuve aboutit au résultat } i \\ 0 & \text{sinon} \end{cases}$$

$$I_j(k) = \begin{cases} 1 & \text{si la } k\text{-ième épreuve aboutit au résultat } j \\ 0 & \text{sinon} \end{cases}$$

Grâce à (7.21) on peut écrire

$$\text{Cov}(N_i, N_j) = \sum_{l=1}^{m} \sum_{k=1}^{m} \text{Cov}(I_i(k), I_j(l))$$

Or, lorsque $k \neq l$

$$\text{Cov}(I_i(k), I_j(l)) = 0$$

puisque l'issue de l'épreuve k ne dépend pas de celle de l'épreuve l. D'autre part,

$$\text{Cov}(I_i(l), I_j(l)) = E[I_i(l)I_j(l)] - E[I_i(l)]E[I_j(l)]$$

$$= 0 - P_i P_j = -P_i P_j$$

où l'on a utilisé la relation $I_i(l)I_j(l) = 0$, puisque l'épreuve l ne peut donner les deux résultats i et j à la fois. On obtient donc

$$\text{Cov}(N_i, N_j) = -m P_i P_j$$

qui confirme notre conclusion intuitive que N_i et N_j sont négativement corrélées. ∎

7.6 ESPÉRANCE CONDITIONNELLE

7.6.1 Définition du cas discret

On se souvient que, pour un couple de variables aléatoires discrètes, on avait défini la loi de probabilité conditionnelle de X, sachant que $Y = y$, pour autant que $P\{Y = y\} > 0$, par

$$p_{X|Y}(x|y) = P\{X = x \mid Y = y\} = \frac{p(x, y)}{p_Y(y)}$$

Il est dès lors naturel de vouloir définir dans le cas discret l'*espérance conditionnelle de X sous la condition Y = y*, pour autant que $p_Y(y) > 0$, par

$$E[X \mid Y = y] = \sum_x xP\{X = x \mid Y = y\}$$

$$= \sum_x xp_{X|Y}(x|y)$$

Exemple 7.36 On considère deux variables aléatoires binomiales X et Y, indépendantes et de mêmes paramètres n et p. On souhaite calculer l'espérance conditionnelle de X sous la condition $X + Y = m$.

SOLUTION. Déterminons d'abord la loi de probabilité conditionnelle de X sous la condition $X + Y = m$. Pour $k \leqslant \min(n, m)$ on a

$$P\{X = k \mid X + Y = m\} = \frac{P\{X = k, X + Y = m\}}{P\{X + Y = m\}}$$

$$= \frac{P\{X = k, Y = m - k\}}{P\{X + Y = m\}}$$

$$= \frac{P\{X = k\}P\{Y = m - k\}}{P\{X + Y = m\}}$$

$$= \frac{\binom{n}{k}p^k(1-p)^{n-k}\binom{n}{m-k}p^{m-k}(1-p)^{n-m+k}}{\binom{2n}{m}p^m(1-p)^{2n-m}}$$

$$= \frac{\binom{n}{k}\binom{n}{m-k}}{\binom{2n}{m}}$$

où l'on a utilisé le fait que $X + Y$ est une variable aléatoire binomiale de paramètres $2n$ et p (voir l'exemple 6.17). On conclut que la distribution conditionnelle de X, sachant que $X + Y = m$, est hypergéométrique. D'après le résultat de l'exemple 7.18, on sait que

$$E[X \mid X + Y = m] = \frac{m}{2} \qquad \blacksquare$$

7.6.2 Définition du cas continu

On se souvient également que pour un couple de variables X et Y continues de densité $f(\cdot,\cdot)$, la densité conditionnelle de X, sachant que $Y = y$, est définie – pour autant que $f_Y(y) > 0$ – par

$$f_{X|Y}(x|y) = \frac{f(x, y)}{f_Y(y)}$$

Il est donc naturel de définir l'espérance conditionnelle de X, dans le cas continu et sous la condition $Y = y$, par

$$E[X|Y = y] = \int_{-\infty}^{\infty} x f_{X|Y}(x|y)\,dx$$

pour les valeurs de y telles que $f_Y(y) > 0$.

Exemple 7.37 Supposons que la densité conjointe de X et Y soit

$$f(x, y) = \frac{e^{-x/y}e^{-y}}{y} \qquad 0 < x < \infty,\, 0 < y < \infty$$

On veut calculer $E[X|Y = y]$.

SOLUTION. Calculons d'abord la densité conditionnelle

$$
\begin{aligned}
f_{X|Y}(x|y) &= \frac{f(x, y)}{f_Y(y)} \\[2mm]
&= \frac{f(x, y)}{\int_{-\infty}^{\infty} f(x, y)\,dx} \\[2mm]
&= \frac{(1/y)e^{-x/y}e^{-y}}{\int_0^{\infty} (1/y)e^{-x/y}e^{-y}\,dx} \\[2mm]
&= \frac{(1/y)e^{-x/y}}{\int_0^{\infty} (1/y)e^{-x/y}\,dx} \\[2mm]
&= \frac{(1/y)e^{-x/y}}{-e^{-x/y}\big|_{x=0}^{x=\infty}} \\[2mm]
&= \left(\frac{1}{y}\right)e^{-x/y}
\end{aligned}
$$

On constate que cette densité conditionnelle de X sous la condition $Y = y$ n'est autre que la densité exponentielle de paramètre et espérance y. Donc,

$$E[X|Y = y] = \int_0^{\infty} \frac{x}{y} e^{-x/y}\,dx = y \qquad\blacksquare$$

7.6.3 Elargissement du point de vue

On sait que les probabilités conditionnelles satisfont toutes les propriétés des probabilités simples. De la même manière, les espérances conditionnelles ont toutes les propriétés des espérances ordinaires, en particulier

$$E[g(X)\,|\,Y = y] = \begin{cases} \sum_{x} g(x) p_{X|Y}(x\,|\,y) & \text{dans le cas discret} \\ \int_{-\infty}^{\infty} g(x) f_{X|Y}(x\,|\,y)\,dx & \text{dans le cas continu} \end{cases}$$

et

$$E\left[\sum_{i=1}^{n} X_i\,|\,Y = y\right] = \sum_{i=1}^{n} E[X_i\,|\,Y = y]$$

En fait, l'espérance conditionnelle, sachant que $Y = y$, peut être considérée comme une espérance ordinaire basée sur un espace de probabilité, réduit aux seuls événements pour lesquels $Y = y$ est vérifiée.

7.6.4 Théorème de calcul d'espérances par conditionnement

On décide de noter $E[X\,|\,Y]$ la composition des fonctions Y et $E[X\,|\,Y = y]$, cette dernière fonction faisant correspondre à un nombre y l'espérance conditionnelle de X, sachant que $Y = y$. On remarquera que la fonction composée obtenue est elle-même une variable aléatoire. Le théorème qui suit énonce une propriété fondamentale de l'espérance conditionnelle.

Théorème 7.5

$$E[X] = E[E[X\,|\,Y]] \tag{7.22}$$

Lorsque Y est une variable discrète, ce théorème signifie que

$$E[X] = \sum_{y} E[X\,|\,Y = y]P\{Y = y\} \tag{7.23}$$

tandis que lorsque Y est continue, le théorème entraîne

$$E[X] = \int_{-\infty}^{\infty} E[X\,|\,Y = y]f_Y(y)\,dy \tag{7.24}$$

DÉMONSTRATION. On suppose pour cette démonstration que X et Y sont deux variables discrètes. On doit établir (7.23). Or, le membre de droite de (7.23) peut être réécrit

$$\sum_y E[X|Y=y]P\{Y=y\} = \sum_y \sum_x xP\{X=x|Y=y\}P\{Y=y\}$$

$$= \sum_y \sum_x x\frac{P\{X=x, Y=y\}}{P\{Y=y\}}P\{Y=y\}$$

$$= \sum_y \sum_x xP\{X=x, Y=y\}$$

$$= \sum_x x\sum_y P\{X=x, Y=y\}$$

$$= \sum_x xP\{X=x\}$$

$$= E[X]$$

ce qui établit le résultat. ∎

Pour mieux faire comprendre (7.23), on peut donner l'interprétation suivante: pour calculer $E[X]$, on construit une moyenne pondérée des espérances conditionnelles de X sous les diverses conditions $Y=y$, les masses de pondération étant les probabilités des conditions (cette construction a déjà été rencontrée; où?). Le résultat (7.23) est très utilisé, il permet souvent de calculer assez facilement une espérance après avoir conditionné la variable par une autre variable appropriée. C'est ce qu'illustrent les exemples du paragraphe suivant.

7.6.5 Exemples de calcul d'espérances par conditionnement

Exemple 7.38 Un mineur est prisonnier dans un puits d'où partent trois tunnels. Le premier de ces tunnels le mènerait à la sortie au bout de 3 heures de marche. Le second le ramènerait à son point de départ au bout de 5 heures de marche, ainsi que le troisième au bout de 7 heures. Si à chaque choix qu'il fait le mineur emprunte n'importe quel tunnel avec la même probabilité, quelle sera la durée moyenne de sa tentative de sortie?

SOLUTION. La variable X représentera la durée de la recherche de la sortie en heures; Y représente la première porte choisie. On a

$$E[X] = E[X|Y=1]P\{Y=1\} + E[X|Y=2]P\{Y=2\}$$
$$+ E[X|Y=3]P\{Y=3\}$$
$$= \tfrac{1}{3}(E[X|Y=1] + E[X|Y=2] + E[X|Y=3])$$

Or

$$E[X|Y=1] = 3$$
$$E[X|Y=2] = 5 + E[X]$$
$$E[X|Y=3] = 7 + E[X] \qquad (7.25)$$

Pour comprendre les équations (7.24), voyons le cas particulier $E[X|Y=2]$: si le mineur emprunte le deuxième tunnel, il y passera 5 heures puis reviendra à son point de départ. Une fois là, le problème est exactement le même qu'à l'origine. A ce point, la durée moyenne de sa recherche est $E[X]$. C'est pourquoi $E[X|Y = 2] = 5 + E[X]$. Les arguments à la base des deux autres équations sont semblables. On a donc finalement:

$$E[X] = \tfrac{1}{3}(3 + 5 + E[X] + 7 + E[X])$$

ou

$$E[X] = 15 \qquad \blacksquare$$

Exemple 7.39 Espérance de la somme d'un nombre aléatoire de variables aléatoires Le nombre de clients se rendant à un grand magasin donné dans l'espace d'une journée est une variable aléatoire d'espérance 50. La somme dépensée par chacun des clients quotidiens du magasin est aussi une variable aléatoire d'espérance 8 francs. On admet que les dépenses d'un client ne dépendent ni de celles des autres clients ni du nombre total de clients pour la journée. Quelle est l'espérance du chiffre d'affaires quotidien du magasin?

SOLUTION. Le nombre de clients par jour sera noté N, tandis que le montant dépensé par le client i est X_i. Le chiffre d'affaires du magasin est donc $\sum_{i=1}^{N} X_i$. Or

$$E\left[\sum_{1}^{N} X_i\right] = E\left[E\left[\sum_{1}^{N} X_i | N\right]\right]$$

Mais

$$E\left[\sum_{1}^{N} X_i | N = n\right] = E\left[\sum_{1}^{n} X_i | N = n\right]$$

$$= E\left[\sum_{1}^{n} X_i\right] \qquad \text{du fait de l'indépendance des } X_i \text{ et de } N$$

$$= nE[X]$$

où l'on a désigné par $E[X]$ l'espérance commune à tous les X_i. Dès lors la variable aléatoire notée $E[\sum_{i=1}^{N} X_i | N]$ a pour expression ici

$$E\left[\sum_{1}^{N} X_i | N\right] = NE[X]$$

ce qui entraîne

$$E\left[\sum_{i=1}^{N} X_i\right] = E[NE[X]] = E[N]E[X]$$

Dans notre exemple, le chiffre d'affaires moyen du magasin est donc de 50 x 8 = 400 francs par jour. $\qquad \blacksquare$

Exemple 7.40 Une urne contient b boules blanches et n boules noires. On retire les boules une à une jusqu'à ce que la première blanche apparaisse. Quel sera le nombre moyen des boules noires tirées?

SOLUTION. On a déjà résolu ce problème dans l'exemple 7.23. Nous allons voir ici une solution faisant appel à la technique du conditionnement. Désignons par X le nombre des boules noires qu'il faut tirer. On notera $E[X] = M_{b,n}$ pour rendre explicite la dépendance de cette espérance envers b et n. On va obtenir une expression de $M_{b,n}$ en conditionnant sur la couleur de la première boule retirée de l'urne. On définit pour cela Y ainsi:

$$Y = \begin{cases} 1 & \text{si la première boule tirée est blanche} \\ 0 & \text{si elle est noire.} \end{cases}$$

Conditionnons selon Y:

$$M_{b,n} = E[X] = E[X\,|\,Y = 1]P\{Y = 1\} + E[X\,|\,Y = 0]P\{Y = 0\} \quad (7.26)$$

Mais

$$E[X\,|\,Y = 1] = 0$$
$$E[X\,|\,Y = 0] = 1 + M_{b,n-1} \quad (7.27)$$

Pour se convaincre de la validité de (7.27), supposons que la première boule tirée soit noire. Après le premier tirage, la situation est exactement ce qu'elle aurait été au départ si nous avions eu b boules blanches et $n - 1$ boules noires. D'où l'expression de droite dans (7.27).

On connaît par ailleurs $P\{Y = 0\} = n/(b + n)$, ce qui permet d'écrire

$$M_{b,n} = \frac{n}{b + n}[1 + m_{b,n-1}]$$

Or $M_{b,0}$ est évidemment nulle, à partir de quoi on peut faire les calculs suivants:

$$M_{b,1} = \frac{1}{b + 1}[1 + M_{b,0}] = \frac{1}{b + 1}$$

$$M_{b,2} = \frac{2}{b + 2}[1 + M_{b,1}] = \frac{2}{b + 2}\left[1 + \frac{1}{b + 1}\right] = \frac{2}{b + 1}$$

$$M_{b,3} = \frac{3}{b + 3}[1 + M_{b,2}] = \frac{3}{b + 3}\left[1 + \frac{2}{b + 1}\right] = \frac{3}{b + 1}$$

Par induction on vérifierait facilement que

$$M_{b,n} = \frac{n}{b + 1} \qquad\qquad\blacksquare$$

7.6.6 Exemple de calcul de variance par conditionnement

On peut appliquer la technique précédente au calcul de variance également, comme le montre l'exemple suivant.

Exemple 7.41 Variance d'une variable géométrique
On réalise des épreuves indépendantes ayant toutes une même probabilité p de succès. On désigne par N le nombre d'essais à faire jusqu'à obtenir le premier succès. Quelle sera la variance de N?

SOLUTION. Soit Y la variable valant 1 lorsque la première épreuve est un succès et 0 sinon. On sait que

$$\text{Var}\,(N) = E[N^2] - (E[N])^2$$

Pour calculer $E[N^2]$ on utilise la technique du conditionnement:

$$E[N^2] = E[E[N^2\,|\,Y]]$$

Mais

$$E[N^2\,|\,Y = 1] = 1$$
$$E[N^2\,|\,Y = 0] = E[(1 + N)^2]$$

Ces deux équations sont fondées. Si en effet la première épreuve est un succès, N vaut évidemment 1, N^2 aussi. Si par contre cette épreuve est un échec, le nombre total d'épreuves jusqu'à obtenir un succès suivra la même distribution que la variable N augmentée de 1 (le premier échec). On peut donc écrire $E[N^2\,|\,Y = 0] = E[(N + 1)^2]$, puis

$$\begin{aligned}
E[N^2] &= E[N^2\,|\,Y = 1]P\{Y = 1\} + E[N^2\,|\,Y = 0]P\{Y = 0\} \\
&= p + (1 - p)E[(1 + N)^2] \\
&= 1 + (1 - p)E[2N + N^2]
\end{aligned}$$

On a par ailleurs montré dans l'exemple 7.5 que $E[N] = 1/p$. Il reste donc

$$E[N^2] = 1 + \frac{2(1 - p)}{p} + (1 - p)E[N^2]$$

ou encore

$$E[N^2] = \frac{2 - p}{p^2}$$

Par conséquent

$$\begin{aligned}
\text{Var}\,(N) &= E[N^2] - (E[N])^2 \\
&= \frac{2 - p}{p^2} - \left(\frac{1}{p}\right)^2 \\
&= \frac{1 - p}{p^2}
\end{aligned}$$

∎

7.6.7 Calcul de probabilités par conditionnement

La technique utilisée pour le calcul d'espérances et ci-dessus de variances, consistant à conditionner selon une variable aléatoire appropriée, peut également servir au calcul de probabilités. Nous allons voir comment l'appliquer au calcul de la probabilité d'un événement E quelconque. On définit d'abord la variable indicatrice X de E:

$$X = \begin{cases} 1 & \text{si } E \text{ est réalisé} \\ 0 & \text{sinon} \end{cases}$$

En conséquence de la définition de X, on aura:

$$E[X] = P(E)$$
$$E[X \mid Y = y] = P(E \mid Y = y) \text{ pour toute variable } Y.$$

En vertu de (7.22) et (7.23), on peut alors écrire, respectivement

$$P(E) = \sum_y P(E \mid Y = y)P(Y = y) \qquad \text{si } Y \text{ est discrète}$$

$$= \int_{-\infty}^{\infty} P(E \mid Y = y)f_Y(y)\,dy \qquad \text{si } Y \text{ est continue}$$

$$(7.28)$$

On remarquera que si Y est une variable discrète pouvant prendre les valeurs $y_1, y_2, ...,$ y_n, et si on définit les événements F_i pour i allant de 1 à n par $F_i = \{Y = y_i\}$, (7.28) se réduit à l'équation déjà connue

$$P(E) = \sum_{i=1}^{n} P(E \mid F_i)P(F_i)$$

où $F_1, ..., F_n$ sont des événements mutuellement exclusifs dont l'union est l'ensemble fondamental.

Exemple 7.42 Soient deux variables aléatoires X et Y continues indépendantes et de densités f_X, f_Y respectivement. On souhaite calculer $P\{X < Y\}$.

SOLUTION. On conditionne selon Y, ce qui donne:

$$P\{X < Y\} = \int_{-\infty}^{\infty} P\{X < Y \mid Y = y\}f_Y(y)\,dy$$

$$= \int_{-\infty}^{\infty} P\{X < y \mid Y = y\}f_Y(y)\,dy$$

$$= \int_{-\infty}^{\infty} P\{X < y\}f_Y(y)\,dy \qquad \text{par hypothèse d'indépendance}$$

$$= \int_{-\infty}^{\infty} F_X(y)f_Y(y)\,dy$$

où

$$F_X(y) = \int_{-\infty}^{y} f_X(x)\, dx$$ ∎

Exemple 7.43 Soient X et Y deux variables indépendantes et continues. On veut connaître la distribution de $X + Y$.

SOLUTION. En conditionnant selon Y, on obtient:

$$P\{X + Y < a\} = \int_{-\infty}^{\infty} P\{X + Y < a \,|\, Y = y\} f_Y(y)\, dy$$

$$= \int_{-\infty}^{\infty} P\{X + y < a \,|\, Y = y\} f_Y(y)\, dy$$

$$= \int_{-\infty}^{\infty} P\{X < a - y\} f_Y(y)\, dy$$

$$= \int_{-\infty}^{\infty} F_X(a - y) f_Y(y)\, dy$$ ∎

7.6.8 Variance conditionnelle

On peut définir la **_variance conditionnelle_** de X selon Y en s'inspirant de la démarche suivie pour l'espérance conditionnelle. On obtient en fin de compte la variable aléatoire:

$$\text{Var}\,(X \,|\, Y) \equiv E[[X - E(X \,|\, Y)]^2 \,|\, Y]$$

Cette variable fait correspondre à tout événement l'espérance conditionnelle (sous condition $Y = y$, y étant la valeur associée à cet événement par Y) de la variable égale au carré de la différence entre X et son espérance conditionnelle par rapport à Y. En d'autres termes, cette définition s'appuie sur la définition ordinaire de la variance, à cela près que toutes les espérances sont prises conditionnellement selon Y.

Il existe une relation très utile entre Var(X), la variance conditionnelle de X et la variable Var($X|Y$); cette relation sert parfois au calcul de Var(X). Pour construire cette relation on notera d'abord que

$$\text{Var}\,(X \,|\, Y) = E[X^2 \,|\, Y] - (E[X \,|\, Y])^2$$

d'après le même raisonnement que celui grâce auquel on établit
Var(X) $= E[X^2] - (E[X])^2$. Donc

$$\begin{aligned}
E[\text{Var}\,(X \,|\, Y)] &= E[E[X^2 \,|\, Y]] - E[(E[X \,|\, Y])^2] \\
&= E[X^2] - E[(E[X \,|\, Y])^2]
\end{aligned} \qquad (7.29)$$

Mais comme $E[E[X|Y]] = E[X]$, on a par ailleurs

$$\text{Var}\,(E[X|Y]) = E[(E[X|Y])^2] - [E[X]]^2 \qquad (7.30)$$

On en arrive ainsi à achever la démonstration du théorème suivant, par simple addition de (7.29) et (7.30).

Théorème 7.6 *Formule de la variance conditionnelle*

$$\text{Var}\,(X) = E[\text{Var}\,(X|Y)] + \text{Var}\,(E[X|Y])$$

7.6.9 Exemples de calculs de variances par conditionnement

Exemple 7.44 On admet qu'à toute heure t, le nombre de personnes qui se sont rendues à une gare suit une loi de Poisson de paramètre croissant λt. Si le premier train s'arrêtant à cette gare repart à une heure aléatoire uniformément distribuée dans l'intervalle $(0, T)$ et indépendante de l'arrivée des passagers, quelles seront l'espérance et la variance du nombre de passagers qui pourront prendre le train?

SOLUTION. Pour tout $t \geqslant 0$ on convient d'appeler $N(t)$, le nombre de personnes attendant à la gare à l'heure t. L'heure d'arrivée du train sera désignée par Y. Ce qui nous intéresse est donc $N(Y)$. Le conditionnement selon Y donne:

$$
\begin{aligned}
E[N(Y)|Y = t] &= E[N(t)|Y = t] \\
&= E[N(t)] \quad \text{en vertu de l'indépendance de } Y \text{ et } N(t) \\
&= \lambda t \qquad \text{du fait que } N(t) \text{ est poissonienne de paramètre } \lambda t
\end{aligned}
$$

Donc

$$E[N(Y)|Y] = \lambda Y$$

Prenons l'espérance des deux membres. On aura

$$E[N(Y)] = \lambda E[Y] = \frac{\lambda T}{2}$$

Pour obtenir $\text{Var}(N(Y))$, utilisons la formule de la variance conditionnelle:

$$
\begin{aligned}
\text{Var}\,(N(Y)|Y = t) &= \text{Var}\,(N(t)|Y = t) \\
&= \text{Var}\,(N(t)) \qquad \text{par hypothèse d'indépendance} \\
&= \lambda t
\end{aligned}
$$

et donc

$$
\begin{aligned}
\text{Var}\,(N(Y)|Y) &= \lambda Y \\
E[N(Y)|Y] &= \lambda Y
\end{aligned}
$$

Ce qui donne en utilisant la formule précitée:

$$\text{Var}\,(N(Y)) = E[\lambda Y] + \text{Var}\,(\lambda Y)$$

$$= \lambda\frac{T}{2} + \lambda^2\frac{T^2}{12}$$

où l'on a utilisé la formule $\text{Var}(Y) = T^2/12$. ∎

Exemple 7.45 Variance de la somme d'un nombre aléatoire de variables aléatoires Soit X_1, X_2,... une collection de variables aléatoires indépendantes et identiquement distribuées. Soit encore N, une variable aléatoire indépendante des X_i, $i \geqslant 1$, à valeurs entières non-négatives. On désire calculer $\text{Var}(\sum_{i=1}^{N} X_i)$.

SOLUTION. On conditionne selon N:

$$E\left[\sum_{i=1}^{N} X_i \,\big|\, N\right] = NE[X]$$

$$\text{Var}\left(\sum_{i=1}^{N} X_i \,\big|\, N\right) = N\,\text{Var}\,(X)$$

Ces relations sont valables, car lorsque N est connue, $\sum_{i=1}^{N} X_i$ n'est autre que la somme d'un nombre fixe de variables aléatoires indépendantes. Dans ce cas, l'espérance et la variance d'une telle somme sont simplement la somme des espérances et des variances, respectivement. On applique maintenant la formule de variance conditionnelle pour obtenir

$$\text{Var}\left(\sum_{i=1}^{N} X_i\right) = E[N]\,\text{Var}\,(X) + (E[X])^2\,\text{Var}\,(N)$$ ∎

7.7 ESPÉRANCE CONDITIONNELLE ET PRÉDICTION

7.7.1 Meilleur prédicteur

Il arrive que l'on puisse observer la valeur d'une variable aléatoire X et qu'ensuite, on souhaite prédire la valeur d'une autre variable Y en se basant sur ce que l'on sait de X. Désignons par $g(X)$ le ***prédicteur*** de Y, au sens où si X prend x pour valeur alors $g(x)$ est la valeur prédite de Y. On souhaite évidemment choisir g de telle manière que la variable $g(X)$ soit aussi proche que possible de Y. Un critère de qualité en matière de prédiction est d'avoir minimisé $E[(Y - g(X))^2]$. Nous allons montrer ci-dessous que selon ce critère, le meilleur prédicteur de Y est $g(X) = E[Y|X]$.

Théorème 7.7

Pour toute fonction g

$$E[(Y - g(X))^2] \ge E[(Y - E[Y|X])^2]$$

DÉMONSTRATION.

$$
\begin{aligned}
E[(Y - g(X))^2|X] &= E[(Y - E[Y|X] + E[Y|X] - g(X))^2|X] \\
&= E[(Y - E[Y|X])^2|X] \\
&\quad + E[(E[Y|X] - g(X))^2|X] \\
&\quad + 2E[(Y - E[Y|X])(E[Y|X] - g(X))|X] \quad (7.31)
\end{aligned}
$$

A ce point, si X est connue, on peut considérer $E[Y|X] - g(X)$ comme une constante. Aussi a-t-on

$$
\begin{aligned}
E[(Y - E[Y|X])&(E[Y|X] - g(X))|X] \\
&= (E[Y|X] - g(X))E[Y - E[Y|X]|X] \quad\quad (7.32)\\
&= (E[Y|X] - g(X))(E[Y|X] - E[Y|X]) \\
&= 0
\end{aligned}
$$

On tire de (7.31) et (7.32)

$$E[(Y - g(X))^2|X] \ge E[(Y - E[Y|X])^2|X]$$

le pas final consistant à prendre l'espérance des deux membres de l'inégalité ci-dessus.

On peut donner un argument plus intuitif, quoique moins rigoureux, pour faire comprendre le théorème 7.7. Il n'est pas difficile de montrer que $E[(Y - c)^2]$ est minimale lorsque $c = E[Y]$ (voir l'exercice théorique 7.10.5). Si donc, nous n'avons aucune information, la meilleure prédiction de Y dans le sens de la minimisation du carré moyen de l'erreur, est de déclarer que Y prendra comme valeur son espérance. Si nous disposons d'une observation x de la variable X, le problème de prédiction se pose exactement dans les mêmes termes qu'auparavant, à cela près qu'il faut considérer toutes les probabilités et espérances comme conditionnelles, la condition étant $X = x$. En résumé, la meilleure prédiction dans ce cas est de déclarer que Y prendra pour valeur l'espérance conditionnelle de Y sous la condition $X = x$, ce qui est bien ce qu'établit le théorème 7.7.

7.7.2 Exemples de prédiction

Exemple 7.46 On suppose que le fils d'un homme de taille x (en centimètres) atteindra une taille de distribution normale autour de $x + 2$ et de variance 10. Quelle est la meilleure prédiction que l'on puisse donner sur la taille finale du fils d'un homme de 180 cm?

SOLUTION. Formellement le modèle admis peut être écrit

$$Y = X + 2 + e$$

où e est une variable normale, indépendante de X et de paramètres 0 et 10. Les variables X et Y représentent bien sûr respectivement la taille du père et du fils. La meilleure prédiction est donc $E[Y|X = 180]$ à savoir

$$
\begin{aligned}
E[Y|X = 180] &= E[X + 2 + e|X = 180] \\
&= 182 + E[e|X = 180] \\
&= 182 + E[e] \quad \text{par hypothèse d'indépendance} \\
&= 182
\end{aligned}
$$

∎

Exemple 7.47 On suppose qu'un signal d'intensité s lors de son émission en A est perçu en B avec une intensité aléatoire normalement distribuée, de paramètres $(s, 1)$. Or le signal émis en A est lui aussi une variable aléatoire S, normale de paramètres (μ, σ^2). On observe en B un signal que l'on note R. Quelle est la meilleure estimation de l'intensité d'émission si l'on enregistre $R = r$?

SOLUTION. Commençons par calculer la densité conditionnelle de S, R étant donnée:

$$
\begin{aligned}
f_{S|R}(s|r) &= \frac{f_{S,R}(s, r)}{f_R(r)} \\[2mm]
&= \frac{f_S(s) f_{R|S}(r|s)}{f_R(r)} \\[2mm]
&= K e^{-(s-\mu)^2/2\sigma^2} e^{-(r-s)^2/2}
\end{aligned}
$$

où K ne dépend pas de s. Or

$$
\begin{aligned}
\frac{(s-\mu)^2}{2\sigma^2} + \frac{(r-s)^2}{2} &= s^2 \left(\frac{1}{2\sigma^2} + \frac{1}{2}\right) - \left(\frac{\mu}{\sigma^2} + r\right) s + C_1 \\[2mm]
&= \frac{1+\sigma^2}{2\sigma^2} \left[s^2 - 2\left(\frac{\mu + r\sigma^2}{1 + \sigma^2}\right) s \right] + C_1 \\[2mm]
&= \frac{1+\sigma^2}{2\sigma^2} \left(s - \frac{(\mu + r\sigma^2)}{1+\sigma^2} \right)^2 + C_2
\end{aligned}
$$

où de nouveau C_1 et C_2 ne dépendent pas de s. Ainsi

$$
f_{S|R}(s|r) = C \exp\left\{ \frac{-\left[s - \dfrac{(\mu + r\sigma^2)}{1+\sigma^2} \right]^2}{2\left(\dfrac{\sigma^2}{1+\sigma^2}\right)} \right\}
$$

où C ne dépend toujours pas de s. On en déduit que la distribution conditionnelle de S, intensité du signal émis, sachant que l'intensité du signal reçu est r, est normale de paramètres

$$E[S \,|\, R = r] = \frac{\mu + r\sigma^2}{1 + \sigma^2}$$

$$\mathrm{Var}\,(S \,|\, R = r) = \frac{\sigma^2}{1 + \sigma^2}$$

D'après le théorème 7.7, la meilleure estimation de signal émis est, dans le sens d'un carré moyen de l'erreur minimum et d'après l'observation de l'intensité r du signal reçu

$$E[S \,|\, R = r] = \frac{1}{1 + \sigma^2}\,\mu + \frac{\sigma^2}{1 + \sigma^2}\,r$$

Cette dernière décomposition de l'espérance conditionnelle de S est instructive dans la mesure où elle montre que la prédiction est une moyenne pondérée de μ, espérance a priori du signal émis, et de r, valeur enregistrée. Les poids attribués à μ et r sont dans la même proportion entre eux que 1 et σ^2, respectivement variance conditionnelle du signal reçu lorsque l'intensité d'émission est s et variance du signal émis.   ∎

Exemple 7.48 Lors du traitement digital de données basées sur des mesures analogiques brutes X, ces mesures doivent être rendues discrètes avant tout traitement. Pour ce faire, on détermine de manière tout à fait générale un ensemble ordonné de bornes a_i, $i = 0, \pm 1, \pm 2,...$ telles que $\lim\limits_{i \to +\infty} a_i = \infty$ et $\lim\limits_{i \to -\infty} a_i = -\infty$. Une mesure analogique X est alors rendue discrète selon l'intervalle (a_i, a_{i+1}) auquel elle appartient. Notons par y_i, la valeur attribuée à la variance X rendue discrète lorsque $X \in (a_i, a_{i+1})$; en d'autres termes

$$Y = y_i \qquad \text{si} \ \ a_i < X \le a_{i+1}$$

La distribution de Y est donnée par

$$P\{Y = y_i\} = F_X(a_{i+1}) - F_X(a_i)$$

Le problème consiste alors à choisir les valeurs y_i, $i = 0, \pm 1, \pm 2,...$ de manière à minimiser $E[(X - Y)^2]$, l'espérance du carré de l'erreur entre donnée brute et approximation discrète.
a) On veut trouver les valeurs y_i optimales, $i = 0, \pm 1, \pm 2,...$;
b) pour le quantificateur optimal Y ainsi trouvé, on veut montrer que $E[Y] = E[X]$, ce qui signifie que ce quantificateur conserve l'espérance des données;
c) on souhaite encore montrer que $\mathrm{Var}(Y) = \mathrm{Var}(X) - E[(X - Y)^2]$.

SOLUTION.
a) Pour tout quantificateur Y on obtient, en conditionnant selon les valeurs de Y

$$E[(X - Y)^2] = \sum_i E[(X - y_i)^2 \,|\, a_i < X \le a_{i+1}]\, P\{a_i < X \le a_{i+1}\}$$

Posons maintenant

$$I = i \quad \text{si } a_i < X \le a_{i+1}$$

Alors

$$E[(X - y_i)^2 | a_i < X \le a_{i+1}] = E[(X - y_i)^2 | I = i]$$

et en vertu du théorème 7.7, cette quantité est minimale lorsque

$$y_i = E[X | I = i]$$
$$= E[X | a_i < X \le a_{i+1}]$$
$$= \int_{a_i}^{a_{i+1}} \frac{x f_X(x) \, dx}{F_X(a_{i+1}) - F_X(a_i)}$$

Or, comme le quantificateur optimal est donné par $Y = E[X | I]$, on a

b) $E[Y] = E[X]$
c) $\text{Var}(X) = E[\text{Var}(X | I)] + \text{Var}(E[X | I])$
$\quad = E[E[(X - Y)^2 | I]] + \text{Var}(Y)$
$\quad = E[(X - Y)^2] + \text{Var}(Y)$ ∎

7.7.3 Meilleur prédicteur linéaire

Il arrive que la distribution conjointe de X et Y ne soit pas connue, ou le soit mais que le calcul de $E[Y | X = x]$ soit pratiquement hors de portée. Dans ce cas, on peut cependant trouver le meilleur *prédicteur linéaire* de Y basé sur X si les espérances et variances de ces deux variables sont connues, ainsi que leur corrélation.

Il s'agit alors de déterminer deux constantes a et b telles que $E[(Y - (a + bX))^2]$ soit minimum. Or

$$E[(Y - (a + bX))^2] = E[Y^2 - 2aY - 2bXY + a^2 + 2abX + b^2X^2]$$
$$= E[Y^2] - 2aE[Y] - 2bE[XY] + a^2$$
$$+ 2abE[X] + b^2E[X^2]$$

La dérivation partielle par rapport à a et b donne

$$\frac{\partial}{\partial a} E[(Y - a - bX)^2] = -2E[Y] + 2a + 2bE[X]$$

$$\tag{7.33}$$

$$\frac{\partial}{\partial b} E[(Y - a - bX)^2] = -2E[XY] + 2aE[X] + 2bE[X^2]$$

La résolution du système d'équations identifiant les dérivées partielles à 0, donne les solutions a et b

$$b = \frac{E[XY] - E[X]E[Y]}{E[X^2] - (E[X])^2} = \frac{\text{Cov}(X, Y)}{\sigma_x^2} = \rho \frac{\sigma_y}{\sigma_x} \qquad (7.34)$$

$$a = E[Y] - bE[X] = E[Y] - \frac{\rho \sigma_y E[X]}{\sigma_x}$$

où ρ désigne la corrélation entre X et Y, tandis que $\sigma_y^2 = \text{Var}(Y)$ et $\sigma_x^2 = \text{Var}(X)$. On vérifie aisément que ces valeurs donnent bien un minimum de $E[(Y - (a + bX))^2]$, déterminant ainsi le meilleur prédicteur linéaire de Y basé sur X au sens du carré moyen de l'erreur

$$\mu_y + \frac{\rho \sigma_y}{\sigma_x}(X - \mu_x)$$

où $\mu_y = E[Y]$ et $\mu_x = E[X]$.

Le carré moyen de l'erreur de ce prédicteur est

$$E\left[\left(Y - \mu_y - \rho \frac{\sigma_y}{\sigma_x}(X - \mu_x)\right)^2\right]$$

$$= E[(Y - \mu_y)^2] + \rho^2 \frac{\sigma_y^2}{\sigma_x^2} E[(X - \mu_x)^2] - 2\rho \frac{\sigma_y}{\sigma_x} E[(Y - \mu_y)(X - \mu_x)]$$

$$= \sigma_y^2 + \rho^2 \sigma_y^2 - 2\rho^2 \sigma_y^2$$

$$= \sigma_y^2 (1 - \rho^2) \qquad (7.35)$$

On constate grâce à (7.35) que, lorsque ρ est voisin de $+1$ ou -1, le carré moyen de l'erreur du meilleur prédicteur linéaire est presque nul.

Exemple 7.49 On va montrer qu'il existe une situation parmi d'autres dans laquelle l'espérance conditionnelle de Y selon X est linéaire en X, ce qui signifie que le meilleur prédicteur linéaire de Y basé sur X, est le meilleur tout court: celle où X et Y sont des variables conjointement normales.

SOLUTION. La densité conjointe de X et Y est

$$f(x, y) = \frac{1}{2\pi\sigma_x\sigma_y\sqrt{1 - \rho^2}} \exp\left\{ -\frac{1}{2(1 - \rho^2)}\left[\left(\frac{x - \mu_x}{\sigma_x}\right)^2\right.\right.$$

$$\left.\left. - \frac{2\rho(x - \mu_x)(y - \mu_y)}{\sigma_x\sigma_y} + \left(\frac{y - \mu_y}{\sigma_y}\right)^2\right]\right\}$$

On laisse au lecteur le soin de vérifier que la densité conditionnelle de Y, $X = x$ étant donné, est

$$f_{Y|X}(y|x)$$

$$= \frac{1}{\sqrt{2\pi}\sigma_y\sqrt{1 - \rho^2}} \exp\left\{ -\frac{1}{2\sigma_y^2(1 - \rho^2)}\left(y - \mu_y - \frac{\rho\sigma_y}{\sigma_x}(x - \mu_x)\right)^2\right\}$$

On voit donc que la distribution conditionnelle associée est normale, d'espérance

$$E[Y \mid X = x] = \mu_y + \rho \frac{\sigma_y}{\sigma_x}(x - \mu_x)$$

et de variance $\sigma_y^2 (1 - \rho^2)$, ce qui montre bien que le meilleur estimateur est linéaire. On retrouve d'ailleurs l'expression du meilleur estimateur linéaire.   ∎

7.8 FONCTIONS GÉNÉRATRICES DES MOMENTS

7.8.1 Définition et propriétés

On définit pour tout réel t, la **fonction génératrice des moments** φ de la variable aléatoire X par

$$\varphi(t) = E[e^{tX}]$$

$$= \begin{cases} \displaystyle\sum_x e^{tx} p(x) & \text{si } X \text{ est discrète, de loi de probabilité } p \\[2mm] \displaystyle\int_{-\infty}^{\infty} e^{tx} f(x)\, dx & \text{si } X \text{ est continue, de densité } f \end{cases}$$

Cette fonction φ est appelée fonction génératrice des moments du fait que tous les moments d'ordre n de X peuvent être calculés en dérivant n fois φ puis en évaluant le dérivée en $t = 0$. Par exemple,

$$\varphi'(t) = \frac{d}{dt} E[e^{tX}]$$

$$= E\left[\frac{d}{dt}(e^{tX})\right]$$

$$= E[Xe^{tX}] \qquad\qquad (7.36)$$

où l'on a admis que la permutation des opérations de dérivation et de prise d'espérance était légitime. Plus précisément on a admis que

$$\frac{d}{dt}\left[\sum_x e^{tx} p(x)\right] = \sum_x \frac{d}{dt}[e^{tx} p(x)]$$

dans le cas discret et que

$$\frac{d}{dt}\left[\int e^{tx} f(x)\, dx\right] = \int \frac{d}{dt}[e^{tx} f(x)]\, dx$$

dans le cas continu. Cette supposition est presque toujours fondée et d'ailleurs est valable pour toutes les distributions considérées dans cet ouvrage. Ceci fait que lorsqu'on évalue φ' obtenue dans (7.36) en $t = 0$ on trouve bien

$$\varphi'(0) = E[X]$$

Et de même

$$\varphi''(t) = \frac{d}{dt}\, \varphi'(t)$$

$$= \frac{d}{dt}\, E[Xe^{tX}]$$

$$= E\left[\frac{d}{dt}\,(Xe^{tX})\right]$$

$$= E[X^2 e^{tX}]$$

par conséquent

$$\varphi''(0) = E[X^2]$$

L'expression générale de la n-ième dérivée de φ est

$$\varphi^{\,n}(t) = E[X^n e^{tX}] \qquad n \geq 1$$

qui laisse

$$\varphi^n(0) = E[X^n] \qquad n \geq 1$$

7.8.2 Exemples d'applications de la fonction génératrice des moments

Les exemples qui suivent étudient la fonction génératrice des moments de plusieurs distributions courantes.

Exemple 7.50 Cas de la distribution binomiale de paramètres n et p
Soit X une variable suivant une telle distribution. On souhaite déterminer φ et appliquer ses propriétés au calcul de $E[X]$ et $\mathrm{Var}(X)$.

SOLUTION. On a

$$\varphi(t) = E[e^{tX}]$$

$$= \sum_{k=0}^{n} e^{tk} \binom{n}{k} p^k (1-p)^{n-k}$$

$$= \sum_{k=0}^{n} \binom{n}{k} (pe^t)^k (1-p)^{n-k}$$

$$= (pe^t + 1 - p)^n$$

où l'on reconnaît lors de la dernière égalité, une application de la formule du binôme. En dérivant,

$$\varphi'(t) = n(pe^t + 1 - p)^{n-1}pe^t$$

et par suite

$$E[X] = (\varphi'(0)) = np$$

ce qui est bien en accord avec le résultat calculé dans l'exemple 7.3. Une seconde dérivation donne

$$\varphi''(t) = n(n-1)(pe^t + 1 - p)^{n-2}(pe^t)^2 + n(pe^t + 1 - p)^{n-1}pe^t$$

puis

$$E[X^2] = \varphi''(0) = n(n-1)p^2 + np$$

La variance de X est donc

$$\begin{aligned}
\operatorname{Var}(X) &= E[X^2] - (E[X])^2 \\
&= n(n-1)p^2 + np - n^2p^2 \\
&= np(1-p)
\end{aligned}$$

ce qui une fois encore confirme le calcul effectué dans l'exemple 7.31. ∎

Exemple 7.51 Cas de la distribution de Poisson de paramètre λ
L'objectif est le même que dans l'exemple précédent, X désigne toujours la variable aléatoire étudiée.

SOLUTION. On a

$$\begin{aligned}
\varphi(t) &= E[e^{tX}] \\
&= \sum_{n=0}^{\infty} \frac{e^{tn}e^{-\lambda}\lambda^n}{n!} \\
&= e^{-\lambda} \sum_{n=0}^{\infty} \frac{(\lambda e^t)^n}{n!} \\
&= e^{-\lambda}e^{\lambda et} \\
&= \exp\{\lambda(e^t - 1)\}
\end{aligned}$$

Deux dérivations donnent successivement

$$\begin{aligned}
\varphi'(t) &= \lambda e^t \exp\{\lambda(e^t - 1)\} \\
\varphi''(t) &= (\lambda e^t)^2 \exp\{\lambda(e^t - 1)\} + \lambda e^t \exp\{\lambda(e^t - 1)\}
\end{aligned}$$

et donc

$$\begin{aligned}
E[X] &= \varphi'(0) = \lambda \\
E[X^2] &= \varphi''(0) = \lambda^2 + \lambda \\
\operatorname{Var}(X) &= E[X^2] - (E[X])^2 \\
&= \lambda
\end{aligned}$$

On constate encore une fois que l'espérance et la variance d'une variable poissonienne sont toutes deux égales à λ. ∎

Exemple 7.52 Cas d'une distribution exponentielle de paramètre λ

SOLUTION. On a

$$\varphi(t) = E[e^{tX}]$$

$$= \int_0^\infty e^{tx} \lambda e^{-\lambda x}\, dx$$

$$= \lambda \int_0^\infty e^{-(\lambda - t)x}\, dx$$

$$= \frac{\lambda}{\lambda - t} \quad \text{pour } t < \lambda$$

On remarque ici que φ n'est définie que pour des valeurs de t inférieures à λ. Deux dérivations livrent

$$\varphi'(t) = \frac{\lambda}{(\lambda - t)^2} \qquad \varphi''(t) = \frac{2\lambda}{(\lambda - t)^3}$$

Et donc

$$E[X] = \varphi'(0) = \frac{1}{\lambda} \qquad E[X^2] = \varphi''(0) = \frac{2}{\lambda^2}$$

et la variance de X est

$$\text{Var}(X) = E[X^2] - (E[X])^2$$

$$= \frac{1}{\lambda^2}$$ ∎

Exemple 7.53 Cas d'une distribution normale

SOLUTION. On déterminera d'abord la fonction génératrice des moments d'une variable normale standard. Désignons cette variable par Z. On a

$$\varphi_Z(t) = E[e^{tZ}]$$

$$= \frac{1}{\sqrt{2\pi}} \int_{-\infty}^\infty e^{tx} e^{-x^2/2}\, dx$$

$$= \frac{1}{\sqrt{2\pi}} \int_{-\infty}^\infty \exp\left\{ -\frac{(x^2 - 2tx)}{2} \right\} dx$$

$$= \frac{1}{\sqrt{2\pi}} \int_{-\infty}^\infty \exp\left\{ -\frac{(x - t)^2}{2} + \frac{t^2}{2} \right\} dx$$

$$= e^{t^2/2} \frac{1}{\sqrt{2\pi}} \int_{-\infty}^{\infty} e^{-(x-t)^2/2} \, dx$$

$$= e^{t^2/2} \frac{1}{\sqrt{2\pi}} \int_{-\infty}^{\infty} e^{-y^2/2} \, dy \qquad \text{en substituant } y \text{ à } x - t$$

$$= e^{t^2/2}$$

La fonction génératrice des moments d'une variable aléatoire Z normale centrée réduite est donc $\varphi_Z(t) = e^{t^2/2}$. Pour obtenir la fonction génératrice des moments d'une variable normale quelconque, il faut se souvenir que $X = \mu + \sigma Z$ sera de distribution normale avec paramètres μ et σ^2 si Z est normale standard. On peut alors calculer la fonction génératrice des moments de X ainsi

$$\begin{aligned}
\varphi_X(t) &= E[e^{tX}] \\
&= E[e^{t(u+\sigma Z)}] \\
&= E[e^{t\mu} e^{t\sigma Z}] \\
&= e^{t\mu} E[e^{t\sigma Z}] \\
&= e^{t\mu} (\varphi_Z(t\sigma)) \\
&= e^{t\mu} e^{(t\sigma)^2/2} \\
&= \exp\left\{ \frac{\sigma^2 t^2}{2} + \mu t \right\}
\end{aligned}$$

On dérive pour obtenir

$$\varphi_X'(t) = (\mu + t\sigma^2) \exp\left\{ \frac{\sigma^2 t^2}{2} + \mu t \right\}$$

$$\varphi_X''(t) = (\mu + t\sigma^2)^2 \exp\left\{ \frac{\sigma^2 t^2}{2} + \mu t \right\} + \sigma^2 \exp\left\{ \frac{\sigma^2 t^2}{2} + \mu t \right\}$$

donc

$$\begin{aligned}
E[X] &= \varphi'(0) = \mu \\
E[X^2] &= \varphi''(0) = \mu^2 + \sigma^2
\end{aligned}$$

et finalement

$$\begin{aligned}
\text{Var}(X) &= E[X^2] - E([X])^2 \\
&= \sigma^2
\end{aligned}$$

∎

7.8.3 Tableaux de fonctions génératrices des moments

Les tableaux 7.3 et 7.4 donnent la fonction génératrice des moments de plusieurs distributions courantes.

Tableau 7.3

Lois (discrètes)	Loi de probabilité $p(x)$	Fonction génératrice des moments $\varphi(t)$	Espérance	Variance
Binomiale de paramètres n, p $0 \leq p \leq 1$	$\binom{n}{x} p^x (1-p)^{n-x}$ $x = 0, 1, \ldots, n$	$(pe^t + 1 - p)^n$	np	$np(1-p)$
Poisson de paramètre $\lambda > 0$	$e^{-\lambda} \dfrac{\lambda^x}{x!}$ $x = 0, 1, 2, \ldots$	$\exp\{\lambda(e^t - 1)\}$	λ	λ
Géométrique de paramètre $0 \leq p \leq 1$	$p(1-p)^{x-1}$ $x = 1, 2, \ldots$	$\dfrac{pe^t}{1-(1-p)e^t}$	$\dfrac{1}{p}$	$\dfrac{1-p}{p^2}$
Binomiale négative de paramètres r, p $0 \leq p \leq 1$	$\binom{n-1}{r-1} p^r (1-p)^{n-r}$ $n = r, r+1, \ldots$	$\left[\dfrac{pe^t}{1-(1-p)e^t}\right]^r$	$\dfrac{r}{p}$	$\dfrac{r(1-p)}{p^2}$

Tableau 7.4

Lois (continues)	Densité $f(x)$	Fonction génératrice des moments $\varphi(t)$	Espérance	Variance
Uniforme sur (a, b)	$f(x) = \begin{cases} \dfrac{1}{b-a} & a < x < b \\ 0 & \text{sinon} \end{cases}$	$\dfrac{e^{tb} - e^{ta}}{t(b-a)}$	$\dfrac{a+b}{2}$	$\dfrac{(b-a)^2}{12}$
Exponentielle de paramètre $\lambda > 0$	$f(x) = \begin{cases} \lambda e^{-\lambda x} & x \geq 0 \\ 0 & x < 0 \end{cases}$	$\dfrac{\lambda}{\lambda - t}$	$\dfrac{1}{\lambda}$	$\dfrac{1}{\lambda^2}$
Gamma de paramètres (s, λ) $\quad \lambda > 0$	$f(x) = \begin{cases} \dfrac{\lambda e^{-\lambda x}(\lambda x)^{s-1}}{\Gamma(s)} & x \geq 0 \\ 0 & x < 0 \end{cases}$	$\left(\dfrac{\lambda}{\lambda - t}\right)^s$	$\dfrac{s}{\lambda}$	$\dfrac{s}{\lambda^2}$
Normale de paramètres (μ, σ^2)	$f(x) = \dfrac{1}{\sqrt{2\pi}\sigma} e^{-(x-\mu)^2/2\sigma^2} \quad -\infty < x < \infty$	$\exp\left\{\mu t + \dfrac{\sigma^2 t^2}{2}\right\}$	μ	σ^2

7.8.4 Autres propriétés des fonctions génératrices des moments

Théorème 7.8
La fonction génératrice des moments d'une somme de variables aléatoires indépendantes est égale au produit des fonctions génératrices des moments individuels de ces variables.

DÉMONSTRATION. Soient deux variables aléatoires indépendantes X et Y de fonctions génératrices des moments respectives φ_X et φ_Y. La fonction génératrice des moments de $X + Y$ est

$$
\begin{aligned}
\varphi_{X+Y}(t) &= E[e^{t(X+Y)}]\\
&= E[e^{tX}e^{tY}]\\
&= E[e^{tX}]E[e^{tY}]\\
&= \varphi_X(t)\varphi_Y(t)
\end{aligned}
$$

où l'avant dernière égalité est une conséquence du théorème 7.4 et de l'indépendance de X et Y. ∎

Une autre propriété très importante des fonctions génératrices est que leur donnée détermine de manière univoque la distribution des variables auxquelles elles correspondent. Plus précisément, si φ_X et ses dérivées existent et sont finies dans un voisinage de 0, la distribution de X est entièrement déterminée par ces fonctions. Si par exemple $\varphi_X(t) = (\frac{1}{2})^{10}(e^t + 1)^{10}$ on pourra affirmer, grâce au tableau 7.3 que X est une variable binomiale de paramètre 10 et $\frac{1}{2}$.

7.8.5 Exemples d'application

Exemple 7.54 On sait que la fonction génératrice des moments d'une variable X est $\varphi(t) = e^{3(e^t - 1)}$. Que vaudra $P\{X = 0\}$?

SOLUTION. Le tableau 7.3 indique que φ est la fonction génératrice des moments d'une variable de Poisson de paramètre 3. En vertu de l'unicité de la distribution associée à une fonction génératrice, on conclut que X est une variable de Poisson de paramètre 3. Par conséquent, $P\{X = 0\} = e^{-3}$. ∎

Exemple 7.55 Somme de variables binomiales indépendantes
Considérons deux variables binomiales X et Y indépendantes et de paramètres respectifs (n, p) et (m, p). Quelle sera la distribution de $X + Y$?

SOLUTION. La fonction génératrice des moments de $X + Y$ est

$$
\begin{aligned}
\varphi_{X+Y}(t) = \varphi_X(t)\varphi_Y(t) &= (pe^t + 1 - p)^n(pe^t + 1 - p)^m\\
&= (pe^t + 1 - p)^{m+n}
\end{aligned}
$$

On reconnaît ici dans $(pe^t + 1 - p)^{m+n}$ la fonction génératrice des moments d'une variable binomiale de paramètres $m + n$ et p. Cette distribution est donc celle de $X + Y$. ∎

Exemple 7.56 Somme de variables aléatoires de Poisson
Si X et Y sont deux variables poissoniennes indépendantes de paramètres respectifs λ_1 et λ_2, quelle est la distribution de leur somme?

SOLUTION.

$$
\begin{aligned}
\varphi_{X+Y}(t) &= \varphi_X(t)\varphi_Y(t) \\
&= \exp\{\lambda_1(e^t - 1)\}\exp\{\lambda_2(e^t - 1)\} \\
&= \exp\{(\lambda_1 + \lambda_2)(e^t - 1)\}
\end{aligned}
$$

Et par conséquent $X + Y$ est de distribution poissonienne avec paramètre $\lambda_1 + \lambda_2$, ce qui confirme le résultat établi dans l'exemple 6.16. ∎

Exemple 7.57 Somme de variables normales indépendantes
On veut montrer que si X et Y sont deux variables normales indépendantes de paramètres respectifs (μ_1, σ_1^2) et (μ_2, σ_2^2) alors $X + Y$ est normale d'espérance $\mu_1 + \mu_2$ et de variance $\sigma_1^2 + \sigma_2^2$.

SOLUTION.

$$
\begin{aligned}
\varphi_{X+Y}(t) &= \varphi_X(t)\varphi_Y(t) \\
&= \exp\left\{\frac{\sigma_1^2 t^2}{2} + \mu_1 t\right\}\exp\left\{\frac{\sigma_2^2 t^2}{2} + \mu_2 t\right\} \\
&= \exp\left\{\frac{(\sigma_1^2 + \sigma_2^2)t^2}{2} + (\mu_1 + \mu_2)t\right\}
\end{aligned}
$$

que l'on reconnaît être la fonction génératrice des moments d'une variable normale d'espérance $\mu_1 + \mu_2$ et de variance $\sigma_1^2 + \sigma_2^2$. Le résultat annoncé est donc acquis du fait de l'unicité de la distribution associée à une fonction génératrice des moments. ∎

Exemple 7.58 Fonction génératrice des moments d'une somme d'un nombre aléatoire de variables aléatoires. On considère une collection $X_1, X_2,\ldots$ de variables aléatoires indépendantes et identiquement distribuées. On considère également une variable N à valeurs entières positives indépendantes des X_i, $i = 1, 2,\ldots$ On souhaite déterminer la fonction génératrice des moments puis l'espérance de

$$
Y = \sum_{i=1}^{N} X_i
$$

(Dans l'exemple 7.39 Y représentait la somme totale dépensée dans un magasin lorsqu'à la fois les dépenses de chaque client et le nombre de clients sont des variables aléatoires).

SOLUTION. Pour trouver la fonction génératrice des moments de Y, on conditionne tout d'abord selon N comme suit

$$E[e^{t\Sigma_1^N X_i}|N=n] = E[e^{t\Sigma_1^n X_i}|N=n]$$
$$= E[e^{t\Sigma_1^n X_i}]$$
$$= (\varphi_X(t))^n$$

où

$$\varphi_X(t) = E[e^{tX_i}]$$

Par conséquent

$$E[e^{tY}|N] = (\varphi_X(t))^N$$

et donc

$$\varphi_Y(t) = E[(\varphi_X(t))^N]$$

Il suffit à ce stade de dériver pour obtenir les premiers moments de Y:

$$\varphi'_Y(t) = E[N(\varphi_X(t))^{N-1}\varphi'_X(t)]$$

et par suite

$$E[Y] = \varphi'_Y(0) \qquad\qquad (7.37)$$
$$= E[N(\varphi_X(0))^{N-1}\varphi'_X(0)]$$
$$= E[NEX]$$
$$= E[N]E[X]$$

où le résultat de l'exercice 7.38 se trouve confirmé. On a utilisé dans ce calcul la relation $\varphi_X(0) = E[e^{0X}] = 1$. Ensuite,

$$\varphi''_Y(t) = E[N(N-1)(\varphi_X(t))^{N-2}(\varphi'_X(t))^2 + N(\varphi_X(t))^{N-1}\varphi''_X(t)]$$

et donc

$$E[Y^2] = \varphi''_Y(0)$$
$$= E[N(N-1)(E[X])^2 + NE[X^2]]$$
$$= (E[X])^2(E[N^2] - E[N]) + E[N]E[X^2] \qquad (7.38)$$
$$= E[N](E[X^2] - (E[X])^2) + (E[X])^2E[N^2]$$
$$= E[N]\,\text{Var}\,(X) + (E[X])^2E[N^2]$$

De (7.37) et (7.38) on tire Var(Y):

$$\text{Var}\,(Y) = E[N]\,\text{Var}\,(X) + (E[X])^2(E[N^2] - (E[N])^2)$$
$$= E[N]\,\text{Var}\,(X) + (E[X])^2\,\text{Var}\,(N) \qquad\blacksquare$$

7.8.6 Fonction génératrice des moments de variables conjointes

Le concept de fonction génératrice des moments peut être étendu à des variables conjointes. On procède comme suit: pour toute collection de n variables aléatoires X_1,

$X_2,\ldots, X_n$ leur **fonction génératrice des moments conjoints** φ est définie pour toute collection de n, arguments réels t_1, $t_2,\ldots, t_n$ par

$$\varphi(t_1, \ldots, t_n) = E[e^{t_1 X_1 + \cdots + t_n X_n}]$$

Les fonctions génératrices des moments individuelles sont calculables à partir de φ en posant tous les arguments sauf un égaux à zéro; en clair

$$\varphi_{X_i}(t) = E[e^{t X_i}] = \varphi(0, \ldots, 0, t, 0, \ldots, 0)$$

où t est le i-ème argument de φ.

On peut démontrer que la donnée de φ détermine de manière univoque la distribution conjointe de X_1, $X_2,\ldots, X_n$. La démonstration est cependant trop difficile pour figurer dans cet ouvrage. Ce résultat permet d'en démontrer alors un autre.

Théorème 7.9
n variables aléatoires X_1, $X_2,\ldots X_n$ seront indépendantes si et seulement si

$$\varphi(t_1, \ldots, t_n) = \varphi_{X_1}(t_1) \cdots \varphi_{X_n}(t_n) \tag{7.39}$$

DÉMONSTRATION. Supposons l'indépendance des n variables aléatoires, alors

$$
\begin{aligned}
\varphi(t_1, \ldots, t_n) &= E[e^{(t_1 X_1 + \cdots + t_n X_n)}] \\
&= E[e^{t_1 X_1} \cdots e^{t_n X_n}] \\
&= E[e^{t_1 X_1}] \cdots E[e^{t_n X_n}] \quad \text{du fait de l'hypothèse précitée} \\
&= \varphi_{X_1}(t_1) \cdots \varphi_{X_n}(t_n)
\end{aligned}
$$

Dans l'autre sens, si (7.39) est vraie, la fonction génératrice des moments conjoints φ est identique à celle de n variables aléatoires indépendantes, la i-ème desquelles aura la même distribution que X_i. Comme la fonction génératrice des moments conjoints détermine une distribution conjointe de manière unique, la distribution reconnue est bien celle des X_i conjointement. Ces variables sont donc indépendantes. ∎

Exemple 7.59. Distribution normale multivariée
On considère un ensemble de n variables aléatoires indépendantes et normales standard notées $Z_1,\ldots, Z_n$. On définit des variables aléatoires X_1, $X_2,\ldots, X_m$ grâce aux équations

$$
\begin{aligned}
X_1 &= a_{11} Z_1 + \cdots + a_{1n} Z_n + \mu_1 \\
X_2 &= a_{21} Z_1 + \cdots + a_{2n} Z_n + \mu_2 \\
&\vdots \\
X_i &= a_{i1} Z_1 + \cdots + a_{in} Z_n + \mu_i \\
&\vdots \\
X_m &= a_{m1} Z_1 + \cdots + a_{mn} Z_n + \mu_m
\end{aligned}
$$

où a_{ij}, $1 \leqslant i \leqslant m, 1 \leqslant j \leqslant n$ et μ_i, $1 \leqslant i \leqslant m$ sont des constantes. Tout jeu de variables X_i, $1 \leqslant i \leqslant m$ ainsi définies est appelé groupe de **variables aléatoires normales multivariées.**

La somme de variables aléatoires normales indépendantes étant elle-même de distribution normale d'après le résultat de l'exemple 7.57, on remarquera que chaque X_i est une variable aléatoire normale d'espérance et de variance données par

$$E[X_i] = \mu_i$$

$$\text{Var}(X_i) = \sum_{j=1}^{n} a_{ij}^2$$

La covariance de X_i et X_j est d'autre part

$$\text{Cov}(X_i, X_j) = \text{Cov}\left(\mu_i + \sum_{k=1}^{n} a_{ik}Z_k, \mu_j + \sum_{\ell=1}^{n} a_{j\ell}Z_\ell\right)$$

$$= \text{Cov}\left(\sum_{k=1}^{n} a_{ik}Z_k, \sum_{\ell=1}^{n} a_{j\ell}Z_\ell\right)$$

$$= \sum_{k,\ell} a_{ik}a_{j\ell}\,\text{Cov}(Z_k, Z_\ell)$$

$$= \sum_{k=1}^{n} a_{ik}a_{jk}$$

puisque

$$\text{Cov}(Z_k, Z_\ell) = \begin{cases} 1 & \text{si } k = \ell \\ 0 & \text{si } k \neq \ell \end{cases}$$

Ces définitions et remarques étant faites, on souhaite montrer que la distribution conjointe des X_i, $i = 1,...,m$ est entièrement déterminée par les valeurs $E[X_i]$, $i = 1,...,m$ et $\text{Cov}(X_i, X_j)$, i et $j = 1,...,m$.

SOLUTION. La fonction génératrice des moments conjoints de $X_1,..., X_m$ est

$$\varphi(t_1, \ldots, t_m) = E[e^{(t_1 X_1 + \cdots + t_m X_m)}]$$

Or

$$t_1 X_1 + \cdots + t_m X_m = (a_{11}t_1 + a_{21}t_2 + \cdots + a_{m1}t_m)Z_1$$
$$+ (a_{12}t_1 + a_{22}t_2 + \cdots + a_{m2}t_m)Z_2$$
$$+$$
$$\vdots$$
$$+ (a_{1n}t_1 + a_{2n}t_2 + \cdots + a_{mn}t_m)Z_n$$
$$+ \mu_1 t_1 + \mu_2 t_2 + \cdots + \mu_m t_m$$

donc

$$\sum_{i=1}^{m} t_i X_i$$

suit une loi normale d'espérance

$$E\left[\sum_{i=1}^{m} t_i X_i\right] = \sum_{i=1}^{m} t_i \mu_i$$

et de variance

$$\text{Var}\left(\sum_{i=1}^{m} t_1 X_i\right) = \sum_{k=1}^{n}\left(\sum_{i=1}^{m} a_{ik} t_i\right)^2$$

Or on sait que pour toute variable aléatoire Y normale de paramètres μ et σ^2

$$E[e^Y] = \varphi_Y(t)|_{t=1} = e^{\mu + \sigma^2/2}$$

La fonction φ peut donc être réécrite

$$\varphi(t_1, \ldots, t_m) = E\left[\exp\left\{\sum_{1}^{m} t_i X_i\right\}\right]$$

$$= \exp\left\{\sum_{i=1}^{m} t_i \mu_i + \frac{1}{2}\sum_{k=1}^{n}\left(\sum_{i=1}^{m} a_{ik} t_i\right)^2\right\}$$

Or

$$\sum_{k=1}^{n}\left(\sum_{i=1}^{m} a_{ik} t_i\right)^2 = \sum_{k=1}^{n}\sum_{i=1}^{m} a_{ik} t_i \sum_{j=1}^{m} a_{jk} t_j$$

$$= \sum_{j=1}^{m}\sum_{i=1}^{m} t_i t_j \sum_{k=1}^{n} a_{ik} a_{jk}$$

$$= \sum_{j=1}^{m}\sum_{i=1}^{m} t_i t_j \, \text{Cov}(X_i, X_j)$$

et φ est donc exprimable sous la forme finale

$$\varphi(t_1, \ldots, t_m) = \exp\left\{\sum_{i=1}^{m} t_i \mu_i + \frac{1}{2}\sum_{j=1}^{m}\sum_{i=1}^{m} t_i t_j \, \text{Cov}(X_i, X_j)\right\}$$

où l'on voit bien, en vertu de la correspondance univoque entre fonction génératrice des moments conjoints et distribution conjointe, que la distribution des X_i est entièrement déterminée par la donnée des valeurs $\mu_i = E[X_i]$ et $\text{Cov}(X_i, X_j)$ i et $j = 1, \ldots, m$. ∎

7.9 DÉFINITION GÉNÉRALE DE L'ESPÉRANCE MATHÉMATIQUE

7.9.1 Cadre du problème

Nous n'avons jusqu'à présent défini d'espérance que pour des variables discrètes ou continues. Or il existe des variables qui n'appartiennent à aucune de ces deux catégories et pour lesquelles il est malgré tout intéressant d'essayer de définir une espérance. A titre d'exemple, considérons la variable aléatoire W construite ainsi: soient X une variable de Bernoulli de paramètre $p = \frac{1}{2}$ et Y une variable uniforme sur $[0, 1]$. On pose

$$W = \begin{cases} X & \text{lorsque } X = 1 \\ Y & \text{lorsque } X \neq 1 \end{cases}$$

La variable W n'est manifestement ni discrète (son ensemble fondamental $[0, 1]$ étant non dénombrable), ni continue (discontinuité de F_W en 1 puisque $P\{W = 1\} = \frac{1}{2}$).

Il s'avère utile pour définir l'espérance de variables aléatoires absolument quelconques de disposer d'un outil, à savoir l'intégrale de Stieltjes définie ci-après.

7.9.2 Intégrale de Stieltjes

Avant de définir cette intégrale, procédons à un rappel. On se souvient que pour toute fonction g, $\int_a^b g(x)\, dx$ est définie ainsi:

$$\int_a^b g(x)\, dx = \lim \sum_{i=1}^{n} g(x_i)(x_i - x_{i-1})$$

où la limite est prise sur toutes les divisions $a = x_0 < x_1 < x_2 < \ldots < x_n = b$ avec $n \to \infty$ et $\max\limits_{i=1,\ldots,n} (x_i - x_{i-1}) \to 0$.

On définit maintenant pour toute fonction de répartition F, l'***intégrale de Stieltjes*** d'une fonction à valeurs non négatives g sur l'intervalle $[a, b]$ par

$$\int_a^b g(x)\, dF(x) = \lim \sum_{i=1}^{n} g(x_i)[F(x_i) - F(x_{i-1})]$$

où comme précédemment, la limite est prise sur toutes les divisions $a = x_0 < x_1 < x_2 < \ldots < x_n = b$ de $[a, b]$ avec $n \to \infty$ et $\max\limits_{i=1,\ldots,n} (x_i - x_{i-1}) \to 0$. On peut étendre cette définition à l'axe réel tout entier en posant

$$\int_{-\infty}^{\infty} g(x)\, dF(x) = \lim_{\substack{a \to -\infty \\ b \to +\infty}} \int_a^b g(x)\, dF(x)$$

Enfin, si g est une fonction à valeurs quelconques non nécessairement positives, on définit g^+ et g^-

$$g^+(x) = \begin{cases} g(x) & \text{lorsque } g(x) \geq 0 \\ 0 & \text{lorsque } g(x) < 0 \end{cases}$$

$$g^-(x) = \begin{cases} 0 & \text{lorsque } g(x) \geq 0 \\ -g(x) & \text{lorsque } g(x) < 0 \end{cases}$$

Les fonctions g^+ et g^- étant à valeurs non négatives et g s'écrivant $g = g^+ - g^-$, il est naturel de définir en tout généralité

$$\int_{-\infty}^{\infty} g(x)\, dF(x) = \int_{-\infty}^{\infty} g^+(x)\, dF(x) - \int_{-\infty}^{\infty} g^-(x)\, dF(x)$$

et nous dirons que $\int_{-\infty}^{+\infty} g(x)\, dF(x)$ existe dès que $\int_{-\infty}^{+\infty} g^+(x)\, dF(x)$ et $\int_{-\infty}^{+\infty} g^-(x)\, dF(x)$ ne sont pas toutes deux égales à $+\infty$.

7.9.3 Espérance d'une variable aléatoire quelconque

Soit X, une variable aléatoire quelconque de fonction de répartition F. On définit l'espérance de X par

$$E[X] = \int_{-\infty}^{\infty} x\, dF(x) \qquad (7.40)$$

On peut montrer que lorsque X est une variable discrète de loi de probabilité p,

$$\int_{-\infty}^{\infty} x\, dF(x) = \sum_{x\,:\,p(x)>0} xp(x)$$

tandis que si X est continue de densité f

$$\int_{-\infty}^{\infty} x\, dF(x) = \int_{-\infty}^{\infty} xf(x)\, dx$$

Le lecteur remarquera que (7.40) correspond intuitivement à la définition précédente de $E[X]$ comprise comme moyenne. Si en effet, on considère l'approximation suivante de $E[X]$, à savoir

$$\sum_{i=1}^{n} x_i[F(x_i) - F(x_{i-1})]$$

on remarque que $F(x_i) - F(x_{i-1})$ n'est autre que la probabilité que X soit dans l'intervalle $(x_{i-1}, x_i]$. L'approximation citée revient donc à multiplier une valeur approximative de X lorsque la variable prend une valeur dans $(x_{i-1}, x_i]$ par la probabilité que cet événement se produise. Il est prévisible que lorsque les intervalles utilisés deviennent de plus en plus fins le résultat sera une bonne moyenne pondérée.

L'intégrale de Stieltjes présente un intérêt plutôt sur le plan théorique où elle constitue un outil synthétique pour la définition et l'exploitation des propriétés de l'espérance. Son usage dispense en particulier de l'élaboration de démonstrations distinctes pour traiter les cas continu et discret. Comme par ailleurs, ses propriétés sont assez voisines de celles de l'intégrale ordinaire, on peut facilement adapter les démonstrations données dans ce chapitre pour leur donner une validité générale.

7.10 EXERCICES THÉORIQUES

7.10.1 Démontrer la première partie du théorème 7.2.

7.10.2 On trouve dans certains ouvrages, l'espérance $E[g(X)]$ définie par $E[g(X)] = \int_{-\infty}^{+\infty} g(x)f_X(x)\, dx$. Or $g(X)$ est une variable aléatoire et possède de ce fait déjà une espérance calculée d'après la définition générale, à savoir $\int_{-\infty}^{+\infty} y f_{g(X)}(y)\, dy$. Il n'est dès lors pas évident que ces deux définitions soient non contradictoires. Le fait que ces deux expressions soient toujours identiques est l'objet du théorème 7.2, parfois dit loi du statisticien simpliste. Mais définissons une nouvelle opération S pour toute variable aléatoire continue X et pour toute fonction réelle g, opération que nous baptiserons, pour parfaire l'analogie, spérance S au lieu de espérance E:

$$S[g(X)] = \int_{-\infty}^{\infty} g(x)(f_X(x))^2\, dx$$

Montrer en considérant une variable X uniforme sur $(0, 1)$ et en calculant $S[X^2]$ de deux manières différentes que cette définition de la spérance est contradictoire.

7.10.3 Soit N une variable aléatoire entière non négative. Montrer que

$$\sum_{i=0}^{\infty} iP\{N > i\} = \tfrac{1}{2}(E[N^2] - E[N])$$

Pour cela, utiliser

$$\sum_i iP\{N > i\} = \sum_i i \sum_{k=i+1}^{\infty} P\{N = k\}.$$

puis changer l'ordre des sommations.

7.10.4 Démontrer que pour toute variable aléatoire X non négative

$$E[X^n] = \int_0^{\infty} nx^{n-1}(1 - F(x))\, dx$$

7.10.5 Montrer que $E[(X - a)^2]$ atteint un minimum lorsque $a = E[X]$.

7.10.6 Soit X une variable aléatoire continue de densité f. Montrer que $E[|X - a|]$ est minimal lorsque a est égal à la médiane de F.
    A titre d'indication, écrire

$$E[|X - a|] = \int |x - a| f(x)\, dx$$

Partager le domaine d'intégration en deux régions $\{x < a\}$ et $\{x > a\}$ puis dériver.

7.10.7 Démontrer un énoncé analogue au théorème 7.2 dans le cas bidimensionnel, dans les deux cas suivants:
- X et Y ont une loi de probabilité conjointe;
- X et Y ont une densité conjointe et $g(x, y) \geq 0$ pour tout x et tout y.

7.10.8 On considère une variable aléatoire X d'espérance μ finie et de variance σ^2 ainsi qu'une fonction g deux fois dérivable. Montrer que

$$E[g(X)] \approx g(\mu) + \frac{g''(\mu)}{2}\,\sigma^2$$

On pourra pour cela développer g en série de Taylor et négliger les termes au-delà du troisième.

7.10.9 On lance n fois une pièce donnant face avec probabilité p. Calculer l'espérance du nombre de chaînes de faces dans le résultat dont la longueur soit 1, puis 2, puis k, $1 \leq k \leq n$.

7.10.10 Soient X_1, X_2,..., X_n des variables aléatoires positives indépendantes et identiquement distribuées. Calculer pour $k \leq n$

$$E\left[\frac{\sum\limits_{i=1}^{k} X_i}{\sum\limits_{i=1}^{n} X_i}\right]$$

7.10.11 On considère n épreuves indépendantes pouvant chacune aboutir à r résultats différents avec les probabilités P_1, P_2,..., P_r. Désignons par X, le nombre de résultats qui ne sont pas représentés au bout de n tirages. Calculer $E[X]$ puis montrer que parmi tous les vecteurs P_1, P_2,..., P_r celui qui minimise $E[X]$ est celui pour lequel $P_i = 1/r$, $i = 1, 2,..., r$.

7.10.12 En vous basant sur ce que vous savez de la variance d'une variable binomiale et de la relation entre variables binomiales et poissoniennes, que donneriez-vous comme expression de la variance d'une variable poissonienne de paramètre λ? Vérifier votre réponse par un calcul analytique.

7.10.13 Calculer la variance d'une variable aléatoire géométrique de paramètre $1/p$.

7.10.14 Calculer la variance d'une variable aléatoire exponentielle d'espérance $1/\lambda$.

7.10.15 Calculer la variance d'une variable aléatoire uniformément distribuée sur (a, b).

7.10.16 Calculer l'espérance et la variance d'une variable aléatoire bêta de paramètres (a, b).

7.10.17 Calculer l'espérance et la variance d'une variable aléatoire gamma de paramètres (t, λ).

7.10.18 Partant d'un ensemble de n éléments, on choisit de manière aléatoire un sous-ensemble non vide de manière que tous les sous-ensembles non vides aient la même probabilité d'être choisis. Soit X, le cardinal du sous-ensemble choisi. En utilisant les identités données dans l'exercice théorique 1.7.13, montrer que

$$E[X] = \frac{n}{2 - (\frac{1}{2})^{n-1}}$$

$$\text{Var}(X) = \frac{n2^{2n-2} - n(n+1)2^{n-2}}{(2^n - 1)^2}$$

Montrer aussi que lorsque n est grand:

$$\text{Var}(X) \sim \frac{n}{4}$$

en ce sens que le rapport donnant la variance s'approche de 1 lorsque n tend vers l'infini. Comparer ce résultat avec la forme limite que prend $\text{Var}(Y)$ quand $P\{Y = i\} = 1/n$, $i = 1,..., n$.

7.10.19 On effectue une série d'épreuves indépendantes. La i-ème épreuve débouche sur un succès avec probabilité P_i. Calculer l'espérance puis la variance du nombre des succès au cours des n épreuves. L'hypothèse d'indépendance est-elle significative pour chacun de ces deux calculs?

7.10.20 Soient X_1, X_2,..., X_n des variables aléatoires indépendantes et identiquement distribuées d'espérance μ et de variance σ^2. On pose $\overline{X} = \sum_{i=1}^{n} X_i/n$. Montrer que

a) $E[\overline{X}] = \mu$;

b) $\text{Var}(\overline{X}) = \dfrac{\sigma^2}{n}$;

c) $E\left[\sum_{i=1}^{n} (X_i - \overline{X})^2\right] = (n-1)\sigma^2$.

7.10.21 Soient X_1,..., X_n des variables aléatoires indépendantes, identiquement distribuées et continues. On dira qu'un pic est observé au temps j, $j \leqslant n$, si $X_j \geqslant X_i$ pour tout i tel que $1 \leqslant i \leqslant j$. Montrer que

a) $E[\text{nombre de pics}] = \sum_{j=1}^{n} 1/j$.

b) $\text{Var(nombre de pics)} = \sum_{j=1}^{n} (j-1)/j^2$.

7.10.22 Pour l'exemple 7.20 montrer que la variance du nombre de bons nécessaires pour obtenir une collection complète est égale à

$$\sum_{i=1}^{N-1} \frac{iN}{(N-i)^2}$$

Quand N est grand, on peut montrer que cette expression est approximativement égale à $N^2\pi^2/6$ (c'est-à-dire que leur rapport tend vers 1 lorsque $N \to \infty$).

7.10.23 On considère une série de n épreuves indépendantes. La i-ème donne un succès avec probabilité P_i.

a) Calculer l'espérance du nombre de succès sur l'ensemble des n épreuves. On la notera μ;

b) sous la condition que μ reste constant, quel est le choix des probabilités $P_1,..., P_n$ pour lequel la variance du nombre de succès devient maximale?

c) A l'inverse, quel choix rendra-t-il cette variance minimale?

7.10.24 Vérifier l'équation (7.17).

7.10.25 Supposons que des boules soient prélevées au hasard dans une urne contenant initialement n boules blanches et m boules noires. On a montré, dans l'exemple 7.23, que $E[X] = 1 + m/(n+1)$ où X est le nombre de tirages nécessaires pour obtenir une boule blanche.

a) Calculer Var(X);

b) montrer que l'espérance du nombre de boules qu'il faut tirer pour amasser un total de k boules blanches est $k[1 + m/(n+1)]$.

Pour cela considérer des variables aléatoires Y_i, $i = 1,..., n + 1$, qui représentent le nombre de boules noires retirées après les $(i-1)$ premières boules blanches et avant la i-ème boule blanche. Utiliser le fait que les Y_i, $i = 1,..., n + 1$ sont identiquement distribuées.

7.10.26 Calculer la variance d'une variable aléatoire binomiale négative.

7.10.27 On considère deux variables aléatoires indépendantes X_1 et X_2 de même espérance μ. On sait également que Var(X_1) $= \sigma_1^2$ et Var(X_2) $= \sigma_2^2$. La valeur de μ est inconnue et on se propose de l'estimer grâce à une moyenne pondérée de X_1 et X_2. La forme générale de cette estimation sera donc $\lambda X_1 + (1 - \lambda) X_2$, où λ reste à choisir. Pour quel choix de λ, l'estimation aura-t-elle la variance la plus faible? Dire pourquoi cette valeur de λ est intéressante.

7.10.28 Démontrer

a) $\text{Cov}(a + bX, c + dY) = bd\,\text{Cov}(X, Y)$;

b) $\text{Cov}(X + Y, Z) = \text{Cov}(X, Z) + \text{Cov}(Y, Z)$;

c) $\text{Cov}\left(\sum_1^n X_i, \sum_1^m Y_i\right) = \sum_{j=1}^m \sum_{i=1}^n \text{Cov}(X_i, Y_j)$.

7.10.29 Dans l'exemple 7.35 nous avons montré que la covariance des variables aléatoires multinomiales N_i et N_j est égale à $-mP_iP_j$. Pour cela, nous avons exprimé N_i et N_j comme une somme de variables indicatrices. On peut aussi obtenir ce résultat en utilisant la formule

$$\text{Var}(N_i + N_j) = \text{Var}(N_i) + \text{Var}(N_j) + 2\text{Cov}(N_i, N_j)$$

a) Quelle est la loi de $N_i + N_j$?

b) Utiliser l'identité précédente pour montrer que $\text{Cov}(N_i, N_j) = -mP_iP_j$

7.10.30 Si X et Y sont identiquement distribuées, non nécessairement indépendantes, montrer que

$$\text{Cov}(X + Y, X - Y) = 0$$

7.10.31 *Formule de la covariance conditionnelle*
La covariance conditionnelle de X et Y, étant donné Z, est définie par

$$\text{Cov}(X,Y|Z) \equiv E[(X - E[X|Z])(Y - E[Y|Z])|Z]$$

a) Montrer que

$$\text{Cov}(X,Y|Z) = E[XY|Z] - E[X|Z]E[Y|Z]$$

b) Montrer la formule de la covariance conditionnelle

$$\text{Cov}(X,Y) = E[\text{Cov}(X,Y|Z)] + \text{Cov}(E[X|Z], E[Y|Z])$$

c) Poser $X = Y$ dans b) et énoncer la formule de la variance conditionnelle.

7.10.32 Soient $X_{(i)}$, $i = 1, ..., n$ les statistiques d'ordre d'un ensemble de n variables aléatoires uniformes sur $(0,1)$. On sait que la densité de $X_{(i)}$ est donnée par

$$f(x) = \frac{n!}{(i - 1)!(n - i)!} x^{i-1}(1 - x)^{n-i}, 0 < x < 1$$

a) Calculer $\text{Var}(X_{(i)})$, $i = 1, \ldots, n$.
b) Pour quelles valeurs de i $\text{Var}(X_{(i)})$ atteint-elle son
   • minimum;
   • maximum?

7.10.33 Montrer que si $Y = a + bX$, alors

$$\rho(X, Y) = \begin{cases} +1 & \text{si } b > 0 \\ -1 & \text{si } b < 0 \end{cases}$$

7.10.34 Soit Z, une variable aléatoire normale centrée réduite. On pose $Y = a + bZ + cZ^2$. Montrer que

$$\rho(Y, Z) = \frac{b}{\sqrt{b^2 + 2c^2}}$$

7.10.35 Prouver l'inégalité de Cauchy-Schwarz, à savoir:

$$(E[XY])^2 \le E[X^2]E[Y^2]$$

On remarquera qu'à moins qu'il existe une constante t telle que $Y = -tX$, auquel cas, cette inégalité devient une égalité, on peut écrire que pour tout t,

$$0 < E[(tX + Y)^2] = E[X^2]t^2 + 2E[XY]t + E[Y^2]$$

Aussi, les racines de l'équation quadratique

$$E[X^2]t^2 + 2E[XY]t + E[Y^2] = 0$$

doivent-elles être imaginaires, ce qui implique que le discriminant de cette équation quadratique doit être négatif.

7.10.36 Montrer que pour deux variables X et Y indépendantes

$$E[X \mid Y = y] = E[X] \qquad \text{pour tout } y$$

aussi bien dans le cas continu que discret.

7.10.37 Montrer que

$$E[g(X)Y \mid X] = g(X)E[Y \mid X].$$

7.10.38 Montrer que lorsque $E[Y \mid X = x] = E[Y]$ pour tout x alors X et Y sont non corrélées, puis donner un contre-exemple établissant que la réciproque n'est pas vraie. On pourra pour cela montrer puis utiliser la relation $E[XY] = E[XE[Y \mid X]]$.

7.10.39 Montrer que $\mathrm{Cov}(X, E[Y \mid X]) = \mathrm{Cov}(X, Y)$.

7.10.40 On considère des variables aléatoires $X_1, ..., X_n$ indépendantes et identiquement distribuées. Calculer

$$E[X_1 \mid X_1 + \cdots + X_n = x]$$

7.10.41 On considère l'exemple 7.35 qui traite d'une distribution multinomiale. Utiliser l'espérance conditionnelle pour le calcul de $E[N_i N_j]$ puis utiliser ce résultat pour vérifier la formule donnant $\mathrm{Cov}(N_i, N_j)$ citée dans ce même exemple.

7.10.42 Une urne contient au départ n boules noires et b boules blanches. A chaque étape on ajoute r boules noires puis retire r boules au hasard prises parmi les $n + b + r$ boules présentes. Montrer que

$$E[\text{nombre des boules blanches à la fin de l'étape } t] = \left(\frac{b + n}{b + n + r} \right)^t n.$$

7.10.43 Démontrer l'équation (7.24)

7.10.44 Une pièce est caractérisée par une probabilité p de tomber sur face. On la lance indéfiniment. Calculer l'espérance du nombre de jets qu'il faudra jusqu'à ce qu'une chaîne de r résultats de type face consécutifs apparaisse.

On pourra conditionner sur la date d'apparition du premier pile, ce qui amène à l'équation

$$E[X] = (1 - p) \sum_{i=1} p^{i-1}(i + E[X]) + (1 - p) \sum_{i=r+1} p^{i-1} r$$

Après simplification, on peut la résoudre par rapport à $E[X]$.

7.10.45 On tire une à une des boules dans une urne en contenant b blanches et n noires. On continue jusqu'à ce que toutes les boules restantes soient de la même couleur. Soit $M_{b,n}$ le nombre attendu de boules dans l'urne à la fin de l'expérience. Calculer une formule récursive donnant $M_{b,n}$ et la résoudre pour $b = 3$ et $n = 5$.

7.10.46 Une urne contient b boules blanches et n boules noires. Lorsqu'une boule est tirée, elle est remise dans l'urne s'il s'agit d'une boule blanche. S'il s'agit d'une noire, elle est remplacée par une boule blanche provenant d'une autre urne. Soit M_b l'espérance du nombre attendu de boules blanches restant dans l'urne après que l'opération ait été répétée k fois.

a) Etablir l'équation de récurrence:

$$M_{k+1} = \left(1 - \frac{1}{b+n}\right) m_k + 1$$

b) Utiliser cette équation pour prouver que

$$M_k = b + n - n\left(1 - \frac{1}{b+n}\right)^k$$

c) Quelle est la probabilité que la $(k+1)$-ième boule tirée soit blanche?

7.10.47 Le meilleur prédicteur linéaire de Y basé sur X_1 et X_2 est $a + bX_1 + cX_2$, où a, b et c doivent être choisis de manière à minimiser

$$E[(Y - (a + bX_1 + cX_2))^2].$$

Déterminer a, b et c.

7.10.48 Le meilleur prédicteur quadratique de Y basé sur X est $a + bX^2 + cX$, où a, b et c doivent être choisis de manière à minimiser

$$E[(Y - (a + bX + cX^2))^2].$$

Déterminer a, b et c.

7.10.49 On considère X et Y, deux variables aléatoires conjointement normales de densité

$$f(x, y) = \frac{1}{2\pi\sigma_x\sigma_y\sqrt{1-\rho^2}}$$

$$\times \exp\left\{-\frac{1}{2(1-\rho^2)}\left[\left(\frac{x-\mu_x}{\sigma_x}\right)^2 + \left(\frac{y-\mu_y}{\sigma_y}\right)^2\right.\right.$$

$$\left.\left. - 2\rho\frac{(x-\mu_x)(y-\mu_y)}{\sigma_x\sigma_y}\right]\right\}$$

- Montrer que la loi conditionnelle de Y lorsque $X = x$ est normale d'espérance $\mu_y + \rho(\sigma_y/\sigma_x)(x - \mu_x)$ et de variance $\sigma_y^2(1 - \rho^2)$;
- montrer que $\text{Corr}(X, Y) = \rho$;
- montrer que X et Y sont indépendantes si et seulement si $\rho = 0$.

7.10.50 Soient X une variable aléatoire normale de paramètres $\mu = 0$ et $\sigma = 1$ et I, indépendante de X, telle que $P\{I = 1\} = \frac{1}{2} = P\{I = 0\}$. On définit Y ainsi

$$Y = \begin{cases} X & \text{si } I = 1 \\ -X & \text{si } I = 0 \end{cases}$$

En d'autres termes, Y a autant de chances d'être égale à X ou à $-X$.
a) X et Y sont-elles indépendantes?
b) I et Y sont-elles indépendantes?
c) Montrer que Y est normale, d'espérance 0 et de variance 1.
d) Montrer que $\text{Cov}(X, Y) = 0$.
e) Est-ce que a), c) et d) sont en contradiction avec l'exercice théorique 7.10.49, qui établit que des variables aléatoires normales non corrélées sont indépendantes?

7.10.51 Du théorème 7.7 et du fait que le meilleur prédicteur linéaire de Y basé sur X est $\mu_y + \rho(\sigma_y/\sigma_x)(X - \mu_x)$ il résulte que si

$$E[Y | X] = a + bX$$

alors

$$a = \mu_y - \rho \frac{\sigma_y}{\sigma_x} \mu_x \qquad b = \rho \frac{\sigma_y}{\sigma_x}$$

(pourquoi?). Vérifier ceci par un calcul immédiat.

7.10.52 Montrer que pour toutes variables aléatoires X et Z

$$E[(X - Y)^2] = E[X^2] - E[Y^2]$$

où

$$Y = E[X | Z]$$

7.10.53 On considère une population dont les individus sont capables de produire seuls une descendance identique à eux-mêmes. On admet que chaque individu a une probabilité $P_j, j \geq 0$, d'avoir engendré j descendants au terme de sa vie, ceci indépendamment de l'activité des autres individus. Le nombre initial d'individus dans la population est noté X_0 et appelé taille de la 0-ième génération. Tous les descendants de cette génération 0 sont de la première génération, de taille X_1. De manière générale X_n représente la taille de la n-ième génération. L'espérance et la variance de la descendance immédiate d'un individu donné seront respectivement notées $\mu = \sum\limits_{i=0}^{\infty} jP_j$ et $\sigma^2 = \sum\limits_{j=0}^{\infty} (j - \mu)^2 P_j$. On admettra que $X_0 = 1$, c'est-à-dire que la population provient à l'origine d'un individu unique.

- Montrer que

$$E[X_n] = \mu E[X_{n-1}]$$

- En déduire que

$$E[X_n] = \mu^n$$

- Montrer que

$$\text{Var}(X_n) = \sigma^2 \mu^{n-1} + \mu^2 \text{Var}(X_{n-1})$$

- En déduire que

$$\text{Var}(X_n) = \begin{cases} \sigma^2 \mu^{n-1}\left(\dfrac{\mu^n - 1}{\mu - 1}\right) & \text{si } \mu \neq 1 \\ n\sigma^2 & \text{si } \mu = 1 \end{cases}$$

Ce que l'on vient d'étudier est appelé ***processus de ramification.*** Une question importante pour une population évoluant selon ces lois est de connaître la probabilité de son extinction. Notons π, cette probabilité sous l'hypothèse que la population descend d'un ancêtre initial unique; en clair,

$$\pi = P\{\text{la population s'éteigne} \mid X_0 = 1\}$$

- Prouver que

$$\pi = \sum_{j=0}^{\infty} P_j \pi^j$$

On pourra pour cela conditionner sur le nombre de descendants immédiats de l'ancêtre originel.

7.10.54 Vérifier la formule donnant la fonction génératrice des moments d'une variable aléatoire uniforme, telle qu'elle est donnée dans le tableau 7.4. Vérifier également les formules donnant l'espérance et la variance par dérivation.

7.10.55 Soit $Y = aX + b$, où a et b sont des constantes. Exprimer la fonction génératrice des moments de Y en fonction de celle de X.

7.10.56 Soit X une variable de fonction génératrice des moments φ. On pose $\Psi(t) = (\ln \varphi(t))$. Montrer que

$$\Psi''(t)\big|_{t=0} = \text{Var}(X)$$

7.10.57 A l'aide du tableau 7.4, déterminer la distribution de $\sum_{i=1}^{n} X_i$ lorsque $X_1,..., X_n$ sont des variables exponentielles indépendantes et identiquement distribuées d'espérance commune $1/\lambda$.

7.10.58 Montrer comment on peut calculer $\text{Cov}(X, Y)$ à partir de la fonction génératrice des moments conjoints de X et Y.

7.10.59 Soient $X_1, ..., X_n$ des variables de distribution normale multivariée. Montrer qu'elles seront indépendantes si et seulement si

$$\text{Cov}(X_i, X_j) = 0 \qquad \text{pour } i \neq j$$

7.10.60 Si Z est une variable aléatoire normale standard, que vaut $\text{Cov}(Z, Z^2)$?

7.11 PROBLÈMES

7.11.1 Un homme tirant sur une cible reçoit 10 points si son coup est à moins de 1 cm du centre de la cible, 5 points s'il s'en éloigne de 1 à 3 cm et 3 points s'il s'en éloigne de 3 à 5 cm. Trouver l'espérance du nombre de ses points si
- les coups tirés sont uniformément distribués sur un cercle de 8 cm de rayon, centré sur la cible;
- les écarts verticaux et horizontaux, par rapport au centre de la cible, sont des variables aléatoires normales indépendantes et identiquement distribuées de paramètres $\mu = 0$ et $\sigma^2 = 4$.

7.11.2 Un des jeux de dés très populaires dans les bars anglais est le «chuck-a-luck». Il consiste pour la banque à jeter trois dés. Un joueur peut parier sur n'importe quel résultat compris entre 1 et 6. Si exactement un de ces trois dés montre le chiffre prévu, le joueur récupère sa mise plus un montant équivalent. Si deux dés montrent ce résultat, le gain net est de 2 pour 1; si les trois dés indiquent le chiffre prévu, le gain net est de 3 pour 1. Si aucun dé ne montre le chiffre choisi par le joueur, ce dernier perd. Calculer l'espérance de gain lorsque l'enjeu est d'une unité.

7.11.3 On sait qu'une boîte de 5 composants électriques en comporte deux qui sont défectueux. Les composants sont choisis au hasard et testés l'un après l'autre. Trouver l'espérance du nombre de test qu'il faudra effectuer pour trouver les deux éléments défectueux.

7.11.4 A et B jouent au jeu suivant: A écrit soit le nombre 1, soit le nombre 2 et B doit deviner lequel a été écrit. Si i est le nombre écrit par A et que B le devine correctement, B reçoit i unités de la part de A. Si B se trompe, alors B paie $\frac{3}{4}$ d'unité à A. Si B prend sa décision de façon aléatoire mais en accordant à 1 le poids p et 2 le poids $(1 - p)$, déterminer l'espérance de son gain dans les cas suivants:
a) A a écrit le nombre 1;
b) A a écrit le nombre 2.

Quelle est la valeur de p qui rend maximal le minimum des espérances de gain de B et combien vaut ce maximum? (On remarquera que l'espérance du gain de B dépend non seulement de p, mais aussi de ce que A fait).

Considérons maintenant le joueur A. Supposons que lui aussi prend sa décision au hasard en écrivant le nombre 1 avec probabilité q. Quelle est l'espérance de perte de A si
c) B choisit le nombre 1;
d) B choisit le nombre 2.

Quelle est la valeur de q rendant minimum le maximum des espérances de perte de A? Montrer que le minimum du maximum des espérances de perte de A est égal au maximum du minimum des espérances de perte de B. Ce résultat, connu sous le nom de théorème du minimax, fut démontré dans toute sa généralité à l'origine par le mathématicien John von Neumann. Il constitue le résultat fondamental de la discipline mathématique qu'est la théorie des jeux. La valeur commune est appelée valeur du jeu pour le joueur B.

7.11.5 Le type le plus répandu de machines à sous possède trois roues munies chacune de 20 symboles (cerises, citrons, prunes, oranges, cloches et barres). Voici la description d'un jeu typique de ces roues:

	Roue 1	Roue 2	Roue 3
Cerises	7	7	0
Oranges	3	7	6
Citrons	3	0	4
Prunes	4	1	6
Cloches	2	2	3
Barres	1	3	1
	20	20	20

Ce tableau indique que des 20 symboles de la roue n° 1, 7 sont des cerises, 3 des oranges, etc... Le gain ordinaire par pièce misée est indiqué dans le tableau suivant:

Roue 1	Roue 2	Roue 3	Gain
barre	barre	barre	60
cloche	cloche	cloche	20
cloche	cloche	barre	18
prune	prune	prune	14
orange	orange	orange	10
orange	orange	barre	8
cerise	cerise	n'importe quoi	4
cerise	tout sauf cerise	n'importe quoi	2
autres combinaisons			−1

Calculer le gain que l'on peut espérer en jouant une partie avec une telle machine. On admet que les roues se meuvent de manière indépendante.

7.11.6 On choisit au hasard un nombre compris entre 1 et 10. Vous devez deviner ce nombre en posant des questions auxquelles il ne sera répondu que par oui ou non. Calculer l'espérance du nombre de questions nécessaires dans les deux cas suivants:
a) votre i-ème question est du type «Est-ce i?», $i = 1, 2, 3, 4, 5, 6, 7, 8, 9, 10$;
b) avec chaque question, vous essayez d'éliminer à peu près la moitié des nombres encore possibles.

7.11.7 Une compagnie d'assurance établit un contrat stipulant qu'une somme d'argent A doit être versée si un événement E se produit dans un intervalle d'un an. La compagnie estime que la probabilité que E se produise en l'espace d'un an est p. Comment calculer la prime d'assurance de façon que le bénéfice représente 10% de A?

7.11.8 Un échantillon de trois objets est choisi au hasard d'une boîte en contenant 20, dont 4 sont défectueux. Trouver l'espérance du nombre des objets défectueux dans l'échantillon.

7.11.9 Une machine peut tomber en panne pour deux raisons. Le diagnostic de la première cause coûte C_1 francs; s'il est positif, la réparation coûte alors R_1 francs. De façon analogue, la seconde cause de panne occasionne des coûts C_2 et R_2. Soient p et $(1 - p)$ respectivement les probabilités d'occurrence de la première et de la seconde pannes. Quelles sont les conditions que doivent satisfaire p, C_i, R_i, $i = 1, 2$ pour qu'il revienne en moyenne moins cher d'examiner la première cause de panne d'abord, plutôt que de conduire l'examen de façon inverse? On admettra que si le premier examen est négatif, le deuxième devra malgré tout être fait.

7.11.10 Un individu jette une pièce de monnaie équilibrée jusqu'à ce que pile apparaisse pour la première fois. Si pile apparaît au n-ième jet, l'individu gagne 2^n francs. Soit X, le gain du joueur. Montrer que $E[X] = + \infty$. Ce problème porte le nom de paradoxe de St-Petersbourg.
a) Seriez-vous disposé à payer 1 million pour jouer une fois à ce jeu?
b) Seriez-vous disposé à payer 1 million par partie en admettant que vous puissiez jouer aussi longtemps que vous le désirez et que vous n'ayez à régler les comptes qu'au moment de l'arrêt du jeu?

7.11.11 Soient $X_1, X_2,...$ une séquence de variables aléatoires indépendantes et identiquement distribuées. Soit $N \geqslant 2$ tel que:

$$X_1 \geq X_2 \geq \cdots \geq X_{N-1} < X_N$$

En d'autres termes, N est le point où la séquence cesse de décroître.
Montrer que $E[N] = e$.

7.11.12 Calculer $E[X]$ lorsque la densité de X est:

$\cdot$ $f(x) = \begin{cases} \frac{1}{4}xe^{-x/2} & x > 0 \\ 0 & \text{ailleurs} \end{cases}$

$\cdot$ $f(x) = \begin{cases} c(1 - x^2) & -1 < x < 1 \\ 0 & \text{ailleurs} \end{cases}$

$\cdot$ $f(x) = \begin{cases} \dfrac{5}{x^2} & x > 5 \\ 0 & x \leq 5 \end{cases}$

7.11.13 La densité de X est donnée par

$$f(x) = \begin{cases} a + bx^2 & 0 \le x \le 1 \\ 0 & \text{ailleurs} \end{cases}$$

Si $E[X] = \frac{3}{5}$, trouver a et b.

7.11.14 La durée de vie d'un tube électronique est une variable aléatoire de densité

$$f(x) = \alpha^2 x e^{-\alpha x} \qquad x \ge 0$$

Calculer l'espérance de vie d'un tel tube.

7.11.15 Soient X_1, X_2,..., X_n des variables aléatoires indépendantes et identiquement distribuées selon une loi uniforme sur $(0, 1)$. Trouver $E[\max(X_1,..., X_n)]$ et $E[\min(X_1,..., X_n)]$.

7.11.16 Soit X une variable aléatoire uniforme sur $(0, 1)$. Calculer $E[X^n]$ en utilisant le théorème 7.2, puis vérifier ce résultat en faisant appel à la définition de l'espérance.

7.11.17 Chaque nuit, toutes sortes de météorologues nous donnent la probabilité qu'il pleuve le lendemain. Pour juger du bien-fondé de leurs prédictions, nous allons les évaluer de la manière suivante: lorsqu'un météorologue dit qu'il pleuvra avec une probabilité p, on lui attribuera le score

$$\begin{cases} 1 - (1 - p)^2 & \text{s'il pleut} \\ 1 - p^2 & \text{s'il ne pleut pas.} \end{cases}$$

Notre intention est de suivre ces scores durant un certain temps pour pouvoir distinguer le meilleur météorologue d'après son score moyen. Supposons maintenant qu'un météorologue soit informé de cette procédure et qu'il cherche alors à maximiser l'espérance de son score. Si son pronostic réel est qu'il pleuvra avec probabilité p^*, quelle valeur de p doit-il annoncer?

7.11.18
a) Un poste à incendie doit être installé le long d'une route de longueur A, $A < \infty$. Si les incendies se déclarent en des points uniformément répartis sur $(0, A)$, où doit-on placer ce poste de façon à minimiser l'espérance de la distance entre le poste et l'incendie? Ou encore, choisissez a de manière à minimiser

$$E[|X - a|]$$

où X est uniformément distribuée sur $(0, A)$.
b) Supposons maintenant que la route soit infiniment longue, s'étendant de 0 à l'infini. Si la distance entre un incendie et l'origine est exponentiellement distribuée avec un paramètre λ, où doit-on alors installer le poste à incendie? En d'autres termes, on cherche maintenant à minimiser $E[|X - a|]$ où X est une variable exponentielle de paramètre λ.

c) Pour une distribution F, nous disons que m est la médiane de cette distribution si

$$F(m) \geq \tfrac{1}{2} \quad \text{et} \quad 1 - F(m) \geq \tfrac{1}{2}$$

Si la distribution est continue, la médiane est l'unique valeur pour laquelle $F(m) = \tfrac{1}{2}$. Que peut-on dire de la valeur de a qui minimise $E[|X - a|]$, lorsque X suit une distribution notée F?

7.11.19 Un vendeur de journaux achète ses journaux 10 centimes et les revend 15 centimes. Cependant, il ne peut pas se faire rembourser les exemplaires invendus. Si la demande journalière est une variable aléatoire binomiale de paramètre $n = 300$ et $p = \tfrac{1}{3}$, quel est approximativement le nombre de journaux qu'il doit acheter afin de maximiser l'espérance de son bénéfice?

7.11.20 Supposons que le grand magasin décrit dans l'exemple 7.12 encourre un coût additionnel c pour chaque demande non satisfaite (ceci est fréquemment appelé un coût en «goodwill» car le magasin perd un peu de la confiance des clients dont la demande n'est pas satisfaite). Calculer l'espérance de profit si le stock est de s unités et déterminer la valeur de s qui maximise ce profit.

7.11.21 Reprendre l'exemple 7.13 en supposant que le magasin s'expose à un coût additionnel c pour chaque demande non satisfaite.

7.11.22 Le jeu du chien rouge se joue à deux personnes et avec un paquet de cartes portant des valeurs comprises entre 0 et 1. Chaque joueur mise une unité; ensuite le joueur A distribue une carte X à son partenaire, le joueur B, et une carte Y pour lui-même. Le joueur B est placé devant l'option de parier n'importe quel montant compris entre 1 et M unités ou d'abandonner le jeu. S'il abandonne, A ramasse les mises, si B parie, A doit égaliser les mises. Celui qui a la carte de plus haute valeur gagne le tout. Supposons que X et Y soient des variables aléatoires, chacune étant uniformément distribuées sur $(0, 1)$. Une stratégie pour le joueur B est une fonction f d'argument x, $0 < x < 1$, telle que pour $x \in (0, 1)$, $f(x)$ est soit égal à 0 ou compris entre 1 et M. La stratégie f indique au joueur B que, lorsque sa carte vaut x il doit arrêter de jouer (si $f(x) = 0$) ou doit parier $f(x)$ (sinon).
a) Calculer l'espérance de gain du joueur B pour une seule partie de chien rouge, lorsque B emploie la stratégie f;
b) montrer que la stratégie optimale du joueur B, c'est-à-dire la stratégie qui maximise son espérance de gain, est donnée par

$$f(x) = \begin{cases} 0 \ (B \ \text{arrête}) & \text{si } x < \tfrac{1}{4} \\ 1 & \text{si } \tfrac{1}{4} \leq x < \tfrac{1}{2} \\ M & \text{si } \tfrac{1}{2} \leq x < 1 \end{cases}$$

c) calculer l'espérance de gain de B s'il fait usage de la stratégie optimale.

7.11.23 Un message binaire, soit 0, soit 1, doit être envoyé de A à B. En raison du bruit de transmission, on envoie la valeur 2 si le message est 1 et la valeur -2 si le message est 0. Si x est la valeur transmise, alors la valeur reçue est $R = x + N$, où N, l'erreur de transmission (donc le bruit), est une variable aléatoire normale standardisée. La règle utilisée en B pour décoder le message est la suivante:

[lorsque $R > c$ on admet que le message est 1]
[lorsque $R < c$ on admet que le message est 0]

Supposons qu'un coût de 10 unités soit imputé lorsque le message 0 envoyé est incorrectement décodé. A l'inverse, un coût de 20 unités sera imputé si on admet que le message est 0, alors qu'en fait 1 a été envoyé. Si dans 25% des cas c'est un message 1 qui est transmis, quelle est la valeur de C qui minimise l'espérance de la pénalité?

7.11.24 Un message binaire doit être envoyé de A à B. Pour parer aux erreurs de transmission, le message 0 sera codé $-x$ et le message 1 deviendra $+x$. Si la valeur y est envoyée de A, on admet que la valeur reçue en B sera $R = y + N$, où N est une variable normale centrée réduite. Si R est reçu en B, alors la règle de décodage utilisée est la suivante:

interpréter 1 si $R > 0$
interpréter 0 si $R < 0$

Supposons que le coût de transmission de la valeur x est $2 + 10|x|$ et que le coût d'un mauvais déchiffrement est de 60. Pour quelle valeur de x, l'espérance du coût total est-elle minimisée, si le message envoyé est 0 ou 1 avec une probabilité égale?

7.11.25 Cent personnes subissent une analyse de sang pour qu'on puisse déterminer si oui ou non elles souffrent d'une certaine maladie. Cependant, plutôt que de tester chaque personne individuellement, il a été décidé de former des groupes de 10 personnes. Les échantillons de sang des 10 personnes de chaque groupe seront mélangés et analysés ensemble. Si le test est négatif, un seul test suffira pour ces 10 personnes; cependant, si le test est positif, chacune des 10 personnes sera examinée individuellement et en tout, 11 tests seront effectués pour ce groupe. On suppose que la probabilité qu'une personne soit atteinte de la maladie est 0,1 et que la maladie frappe les gens indépendamment les uns des autres. Calculer l'espérance du nombre de tests qu'il faudra faire sur les 100 personnes. On admet ici que l'échantillon commun de 10 personnes sera positif dès qu'au moins une de ces personnes est malade.

7.11.26 Cinq urnes contiennent des boules. On tire au hasard une boule de chaque urne. Celles-ci contiennent respectivement 1 boule blanche et 5 noires; 3 blanches et 3 noires; 6 blanches et 4 noires; 2 blanches et 6 noires; 3 blanches et 7 noires. Calculer l'espérance du nombre des boules blanches obtenues.

7.11.27 Soit Z une variable aléatoire normale standard. Pour une valeur x fixée, poser

$$X = \begin{cases} Z & \text{si } Z > x \\ 0 & \text{sinon} \end{cases}$$

Montrer que $E[X] = \dfrac{1}{\sqrt{2\pi}} e^{-x^2/2}$.

7.11.28 On bat parfaitement un jeu de n cartes, numérotées de 1 à n, afin que toutes les $n!$ configurations possibles soient équiprobables. Supposons que vous deviez hasarder n conjectures successives, où la i-ème conjecture devine la carte en position i. Soit N le nombre de conjectures correctes.

a) Sans aucune information sur les conjectures précédentes, montrer que, quelque soit la stratégie adoptée, $E[N] = 1$.

b) Si, après chaque conjecture, on vous montre la carte qui se trouve dans la position correspondante, quelle est d'après vous la meilleure stratégie? Montrer que selon cette stratégie

$$E[N] = 1/n + 1/(n - 1) + \cdots + 1$$

$$\approx \int_1^n \frac{1}{x}\, dx = \ln n$$

c) Supposons qu'après chaque conjecture on vous dise si vous avez raison ou tort. Dans ce cas, on peut montrer que la stratégie qui maximise $E[N]$ est celle qui consiste à annoncer à chaque fois la même carte jusqu'à ce que l'on vous dise que vous avez raison et à passer ensuite à une nouvelle carte. Selon cette stratégie, montrer que

$$E[N] = 1 + 1/2! + 1/3! + \cdots + 1/n!$$

$$\approx e - 1$$

Pour cela, exprimer N comme une somme de variables aléatoires indicatrices (ou de Bernoulli).

7.11.29 On retourne l'une après l'autre les cartes d'un jeu ordinaire de 52 cartes. Si la première est un as, ou la seconde un deux, ou la troisième un trois,..., ou la treizième un roi, ou la quatorzième un as, etc., nous disons qu'une rencontre a lieu. Remarquons que nous ne demandons pas que la $(13n + 1)$-ième carte soit un as particulier pour considérer qu'il y a rencontre, mais seulement que ce soit un as. Calculer l'espérance du nombre de rencontres.

7.11.30 Une certaine région est habitée par r espèces d'insectes. Chaque insecte attrapé sera de l'espèce i avec une probabilité donnée par

$$P_i, i = 1, \ldots, r \qquad \sum_1^r P_i = 1$$

ceci indépendamment des insectes attrapés antérieurement.

a) Calculer le nombre moyen d'insectes qui sont attrapés avant qu'un insecte de l'espèce 1 soit pris;

b) calculer le nombre moyen d'espèces représentées parmi les captures jusqu'à ce qu'un insecte d'espèce 1 soit pris.

7.11.31 Une urne contient n boules, la i-ème étant de poids $W(i)$, $i = 1, \ldots, n$. Les boules sont prélevées une à une et sans remise, d'une manière telle que la propriété suivante sera vérifiée: à chaque tirage, la probabilité qu'une boule donnée soit choisie sera égale au rapport de son poids et de la somme des poids restant dans l'urne. Supposons par exemple qu'à un moment donné, l'ensemble des boules restant dans l'urne soit $i_1,...,$ i_r; donc le prochain choix sera la boule i_j avec une probabilité

$$W(i_j)\bigg/ \sum_{k=1}^{r} W(i_k), \quad j = 1,\ldots, r.$$

Calculer l'espérance du nombre des boules qui seront prélevées avant que la boule n° 1 n'apparaisse.

7.11.32 On considère un groupe de 100 personnes. Calculer l'espérance du nombre de jours où 3 personnes exactement auront leur anniversaire. Calculer aussi l'espérance du nombre de jours anniversaire distincts.

7.11.33 Combien de fois vous attendez-vous à jeter un dé équilibré avant que chacune des six faces soit apparue au moins une fois?

7.11.34 Une urne n° 1 contient 5 boules blanches et 6 boules noires, alors que l'urne n° 2 en contient 8 blanches et 10 noires. Deux boules sont choisies au hasard de l'urne 1, puis introduites dans l'urne 2. Si 3 boules sont ensuite prélevées au hasard de l'urne 2, calculer l'espérance du nombre des boules blanches présentes parmi ces 3 boules.

Pour cela poser $X_i = 1$ si la i-ème boule blanche initialement dans l'urne 1 est l'une des trois boules tirées et poser $X_i = 0$ si ce n'est pas le cas. De façon analogue, poser $Y_i = 1$ si la i-ème boule blanche de l'urne 2 est une des 3 boules choisies et $Y_i = 0$ sinon. Le nombre de boules blanches présentes dans le triplet peut alors s'exprimer comme

$$\sum_{1}^{5} X_i + \sum_{1}^{8} Y_i.$$

7.11.35 Si $E[X] = 1$ et $\text{Var}(X) = 5$ trouver
a) $E[(2 + X)^2]$.
b) $\text{Var}(4 + 3X)$.

7.11.36 Si 10 couples mariés s'installent autour d'une table ronde, ceci au hasard, calculer l'espérance et la variance du nombre de femmes qui seront assises à côté de leur mari.

7.11.37 On retourne l'une après l'autre des cartes provenant d'un jeu ordinaire. Calculer l'espérance du nombre de cartes à retourner avant d'obtenir
• 2 as;
• 5 piques;
• les 13 cœurs.

7.11.38 Soit X le nombre de 1 et Y le nombre de 2 apparaissant lors de n jets d'un dé équilibré. Calculer $\text{Cov}(X, Y)$. Utiliser pour cela la relation c) de l'exercice théorique 7.10.28.

7.11.39 Un dé est jeté 2 fois. Soit X la somme des résultats et soit Y la différence entre le premier et le second résultat. Calculer $\text{Cov}(X, Y)$.

7.11.40 Les variables aléatoires X et Y ont une densité conjointe donnée par

$$f(x, y) = \begin{cases} 2e^{-2x}/x & 0 \le x < \infty, 0 \le y \le x \\ 0 & \text{sinon} \end{cases}$$

Calculer Cov(X, Y).

7.11.41 Soient $X_1, \ldots$ des variables aléatoires indépendantes de moyenne commune μ et de variance commune σ^2 et soit $Y_n = X_n + X_{n+1} + X_{n+2}$. Trouver, pour $j \ge 0$, Cov(Y_n, Y_{n+j}).

7.11.42 La densité conjointe de X et Y est donnée par

$$f(x,y) = \frac{1}{y} e^{-(y+x/y)}, \ x > 0, \ y > 0$$

Calculer $E[X]$ et $E[Y]$ et montrer que Cov$(X, Y) = 1$.

7.11.43 Un étang contient 100 poissons parmi lesquels se trouvent 30 carpes. On capture 20 de ces poissons. Quelle est l'espérance puis la variance du nombre des carpes parmi ces 20 poissons? Quelles hypothèses faites-vous?

7.11.44 Un groupe de 20 personnes, composé de 10 hommes et de 10 femmes, est réparti aléatoirement en 10 couples. Calculer l'espérance et la variance du nombre de couples mixtes. Supposons maintenant que ce groupe de 20 personnes soit en fait composé de 10 couples mariés. Calculer l'espérance et la variance du nombre de couples mariés qui seront réunis par le hasard.

7.11.45 Soit $X_1, X_2, \ldots, X_n$ des variables aléatoires indépendantes ayant une distribution continue F inconnue; soit $Y_1, Y_2, \ldots, Y_m$ des variables aléatoires indépendantes ayant une distribution continue G inconnue. Ordonnons maintenant ces $n + m$ variables et posons

$$I_i = \begin{cases} 1 & \text{si la } i\text{-ème plus petite des } n + m \text{ variables est de l'échantillon des } X \\ 0 & \text{sinon} \end{cases}$$

La variable aléatoire $R = \sum_{i=1}^{n+m} iI_i$ est la somme des rangs de l'échantillon des X; elle est la base d'une méthode statistique classique (appelée test de la somme des rangs de Wilcoxon) utilisée pour tester si les distributions F et G sont identiques. Ce test accepte l'hypothèse que $F = G$ si R n'est ni trop grand ni trop petit. En supposant que cette égalité est en fait vérifiée, calculer la moyenne et la variance de R (utiliser les résultats de l'exemple 7.33).

7.11.46 Il existe deux procédés différents pour fabriquer une certaine pièce; supposons que la qualité d'une pièce obtenue par le procédé i soit une variable aléatoire continue de distribution F_i, $i = 1, 2$. Supposons encore que n pièces soient issues du procédé 1 et m du procédé 2. Ordonnons les $n + m$ pièces par ordre de qualité et posons

$$X_j = \begin{cases} 1 & \text{si la } j\text{-ème meilleure pièce est obtenue grâce au pro-} \\ & \text{cédé 1} \\ 2 & \text{sinon} \end{cases}$$

Pour le vecteur $X = (X_1, X_2,..., X_{n+m})$ composés de n «1» et de m «2», soit R le nombre de chaînes de «1». Par exemple, si $n = 5$, $m = 2$ et $X = (1, 2, 1, 1, 1, 1, 2)$, alors $R = 2$. Si $F_1 = F_2$ (c'est-à-dire si les deux procédés produisent des articles dont la qualité varie selon la même répartition), quelles sont l'espérance et la variance de R?

7.11.47 Si X_1, X_2, X_3, X_4 sont des variables aléatoires deux à deux non corrélées , chacune d'espérance nulle et de variance 1, calculer les corrélations de
- $X_1 + X_2$ et $X_2 + X_3$;
- $X_1 + X_2$ et $X_3 + X_4$.

7.11.48 Considérons le jeu de dés suivant, pratiqué dans certains casinos: deux joueurs, 1 et 2, jettent chacun à leur tour une paire de dés. Puis, la banque jette à son tour les dés, après quoi on détermine qui a gagné selon la règle suivante: le joueur i, $i = 1, 2$ gagne si la somme de ses deux dés donne un résultat strictement plus grand que celui de la banque. Posons pour $i = 1, 2$

$$I_i = \begin{cases} 1 & \text{si } i \text{ gagne} \\ 0 & \text{sinon} \end{cases}$$

et montrer que I_1 et I_2 sont positivement corrélées. Expliquer pourquoi on pouvait s'attendre à un tel résultat.

7.11.49 On jette plusieurs fois un dé équilibré. Soient X et Y le nombre de jets nécessaires pour obtenir un 6 et un 5, respectivement. Trouver $E[X]$, $E[X|Y = 1]$ et $E[X|Y = 5]$.

7.11.50 Une urne contient 4 boules blanches et 6 boules noires. On en tire successivement deux échantillons aléatoires de taille 3 et 5 respectivement, ceci sans remise. Soient X et Y le nombre de boules blanches dans chacun de ces échantillons; calculer $E[X|Y = i]$ pour $i = 1, 2, 3, 4$.

7.11.51 La densité conjointe de X et Y est donnée par

$$f(x, y) = \frac{e^{-x/y} e^{-y}}{y} \qquad 0 < x < \infty; 0 < y < \infty$$

Calculer $E[X^2|Y = y]$.

7.11.52 La densité conjointe de X et Y est donnée par

$$f(x, y) = \frac{e^{-y}}{y} \qquad 0 < x < y, 0 < y < \infty$$

Calculer $E[X^3 \mid Y = y]$.

7.11.53 Un prisonnier est enfermé dans une cellule contenant 3 portes. La première ouvre un tunnel qui revient dans la cellule après une marche de 2 jours. La seconde porte donne sur un tunnel qui revient aussi à la cellule au bout d'un voyage de 4 jours. La troisième porte conduit à la liberté au bout d'un jour de marche. On suppose que le prisonnier choisit à chaque tentative les portes 1, 2 et 3 avec des probabilités respectives de 0,5, 0,3 et 0,2. Quelle est l'espérance du nombre de jours qu'il faudra au prisonnier pour retrouver sa liberté?

7.11.54 Dix chasseurs attendent que des canards s'envolent. Lorsqu'un vol de canards apparaît, les chasseurs tirent tous en même temps, chacun choisissant sa cible de façon aléatoire et indépendamment des autres. Si chaque chasseur atteint sa cible indépendamment de la réussite des autres avec une probabilité de 0,6, calculer le nombre moyen de canards qui seront touchés. On suppose que le nombre de canards dans un vol est une variable aléatoire de Poisson de paramètre 6.

7.11.55 Le nombre de personnes qui entrent dans un ascenseur au rez-de-chaussée est une variable aléatoire de Poisson d'espérance 10. Supposons qu'il y ait N étages, que la probabilité de sortir à tout étage est la même pour toutes les personnes et que de plus chaque personne agit indépendamment des autres. Calculer le nombre d'arrêts moyen que devra faire l'ascenseur pour débarquer tous les passagers.

7.11.56 On admet que le nombre moyen d'accidents dans une installation industrielle est de 5 par semaine. Supposons aussi que les nombres de travailleurs blessés dans chaque accident sont des variables aléatoires indépendantes ayant une même espérance égale à 2,5. Si le nombre de travailleurs blessés dans chaque accident est indépendant du nombre d'accidents qui se produisent, calculer le nombre moyen de travailleurs blessés au cours d'une semaine.

7.11.57 Dans l'exemple 7.38, calculer la variance du temps qu'il faut au mineur pour retrouver la sortie.

7.11.58 Les règles du jeu de dés nommé craps ont été définies au problème 2.9.14. Calculer l'espérance et la variance du nombre de jets de dés qu'il faut pour terminer une partie de craps.

7.11.59 Considérons un joueur qui, à chaque partie, gagne ou perd son pari avec des probabilités p et $(1 - p)$. Lorsque $p > \frac{1}{2}$ la stratégie suivante, connue sous le nom de stratégie de Kelley, est souvent utilisée. Elle consiste à toujours parier la fraction $2p - 1$ de sa fortune restante. Calculer l'espérance de la fortune au bout de n parties d'un joueur parti avec x unités et qui fait usage de la stratégie de Kelley.

7.11.60 Le nombre d'accidents touchant un individu lors d'une année donnée est une variable aléatoire de Poisson d'espérance λ. Supposons que cette espérance varie en fonction des personnes, valant ainsi 2 pour 60% de la population et 3 pour les 40% restants. On choisit une personne au hasard. Quelle est la probabilité qu'au cours d'une année, elle n'ait aucun accident? Qu'elle en ait 3? Quelle est la probabilité conditionnelle qu'elle ait 3 accidents dans l'année sachant qu'elle n'a pas eu d'accidents l'année précédente?

7.11.61 Refaire le problème 7.11.60 lorsque la proportion de la population caractérisée par un paramètre λ inférieur à x est égale à $1 - e^{-x}$.

7.11.62 Considérons une urne contenant un nombre élevé de pièces de monnaie et supposons que chacune des pièces ait une probabilité p de montrer face lorsqu'elle est jetée. Cependant, cette valeur de p varie pour chaque pièce. Supposons que la composition de l'urne est telle que si une pièce est choisie au hasard, alors le paramètre p qui la caractérise peut être vu comme une variable aléatoire uniformément distribuée sur [0, 1]. Si une pièce est choisie au hasard et jetée deux fois, calculer la probabilité que le premier jet donne face, puis que les deux jets donnent face.

7.11.63 Dans l'exemple 7.47, appelons S le signal émis et R le signal reçu.
- Calculer $E[R]$.
- Calculer $\mathrm{Var}(R)$.
- R est-elle normalement distribuée?
- Calculer $\mathrm{Cov}(R, S)$.

7.11.64 Dans l'exemple 7.48, supposons que X est uniformément distribuée sur $(0, 1)$. Si les régions discrètes sont déterminées par $a_0 = 0$, $a_1 = \frac{1}{2}$ et $a_2 = 1$, déterminer le quantificateur optimal Y et calculer $E[(X - Y)^2]$.

7.11.65 Soit X une variable aléatoire normale de moyenne μ et de variance σ^2.
a) Déterminer $E[(X - \mu)^3]$.
b) Utiliser a) pour obtenir $E[X^3]$.
c) Vérifier votre réponse en b) en dérivant la fonction génératrice des moments.

7.11.66 La fonction génératrice des moments de X est donnée par $\varphi_X(t) = \exp\{2e^t - 2\}$ et celle de Y par $\varphi_Y(t) = (\frac{1}{4})^{10} (3\,e^t + 1)^{10}$. Si X et Y sont indépendantes, que valent $P\{X + Y = 2\}$, $P\{XY = 0\}$ et $E[XY]$?

7.11.67 On jette deux dés. Soit X la valeur du premier dé et Y la somme des deux valeurs. Calculer la fonction génératrice des moments conjoints de X et Y.

7.11.68 La densité conjointe de X et Y est donnée par

$$f(x, y) = \frac{e^{-x}e^{-y/x}}{x} \qquad 0 < x < \infty, 0 < y < \infty$$

- Calculer la fonction génératrice des moments conjoints de X et Y;
- calculer les fonctions génératrices des moments individuels de X et Y.

CHAPITRE 8

Théorèmes limites

8.1 INTRODUCTION

Les théorèmes limites constituent les résultats théoriques les plus importants des probabilités. Parmi eux, les principaux sont répertoriés sous deux dénominations: *lois des grands nombres* d'une part, et *théorèmes centraux limites* d'autre part. On s'accorde généralement à les considérer comme des lois des grands nombres s'ils énoncent des conditions sous lesquelles la moyenne d'une suite de variables aléatoires converge (dans un sens à définir) vers leur espérance commune. Les théorèmes centraux limites par contre déterminent sous quelles hypothèses la somme d'un grand nombre de variables aléatoires est de distribution approximativement normale.

8.2 LOI FAIBLE DES GRANDS NOMBRES

8.2.1 Inégalité de Tchebychev

Nous allons commencer par établir l'inégalité appelée inégalité de Markov.

Théorème 8.1 *Inégalité de Markov*
Soit X une variable aléatoire à valeurs non négatives. Pour tout réel a > 0

$$P\{X \geq a\} \leq \frac{E[X]}{a}$$

DÉMONSTRATION. La démonstration qui suit s'applique à une variable X continue de densité f.

$$E[X] = \int_0^\infty xf(x)\,dx$$

$$= \int_0^a xf(x)\,dx + \int_a^\infty xf(x)\,dx$$

$$\geq \int_a^\infty xf(x)\,dx$$

$$\geq \int_a^\infty af(x)\,dx$$

$$= a \int_a^\infty f(x)\,dx$$

$$= aP\{X \geq a\}$$

ce qui établit le résultat (la démonstration dans le cas général est exactement la même, si ce n'est que $dF(x)$ remplace $f(x)\,dx$ tout au long des calculs).   ■

Le théorème suivant est alors un corollaire de l'inégalité de Markov.

Théorème 8.2 *Inégalité de Tchebychev*
Soit X une variable aléatoire d'espérance μ et de variance σ^2 finies. Pour tout réel $k > 0$

$$P\{|X - \mu| \geq k\} \leq \frac{\sigma^2}{k^2}$$

DÉMONSTRATION. On peut appliquer l'inégalité de Markov, avec $a = k^2$, à la variable $(X - \mu)^2$ puisque celle-ci est à valeurs non négatives. On obtient

$$P\{(X - \mu)^2 \geq k^2\} \leq \frac{E[(X - \mu)^2]}{k^2} \qquad (8.1)$$

Mais comme $(X - \mu)^2 \geq k^2$ équivaut à $|X - \mu| \geq k$, (8.1) peut être réécrite

$$P\{|X - \mu| \geq k\} \leq \frac{E[(X - \mu)^2]}{k^2} = \frac{\sigma^2}{k^2}$$

ce qui achève la démonstration.   ■

L'importance des inégalités de Markov et de Tchebychev réside en ce qu'elles permettent de borner la valeur de certaines probabilités là où seule l'espérance de la distribution est connue, plus éventuellement sa variance. Il est évident que, si la distribution elle-même est connue, on ne recourra pas à des bornes, puisque la valeur exacte de ces probabilités est calculable.

8.2.2 Exemples d'utilisation des inégalités de Markov et Tchebychev

Exemple 8.1 On suppose que le nombre de pièces sortant d'une usine donnée en l'espace d'une semaine est une variable aléatoire d'espérance 50.

a) Peut-on estimer la probabilité que la production de la semaine prochaine dépasse 75 pièces?
b) On sait de plus que la variance de la production hebdomadaire est de 25. Peut-on estimer la probabilité que la production de la semaine à venir soit comprise entre 40 et 60?

SOLUTION. Désignons par X le nombre de pièces produites en une semaine.
a) L'inégalité de Markov donne

$$P\{X > 75\} \leq \frac{E[X]}{75} = \frac{50}{75} = \frac{2}{3}$$

b) L'inégalité de Tchebychev donne

$$P\{|X - 50| \geq 10\} \leq \frac{\sigma^2}{10^2} = \frac{1}{4}$$

et donc

$$P\{|X - 50| < 10\} \geq 1 - \tfrac{1}{4} = \tfrac{3}{4}$$

La probabilité que la production de la semaine à venir se situe entre 40 et 60 pièces est donc au moins 0,75. ∎

L'inégalité de Tchebychev étant valable pour n'importe quelle distribution de la variable X, il ne faut pas s'attendre à ce que la borne qu'elle fournit soit très proche de la probabilité exacte dans la majorité des cas. C'est ce que montre l'exemple suivant.

Exemple 8.2 Soit X une variable uniforme sur l'intervalle (0, 10). On sait qu'alors $E[X] = 5$ et $\text{Var}(X) = \frac{25}{3}$, ce qui donne dans l'inégalité de Tchebychev

$$P\{|X - 5| > 4\} \leq \frac{25}{3(16)} \approx .52$$

alors que le résultat exact est

$$P\{|X - 5| > 4\} = .20$$

On voit bien que si l'inégalité de Tchebychev est fondée, la borne qu'elle fournit est ici loin d'être proche de la probabilité exacte.

A titre d'illustration supplémentaire, la borne calculée par l'inégalité de Tchebychev pour une variable X normale d'espérance μ et de variance σ^2 est, lorsque $k = 2\sigma$,

$$P\{|X - \mu| > 2\sigma\} \leq \tfrac{1}{4}$$

alors que la probabilité exacte est, elle,

$$P\{|X - \mu| > 2\sigma\} = P\left\{\left|\frac{X - \mu}{\sigma}\right| > 2\right\} = 2[1 - \Phi(2)] \approx .0456 \qquad ∎$$

On utilise souvent l'inégalité de Tchebychev comme outil théorique de démonstration, comme on le verra dans la preuve de la loi faible des grands nombres. Le théorème suivant permet déjà de s'en rendre compte.

Théorème 8.3
Soit X une variable aléatoire de variance nulle. Alors X est égale à son espérance avec probabilité 1.

$$P\{X = E[X]\} = 1$$

DÉMONSTRATION. En vertu de l'inégalité de Tchebychev, on peut écrire pour $n \geqslant 1$

$$P\left\{|X - \mu| > \frac{1}{n}\right\} = 0$$

Faisons tendre n vers l'infini. La propriété de continuité des probabilités donne alors

$$0 = \lim_{n \to \infty} P\left\{|X - \mu| > \frac{1}{n}\right\} = P\left\{\lim_{n \to \infty} \left\{|X - \mu| > \frac{1}{n}\right\}\right\}$$

$$= P\{X \neq \mu\}$$

ce qui établit le résultat voulu.   ∎

8.2.3 Enoncé de la loi faible des grands nombres

Théorème 8.4 *Loi faible des grands nombres*
Soient X_1, X_2,... une suite de variables aléatoires indépendantes et identiquement distribuées. On suppose que toutes admettent la même espérance finie $E[X_i] = \mu$. Pour tout $\varepsilon > 0$

$$P\left\{\left|\frac{X_1 + \cdots + X_n}{n} - \mu\right| > \varepsilon\right\} \to 0 \qquad lorsque\ n \to \infty$$

DÉMONSTRATION. Nous démontrerons le théorème en admettant une hypothèse supplémentaire, à savoir que les variables considérées ont une variance σ^2 commune et finie. Dans ce cas, comme

$$E\left[\frac{X_1 + \cdots + X_n}{n}\right] = \mu \qquad \text{et} \qquad \text{Var}\left(\frac{X_1 + \cdots + X_n}{n}\right) = \frac{\sigma^2}{n}$$

il résulte de l'inégalité de Tchebychev que

$$P\left\{\left|\frac{X_1 + \cdots + X_n}{n} - \mu\right| > \varepsilon\right\} \leq \frac{\sigma^2}{n\varepsilon^2}$$

ce qui établit le résultat.   ∎

La loi faible des grands nombres fut établie pour la première fois par Jacob Bernoulli pour le cas particulier où les X_i ne prennent pour valeur que 0 ou 1 (et sont donc des variables de Bernoulli). Son énoncé de ce théorème et la démonstration qu'il en donne figurent dans son ouvrage *Ars Conjectandi*, publié en 1713 par son neveu Nicolas Bernoulli, huit ans après sa mort. Il faut savoir que l'inégalité de Tchebychev n'étant pas connue à l'époque, Bernoulli dut développer une démonstration extrêmement ingénieuse pour établir le résultat. La version générale de la loi faible des grands nombres, telle que la présente le théorème 8.4, est attribuée au mathématicien russe Khintchine.

8.3 THÉORÈME CENTRAL LIMITE

8.3.1. Version restreinte

Le théorème central limite est l'un des plus remarquables résultats de la théorie des probabilités. En gros, il établit que la somme d'un grand nombre de variables aléatoires indépendantes suit une distribution approximativement normale. Il fournit donc non seulement une méthode simple pour le calcul approximatif de probabilités liées à des sommes de variables aléatoires, mais il explique également ce fait empirique remarquable que bien des phénomènes naturels admettent une distribution en forme de cloche, c'est-à-dire de type normal.

La clé de la démonstration du théorème central limite est le théorème suivant, donné sans démonstration.

Théorème 8.5
Soient $Z_1, Z_2,...$ une suite de variables aléatoires dont les fonctions de répartition sont notées F_{Z_n} et les fonctions génératrices des moments φ_{Z_n}, $n \geqslant 1$; soit aussi une variable aléatoire Z de fonction de répartition F_Z et de fonction génératrice des moments φ_Z. Si $\varphi_{Z_n}(t) \to \varphi_Z(t)$ pour tout t, alors $F_{Z_n}(t) \to F_Z(t)$ pour toutes les valeurs de t pour lesquelles $F_Z(t)$ est continue.

Dans le cas particulier d'une variable Z normale standard, on sait que $\varphi_Z(t) = e^{t^2/2}$. Du théorème 8.5, il résulte que si $\varphi_{Z_n}(t) \to e^{t^2/2}$ lorsque $n \to \infty$, alors $F_{Z_n}(t) \to \Phi(t)$ lorsque $n \to \infty$.

Nous allons maintenant donner la version la plus simple du théorème central limite.

Théorème 8.6 *Théorème central limite*
Soient $X_1, X_2,...$ une suite de variables aléatoires indépendantes et identiquement distribuées, d'espérance μ, de variance σ^2. Alors la distribution de

$$\frac{X_1 + \cdots + X_n - n\mu}{\sigma\sqrt{n}}$$

tend vers la distribution normale lorsque $n \to \infty$, ce qui veut dire que

$$P\left\{ \frac{X_1 + \cdots + X_n - n\mu}{\sigma\sqrt{n}} \leq a \right\} \to \frac{1}{\sqrt{2\pi}} \int_{-\infty}^{a} e^{-x^2/2}\, dx \qquad \textit{quand } n \to \infty$$

DÉMONSTRATION. Admettons pour l'instant que $\mu = 0$ et $\sigma^2 = 1$. Nous allons démontrer le théorème en faisant l'hypothèse que la fonction génératrice des moments des X_i, notée $\varphi(t)$, existe et est finie. La fonction génératrice des moments de $X_i/\sqrt{n}$ sera

$$\varphi_{X_i/\sqrt{n}}(t) = E\left[\exp\left\{ \frac{tX_i}{\sqrt{n}} \right\} \right]$$

$$= \varphi\left(\frac{t}{\sqrt{n}} \right)$$

et par conséquent celle de $\overset{n}{\underset{i=1}{\Sigma}} X_i/\sqrt{n}$ sera

$$\varphi_{\Sigma_{i=1}^{n} X_i/\sqrt{n}}(t) = \left[\varphi\left(\frac{t}{\sqrt{n}} \right) \right]^n$$

Posons

$$L(t) = \ln \varphi(t)$$

et remarquons que

$$L(0) = 0$$

$$L'(0) = \frac{\varphi'(0)}{\varphi(0)}$$

$$= \mu$$

$$= 0$$

$$L''(0) = \frac{\varphi(0)\,\varphi''(0) - [\varphi'(0)]^2}{[\varphi(0)]^2}$$

$$= E[X^2]$$

$$= 1$$

Or, pour démontrer le théorème, il nous faut établir que $[\varphi(t/\sqrt{n})]^n \to e^{t^2/2}$ lorsque $n \to \infty$, ou, ce qui est équivalent, que $nL(t/\sqrt{n}) \to t^2/2$ lorsque $n \to \infty$. On peut écrire

$$\lim_{n\to\infty} \frac{L(t/\sqrt{n})}{n^{-1}} = \lim_{n\to\infty} \frac{-L'(t/\sqrt{n})n^{-3/2}t}{-2n^{-2}} \qquad \text{en vertu de la règle de l'Hôpital}$$

$$= \lim_{n\to\infty} \left[\frac{L'(t/\sqrt{n})t}{2n^{-1/2}} \right]$$

$$= \lim_{n \to \infty} \left[\frac{-L''(t/\sqrt{n})n^{-3/2}t^2}{-2n^{-3/2}} \right] \qquad \text{en vertu de la même règle}$$

$$= \lim_{n \to \infty} \left[L''\left(\frac{t}{\sqrt{n}}\right)\frac{t^2}{2} \right]$$

$$= \frac{t^2}{2}$$

Le théorème central limite est donc démontré pour le cas où $\mu = 0$ et $\sigma^2 = 1$. Dans le cas général, on considère les variables standardisées $X_i^* = (X_i - \mu)/\sigma$ auxquelles s'applique la démonstration ci-dessus, puisque $E[X_i^*] = 0$ et $\mathrm{Var}(X_i^*) = 1$; le résultat est ainsi établi en toutes circonstances. ∎

A titre de remarque, on peut ajouter la considération suivante: bien que le théorème 8.6 affirme que pour chaque a

$$P\left\{ \frac{X_1 + \cdots + X_n - n\mu}{\sigma\sqrt{n}} \le a \right\} \to \Phi(a)$$

on peut en fait démontrer que cette convergence est uniforme en a (on dit que $f_n(a) \to f(a)$ uniformément en a si, pour tout $\varepsilon > 0$, il existe un N tel que $|f_n(a) - f(a)| < \varepsilon$, pour tout a, dès que $n \geqslant N$).

La première version du théorème central limite fut établie par De Moivre aux alentours de 1733 pour le cas particulier des variables de Bernoulli de paramètre $p = \frac{1}{2}$. Laplace en donna une extension à des variables de Bernoulli quelconques (une variable binomiale pouvant être comprise comme une somme de n variables de Bernoulli indépendantes et de même paramètre, cette démonstration de Laplace justifie l'approximation normale donnée aux variables binomiales, par exemple dans la section 5.3.7). Laplace énonça aussi la version plus générale donnée ici au théorème 8.6. Sa démonstration n'était cependant pas totalement rigoureuse, et il n'est d'ailleurs pas aisé de la compléter. Ce fut le mathématicien russe Liapounoff qui, le premier, donna une démonstration absolument rigoureuse du théorème central limite, et ce entre 1901 et 1902.

8.3.2 Applications du théorème central limite

Exemple 8.3 Un astronome souhaite mesurer la distance, en années-lumière, entre son observatoire et une étoile lointaine. Bien qu'il connaisse une technique de mesure, il sait aussi que chaque résultat ne constitue qu'une distance approchée, en raison des influences atmosphériques et d'autres causes d'erreur inévitables. Par conséquent, notre astronome prévoit de prendre plusieurs mesures et d'accepter leur moyenne comme estimation de la distance réelle. Il a des raisons de penser que les différentes valeurs mesurées sont des variables aléatoires indépendantes et identiquement distribuées d'espérance commune d (la vraie valeur) et de variance commune 4 (l'unité étant toujours l'année-lumière). Combien de mesures doit-il réaliser pour être raisonnablement sûr que l'erreur soit inférieure à une demi-année-lumière?

SOLUTION. Admettons que l'astronome fasse n observations que l'on désignera par X_1, $X_2,...,X_n$. Le théorème central limite établit que

$$Z_n = \frac{\sum\limits_{i=1}^{n} X_i - nd}{2\sqrt{n}}$$

suit approximativement une distribution normale. Par conséquent

$$P\left\{-.5 \le \frac{\sum\limits_{i=1}^{n} X_i}{n} - d \le .5\right\} = P\left\{-.5\frac{\sqrt{n}}{2} \le Z_n \le .5\frac{\sqrt{n}}{2}\right\}$$

$$\approx \Phi\left(\frac{\sqrt{n}}{4}\right) - \Phi\left(-\frac{\sqrt{n}}{4}\right) = 2\Phi\left(\frac{\sqrt{n}}{4}\right) - 1$$

Si donc notre astronome souhaite que la probabilité que l'erreur soit de moins d'une demi-année-lumière reste au-delà de 95 chances sur 100, il lui faudra prendre n^* mesures où n^* vérifie

$$2\Phi\left(\frac{\sqrt{n^*}}{4}\right) - 1 = .95 \qquad \text{ou} \qquad \Phi\left(\frac{\sqrt{n^*}}{4}\right) = .975$$

ce qui, d'après le tableau 5.4 du chapitre 5, équivaut à

$$\frac{\sqrt{n^*}}{4} = 1.96 \qquad \text{ou} \qquad n^* = (7.84)^2 = 61.47$$

Comme n^* est nécessairement entier, il faudra faire 62 mesures.

On notera cependant que cette évaluation repose sur l'hypothèse d'une qualité suffisante de l'approximation de Z_n par une variable normale lorsque $n = 62$. Bien qu'en général ce soit le cas pour une telle valeur de n, le moment à partir duquel n est assez grand pour qu'on puisse qualifier l'approximation de bonne dépend de la distribution des X_i. Si notre astronome craint que cette distribution ne soit défavorable et s'il ne souhaite pas prendre de risques, il peut avoir recours à l'inégalité de Tchebychev. On a

$$E\left[\sum_{i=1}^{n} \frac{X_i}{n}\right] = d \qquad \text{Var}\left(\sum_{i=1}^{n} \frac{X_i}{n}\right) = \frac{4}{n}$$

et l'inégalité donne alors

$$P\left\{\left|\sum_{i=1}^{n} \frac{X_i}{n} - d\right| > .5\right\} \le \frac{4}{n(.5)^2} = \frac{16}{n}$$

L'astronome devra donc faire $n = \frac{16}{0,05} = 320$ observations pour avoir 95 chances sur 100 de maintenir l'erreur en dessous d'une demi-année lumière. ∎

Exemple 8.4 Le nombre d'inscriptions à un cours de psychologie est une variable aléatoire de Poisson d'espérance 100. Le professeur donnant ce cours a décidé que, si le nombre des inscriptions est au-delà de 120, il créera deux sections et donnera donc deux cours, tandis qu'en deçà une seule classe sera formée. Quelle est la probabilité que ce professeur ait à donner deux fois le cours?

SOLUTION. La solution exacte est $e^{-100} \sum\limits_{i=120}^{\infty} (100)^i/i!$ et son évaluation numérique n'est pas aisée. On se souvient cependant qu'une variable poissonienne de paramètre 100 peut être considérée comme la somme de 100 variables poissoniennes indépendantes de paramètre 1 chacune, ce qui donne l'occasion d'utiliser le théorème central limite pour obtenir une approximation de la réponse exacte. Soit X le nombre d'inscriptions. On a

$$P\{X \geq 120\} = P\left(\frac{X - 100}{\sqrt{100}} \geq \frac{120 - 100}{\sqrt{100}}\right)$$

$$\approx 1 - \Phi(2)$$

$$= .0228$$

où l'on a utilisé le fait qu'espérance et variance des variables poissoniennes sont toujours égales. ∎

Exemple 8.5 On lance 10 dés équilibrés. On cherche la probabilité que la somme des dix résultats soit comprise entre 30 et 40.

SOLUTION. On note X_i le résultat montré par le i-ème dé, $i = 1, 2,..., 10$. Comme $E[X_i] = \frac{7}{2}$ et $\text{Var}(X_i) = E[X_i^2] - (E[X_i])^2 = \frac{35}{12}$, on obtient par application du théorème central limite

$$P\left\{30 \leq \sum_{i=1}^{10} X_i \leq 40\right\} = P\left\{\frac{30 - 35}{\sqrt{\frac{350}{12}}} \leq \frac{\sum\limits_{i=1}^{10} X_i - 35}{\sqrt{\frac{350}{12}}} \leq \frac{40 - 35}{\sqrt{\frac{350}{12}}}\right\}$$

$$\approx 2\Phi(\sqrt{6/7}) - 1$$

$$\approx .65$$ ∎

Exemple 8.6 Soient X_i, $i = 1,..., 10$ des variables aléatoires uniformes sur l'intervalle $(0, 1)$. On cherche à évaluer approximativement $P\left\{\sum\limits_{i=1}^{10} X_i > 6\right\}$.

SOLUTION. Comme $E[X_i] = \frac{1}{2}$ et $\text{Var}(X_i) = \frac{1}{12}$, le théorème central limite livre

$$P\left\{\sum_{1}^{10} X_i > 6\right\} = P\left\{\frac{\sum\limits_{1}^{10} X_i - 5}{\sqrt{10(\frac{1}{12})}} > \frac{6 - 5}{\sqrt{10(\frac{1}{12})}}\right\}$$

$$\approx 1 - \Phi(\sqrt{1.2})$$

$$\approx .16$$

ce qui signifie que 16 fois sur 100 seulement, en moyenne, la somme $\sum_{i=1}^{10} X_i$ sera supérieure à 6.   ∎

8.3.3 Versions plus générales du théorème central limite

Il a été possible de démontrer des versions du théorème central limite où les X_i sont encore indépendantes mais plus nécessairement identiquement distribuées. L'une de ces versions suit ici, qui n'est d'ailleurs pas la plus générale.

Théorème 8.7 *Théorème central limite relatif à des variables indépendantes seulement*
Soit X_1, X_2,... une suite de variables aléatoires d'espérances μ_i et de variances σ_i^2,
$i = 1, 2,...$. Si
a) les variables X_i sont uniformément bornées, ce qui signifie qu'il existe un réel
* M tel que $P\{|X_i| < M\} = 1$ pour tout i et*
b) $\sum_{i=1}^{\infty} \sigma_i^2 = \infty$,
alors

$$P\left\{ \frac{\sum_{i=1}^{n} (X_i - \mu_i)}{\sqrt{\sum_{i=1}^{n} \sigma_i^2}} \leq a \right\} \to \Phi(a) \quad \textit{quand } n \to \infty$$

8.4 LOI FORTE DES GRANDS NOMBRES

8.4.1 Loi forte, version restreinte et version générale

La *loi forte des grands nombres* est sans doute le résultat le plus célèbre en théorie des probabilités. Il établit que la moyenne d'une suite de variables aléatoires identiquement distribuées tendra avec probabilité 1 vers l'espérance de cette distribution commune.

Théorème 8.8 *Loi forte des grands nombres*
Soit X_1, X_2,... une suite de variables indépendantes et identiquement distribuées,
d'espérance commune finie μ. Alors, avec probabilité 1

$$\frac{X_1 + X_2 + \cdots + X_n}{n} \to \mu \quad \textit{quand } n \to \infty^{[1]}$$

---

[1] En d'autres termes la loi forte des grands nombres signifie que

$$P\left\{ \lim_{n \to \infty} (X_1 + \cdots + X_n)/n = \mu \right\} = 1$$

Il est inutile de démontrer ce théorème, car on en prouvera plus loin une version plus générale. On peut cependant ici présenter une application très importante de la loi forte des grands nombres. Supposons qu'on réalise une série d'épreuves indépendantes. Soit E un événement donné relatif à l'expérience ainsi répétée et $P(E)$ sa probabilité, constante au cours des tirages. On pose

$$X_i = \begin{cases} 1 & \text{si } E \text{ survient lors du } i\text{-ème tirage} \\ 0 & \text{sinon} \end{cases}$$

La loi forte des grands nombres établit qu'avec probabilité 1

$$\frac{X_1 + \cdots + X_n}{n} \to E[X] = P(E) \tag{8.2}$$

Comme $X_1 + X_2 + \ldots + X_n$ représente le nombre des occurrences de E au cours des n premiers tirages, (8.2) peut recevoir l'interprétation suivante: la fréquence relative limite d'apparition de l'événement E est $P(E)$ avec probabilité 1.

La démonstration que l'on donnera plus loin de la loi forte des grands nombres repose sur une inégalité due à Kolmogorov, qui présente d'ailleurs un intérêt en elle-même déjà.

Théorème 8.9 *Inégalité de Kolmogorov*
Considérons un ensemble X_1, X_2,..., X_n de n variables aléatoires indépendantes d'espérances nulles et de variances finies. On a alors, pour tout réel $a > 0$,

$$P\left\{ \max_{i=1,\ldots,n} |X_1 + \cdots + X_i| > a \right\} \le \sum_{i=1}^{n} \frac{\sigma_i^2}{a^2}$$

DÉMONSTRATION. Soit N la variable aléatoire prenant pour valeur le plus petit nombre i, $i \le n$, tel que $(X_1 + \ldots + X_i)^2 > a^2$. Cette variable N prendra n pour valeur si $(X_1 + \ldots + X_i)^2 \le a^2$ pour tout $i = 1,\ldots, n$. En d'autres termes, on pose

$$N = 1 \quad \text{si } X_1^2 > a^2$$
$$N = 2 \quad \text{si } X_1^2 \le a^2 \text{ et } (X_1 + X_2)^2 > a^2$$
$$\vdots$$
$$N = i \quad \text{si } X_1^2 \le a^2, \ldots, (X_1 + \cdots + X_{i-1})^2 \le a^2, (X_1 + \cdots + X_i)^2 > a^2$$
$$\vdots$$
$$N = n \quad \text{si } (X_1 + \cdots + X_i)^2 \le a^2, i = 1, 2, \ldots, n - 1$$

Dans ces conditions, les deux événements

$$\left\{ \max_{i=1,\ldots,n} (X_1 + \cdots + X_i)^2 > a^2 \right\} \quad \text{et} \quad \{(X_1 + \cdots + X_N)^2 > a^2\}$$

étant identiques, il en résulte, en vertu de l'inégalité de Markov, que

$$P\left\{\max_{i=1,\dots,n}(X_1 + \cdots + X_i)^2 > a^2\right\} = P\{(X_1 + \cdots + X_N)^2 > a^2\}$$

$$\leq \frac{E[(X_1 + \cdots + X_N)^2]}{a^2} \tag{8.3}$$

Si l'on parvient à montrer que

$$E[(X_1 + \cdots + X_N)^2] \leq E[(X_1 + \cdots + X_n)^2]$$

la démonstration serait complète puisque, d'après (8.3),

$$E[(X_1 + \cdots + X_n)^2] = \text{Var}\,(X_1 + \cdots + X_n)$$

$$= \sum_{i=1}^{n} \text{Var}\,(X_i)$$

$$= \sum_{i=1}^{n} \sigma_i^2$$

Pour démontrer cette inégalité, nous allons conditionner selon N. On remarquera préalablement que

$$E[(X_1 + \cdots + X_n)^2 | N = n] = E[(X_1 + \cdots + X_N)^2 | N = n]$$

et que, pour les valeurs de i inférieures à n,

$$\begin{aligned}
E[(X_1 &+ \cdots + X_n)^2 | N = i] \\
&= E[((X_1 + \cdots + X_i) + (X_{i+1} + \cdots + X_n))^2 | N = i] \\
&= E[(X_1 + \cdots + X_i)^2 | N = i] \\
&\quad + 2E[(X_1 + \cdots + X_i)(X_{i+1} + \cdots + X_n) | N = i] \\
&\quad + E[(X_{i+1} + \cdots + X_n)^2 | N = i]
\end{aligned} \tag{8.4}$$

Or, l'événement $\{N = i\}$ contient une information sur $X_1,\dots, X_i$, puisqu'il signifie que $X_1^2 \leqslant a^2,\dots,(X_1 + \dots + X_{i-1})^2 \leqslant a^2, (X_1 + \dots + X_i)^2 > a^2$; il ne contient par contre pas d'information sur $X_{i+1},\dots, X_n$. Par conséquent, les variables $X_1,\dots, X_n$ étant toutes indépendantes, les deux variables $X_1 + \dots + X_i$ et $X_{i+1} + \dots + X_n$ seront indépendantes lorsqu'on se place sous la condition $N = i$. On peut donc écrire

$$\begin{aligned}
E[(X_1 &+ \cdots + X_i)(X_{i+1} + \cdots + X_n) | N = i] \\
&= E[X_1 + \cdots + X_i | N = i]E[X_{i+1} + \cdots + X_n | N = i] \\
&= E[X_1 + \cdots + X_i | N = i]E[X_{i+1} + \cdots + X_n] \\
&= 0
\end{aligned}$$

On tire alors de (8.4)

$$\begin{aligned}
E[(X_1 + \cdots + X_n)^2 | N = i] &\geq E[(X_1 + \cdots + X_i)^2 | N = i] \\
&= E[(X_1 + \cdots + X_N)^2 | N = i]
\end{aligned}$$

Il en résulte que, pour toutes les valeurs que N peut prendre,

$$E[(X_1 + \cdots + X_n)^2 | N] \geq E[(X_1 + \cdots + X_N)^2 | N]$$

Prenons l'espérance des deux membres. Il reste

$$E[(X_1 + \cdots + X_n)^2] \geq E[(X_1 + \cdots + X_N)^2]$$

ce qui termine la démonstration, comme on l'a vu grâce à (8.3). ∎

L'inégalité de Kolmogorov peut être considérée comme une généralisation de celle de Tchebychev. Pour le voir, il suffit de considérer une variable X d'espérance μ et de variance σ^2 puis de poser $n = 1$ dans l'inégalité de Kolmogorov, ce qui laisse

$$P\{|X - \mu| > a\} \leq \frac{\sigma^2}{a^2}$$

c'est-à-dire l'expression même de l'inégalité de Tchebychev. Il faut cependant réaliser que l'inégalité de Kolmogorov est un résultat beaucoup plus fort que celle de Tchebychev. Si l'on considère en effet des variables $X_1,\ldots,X_n$ telles que $E[X_i] = 0$ et $\mathrm{Var}(X_i) = \sigma_i^2$, l'inégalité de Tchebychev énonce que

$$P\{|X_1 + \cdots + X_n| > a\} \leq \sum_{i=1}^{n} \frac{\sigma_i^2}{a^2}$$

tandis que celle de Kolmogorov donne la même borne pour la probabilité d'un événement plus grand que $\{|X_1 + \ldots + X_n| > a\}$, à savoir

$$\bigcup_{i=1}^{n} \{|X_1 + \cdots + X_i| > a\}$$

On a encore besoin, pour la démonstration qui suit, d'un théorème cité sans démonstration et connu sous le nom de lemme de Kronecker.

Théorème 8.10 *Lemme de Kronecker*

Si une suite $a_1, a_2, \ldots$ *de réels tels que* $\sum_{i=1}^{\infty} a_i/i < \infty$ *converge, alors*

$$\lim_{n \to \infty} \sum_{i=1}^{n} \frac{a_i}{n} = 0$$

Grâce à l'inégalité de Kolmogorov et à ce dernier résultat, il est maintenant possible de démontrer le théorème qui suit, version de la loi forte des grands nombres s'appliquant à des variables indépendantes mais non nécessairement identiquement distribuées.

Théorème 8.11 *Loi forte des grands nombres pour des variables indépendantes sans plus.*

Considérons une suite $X_1, X_2, \ldots$ *de variables indépendantes d'espérance nulle et telles que* $\mathrm{Var}(X_i) = \sigma_i^2 < \infty$. *Si* $\sum_{i=1}^{\infty} \sigma_i^2/i^2 < \infty$, *alors on aura avec probabilité 1*

$$\frac{X_1 + \cdots + X_n}{n} \to 0 \qquad quand\ n \to \infty$$

DÉMONSTRATION. Nous allons démontrer le théorème en montrant que, avec probabilité 1, $\sum\limits_{i=1}^{\infty} X_i/i$ converge. Le résultat se déduira ensuite du lemme de Kronecker. Pour commencer, définissons, pour tout $a > 0$, l'événement $E_{j,n}(a), j \leqslant n$, par

$$E_{j,n}(a) = \left\{ \max_{j \leq k \leq n} \left| \sum_{i=j}^{k} X_i/i \right| > a \right\}$$

et posons

$$E_j(a) = \bigcup_{n=j}^{\infty} E_{j,n}(a) = \left\{ \left| \sum_{i=j}^{k} X_i/i \right| > a, \text{ pour une valeur } k \geq j \right\}$$

En vertu de l'inégalité de Kolmogorov (théorème 8.9) il s'ensuit que

$$P\left(E_{j,n}(a)\right) \leq \frac{\sum\limits_{i=j}^{n} \text{Var}(X_i/i)}{a^2} = \frac{1}{a^2} \sum_{i=j}^{n} \sigma_i^2/i^2 \tag{8.5}$$

De plus, comme les événements $E_{j,n}(a)$ sont croissants en n vers l'événement limite $E_j(a)$, grâce à la propriété de continuité des probabilités et l'équation (8.5), on obtient

$$P\left(E_j(a)\right) = \lim_{n \to \infty} P\left(E_{j,n}(a)\right)$$

$$\leq \frac{1}{a^2} \sum_{i=j}^{\infty} \sigma_i^2/i^2 \tag{8.6}$$

Considérons l'événement

$$D = \bigcup_{m=1}^{\infty} \bigcap_{j=1}^{\infty} E_j(1/m)$$

En d'autres termes, D est l'événement défini, pour toute valeur de m positive, de la manière suivante: «pour chaque j, il existe une valeur k plus grande telle que $\left| \sum\limits_{i}^{k} X_i/i \right| > 1/m$ ». Il est facile de voir que, lorsque D ne survient pas, $\sum\limits_{i=1}^{\infty} X_i/i$ converge. (Cela revient à noter que $\sum\limits_{i=1}^{\infty} X_i/i$ est une suite de Cauchy lorsque D^c survient.) On a

$$P(D) = \left(\bigcup_{m=1}^{\infty} \bigcap_{j=1}^{\infty} E_j(1/m) \right)$$

$$= \lim_{m \to \infty} P\left(\bigcap_{j=1}^{\infty} E_j(1/m) \right) \quad \text{puisque } \bigcap_{j=1}^{\infty} E_j(1/m) \text{ sont croissants en } m$$

$$= \lim_{m \to \infty} \lim_{k \to \infty} P\left(\bigcap_{j=1}^{\infty} E_j(1/m) \right)$$

$$\leq \lim_{m \to \infty} \lim_{k \to \infty} P\left(E_k(1/m) \right) \quad \text{puisque } \bigcap_{j=1}^{k} E_j(1/m) \subset E_k(1/m)$$

$$\leq \lim_{m \to \infty} \lim_{k \to \infty} m^2 \sum_{i=k}^{\infty} \sigma_i^2/i^2 \qquad \text{d'après (8.6)}$$

$$= 0 \qquad \text{puisque } \sum_{i=1}^{\infty} \sigma_i^2/i^2 < \infty \text{ implique que } \lim_{k \to \infty} \sum_{i=k}^{\infty} \sigma_i^2/i^2 = 0$$

Par conséquent, $P(D) = 0$, ce qui implique que, avec probabilité 1, $\sum_{i=1}^{\infty} X_i/i$ converge.

Finalement, en utilisant le lemme de Kronecker, on obtient

$$P\left\{\lim_{n \to \infty} \sum_{i=1}^{n} X_i/n = 0\right\} = 1$$

ce qui achève la démonstration. ∎

Si à l'hypothèse d'indépendance des variables, on ajoute celle que ces variables soient identiquement distribuées d'espérance μ et de variance σ^2 finie, il résulte que, comme $\sum_{i=1}^{\infty} \sigma^2/i^2 < \infty$, avec probabilité 1, on a

$$\lim_n \sum_{i=1}^{n} \frac{(X_i - \mu)}{n} = 0$$

ce qui revient à

$$\lim_n \sum_{i=1}^{n} \frac{X_i}{n} = \mu$$

Le théorème 8.11 établit donc la loi forte des grands nombres dans le cas de variables indépendantes et identiquement distribuées (i.i.d.), si la variance commune est finie. On peut en fait, grâce à ce même théorème, lever la dernière hypothèse, ce qui établit alors comme annoncé le théorème 8.8.

La loi forte des grands nombres fut démontrée pour la première fois et dans le cas particulier de variables de Bernoulli par le mathématicien français Borel. La version générale du théorème 8.8 est due au mathématicien russe A.N. Kolmogorov.

8.4.2 Comparaison de la loi faible et de la loi forte

Bien des gens ont du mal à saisir au début la différence entre loi faible et loi forte des grands nombres. La loi faible assure que pour toute grande valeur de n, disons n^* par exemple, $(X_1 + ... + X_{n^*})/n^*$ est probablement très voisine de μ. Elle n'assure pas cependant que $(X_1 + ... + X_n)/n$ devra rester dans un voisinage étroit de μ pour toutes les valeurs de n supérieures à n^*. Elle laisse donc la porte ouverte à une situation où de larges écarts entre $(X_1 + ... + X_n)/n$ et μ peuvent se produire pour une infinité d'événements, infinité dont la probabilité collective est très faible cependant. La loi forte exclut cette situation. Elle assure en particulier qu'avec probabilité 1 et pour toute valeur $\varepsilon > 0$,

$$\left| \sum_{i=1}^{n} \frac{X_i}{n} - \mu \right|$$

ne sera supérieure à ε qu'un nombre fini de fois.

8.5 AUTRES INÉGALITÉS

8.5.1 Inégalité unilatérale de Tchebychev

On rencontre parfois des situations dans lesquelles on voudrait obtenir une borne supérieure pour une probabilité de la forme $P\{X - \mu > a\}$, où a est un réel positif et où X est de distribution inconnue, mais d'espérance μ et de variance σ^2 qui sont, elles, connues. On se trouve ici évidemment dans un cas d'application de l'inégalité de Tchebychev puisque $X - \mu > a > 0$ entraîne $|X - \mu| > a$; on obtient

$$P\{X - \mu > a\} \le P\{|X - \mu| > a\} \le \frac{\sigma^2}{a^2} \quad \text{lorsque } a > 0$$

Le théorème suivant montre cependant qu'on peut faire mieux.

Théorème 8.12 *Inégalité unilatérale de Tchebychev*
Soit X une variable aléatoire d'espérance nulle et de variance σ^2 finie. On a alors pour tout réel $a > 0$

$$P\{X > a\} \le \frac{\sigma^2}{\sigma^2 + a^2}$$

DÉMONSTRATION. Comme $E[X] = \int_{-\infty}^{+\infty} x \, dF(x)$ est nulle par hypothèse, on a

$$-a = \int_{-\infty}^{\infty} (x - a) \, dF(x)$$

$$\ge \int_{-\infty}^{a} (x - a) \, dF(x)$$

Par conséquent

$$a \le \int_{-\infty}^{a} (a - x) \, dF(x)$$

$$= \int_{-\infty}^{\infty} (a - x) I_a(x) \, dF(x) \tag{8.7}$$

où

$$I_a(x) = \begin{cases} 1 & \text{si } x \le a \\ 0 & \text{si } x > a \end{cases}$$

Comme $a > 0$, on peut élever les deux membres de (8.7) au carré

$$a^2 \le \left(\int_{-\infty}^{\infty} (a - x) I_a(x) \, dF(x) \right)^2$$

ou encore,

$$a^2 \le (E[(a - X) I_a(X)])^2 \tag{8.8}$$

On fait ici usage d'une version de l'inégalité de Cauchy-Schwarz, version selon laquelle, pour toute paire de variables Y et Z,

$$(E[YZ])^2 \leqslant E[Y^2]E[Z^2]$$

pour autant que le membre de droite soit fini (on trouve la démonstration de cette version de l'inégalité de Cauchy-Schwarz proposée dans l'exercice théorique 7.10.35). Si maintenant on applique cette inégalité au membre droit de (8.8) avec $Y = (a - X)$ et $Z = I_a(X)$, on obtient

$$
\begin{aligned}
a^2 &\leq E[(a - X)^2]E[I_a^2(X)] \\
&= \int_{-\infty}^{\infty} (a - x)^2 \, dF(x) \int_{-\infty}^{a} dF(x) \\
&= F(a) \int_{-\infty}^{\infty} (a - x)^2 \, dF(x) \\
&= F(a)\left[\int_{-\infty}^{\infty} a^2 \, dF(x) - 2a \int_{-\infty}^{\infty} x \, dF(x) + \int_{-\infty}^{\infty} x^2 \, dF(x)\right] \\
&= F(a)(a^2 + \sigma^2)
\end{aligned}
$$

Et donc

$$F(a) \geq \frac{a^2}{a^2 + \sigma^2}$$

ou encore

$$P\{X > a\} = 1 - F(a) \leq 1 - \frac{a^2}{a^2 + \sigma^2} = \frac{\sigma^2}{a^2 + \sigma^2}$$

ce qui établit le résultat.   ∎

Exemple 8.7 Le nombre de pièces produites par une usine en une semaine est une variable aléatoire d'espérance 100 et de variance 400. On cherche une borne supérieure pour la probabilité que la production dépasse 120 pièces lors d'une semaine donnée.

SOLUTION. Appliquons l'inégalité unilatérale de Tchebychev

$$P\{X > 120\} = P\{X - 100 > 20\} \leq \frac{400}{400 + (20)^2} = \frac{1}{2}$$

où l'on voit que la probabilité de dépasser une production de 120 pièces en une semaine ne dépasse pas $\frac{1}{2}$.

Il était possible d'obtenir une borne grâce à l'inégalité de Markov, qui aurait donné

$$P\{X > 120\} \leq \frac{E(X)}{120} = \frac{5}{6}$$

c'est-à-dire une borne nettement moins bonne que la précédente. ■

De l'inégalité unilatérale de Tchebychev, on peut déduire le théorème suivant.

Théorème 8.13

Soit X une variable aléatoire, avec $E[X] = \mu$ et $Var(X) = \sigma^2$. On aura pour tout réel $a > 0$,

$$P\{X > \mu + a\} \le \frac{\sigma^2}{\sigma^2 + a^2}$$

$$P\{X < \mu - a\} \le \frac{\sigma^2}{\sigma^2 + a^2}$$

DÉMONSTRATION. Les variables $X - \mu$ et $\mu - X$ ont toutes deux une espérance nulle et une variance σ^2. De ce fait

$$P\{X - \mu > a\} \le \frac{\sigma^2}{\sigma^2 + a^2}$$

et

$$P\{\mu - X > a\} \le \frac{\sigma^2}{\sigma^2 + a^2}$$

ce qui établit le résultat annoncé. ■

Exemple 8.8 On répartit au hasard en 100 couples un groupe initialement composé de 100 hommes et 100 femmes. On cherche une borne supérieure à la probabilité que moins de 30 des 100 couples formés soient mixtes.

SOLUTION. On numérote les hommes arbitrairement de 1 à 100 puis on pose

$$X_i = \begin{cases} 1 & \text{si l'homme } i \text{ est associé à une femme} \\ 0 & \text{sinon} \end{cases}$$

ceci pour $i = 1, 2,..., 100$. On peut exprimer le nombre de couples mixtes comme la somme

$$X = \sum_{i=1}^{100} X_i$$

Comme l'homme i a autant de chances d'être associé à chacune des 199 autres personnes, dont 100 sont des femmes, on a

$$E[X_i] = P\{X_i = 1\} = \frac{100}{199}$$

Par un raisonnement similaire, et si $i \ne j$, on calcule

$$E[X_i X_j] = P\{X_i = 1, X_j = 1\}$$

$$= P\{X_i = 1\}P\{X_j = 1 \mid X_i = 1\} = \frac{100}{199}\frac{99}{197}$$

On peut se convaincre que $P\{X_j = 1 | X_i = 1\} = \frac{99}{197}$ en réalisant que, si l'homme i est associé à une femme, l'homme j peut être associé avec autant de chances à l'une quelconque des 197 personnes restantes, dont 99 sont des femmes. On peut maintenant calculer

$$E[X] = \sum_{i=1}^{100} E[X_i]$$

$$= (100) \frac{100}{199}$$

$$= 50.25$$

$$\text{Var}(X) = \sum_{i=1}^{100} \text{Var}(X_i) + 2 \sum \sum_{i<j} \text{Cov}(X_i, X_j)$$

$$= 100 \frac{100}{199} \frac{99}{199} + 2 \binom{100}{2} \left[\frac{100}{199} \frac{99}{197} - \left(\frac{100}{199} \right)^2 \right]$$

$$= 25.126$$

et appliquer l'inégalité de Tchebychev

$$P\{X < 30\} \le P\{|X - 50.25| > 20.25\} \le \frac{25.126}{(20.25)^2} = .061$$

L'événement «moins de 30 hommes seront associés chacun à une femme» a donc au plus 6 chances sur 100 de se produire. Cette borne peut cependant être améliorée par application de l'inégalité unilatérale de Tchebychev qui donne, elle,

$$P\{X < 30\} = P\{X < 50.25 - 20.25\}$$

$$\le \frac{25.126}{25.126 + (20.25)^2}$$

$$= .058 \qquad \blacksquare$$

8.5.2 Inégalité de Jensen

L'inégalité que nous allons maintenant traiter porte sur des espérances plutôt que des probabilités. Nous avons auparavant besoin d'introduire la notion de *convexité de fonction:* une fonction réelle f deux fois différentiable est dite convexe si $f''(x) \ge 0$ pour tout x. Une fonction sera de même dite concave si $f''(x) \le 0$ pour tout x. A titre d'exemples, les fonctions suivantes sont convexes: $f(x) = x^2$, $f(x) = e^{ax}$, $f(x) = -x^{1/n}$ lorsque $x \ge 0$. Si f est convexe la fonction $g = -f$ est concave et vice versa.

Théorème 8.14 *Inégalité de Jensen*
Soit f une fonction convexe. Alors

$$E[f(X)] \ge f(E[X])$$

pour autant que ces espérances existent et soient finies.

DÉMONSTRATION. Ecrivons le développement en série de Taylor de f autour de $\mu = E[X]$:

$$f(x) = f(\mu) + f'(\mu)(x - \mu) + \frac{f''(\xi)(x - \xi)^2}{2}$$

où ξ est un réel compris entre x et μ. Comme $f''(\xi) \geqslant 0$, on aura

$$f(x) \geq f(\mu) + f'(\mu)(x - \mu)$$

et donc

$$f(X) \geq f(\mu) + f'(\mu)(X - \mu)$$

Il suffit de prendre l'espérance des deux membres pour obtenir

$$E[f(X)] \geq f(\mu) + f'(\mu)E[X - \mu] = f(\mu)$$

ce qui achève la démonstration.   ∎

Exemple 8.9 Un investisseur est confronté à une alternative. Soit il place tout son capital dans une affaire risquée rapportant une somme aléatoire X d'espérance m, soit il le place en titres sans risques qui rapporteront une somme m avec probabilité 1. On sait qu'il va chercher à prendre sa décision de manière à maximiser l'espérance de $u(R)$, où R est son bénéfice et u sa fonction de préférence. L'inégalité de Jensen nous montre que si u est une fonction concave, $E[u(X)] \leqslant u(m)$, ce qui rend le placement sûr préférable. Si par contre u est convexe, le placement risqué doit être choisi puisque $E[u(X)] \geqslant u(m)$.   ∎

8.6 EXERCICES THÉORIQUES

8.6.1 Soit σ^2 la variance de X. La racine positive σ de la variance est appelée *écart-type*. Si X est de moyenne μ et d'écart-type σ, montrer que

$$P\{|X - \mu| \geq k\sigma\} \leq \frac{1}{k^2}$$

8.6.2 Soit X une variable de moyenne μ et d'écart-type σ; le rapport $r \equiv |\mu|/\sigma$ est appelé *rapport signal-bruit* de X. L'idée vient de ce que X peut être exprimée comme $X = \mu + (X - \mu)$ où μ représente le signal et $X - \mu$ le bruit, dont l'écart-type est σ. On définit $|(X - \mu)/\mu| \equiv D$ comme l'erreur relative de X par rapport à son signal (ou espérance) μ. Montrer que pour $\alpha > 0$

$$P\{D \leq \alpha\} \geq 1 - \frac{1}{r^2\alpha^2}$$

8.6.3 Calculer le rapport signal-bruit, c'est-à-dire $|\mu|/\sigma$, où $\mu = E[X]$ et $\sigma^2 = \mathrm{Var}(X)$ pour les variables aléatoires suivantes:
• Poisson de moyenne λ;
• binomiale de paramètres n et p;

- géométrique de moyenne $1/p$;
- uniforme sur l'intervalle (a, b);
- exponentielle de moyenne $1/\lambda$;
- normale de paramètres μ, σ^2.

8.6.4 Soit Z_n, $n \geqslant 1$, une suite de variables aléatoires et c une constante telle que pour chaque $\varepsilon > 0$, $P\{|Z_n - c| > \varepsilon\} \to 0$ quand $n \to \infty$. Montrer que pour toute fonction continue bornée g,

$$E[g(Z_n)] \to g(c) \text{ quand } n \to \infty$$

8.6.5 Soit $f(x)$ une fonction continue définie pour $0 \leqslant x \leqslant 1$. Considérer les fonctions

$$B_n(x) = \sum_{k=0}^{n} f\left(\frac{k}{n}\right)\binom{n}{k} x^k (1-x)^{n-k}$$

(appelées *polynômes de Bernstein*) et prouver que

$$\lim_{n \to \infty} B_n(x) = f(x)$$

Considérer, à titre d'indication, des variables aléatoires indépendantes de Bernoulli $X_1, X_2,...$ ayant pour espérance x. Montrer, puis utiliser le fait suivant (en faisant usage du résultat de 8.6.4):

$$B_n(x) = E\left[f\left(\frac{X_1 + \cdots + X_n}{n}\right)\right]$$

Comme on peut montrer que la convergence de $B_n(x)$ vers $f(x)$ est uniforme en x, ce qui est établi ci-dessus donne une preuve probabiliste du fameux théorème d'analyse dit *de Weierstrass*, théorème qui énonce que toute fonction continue sur un intervalle fermé peut être approximée de façon arbitrairement proche par un polynôme.

8.6.6 Soit X_1, X_2,... une suite de variables aléatoires indépendantes. Supposer que $E[X_i] = 0$, que $\text{Var}(X_i) = \sigma_i^2$ et que

$$\lim_{n \to \infty} \sum_{i=1}^{n} \frac{\sigma_i^2}{n^2} = 0$$

Prouver que, pour tout $\varepsilon > 0$,

$$P\left\{\left|\frac{X_1 + \cdots + X_n}{n}\right| > \varepsilon\right\} \to 0 \qquad \text{lorsque } n \to \infty$$

Utiliser ce résultat pour prouver que si Y_i, $i \geqslant 1$, sont des variables aléatoires indépendantes de Bernoulli, alors pour tout $\varepsilon > 0$,

$$P\left\{\left|\frac{Y_1 + \cdots + Y_n}{n} - P(n)\right| \leq \varepsilon\right\} \to 1 \qquad \text{lorsque } n \to \infty$$

où $E[Y_i] = P_i$ et $P(n) = \sum\limits_{i=1}^{n} P_i/n$.

8.6.7 Soient $X_1, X_2,..., X_n$ des variables aléatoires (pouvant être dépendantes) telles que $E[X_j] = \mu_j$, $\text{Var}(X_j) = \sigma_j^2$, $j = 1,..., n$. Prouver que

$$P\left\{\left|\frac{X_j - \mu_j}{\sigma_j}\right| \leq \sqrt{n}\, t \text{ pour tout } j = 1, \ldots, n\right\} \geq 1 - \frac{1}{t^2}$$

pour tout $t > 0$.

8.6.8

- Soit X une variable aléatoire discrète pouvant prendre les valeurs 1, 2,... . Si $P\{X = k\}$ est non croissante en $k = 1, 2,...$, prouver que

$$P\{X = k\} \leq 2\frac{E[X]}{k^2}$$

- Soit X une variable aléatoire continue non¡négative de densité non¡croissante. Montrer que

$$f(x) \leq \frac{2E[X]}{x^2} \qquad \text{pour tout } x > 0$$

8.6.9 Supposons qu'un dé non pipé soit jeté 100 fois. Soit X_i la valeur obtenue au i-ème jet. Calculer une approximation pour

$$P\left\{\prod_1^{100} X_i \leq a^{100}\right\} \qquad 1 < a < 6$$

8.6.10 Expliquer pourquoi une variable aléatoire gamma de paramètres (t, λ) a une distribution approximativement normale quand t est grand.

8.6.11 Prouver que la loi forte des grands nombres reste valable quand $E[X_i] = +\infty$. A titre d'indication, on pourra définir pour un réel M donné

$$X_i^M = \begin{cases} X_i & \text{si } X_i \leq M \\ M & \text{si } X_i > M \end{cases}$$

On utilisera alors (a) la loi forte des grands nombres sur la suite X_i^M, $i \geq 1$; (b) le fait que $X_i^M \leq X_i$; (c) l'idée consistant à faire tendre M vers l'infini.

8.6.12 Une pièce de monnaie équilibrée est jetée 1 000 fois. Si les 100 premiers jets donnent tous des piles, quelle proportion de piles peut-on s'attendre à obtenir lors des 900 derniers jets? Faites un commentaire sur l'énoncé «la loi forte des grands nombres noie une anomalie dans la masse mais ne la compense pas».

8.6.13 Si $E[X] < 0$ et $\theta \neq 0$ est tel que $E[e^{\theta X}] = 1$, montrer que $\theta > 0$.

8.7 PROBLÈMES

8.7.1 Soit X une variable aléatoire d'espérance et de variance toutes deux égales à 20. Que peut-on dire de $P\{0 \leqslant X \leqslant 40\}$?

8.7.2 Un professeur sait par expérience que la note de test d'un étudiant se présentant à un examen final est une variable aléatoire d'espérance 75.
a) Donner une borne supérieure à la probabilité que la note de test d'un étudiant dépasse 85;
Supposons maintenant que le professeur sache en plus que la variance de la note de test d'un étudiant est 25.
b) Que peut-on dire de la probabilité qu'un étudiant obtienne une note comprise entre 65 et 85?
c) Combien faudrait-il qu'il se présente d'étudiants à cet examen pour assurer, avec une probabilité d'au moins 0,9, que la moyenne de la classe soit de 75 plus ou moins 5? Ne pas utiliser le théorème central limite.

8.7.3 Utiliser le théorème central limite pour résoudre la partie c) du problème 8.7.2.

8.7.4 Soient $X_1,..., X_{20}$ des variables aléatoires indépendantes de Poisson d'espérance 1.
a) Utiliser l'inégalité de Markov pour obtenir une borne de $P\{\sum_{i=1}^{20} X_i > 15\}$.
b) Utiliser le théorème central limite pour obtenir une approximation de $P\{\sum_{i=1}^{20} X_i > 15\}$.

8.7.5 On arrondit 50 nombres à l'entier le plus proche et on effectue la somme. Si les erreurs d'arrondi individuels sont distribuées uniformément sur $(-0,5, 0,5)$, quelle est la probabilité que la somme obtenue ait un écart de plus de 3 par rapport à la somme exacte?

8.7.6 On lance un dé jusqu'à ce que la somme totale des nombres obtenus dépasse 300. Quelle est la probabilité qu'il faille au moins 80 jets?

8.7.7 On a 100 ampoules dont les durées de vie sont des variables aléatoires indépendantes exponentielles de moyenne 5 heures. Si l'on allume une ampoule à la fois et qu'une ampoule grillée est instantanément remplacée par une neuve, qu'elle est la probabilité qu'il reste encore une ampoule intacte après 525 heures?

8.7.8 Si, dans le problème 8.7.7, le temps de remplacement d'une ampoule défaillante suit une loi uniforme sur $(0, 0,5)$, quelle est la probabilité que toutes les ampoules soient grillées après 550 heures?

8.7.9 Soit X une variable aléatoire gamma de paramètres $(n, 1)$. Quelle doit être la valeur de n pour que
$$P\{|X/n - 1| > .01\} < .01$$

8.7.10 Des ingénieurs civils pensent que W, le poids (en milliers de livres) qu'une travée d'un pont peut supporter sans subir de dommage au niveau de sa structure, suit une loi normale, de moyenne 400 et d'écart-type 40. Supposons que le poids (également en milliers de livres) d'une voiture est une variable aléatoire normale de moyenne 3 et d'écart-type 0,3. Combien de voitures devraient se trouver sur cette travée pour que la probabilité de rupture soit supérieure à 0,1?

8.7.11 Plusieurs personnes pensent que la fluctuation journalière du prix de l'action d'une société donnée, cotée en bourse, est une variable aléatoire de moyenne 0 et de variance σ^2. Cela veut dire que, si Y_n représente le prix de l'action lors du n-ième jour,

$$Y_n = Y_{n-1} + X_n \qquad n \geq 1$$

où X_1, X_2,... sont des variables aléatoires indépendantes identiquement distribuées d'espérance 0 et de variance σ^2. Supposons que le prix de l'action soit aujourd'hui de 100. Si $\sigma^2 = 1$, que peut-on dire de la probabilité que le prix de l'action reste compris entre 95 et 105 pendant les dix prochains jours?

8.7.12 Nous avons 100 composants que nous allons employer les uns après les autres. Cela veut dire que le composant 1 sera d'abord utilisé, puis lorsqu'il tombera en panne, il sera remplacé par le composant 2, qui sera lui-même remplacé après défaillance par le composant 3, et ainsi de suite. Si la durée de vie du composant i est distribuée de façon exponentielle avec espérance $10 + i/10$, $i = 1,..., 100$, estimer la probabilité que la durée de vie totale de l'ensemble des composants dépasse 1 200. Refaites le même exercice lorsque la distribution de la durée de vie des composants est uniforme sur l'intervalle $(0, 20 + i/5)$, $i = 1,..., 100$.

8.7.13 Refaire l'exemple 8.8 sous l'hypothèse que le nombre de couples est (approximativement) distribuée selon une loi normale. Cela vous semble-t-il être une supposition raisonnable?

8.7.14 Refaire la partie a) du problème 8.7.2 en sachant que la variance de la note de test de l'étudiant est 25.

8.7.15 Un lac contient 4 espèces de poissons. On suppose qu'un poisson capturé au hasard a autant de chances de représenter n'importe laquelle des espèces. Soit Y le nombre de poissons à prendre de façon à obtenir au moins un poisson de chaque type.
• Donner un intervalle (a, b) tel que $P\{a \leq Y \leq b\} \geq 0,90$.
• En utilisant l'inégalité de Tchebychev unilatérale, combien de poissons doit-on envisager de capturer pour être certain à au moins 90% d'obtenir au moins un poisson de chaque type?

8.7.16 Soit X une variable aléatoire non négative de moyenne 25. Que peut-on dire des espérances suivantes:
• $E[X^3]$;
• $E[\sqrt{X}]$;
• $E[\ln x]$;
• $E[e^{-X}]$?

8.7.17 Soit X une variable aléatoire non négative. Prouver que

$$E[X] \leq (E[X^2])^{1/2} \leq (E[X^3])^{1/3} \leq \cdots$$

8.7.18 Est-ce que les résultats de l'exemple 8.9 auraient changé si l'homme d'affaires avait pu répartir son argent à raison d'une part α, $0 < \alpha < 1$, destinée au placement à haut risque et d'une autre part $1 - \alpha$ destinée à l'opération sans risque? Son gain après un tel investissement mixte serait alors $R = \alpha X + (1 - \alpha)m$.

CHAPITRE 9

Thèmes choisis de probabilité

9.1 PROCESSUS DE POISSON

9.1.1 Définition

Avant de définir le processus de Poisson, rappelons qu'une fonction f est dite $o(h)$ si $\lim_{h \to 0} f(h)/h = 0$. Ceci revient à dire que lorsque f est $o(h)$, si h prend de très petites valeurs, $f(h)$ reste très petit par rapport à h.

Supposons maintenant que certains événements se répartissent de manière aléatoire dans le temps. Désignons par $N(t)$ le nombre d'événements survenus dans l'intervalle $[0, t]$. On dit que le processus stochastique $\{N(t), t \geq 0\}$ est **un processus de Poisson de paramètre** λ, $\lambda > 0$, si

a) $N(0) = 0$;
b) les nombres d'événements survenant au cours d'intervalles disjoints sont des variables indépendantes;
c) la distribution du nombre d'événements survenant pendant un intervalle donné ne dépend que de la longueur de cet intervalle, et pas de son origine en particulier;
d) $P\{N(h) = 1\} = \lambda h + o(h)$;
e) $P\{N(h) \geq 2\} = o(h)$.

La condition a) précise que le processus commence au temps 0. La condition b) est dite hypothèse d' *indépendance des incréments*. Son nom lui vient de ce qu'elle impose entre autres que le nombre d'occurrences d'événements entre les instants t et $t + s$ [à savoir $N(t + s) - N(t)$] soit indépendant du nombre des occurrences jusqu'au temps t [à savoir $N(t)$]. La condition c) appelée *hypothèse de stationnarité* établit que la distribution de $N(t + s) - N(t)$ est la même pour toutes les valeurs de t.

Nous avons donné au chapitre 4 une explication qui montrait que $N(t)$ suit une loi de Poisson de paramètre λt et qui est basée sur le fait que la loi de Poisson est la forme limite de certaines distributions de variables binomiales. Ce même résultat va maintenant être démontré d'une autre manière dans les paragraphes 9.1.2 et 9.1.3.

9.1.2 Distributions des temps d'attente

Avant d'en venir à ces distributions, établissons le théorème suivant:

Théorème 9.1
Pour tout processus de Poisson de paramètre λ

$$P\{N(t) = 0\} = e^{-\lambda t}$$

DÉMONSTRATION. Posons $P_0(t) = P\{N(t) = 0\}$. On va faire apparaître une équation différentielle dont $P_0(t)$ sera solution:

$$
\begin{aligned}
P_0(t + h) &= P\{N(t + h) = 0\} \\
&= P\{N(t) = 0, N(t + h) - N(t) = 0\} \\
&= P\{N(t) = 0\}P\{N(t + h) - N(t) = 0\} \\
&= P_0(t)[1 - \lambda h + o(h)]
\end{aligned}
$$

où les deux dernières transformations sont légitimées par l'hypothèse b) d'une part et par le fait, d'autre part, que $P\{N(h) = 0\} = 1 - \lambda h + o(h)$ en vertu des hypothèses c) et d). Donc

$$\frac{P_0(t + h) - P_0(t)}{h} = -\lambda P_0(t) + \frac{o(h)}{h}$$

Faisons maintenant tendre h vers 0. On obtient

$$P_0'(t) = -\lambda P_0(t)$$

ou encore

$$\frac{P_0'(t)}{P_0(t)} = -\lambda$$

qui entraîne, en intégrant les deux membres

$$\ln P_0(t) = -\lambda t + c$$

ou

$$P_0(t) = Ke^{-\lambda t}$$

Comme $P_0(0) = P\{N(0) = 0\} = 1$ on peut conclure que

$$P_0(t) = e^{-\lambda t} \qquad \blacksquare$$

Nous noterons désormais T_1 la date du premier événement. Pour $n > 1$ les variables aléatoires T_n représenteront le temps écoulé entre le $(n - 1)$-ième et le n-ième événement. La suite $\{T_n, n = 1, 2,...\}$ est appelée suite des **intervalles d'attente.** Si par exemple $T_1 = 5$ et $T_2 = 10$, nous sommes dans le cas où le premier événement de notre processus de Poisson est arrivé au temps 5 et le second au temps 15. La distribution de ces intervalles d'attente est donnée par le théorème suivant:

Théorème 9.2

T_1, T_2,... *sont des variables aléatoires indépendantes, distribuées exponentiellement et d'espérance commune* $1/\lambda$.

DÉMONSTRATION. On remarquera d'abord que l'événement $\{T_1 > t\}$ est équivalent à l'événement «il ne survient aucun événement pendant l'intervalle $[0, t]$». Par conséquent

$$P\{T_1 > t\} = P\{N(t) = 0\} = e^{-\lambda t}$$

La variable T_1 suit donc une distribution exponentielle d'espérance $1/\lambda$. Mais par ailleurs

$$P\{T_2 > t\} = E[P\{T_2 > t \,|\, T_1\}]$$

Or

$$
\begin{aligned}
P\{T_2 > t \,|\, T_1 = s\} &= P\{0 \text{ événement durant } (s, s + t] \,|\, T_1 = s\} \\
&= P\{0 \text{ événement durant } (s, s + t]\} \\
&= e^{-\lambda t}
\end{aligned}
$$

où les deux dernières inégalités résultent des hypothèses b) et c). Ce calcul permet de conclure que T_2 est également une variable exponentielle d'espérance $1/\lambda$, indépendante de T_1 qui plus est. Il suffit alors de répéter ce calcul pour établir complètement le théorème. ∎

Une autre variable qui va nous servir est S_n, date à laquelle se produit le n-ième événement. On l'appelle aussi **temps d'attente** pour le n-ième événement. On voit facilement que

$$S_n = \sum_{i=1}^{n} T_i \qquad n \geq 1$$

ce qui permet de dire, en invoquant le théorème 9.2 et les conclusions de 5.2 que S_n suit une loi gamma de paramètres n et λ. Sa densité est donc

$$f_{S_n}(x) = \lambda e^{-\lambda x} \frac{(\lambda x)^{n-1}}{(n-1)!} \qquad x \geq 0$$

9.1.3 Distribution du nombre d'occurrences au temps t

Nous sommes maintenant en mesure de démontrer que $N(t)$ est une variable aléatoire de Poisson d'espérance λt.

Théorème 9.3

Pour tout processus de Poisson de paramètre λ

$$P\{N(t) = n\} = \frac{e^{-\lambda t}(\lambda t)^n}{n!}$$

DÉMONSTRATION. On remarquera que la n-ième occurrence du processus de Poisson surviendra au temps t ou avant si et seulement si le nombre d'événements survenus au temps t est de n au moins. Ceci peut être écrit

$$N(t) \geq n \Leftrightarrow S_n \leq t$$

et donc

$$P\{N(t) = n\} = P\{N(t) \geq n\} - P\{N(t) \geq n + 1\}$$

$$= P\{S_n \leq t\} - P\{S_{n+1} \leq t\}$$

$$= \int_0^t \lambda e^{-\lambda x} \frac{(\lambda x)^{n-1}}{(n-1)!} \, dx - \int_0^t \lambda e^{-\lambda x} \frac{(\lambda x)^n}{n!} \, dx$$

On utilise la formule d'intégration par parties $\int u \, dv = uv - \int v \, du$ avec $u = e^{-\lambda x}$, $dv = \lambda[(\lambda x)^{n-1}/(n-1)!] \, dx$, ce qui donne

$$\int_0^t \lambda e^{-\lambda x} \frac{(\lambda x)^{n-1}}{(n-1)!} \, dx = e^{-\lambda t} \frac{(\lambda t)^n}{n!} + \int_0^t \lambda e^{-\lambda x} \frac{(\lambda x)^n}{n!} \, dx$$

qui achève la démonstration.   ∎

9.2 CHAÎNES DE MARKOV

9.2.1 Définitions

Considérons une suite X_0, X_1,... de variables aléatoires dont l'ensemble fondamental commun est $\{0, 1,..., M\}$. Ce modèle peut servir à représenter l'état d'un système au cours du temps, X_n désignant cet état au temps n. Dans ce cadre, nous dirons que le système se trouve dans l'état i au temps n si $X_n = i$. La suite des variables considérées est appelée **chaîne de Markov** si à partir de tout état i la probabilité P_{ij} de passer immédiatement après à l'état j est constante au cours du temps. Plus précisément encore la condition requise s'écrit, pour tout ensemble de réels $i_0, i_1,..., i_{n-1}, i, j$,

$$P\{X_{n+1} = j \mid X_n = i, X_{n-1} = i_{n-1}, \ldots, X_1 = i_1, X_0 = i_0\} = P_{ij}$$

Les grandeurs P_{ij}, où $0 \leq i \leq M$ et $0 \leq j \leq M$, sont appelées **probabilités de transition** de la chaîne de Markov et vérifient (dire pourquoi?) les relations suivantes:

$$P_{ij} \geq 0 \qquad \sum_{j=0}^{M} P_{ij} = 1 \qquad i = 0, 1, \ldots, M$$

Il est commode de disposer ces probabilités de transition P_{ij} dans un tableau carré comme suit:

$$\left\| \begin{array}{lll} P_{00} & P_{01} \cdots P_{0M} \\ P_{10} & P_{11} \cdots P_{1M} \\ \vdots \\ P_{M0} & P_{M1} \cdots P_{MM} \end{array} \right\|$$

Un tel tableau est appelé matrice.

La connaissance de la **matrice de transition** ainsi créée et de la distribution de X_0 permet théoriquement de calculer toutes les probabilités désirées. La densité conjointe de $X_0, ..., X_n$ par exemple est calculable ainsi:

$$P\{X_n = i_n, X_{n-1} = i_{n-1}, \ldots, X_1 = i_1, X_0 = i_0\}$$
$$= P\{X_n = i_n \mid X_{n-1} = i_{n-1}, \ldots, X_0 = i_0\} P\{X_{n-1} = i_{n-1}, \ldots, X_0 = i_0\}$$
$$= P_{i_{n-1}, i_n} P\{X_{n-1} = i_{n-1}, \ldots, X_0 = i_0\}$$

et la répétition de cet argument finit par montrer que la probabilité ci-dessus vaut

$$= P_{i_{n-1}, i_n} P_{i_{n-2}, i_{n-1}} \cdots P_{i_1, i_2} P_{i_0, i_1} P\{X_0 = i_0\}$$

9.2.2 Exemples de chaînes de Markov

Exemple 9.1 On admet que le fait qu'il ait plu ou non un jour donné est la seule considération à prendre en compte pour prévoir s'il pleuvra le lendemain. Plus précisément, s'il pleut aujourd'hui il pleuvra demain aussi avec probabilité α et s'il ne pleut pas aujourd'hui la probabilité qu'il pleuve demain est β.

On convient de dire que le système est dans l'état 0 s'il pleut et 1 s'il ne pleut pas. La situation peut être représentée par une chaîne de Markov à deux états dont la matrice de transition est

$$\left\| \begin{array}{ll} \alpha & 1 - \alpha \\ \beta & 1 - \beta \end{array} \right\|$$

C'est-à-dire, $P_{00} = \alpha = 1 - P_{01}$, $P_{10} = \beta = 1 - P_{11}$. ∎

Exemple 9.2 On considère un joueur qui à chaque tour de jeu ne peut rencontrer que deux résultats possibles; soit il gagne 1 avec probabilité p, soit il perd 1 avec probabilité $1 - p$. On suppose que le joueur cesse de miser dès que sa fortune atteint 0 ou M. On reconnaît dans la suite des avoirs de ce joueur une chaîne de Markov ayant pour probabilités de transition

$$P_{i,i+1} = p = 1 - P_{i,i-1} \qquad i = 1, \ldots, M - 1$$
$$P_{00} = P_{MM} = 1$$
∎

Exemple 9.3 Les physiciens P. et T. Ehrenfest ont étudié un modèle pour le mouvement de molécules dans lequel M molécules sont réparties parmi deux urnes. Au bout d'une unité de temps une molécule est désignée au hasard, on la retire de son urne et la place dans l'autre. On désigne le nombre de molécules contenues dans la première urne après la n-ième opération par X_n. Dans ces conditions $\{X_0, X_1, ...\}$ est une chaîne de Markov ayant pour probabilités de transition

$$P_{i,i+1} = \frac{M-i}{M} \qquad 0 \le i \le M$$

$$P_{i,i-1} = \frac{i}{M} \qquad 0 \le i \le M$$

$$P_{ij} = 0 \qquad \text{si } |j-i| > 1 \qquad \blacksquare$$

9.2.3 Matrices de transition d'ordre supérieur

Lorsqu'on considère une chaîne de Markov, P_{ij} représente la probabilité que le système passe de l'état i à l'état j en une transition. Mais on peut définir une matrice de transition d'ordre deux, composée des coefficients $P_{ij}^{(2)}$ donnant la probabilité que le système passe de l'état i à l'état j en l'espace de deux transitions:

$$P_{ij}^{(2)} = P\{X_{m+2} = j \,|\, X_m = i\}$$

On peut calculer les coefficients $P_{ij}^{(2)}$ à partir des valeurs P_{ij} comme suit:

$$
\begin{aligned}
P_{ij}^{(2)} &= P\{X_2 = j \,|\, X_0 = i\} \\
&= \sum_{k=0}^{M} P\{X_2 = j, X_1 = k \,|\, X_0 = i\} \\
&= \sum_{k=0}^{M} P\{X_2 = j \,|\, X_1 = k, X_0 = i\} P\{X_1 = k \,|\, X_0 = i\} \\
&= \sum_{k=0}^{M} P_{kj} P_{ik}
\end{aligned}
$$

On définit de manière plus générale la **_matrice de transition d'ordre n_**, notée $P_{ij}^{(n)}$, par

$$P_{ij}^{(n)} = P\{X_{n+m} = j \,|\, X_m = i\}$$

Le théorème qui suit montre comment on peut calculer les coefficients $P_{ij}^{(n)}$.

Théorème 9.4 *Equations de Chapman-Kolmogorov*

$$P_{ij}^{(n)} = \sum_{k=0}^{M} P_{ik}^{(r)} P_{kj}^{(n-r)} \qquad \text{pout tout } 0 < r < n$$

DÉMONSTRATION.

$$P_{ij}^{(n)} = P\{X_n = j \mid X_0 = i\}$$

$$= \sum_k P\{X_n = j, X_r = k \mid X_0 = i\}$$

$$= \sum_k P\{X_n = j \mid X_r = k, X_0 = i\} P\{X_r = k \mid X_0 = i\}$$

$$= \sum_k P_{kj}^{(n-r)} P_{ik}^{(r)} \qquad \blacksquare$$

Exemple 9.4 Marche aléatoire

Il s'agit, sous cette dénomination connue, d'un exemple de chaîne de Markov ayant un nombre infini dénombrable d'états. Une particule se déplace le long d'un axe dans un espace unidimensionnel. Après chaque unité de temps, la particule se déplace d'un cran vers la droite ou d'un cran vers la gauche avec probabilités respectives p et $1 - p$. Ceci revient à dire que la position de la particule est représentée par une chaîne de Markov ayant pour probabilités de transition

$$P_{i,i+1} = p = 1 - P_{i,i-1} \qquad i = 0, \pm 1, \ldots$$

Une particule située à l'abscisse i se retrouvera à l'abscisse j au bout de n transitions avec une probabilité égale à celle que $(n - i + j)/2$ de ces transitions se fassent vers la droite et $n - [(n - i + j)/2] = (n + i - j)/2$ se fassent vers la gauche. Comme chaque transition vers la droite se fera avec probabilité p indépendamment des transitions passées, on voit que la probabilité cherchée est de type binomial:

$$P_{ij}^{(n)} = \binom{n}{\dfrac{n - i + j}{2}} p^{(n-i+j)/2} (1 - p)^{(n+i-j)/2}$$

où $\binom{n}{x}$ vaut 0 si x n'est pas un entier inférieur à n et non négatif. Ce résultat peut être décrit ainsi:

$$P_{ij+2k}^{(2n)} = \binom{2n}{n+k} p^{n+k} (1 - p)^{n-k} \qquad k = 0, \pm 1, \ldots, \pm n$$

$$P_{i,i+2k-1}^{(2n+1)} = \binom{2n+1}{n+k+1} p^{n+k+1} (1 - p)^{n-k}$$

$$k = 0, \pm 1, \ldots, \pm n, -(n+1) \qquad \blacksquare$$

On remarquera que bien que les $P_{ij}^{(n)}$ soient des probabilités conditionnelles, on peut les utiliser pour le calcul de probabilités non conditionnelles en conditionnant selon l'état initial. Par exemple,

$$P\{X_n = j\} = \sum_i P\{X_n = j \mid X_0 = i\} P\{X_0 = i\}$$

$$= \sum_i P_{ij}^{(n)} P\{X_0 = i\}$$

9.2.4 Chaînes ergodiques

Il apparaît que pour un grand nombre de chaînes de Markov, la suite des $P_{ij}^{(n)}$ converge lorsque n tend vers l'infini vers une limite Π_j qui ne dépend que de j. En d'autres termes, la probabilité de se trouver dans l'état j après n transitions lorsque n est grand, est approximativement Πj, indépendamment de l'état de départ. On peut montrer qu'une condition suffisante pour qu'une chaîne de Markov possède cette propriété est qu'il existe un $n >$ tel que

$$P_{ij}^{(n)} > 0 \qquad \text{pour tous les } i, j = 0, 1,..., M \qquad (9.1)$$

Les chaînes de Markov satisfaisant (9.1) sont dites **ergodiques.** Comme d'après le théorème 9.4

$$P_{ij}^{(n+1)} = \sum_{k=0}^{M} P_{ik}^{(n)} P_{kj}$$

il résulte que lorsque n tend vers l'infini, les chaînes ergodiques vérifient

$$\Pi_j = \sum_{k=0}^{M} \Pi_k P_{kj} \qquad (9.2)$$

De plus, $1 = \sum_{j=0}^{M} P_{ij}^{(n)}$. On obtient donc également, toujours si $n \to \infty$,

$$\sum_{j=0}^{M} \Pi_j = 1 \qquad (9.3)$$

On peut en fait montrer que les Π_j pour $0 \leqslant j \leqslant M$, sont les seules solutions non négatives de (9.2) et (9.3). Ces résultats sont rassemblés dans le théorème 9.5, cité sans démonstration.

Théorème 9.5
Pour toute chaîne de Markov ergodique,

$$\Pi_j = \lim_{n \to \infty} P_{ij}^{(n)}$$

existe et les Π_j, $0 \leqslant j \leqslant M$, sont les seules solutions non négatives de

$$\Pi_j = \sum_{k=0}^{M} \Pi_k P_{kj}$$

$$\sum_{j=0}^{M} \Pi_j = 1.$$

Exemple 9.5 Reprenons la situation présentée dans l'exemple 9.1, où l'on admet qu'il pleuvra demain avec une probabilité α ou β selon qu'il pleuve aujourd'hui ou non. Le théorème 9.5 indique que les probabilités limites de pluie et d'absence de pluie, notées Π_0 et Π_1, seront

$$\Pi_0 = \alpha\Pi_0 + \beta\Pi_1$$
$$\Pi_1 = (1 - \alpha)\Pi_0 + (1 - \beta)\Pi_1$$
$$\Pi_0 + \Pi_1 = 1$$

ce qui donne

$$\Pi_0 = \frac{\beta}{1 + \beta - \alpha} \qquad \Pi_1 = \frac{1 - \alpha}{1 + \beta - \alpha}$$

Si par exemple $\alpha = 0{,}6$ et $\beta = 0{,}3$, la probabilité limite qu'il pleuve le n-ième jour, n tendant vers l'infini, est $\Pi_0 = \frac{3}{7}$. ∎

La quantité Π_j représente aussi la proportion de fois, à long terme, où la chaîne de Markov reste dans l'état j, $j = 0, ..., M$. Pour le comprendre intuitivement, notons par P_j la proportion de fois où la chaîne se trouve dans l'état j. (La loi forte des grands nombres permet de montrer que les proportions ainsi définies existent et sont constantes.) Or, comme la proportion de fois, à long terme, où la chaîne reste dans l'état k est P_k et que, de l'état k elle passe à l'état j avec probabilité P_{kj}, il s'ensuit que la proportion de fois où la chaîne de Markov entre dans l'état j à partir de l'état k est égale à $P_k P_{kj}$. En sommant sur k, on trouve que P_j, la proportion de fois où la chaîne de Markov passe à l'état j, satisfait

$$P_j = \sum_k P_k P_{kj}$$

Comme il est vrai aussi que

$$\sum_j P_j = 1$$

et que les Π_j, $j = 0, ..., M$ sont l'unique solution des équations précédentes d'après le théorème 9.5, on conclut que $P_j = \Pi_j$, $j = 0, ..., M$.

Exemple 9.6 Dans l'exemple 9.3, intéressons-nous à la proportion de fois où l'urne 1 contient j molécules, $j = 0, ..., M$. On sait, d'après le théorème 9.4 que ces quantités ainsi définies constituent l'unique solution du système suivant:

$$\Pi_0 = \Pi_1 \times \frac{1}{M}$$

$$\Pi_j = \Pi_{j-1} \times \frac{M - j + 1}{M} + \Pi_{j+1} \times \frac{j + 1}{M}, \qquad j = 1, \ldots, M$$

$$\Pi_M = \Pi_{M-1} \times \frac{1}{M}$$

$$\sum_{j=0}^{M} \Pi_j = 1$$

Or, comme on peut le vérifier facilement, les quantités

$$\Pi_j = \binom{M}{j} \left(\tfrac{1}{2}\right)^M, \qquad j = 0, \ldots, M$$

satisfont les équations précédentes, elles représentent donc les proportions de fois où la chaîne de Markov reste dans chacun des états. (Le problème 9.6.11 indique comment on aurait pu deviner cette solution.)   ■

9.3 SURPRISE, INCERTITUDE, ENTROPIE

9.3.1 Définition formelle de la surprise

Considérons E, l'un des événements pouvant survenir à la suite d'une expérience. A quel point serions-nous surpris d'apprendre que E a effectivement eu lieu? Il semble que la réponse à cette question doive dépendre de la probabilité de E: si par exemple l'expérience consiste à jeter deux dés, il ne nous semblerait pas spécialement étonnant d'apprendre que la somme des dés est paire (événement de probabilité $\frac{1}{2}$); nous serions par contre plus étonnés d'apprendre que cette somme vaut douze puisque la probabilité en est $\frac{1}{36}$.

Nous allons nous attacher dans ce qui suit à quantifier la notion de surprise. Pour commencer, admettons que la surprise que nous éprouverons consécutivement à la réalisation d'un événement E ne dépendra que de la probabilité de E. On notera $S(p)$ la surprise créée par la réalisation de tout événement de probabilité p. Nous allons essayer de déterminer la forme de S en nous fixant préalablement un ensemble de conditions intuitivement acceptables que S devra satisfaire. Les propriétés de S ne devront être déterminées que par ces conditions; tout au long de ce qui suit on considérera S définie pour toute valeur de p comprise entre 0 (exclusivement) et 1 (inclusivement): la fonction S ne sera pas définie pour des événements de probabilité nulle.

Notre première condition n'est que la traduction du fait intuitif qu'il n'y aura pas de surprise à apprendre qu'un événement certain est effectivement arrivé.

Axiome 9.6
$$S(1) = 0$$

Notre seconde condition sera que plus un événement est improbable, plus grande sera notre surprise.

Axiome 9.7

S est une fonction strictement décroissante de p, c'est-à-dire que si $p < q$ alors $(S(p) > S(q))$.

La troisième condition est l'expression mathématique de l'opinion qu'une petite variation de p devrait n'entraîner qu'une faible variation de $S(p)$.

Axiome 9.8
S est une fonction continue.

Pour étayer la dernière condition, considérons deux événements indépendants E et F de probabilités respectives $P(E) = p$ et $P(F) = q$. Comme $P(EF) = pq$, la surprise correspondant à l'apparition simultanée de E et F est $S(pq)$. Supposons maintenant que l'on apprenne d'abord que E est survenu, puis plus tard que F est survenu lui aussi. La surprise créée par la réalisation de E étant $S(p)$, on peut dire que $S(pq) - S(p)$ représente la surprise additionnelle créée par le fait que F survienne. Mais F étant indépendant de E, l'information sur E ne change pas la probabilité de F; la surprise additionnelle doit donc être $S(q)$ simplement. Ce raisonnement suggère la dernière condition.

Axiome 9.9
$$S(pq) = S(p) + S(q) \qquad 0 < p \le 1, 0 < q \le 1$$

Nous avons maintenant les éléments nécessaires pour énoncer le théorème 9.10 qui va nous livrer l'expression analytique de S.

Théorème 9.10
Si S satisfait les axiomes 9.6 à 9.9, alors

$$S(p) = -C \log_2 p$$

où C est un entier positif quelconque.

DÉMONSTRATION. De l'axiome 9.9 il résulte que

$$S(p^2) = S(p) + S(p) = 2S(p)$$

et par induction

$$S(p^m) = mS(p) \tag{9.4}$$

Ceci permet d'écrire que pour tout entier n

$$S(p) = S(p^{1/n} \cdots p^{1/n}) = nS(p^{1/n})$$

ce qui entraîne à son tour que

$$S(p^{1/n}) = \frac{1}{n} S(p) \tag{9.5}$$

De (9.4) et (9.5) on tire

$$S(p^{m/n}) = mS(p^{1/n})$$

$$= \frac{m}{n} S(p)$$

qui est équivalent à

$$S(p^x) = xS(p) \tag{9.6}$$

pour autant que x soit rationnel positif. En vertu de l'axiome 9.8 (continuité de S), la relation (9.6) reste vraie pour toute valeur non négative de x (le lecteur peut l'établir).

Posons alors, pour tout réel p tel que $0 < p \leqslant 1$, la relation $x = -\log_2 p$. Ceci équivaut à $p = (\frac{1}{2})^x$ et de (9.6) on tire finalement

$$S(p) = S((\tfrac{1}{2})^x) = xS(\tfrac{1}{2}) = -C \log_2 p$$

où $C = S(\frac{1}{2}) > S(1) = 0$ en vertu des axiomes 9.7 et 9.6. ∎

Il est habituel de poser $C = 1$ et c'est ce que nous ferons. La surprise est alors mesurée en **bits** (abréviation des mots anglais binary digits).

9.3.2 Surprise, incertitude, information: synthèse

Considérons une variable aléatoire X qui prend ses valeurs dans l'ensemble $\{x_1, x_2,..., x_n\}$ avec les probabilités correspondantes $p_1, p_2,..., p_n$. La grandeur $-\log p_i$ représentant[1] la mesure de la surprise associée à l'événement $\{X = x_i\}$, la surprise moyenne créée lorsqu'on apprend quelle valeur X a prise est

$$H(X) = -\sum_{i=1}^{n} p_i \log p_i$$

En théorie de l'information cette quantité $H(X)$ est appelée **entropie** de la variable X (par convention, si l'un des p_i vaut 0 on déclare que 0 log 0 vaut 0). On peut montrer (et cela est laissé à titre d'exercice) que $H(X)$ est maximale lorsque tous les p_i sont égaux (est-ce intuitivement acceptable?).

La grandeur $H(X)$ représentant la surprise moyenne associée à la découverte de la valeur de X, on peut aussi l'assimiler à la quantité d'incertitude relative à cette variable aléatoire. La théorie de l'information considère $H(X)$ comme l'**information** liée à l'observation de X. On peut donc dire que la surprise moyenne causée par X, l'incertitude liée à X, l'information moyenne recelée par X, représentent en fait le même concept abordé par des points de vue un peu différents.

9.3.3 Cas de variables conjointes

Considérons deux variables aléatoires X et Y prenant leurs valeurs dans respectivement $\{x_1, x_2,..., x_n\}$ et $\{y_1, y_2,.., y_m\}$, leur loi de probabilité conjointe étant

$$p(x_i, y_j) = P\{X = x_i, Y = y_j\}$$

On calcule grâce à cette loi conjointe l'incertitude $H(X, Y)$ attachée au vecteur aléatoire (X, Y):

$$H(X, Y) = -\sum_i \sum_j p(x_i, y_j) \log p(x_i, y_j)$$

---

[1] Dans le reste de ce chapitre nous écrirons log x pour $\log_2 x$. On continuera d'écrire ln x pour désigner $\log_e x$.

Admettons maintenant que l'on ait observé que $Y = y_j$. La quantité restante d'incertitude sur X est dès lors

$$H_{Y=y_j}(X) = -\sum_i p(x_i \mid y_j) \log p(x_i \mid y_j)$$

où

$$p(x_i \mid y_j) = P\{X = x_i \mid Y = y_j\}$$

Aussi écrira-t-on comme suit l'incertitude moyenne associée à X après observation de Y:

$$H_Y(X) = \sum_j H_{Y=y_j}(X) p_Y(y_j)$$

où

$$p_Y(y_j) = P\{Y = y_j\}$$

Le théorème 9.11 se propose de mettre $H(X, Y)$, $H(Y)$ et $H_Y(X)$ en relation. Il établit que l'incertitude associée à X et Y est égale à celle associée à Y plus celle restant sur X une fois que Y a été observée.

Théorème 9.11

$$H(X, Y) = H(Y) + H_Y(X)$$

DÉMONSTRATION. On utilise l'identité $p(x_i, y_j) = p_Y(y_j)p(x_i \mid y_j)$ qui entraîne

$$H(X, Y) = -\sum_i \sum_j p(x_i, y_j) \log p(x_i, y_j)$$

$$= -\sum_i \sum_j p_Y(y_j)p(x_i \mid y_j)[\log p_Y(y_j) + \log p(x_i \mid y_j)]$$

$$= -\sum_j p_Y(y_j) \log p_Y(y_j) \sum_i p(x_i \mid y_j)$$

$$-\sum_j p_Y(y_j) \sum_i p(x_i \mid y_j) \log p(x_i \mid y_j)$$

$$= H(Y) + H_Y(X) \qquad\blacksquare$$

Un résultat fondamental de la théorie de l'information est que l'incertitude associée à une variable aléatoire X diminuera, en moyenne, si l'on peut observer une autre variable Y. Avant de démontrer cela on notera que pour tout réel positif x,

$$\ln x \le x - 1 \qquad x > 0 \tag{9.7}$$

et l'égalité n'a lieu que lorsque $x = 1$. La démonstration est laissée en exercice.

Théorème 9.12

$$H_Y(X) \le H(X)$$

et l'égalité a lieu si et seulement si X et Y sont indépendantes.

DÉMONSTRATION.

$$H_Y(X) - H(X) = -\sum_i \sum_j p(x_i \,|\, y_j) \log [\, p(x_i \,|\, y_j)] p(y_j)$$

$$+ \sum_i \sum_j p(x_i, y_j) \log p(x_i)$$

$$= \sum_i \sum_j p(x_i, y_j) \log \left[\frac{p(x_i)}{p(x_i \,|\, y_j)} \right]$$

$$\le \log e \sum_i \sum_j p(x_i, y_j) \left[\frac{p(x_i)}{p(x_i \,|\, y_j)} - 1 \right] \quad \text{en application de (9.7)}$$

$$= \log e \left[\sum_i \sum_j p(x_i) p(y_j) - \sum_i \sum_j p(x_i, y_j) \right]$$

$$= \log e[1 - 1]$$

$$= 0 \qquad\qquad\qquad\qquad\qquad\qquad \blacksquare$$

9.4 THÉORIE DU CODAGE ET ENTROPIE

9.4.1 Efficacité d'un code

Imaginons qu'il faille transmettre la valeur prise par une variable discrète X d'un point A, où on l'observe, jusqu'à un point B, ceci grâce à un système de communication ne véhiculant que des 0 ou des 1. La première chose à faire est de coder les diverses valeurs que X peut prendre pour les transformer en chaînes de 0 et de 1. Pour éviter toute ambiguïté on exige normalement qu'il soit impossible de former un code simplement en ajoutant quelque chose à un autre.

A titre d'exemple supposons que X puisse prendre l'une des quatre valeurs x_1, x_2, x_3, x_4. Un des codes auxquels on peut penser serait:

$$
\begin{aligned}
x_1 &\leftrightarrow 00 \\
x_2 &\leftrightarrow 01 \\
x_3 &\leftrightarrow 10 \\
x_4 &\leftrightarrow 11
\end{aligned}
\tag{9.8}
$$

Ceci signifie que lorsque $X = x_1$, le message envoyé en B est 00, qu'il est 01 lorsque $X = x_2$, etc. Mais on peut aussi coder ainsi:

$$
\begin{aligned}
x_1 &\leftrightarrow 0 \\
x_2 &\leftrightarrow 10 \\
x_3 &\leftrightarrow 110 \\
x_4 &\leftrightarrow 111
\end{aligned}
\tag{9.9}
$$

Par contre, le codage

$$x_1 \leftrightarrow 0$$
$$x_2 \leftrightarrow 1$$
$$x_3 \leftrightarrow 00$$
$$x_4 \leftrightarrow 01$$

n'est pas admis car les codes correspondant à x_3 et x_4 sont des extensions du code de x_1.

L'un des objectifs ordinairement assignés au codage est de minimiser le nombre moyen de bits (c'est-à-dire de chiffres binaires) qui seront nécessaires pour transmettre le message de A à B. Supposons par exemple que

$$P\{X = x_1\} = \tfrac{1}{2}$$
$$P\{X = x_2\} = \tfrac{1}{4}$$
$$P\{X = x_3\} = \tfrac{1}{8}$$
$$P\{X = x_4\} = \tfrac{1}{8}$$

Le code donné par (9.9) utilisera en moyenne $\tfrac{1}{2}(1) + \tfrac{1}{4}(2) + \tfrac{1}{8}(3) + \tfrac{1}{8}(3) = 1,75$ bits; mais le code donné par (9.8) aura en moyenne besoin de 2 bits. Aussi dit-on, pour cette distribution de X, que ce dernier est moins efficace que l'autre.

9.4.2 Efficacité maximale d'un code sans bruit

Les considérations qui précèdent soulèvent la question suivante: pour une variable X donnée, quelle est l'efficacité maximale que puisse présenter un codage? La réponse est que pour tout codage il faudra transmettre un nombre de bits moyen au moins égal à l'entropie de X. Nous allons démontrer ce résultat, connu en théorie de l'information sous le nom de théorème du codage sans bruit, en deux phases.

Théorème 9.13

Soient X une variable aléatoire et $\{x_1, x_2,..., x_N\}$ l'ensemble des valeurs qu'elle peut prendre. Pour que des chaînes binaires de longueurs respectives $n_1,..., n_N$ constituent un codage des valeurs de X (sans que certains codes ne constituent des extensions d'autres codes), il faut et il suffit que

$$\sum_{i=1}^{N} \left(\tfrac{1}{2}\right)^{n_i} \leq 1$$

DÉMONSTRATION. Soient N entiers positifs notés $n_1,..., n_N$. Désignons par w_j le nombre des n_i valant j, $j = 1, 2,....$ Il est évident que si nous voulons obtenir un codage exprimant pour tout $i = 1,..., N$ la valeur x_i en n_i bits, il est nécessaire que $w_1 \leq 2$. Comme de plus il est exclu qu'une chaîne binaire constitue une extension d'une autre, on aura $w_2 \leq 2^2 - 2w_1$ (ceci résulte du fait qu'au nombre 2^2 de chaînes de longueur 2 il faut soustraire le nombre $2w_1$ des séquences qui ne sont qu'une extension des chaînes de longueur 1 déjà utilisées). Le même raisonnement permet d'établir de manière générale que

$$w_n \leq 2^n - w_1 2^{n-1} - w_2 2^{n-2} - \cdots - w_{n-1} 2 \qquad (9.10)$$

pour $n = 1,\ldots$. Le lecteur peut en fait se convaincre en réfléchissant tant soit peu que ces conditions sont également suffisantes pour qu'il existe un codage traduisant x_i en une chaîne de longueur n_i, $i = 1,\ldots, N$. On peut réécrire (9.10):

$$w_n + w_{n-1} 2 + w_{n-2} 2^2 + \cdots + w_1 2^{n-1} \leq 2^n \qquad n = 1, \ldots$$

Une division par 2^n livre une nouvelle expression de nos conditions nécessaires et suffisantes:

$$\sum_{j=1}^{n} w_j \left(\tfrac{1}{2}\right)^j \leq 1 \qquad \text{pour tout } n \qquad (9.11)$$

La suite des termes $\sum_{j=1}^{n} w_j \left(\tfrac{1}{2}\right)^j$ étant croissante et bornée par 1, il en résulte que (9.11) équivaut à:

$$\sum_{j=1}^{\infty} w_j \left(\tfrac{1}{2}\right)^j \leq 1$$

Le résultat est ainsi acquis puisque par définition des w_j, qui représentent le nombre des n_i de longueur j,

$$\sum_{j=1}^{\infty} w_j \left(\tfrac{1}{2}\right)^j = \sum_{i=1}^{N} \left(\tfrac{1}{2}\right)^{n_i} \qquad \blacksquare$$

Nous sommes maintenant en mesure de démontrer le théorème principal.

Théorème 9.14 *Théorème du codage sans bruit*
Soit X une variable aléatoire pouvant prendre les valeurs $x_1,\ldots, x_N$ avec pour probabilités respectives $p(x_1),\ldots, p(x_N)$. Tout codage de X traduisant x_i grâce à n_i bits utilisera un nombre moyen de bits supérieur ou égal à l'entropie de X:

$$\sum_{i=1}^{N} n_i p(x_i) \geq H(X) = -\sum_{i=1}^{N} p(x_i) \log p(x_i)$$

DÉMONSTRATION. Posons $\quad P_i = p(x_i)$, $q_i = 2^{-n_i} \Big/ \sum_{j=1}^{N} 2^{-n_j}$, $i = 1, \ldots, N$. Alors

$$-\sum_{i=1}^{N} P_i \log \left(\frac{P_i}{q_i}\right) = -\log e \sum_{i=1}^{N} P_i \ln \left(\frac{P_i}{q_i}\right)$$

$$= \log e \sum_{i=1}^{N} P_i \ln \left(\frac{q_i}{P_i}\right)$$

$$\leq \log e \sum_{i=1}^{N} P_i \left(\frac{q_i}{P_i} - 1\right) \qquad \text{en vertu de (9.7)}$$

$$= 0 \quad \text{puisque } \sum_{i=1}^{N} P_i = \sum_{i=1}^{N} q_i = 1$$

Donc

$$-\sum_{i=1}^{N} P_i \log P_i \le -\sum_{i=1}^{N} P_i \log q_i$$

$$= \sum_{i=1}^{N} n_i P_i + \log\left(\sum_{j=1}^{N} 2^{-n_j}\right)$$

$$\le \sum_{i=1}^{N} n_i P_i \qquad \text{en vertu de théorème 9.13} \qquad \blacksquare$$

Exemple 9.7 On considère la variable aléatoire X de loi

$$p(x_1) = \tfrac{1}{2} \qquad p(x_2) = \tfrac{1}{4} \qquad p(x_3) = p(x_4) = \tfrac{1}{8}$$

On sait que

$$H(X) = -[\tfrac{1}{2}\log\tfrac{1}{2} + \tfrac{1}{4}\log\tfrac{1}{4} + \tfrac{1}{4}\log\tfrac{1}{8}]$$
$$= \tfrac{1}{2} + \tfrac{2}{4} + \tfrac{3}{4}$$
$$= 1.75$$

Il résulte alors du théorème 9.14 qu'il n'existe pas de codage plus efficace que

$$x_1 \leftrightarrow 0$$
$$x_2 \leftrightarrow 10$$
$$x_3 \leftrightarrow 110$$
$$x_4 \leftrightarrow 111$$

$\blacksquare$

9.4.3 Borne pour codage non optimal

Dans la plupart des cas il n'existe pas de codage dont l'efficacité atteint la borne correspondant à $H(X)$. Il est cependant toujours possible de créer un codage tel que le nombre moyen de bits utilisé s'approche de $H(X)$ à moins d'une unité. Pour l'établir, il suffit de considérer les entiers n_i satisfaisant

$$-\log p(x_i) \le n_i \le -\log p(x_i) + 1$$

pour $i = 1,..., N$. La première inégalité entraîne

$$\sum_{i=1}^{N} 2^{-n_i} \le \sum_{i=1}^{N} 2^{\log p(x_i)} = \sum_{i=1}^{N} p(x_i) = 1$$

et donc, en vertu du théorème 9.13, il existe un codage des valeurs x_i de X par des chaînes de longueur n_i, $i = 1,..., N$. La longueur moyenne de ces chaînes est

$$L = \sum_{i=1}^{N} n_i p(x_i)$$

satisfaisant

$$-\sum_{i=1}^{N} p(x_i) \log p(x_i) \le L \le -\sum_{i=1}^{N} p(x_i) \log p(x_i) + 1$$

ou enfin

$$H(X) \le L \le H(X) + 1$$

Exemple 9.8 On jette dix foix une pièce tombant sur face avec probabilité p. Les jets sont indépendants. On désire transmettre le résultat en un point B, alors que l'expérience est réalisée en un autre point A. Le résultat de cette expérience est donc un vecteur aléatoire $X = (X_1,..., X_{10})$ où $X_i = 1$ ou 0 selon que le jet correspondant a ou n'a pas donné face. Les résultats précédents établissent que le nombre moyen L de bits nécessaires à la transmission satisfera pour tout codage

$$H(X) \le L$$

et qu'on aura pour un codage au moins

$$L \le H(X) + 1$$

Or les X_i sont indépendantes et il résulte donc des théorèmes 9.11 et 9.12 que

$$H(X) = H(X_1, \ldots, X_n) = \sum_{i=1}^{n} H(X_i)$$
$$= -10[p \log p + (1 - p) \log (1 - p)]$$

Pour $p = \frac{1}{2}$ on trouve $H(X) = 10$. Dans ce cas on ne peut pas faire mieux que coder X grâce à ses composantes. Si par exemple les cinq premiers jets donnent face et les cinq derniers pile, il suffit de transmettre en B le message 1111100000.

Si par contre $p \ne \frac{1}{2}$ il sera souvent possible de faire mieux que ce dernier codage. Pour $p = \frac{1}{4}$ par exemple,

$$H(X) = -10(\tfrac{1}{4} \log \tfrac{1}{4} + \tfrac{3}{4} \log \tfrac{3}{4}) = 8.11$$

et il existe donc un codage dont la longueur moyenne ne dépassera pas 9,11.

Un codage simple qui serait ici plus efficace que le codage trivial consiste à décomposer d'abord le vecteur $(X_1,..., X_{10})$ en cinq paires de variables puis à convertir chaque paire comme suit:

$$X_i = 0, X_{i+1} = 0 \leftrightarrow 0$$
$$X_i = 0, X_{i+1} = 1 \leftrightarrow 10$$
$$X_i = 1, X_{i+1} = 0 \leftrightarrow 110$$
$$X_i = 1, X_{i+1} = 1 \leftrightarrow 111$$

où $i = 1, 3, 5, 7, 9$. Le message total est constitué des messages partiels mis bout à bout. Si par exemple on observe $P\,P\,P\,F\,F\,P\,P\,P\,P\,F$ il faudra émettre 010110010. La longueur moyenne du message en bits est pour ce codage

$$5[1(\tfrac{3}{4})^2 + 2(\tfrac{1}{4})(\tfrac{3}{4}) + 3(\tfrac{1}{4})(\tfrac{3}{4}) + 3(\tfrac{1}{4})^2] = \tfrac{135}{16}$$
$$= 8.44 \qquad \blacksquare$$

9.4.4 Codage en cas de bruit

Nous avons jusqu'ici supposé que le message émis en A était reçu sans erreur en B. Cependant, une erreur peut toujours résulter des perturbations aléatoires agissant sur le canal de communication. Il peut arriver qu'à cause d'une telle perturbation un message émis sous la forme 00101101 en A parvienne en B sous la forme 01101101.

Supposons qu'un bit émis en A soit correctement enregistré en B avec probabilité p, et ce indépendamment d'un bit à l'autre. Un tel système de communication est appelé *canal binaire symétrique*. Admettons encore que $p = 0,8$ et qu'on veuille transmettre un message constitué d'une grande quantité de bits de A à B. La transmission du message tel quel entraînera une probabilité d'erreur de 0,2 par bit, ce qui est plutôt fort. Un moyen de réduire ce taux d'erreur consiste à émettre trois fois consécutivement chaque bit du message puis à décoder en appliquant le système majoritaire. Cela revient en d'autres termes à utiliser le codage

Encodage	*Décodage*	
	000	
	001	
$0 \to 000$	010	$\to 0$
	100	
	111	
	110	
$1 \to 111$	101	$\to 1$
	011	

On remarquera que tant qu'une erreur au plus se produit lors de la transmission, le décodage restitue la valeur correcte. La probabilité d'erreur par bit est donc ramenée à

$$(0.2)^3 + 3(0.2)^2(0.8) = 0.104$$

ce qui constitue une amélioration notable. Il est évident qu'on peut rendre le taux d'erreur aussi petit que l'on veut en répétant le bit à transmettre de nombreuses fois puis en décodant selon le système majoritaire. Le codage suivant, par exemple réduirait le taux d'erreur par bit à moins de 0,01:

Encodage			Décodage
0	$\to$	chaîne de 17 «0»	à la majorité
1	$\to$	chaîne de 17 «1»	

Le problème avec ce type de codage est que, tout en réduisant le taux d'erreur, on réduit aussi le nombre de bits significatifs par signal (voir tableau 9.1).

Tableau 9.1 Codage par répétition des bits

Probabilité d'erreur de transmission par bit	Débit des bits significatifs
0.20	1
0.10	0.33 ($= \frac{1}{3}$)
0.01	0.06 ($= \frac{1}{17}$)

A ce point de l'exposé, il apparaîtra peut-être au lecteur inévitable que l'abaissement de la probabilité d'erreur par bit vers 0 s'accompagne toujours d'un abaissement du débit effectif vers 0 également. Or, et c'est un résultat remarquable de la théorie de l'information, ce n'est pas le cas. Ce résultat, connu sous le nom de théorème du codage avec bruit, est dû à Claude Shannon. En voici l'énoncé.

Théorème 9.15 *Théorème du codage avec bruit*
Il existe un nombre C tel que pour tout R < C et pour tout ε > o il y ait un système de codage et décodage transmettant au taux moyen de R bits par signal et avec une probabilité d'erreur par bit inférieure à ε. La plus grande valeur[1] que l'on puisse donner à C, notée C*, est appelée capacité du canal et vaut, pour les canaux binaires symétriques

$$C^* = 1 + p \log p + (1 - p) \log (1 - p)$$

9.5 EXERCICES THÉORIQUES ET PROBLÈMES

9.5.1 Des clients arrivent dans une banque à un rythme poissonien de taux λ. Supposons que deux clients arrivent durant la première heure. Quelle est la probabilité que
- les deux soient arrivés durant les 20 premières minutes?
- L'un au moins soit arrivé pendant les 20 premières minutes?

9.5.2 Sur une autoroute les voitures franchissent une ligne transversale à un rythme décrit par un processus poissonien de taux par minute λ = 3. Joe traverse l'autoroute sans regarder. Quelle est alors la probabilité qu'il ne soit pas blessé s'il met *s* secondes pour traverser? (on suppose que s'il se trouve sur la route alors qu'une voiture passe, il sera blessé). Prendre *s* = 2, 5, 10, 20.

9.5.3 Supposer, dans le scénario du problème 9.5.2, que Joe est assez agile pour échapper à une seule voiture, mais que s'il rencontre 2 ou plusieurs voitures en

---

[1] Voir au problème 9.6.18 une interprétation de *C** en termes d'entropie.

essayant de traverser la route, il sera blessé. Quelle est la probabilité qu'il ne soit pas blessé s'il met s secondes pour traverser? Prendre $s = 5, 10, 20, 30$.

9.5.4 On suppose que 3 boules blanches et 3 boules noires sont réparties dans deux urnes de façon que chacune de celles-ci contienne trois boules. On dira que le système est dans l'état i si la première urne contient i boules blanches, $i = 0, 1, 2, 3$. A chaque étape une boule est tirée de chaque urne, puis la boule tirée de la première urne est placée dans la deuxième et inversement. Soit X_n l'état du système après la n-ième étape; calculer les probabilités de transition de la chaîne de Markov $\{X_n, n \geqslant 0\}$.

9.5.5 Considérer l'exemple 9.1. S'il y a 50 chances sur 100 qu'il pleuve aujourd'hui, calculer la probabilité qu'il pleuve pendant 3 jours à partir d'aujourd'hui lorsque $\alpha = 0,7$ et $\beta = 0,3$.

9.5.6 Calculer les probabilités limites correspondant au modèle du problème 9.5.4.

9.5.7 Une matrice de probabilités de transition est dite doublement stochastique si

$$\sum_{i=0}^{M} P_{ij} = 1$$

pour tous les états $j = 0, 1,..., M$. Si une telle chaîne de Markov est ergodique, montrer que $\Pi_j = 1/(M + 1)$, $j = 0, 1, \ldots, M$.

9.5.8 Un jour donné, Rebecca est soit de bonne humeur (b), soit comme-ci comme-ça (c), soit mélancolique (m). Si elle est de bonne humeur aujourd'hui, elle sera b, c ou m demain avec probabilité 0,7, 0,2, 0,1 respectivement. Si elle est comme-ci comme-ça aujourd'hui, elle sera b, c ou m demain avec probabilité 0,4, 0,3, 0,3 respectivement. Si elle est mélancolique aujourd'hui, elle sera b, c ou m demain avec probabilité 0,2, 0,4, 0,4 respectivement. Quelle proportion de temps Rebecca est-elle de bonne humeur?

9.5.9 Supposons que le fait qu'il pleuve ou non demain ne dépende que des conditions météorologiques des deux derniers jours. Plus précisément, supposons que s'il a plu hier et aujourd'hui, il pleuvra demain avec probabilité 0,8; s'il a plu aujourd'hui mais pas hier, il pleuvra demain avec probabilité 0,4 et s'il n'a plu ni hier ni aujourd'hui, il pleuvra demain avec probabilité 0,2. Quel est le pourcentage de jours pluvieux?

9.5.10 Un homme fait une promenade tous les matins. Lorsqu'il quitte la maison pour sa promenade, il emprunte avec équiprobabilité la porte de devant ou celle de derrière et de même, au retour, il rentre avec équiprobabilité par la porte de devant ou de derrière. Le promeneur possède 5 paires de chaussures de marche qu'il ôte, après la promenade, devant la porte qu'il emprunte pour rentrer. S'il ne trouve pas de chaussures devant la porte, en sortant de chez lui, il se promènera pieds nus. On veut déterminer le pourcentage de promenades qu'il effectue pieds nus.
a) Représenter cette situation par une chaîne de Markov. Donner les états et les probabilités de transition.
b) Déterminer le pourcentage de promenades qu'il effectue pieds nus.

9.5.11 Reprenez l'exemple 9.6.

a) Vérifiez que la valeur proposée des Π_j satisfait les relations nécessaires.

b) Pour une molécule quelconque, quelle est, à votre avis, la probabilité limite qu'elle se trouve dans l'urne 1.

c) Pensez-vous que les événements «la molécule j est dans l'urne 1 après un long moment», $j \geqslant 1$, sont (à l'infini) indépendants?

d) Expliquer comment on obtient ces probabilités limites?

9.5.12 Déterminer l'entropie de la somme obtenue lors du jet d'une paire de dés non pipés.

9.5.13 Soit X une variable pouvant prendre n valeurs différentes avec pour probabilités respectives $P_1,..., P_n$. Montrer que $H(X)$ est maximale lorsque $P_i = 1/n$, $i = 1,..., n$. Que vaut $H(X)$ dans ce cas?

9.5.14 Une paire de dés non pipés est lancée. Soit

$$X = \begin{cases} 1 & \text{si la somme est 6} \\ 0 & \text{sinon} \end{cases}$$

et soit Y la valeur montrée par le premier dé. Calculer $H(Y)$, $H_Y(X)$ et $H(X, Y)$.

9.5.15 Une pièce ayant une probabilité $p = \frac{2}{3}$ de tomber sur face est lancée 6 fois. Calculer l'entropie du résultat de l'expérience.

9.5.16 Une variable aléatoire peut prendre les valeurs $x_1,..., x_n$ avec probabilités respectives $p(x_i)$, $i = 1,..., n$. On essaie de déterminer la valeur de X en posant une série de questions, les seules réponses possibles étant oui ou non. Par exemple, on peut demander «X est-elle égale à x_1?» ou «X est-elle égale à x_1 ou x_2 ou x_3?», et ainsi de suite. Que pouvez-vous dire sur le nombre moyen de questions nécessaires pour déterminer la valeur de X?

9.5.17 Montrer que pour toute variable aléatoire discrète X et toute fonction f on a

$$H(f(X)) \leq H(X)$$

9.5.18 Lors de la transmission d'un bit d'un point A à un point B, si on désigne par X la valeur du bit émis de A puis par Y la valeur reçue en B, alors $H(X) - H_Y(X)$ est appelé taux de transmission de l'information de A à B. Le taux maximal de transmission, en tant que fonction de $P\{X = 1\} = 1 - P\{X = 0\}$, est appelé *capacité du canal*. Montrer que pour un canal binaire symétrique avec $P\{Y = 1 | X = 1\} = P\{Y = 0 | X = 0\} = p$, la capacité du canal est atteinte par le taux de transmission de l'information quand $P\{X = 1\} = \frac{1}{2}$ et sa valeur est $1 + p \log p + (1 - p) \log (1 - p)$.

9.6 RÉFÉRENCES

Les références suivantes concernent les paragraphes 9.1 et 9.2

Kemeny, J., L. Snell, and A. Knapp. *Denumerable Markov Chains*. New York: D. Van Nostrand Company, 1966.

Parzen, E. *Stochastic Processes*. San Francisco: Holden-Day, Inc., 1962.

Ross, S. M. *Introduction to Probability Models*, 3rd ed. New York: Academic Press, Inc., 1984.

Ross, S. M. *Stochastic Processes*. New York: John Wiley & Sons, Inc., 1983.

Les références suivantes concernent les paragraphes 9.3 et 9.4

Abramson, N. *Information Theory and Coding*. New York: McGraw-Hill Book Company, 1963.

McEliece, R. *Theory of Information and Coding*. Reading, Mass.: Addison-Wesley Publishing Co., Inc., 1977.

Peterson, W., and E. Weldon. *Error Correcting Codes*, 2nd ed. Cambridge, Mass.: The M.I.T. Press, 1972.

CHAPITRE 10

Simulation

10.1 INTRODUCTION

10.1.1 Exemple de situations à simuler

Comment peut-on déterminer la probabilité de gagner une partie de solitaire? (nous entendons par solitaire n'importe quelle version connue du jeu utilisant un paquet de 52 cartes normales et basée sur une stratégie fixe). Une méthode consiste à admettre l'hypothèse raisonnable d'équiprobabilité des (52)! permutations possibles des cartes, puis à déterminer combien parmi celles-ci sont gagnantes. Il ne semble malheureusement pas aisé de mettre au point un critère systématique discriminant les permutations gagnantes: (52)! est un nombre fort grand et il semble qu'il n'y ait pas d'autre moyen de savoir si une permutation mène à une réussite que de jouer la partie. Cette approche ne conviendra pas.

Il apparaît à ce point que la détermination de la probabilité de gagner échappe au traitement mathématique. Cependant les choses ne s'arrêtent pas là car les probabilités sont du domaine des sciences appliquées comme de celui des mathématiques; or dans toutes les sciences appliquées l'expérimentation est fort utile. Dans le cas de notre partie de solitaire, par exemple, l'expérimentation revient à exécuter un grand nombre de parties ou mieux encore à programmer un ordinateur pour qu'il le fasse. Après l'exécution de, disons, n parties on pourra poser

$$X_i = \begin{cases} 1 & \text{si le } i\text{-ème jeu est une victoire} \\ 0 & \text{sinon} \end{cases}$$

Les variables X_i, $i = 1,..., n$ seront alors des variables de Bernoulli pour lesquelles

$$E[X_i] = P\{\text{gagner une partie}\}$$

D'après la loi forte des grands nombres, nous saurons que

$$\sum_{i=1}^{n} \frac{X_i}{n} = \frac{\text{nombre de parties gagnées}}{\text{nombre de parties jouées}}$$

tendra avec probabilité 1 vers la probabilité de gagner une partie. Ou encore, on peut dire qu'après un grand nombre de parties on peut utiliser la proportion de parties gagnées sur le nombre total de parties pour obtenir une estimation de la probabilité cherchée. La méthode consistant à déterminer des probabilités de manière empirique à travers l'expérimentation est appelée **simulation**.

10.1.2 Procédé de simulation

Dans le but d'utiliser un ordinateur pour mener une étude de simulation, on doit pouvoir générer les valeurs d'une variable aléatoire uniforme sur (0, 1); ces valeurs sont appelées des **nombres aléatoires**. Pour générer ces nombres, la plupart des ordinateurs possèdent une fonction prédéfinie appelée **générateur de nombres aléatoires**, qui produit une suite de nombres **pseudo-aléatoires**. C'est une suite de nombres qui, pratiquement, est semblable à un échantillon issu d'une distribution uniforme sur (0, 1). La plupart des générateurs de nombres aléatoires procèdent en se basant sur une valeur initiale X_0, appelée le *germe*, puis en calculant selon un processus récursif les valeurs suivantes à l'aide de nombres prédéterminés a, c et m, selon la formule

$$X_{n+1} = (aX_n + c) \text{ modulo } m \qquad n \geq 0$$

Ceci signifie que $aX_n + c$ est divisé par m et que l'on assigne à X_{n+1} le reste de cette division. Chaque X_n peut donc prendre des valeurs dans 0, 1,..., $m-1$ et c'est la quantité X_n/m qui est prise comme approximation d'une variable aléatoire uniforme sur (0, 1). On peut montrer qu'avec des choix convenables de a, c et m, cette méthode produit une suite de nombres qui semblent provenir de l'observation de variables aléatoires indépendantes uniformes sur (0, 1).

Pour simuler des variables de distribution quelconque, nous admettrons désormais que nous disposons déjà d'un simulateur de variable uniforme sur (0, 1) et nous utiliserons le terme «nombres aléatoires» pour désigner les variables aléatoires indépendantes ayant cette distribution.

Dans l'exemple du solitaire nous aimerions programmer un ordinateur pour jouer la partie en partant avec un certain arrangement des cartes. Cependant, étant donné que la configuration initiale est l'une des (52)! permutations possibles, et ceci avec la même probabilité, par hypothèse, il est également nécessaire de pouvoir générer une permutation aléatoire. L'algorithme suivant montre comment, seulement à partir de nombres aléatoires, on peut l'obtenir. L'algorithme commence par le choix aléatoire d'un des éléments et le place à la position n; puis il prend un autre élément au hasard parmi ceux qui restent et le met en position $n-1$; et ainsi de suite. Le choix parmi les éléments restants se fait de manière efficace en maintenant ceux-ci dans une liste ordonnée et en sélectionnant au hasard une position dans cette liste.

Exemple 10.1 Génération d'une permutation aléatoire
Supposons que l'on s'intéresse à générer une permutation des entiers 1, 2,..., n telle que
les $n!$ arrangements possibles soient équiprobables. On commencera avec n'importe
quel arrangement et on obtiendra la permutation désirée après $n-1$ étapes où à
chaque étape on intervertira les positions de deux des nombres de la permutation. On
gardera en permanence trace de la permutation en notant $X(i)$, $i = 1,..., n$, le nombre
qui se trouve actuellement en position i. L'algorithme procède comme suit:

1. Considérer une permutation arbitraire et noter $X(i)$ l'élément qui est placé dans la
   position i, $i = 1,..., n$. (Par exemple, on pourrait prendre $X(i) = i$, $i = 1,..., n$).
2. Générer une variable aléatoire N_n qui peut prendre les valeurs 1, 2,..., n de façon
   équiprobable.
3. Intervertir les valeurs de $X(N_n)$ et de $X(n)$. Désormais la valeur de $X(n)$ sera gardée
   fixe. [Par exemple, prenons $n = 4$ et au départ $X(i) = i$, $i = 1, 2, 3, 4$. Si $N_4 = 3$,
   alors la nouvelle permutation est $X(1) = 1$, $X(2) = 2$, $X(3) = 4$, $X(4) = 3$ et
   l'élément 3 sera maintenu à la position 4.]
4. Générer une variable aléatoire N_{n-1} qui vaudra 1, 2,..., $n-1$ avec équiprobabilité.
5. Intervertir les valeurs de $X(N_{n-1})$ et de $X(n-1)$. [Si maintenant $N_3 = 1$, alors la
   nouvelle permutation est $X(1) = 4$, $X(2) = 2$, $X(3) = 1$ et $X(4) = 3$].
6. Générer une variable aléatoire N_{n-2} à valeurs dans $\{1, 2,..., n-2\}$ avec équiprobabilité.
7. Intervertir les valeurs de $X(N_{n-2})$ et de $X(n-2)$. [Si $N_2 = 1$ alors la nouvelle
   permutation est $X(1) = 2$, $X(2) = 4$, $X(3) = 1$, $X(4) = 3$ et c'est la permutation
   finale].
8. Générer N_{n-3}, et ainsi de suite. L'algorithme continue jusqu'à la génération de N_2
   et, après l'interversion correspondante, la permutation résultante est la permutation cherchée.

Pour exécuter cet algorithme, il est nécessaire de pouvoir générer une variable
aléatoire qui prend les valeurs 1, 2,..., k avec équiprobabilité. Pour le réaliser, noter
U un nombre aléatoire – c'est-à-dire que U est uniformément distribué sur $(0, 1)$ – et
remarquer que kU est uniforme sur $(0, k)$. Ainsi,

$$P\{i - 1 < kU < i\} = \frac{1}{k} \qquad i = 1, \ldots, k$$

et en prenant $N_k = [kU] + 1$, où $[x]$ est la partie entière de x (c'est-à-dire le plus grand
entier inférieur ou égal à x), alors N_k aura la distribution voulue.
   L'algorithme peut se résumer de la manière suivante:

Etape 1: Choisir $X(1)$, $X(2)$,..., $X(n)$, une des permutations de 1, 2,..., n. (Par exemple,
   poser $X(i) = i$, $i = 1,..., n$).
Etape 2: Poser $I = n$.
Etape 3: Générer un nombre aléatoire U et poser $N = [IU] + 1$.
Etape 4: Intervertir les valeurs de $X(N)$ et de $X(I)$.
Etape 5: Diminuer I de 1 et si $I > 1$ aller à l'étape 3.
Etape 6: $X(1)$, $X(2)$,..., $X(n)$ est la permutation aléatoire cherchée.   ∎

L'algorithme précédent, qui génère une permutation aléatoire, est extrêmement utile. Par exemple, supposons qu'un statisticien désire développer une expérience pour comparer les effets de m traitements différents sur un ensemble de n individus. Il décide de partager les individus en m groupes distincts d'effectifs respectifs n_1, n_2,..., n_m, où $\sum_{i=1}^{m} n_i = n$, et tels que les membres du groupe i reçoivent le traitement i. Pour éviter toute sorte de biais lors de l'affectation des individus aux groupes de traitement (l'interprétation des résultats de l'expérience pourrait être faussée s'il s'avérait que les «meilleurs» sujets étaient assignés au même groupe, par exemple), il est impératif que cette affectation d'un individu à un groupe donné soit faite de façon «aléatoire». Comment réaliser cette répartition?[1]

Une procédure simple et efficace consiste à numéroter de façon arbitraire les individus 1, 2,..., n puis à générer une permutation aléatoire $X(1)$,..., $X(n)$ de 1, 2,..., n. Affecter alors les individus $X(1)$, $X(2)$,..., $X(n_1)$ au groupe 1, $X(n_1 + 1)$,..., $X(n_1 + n_2)$ au groupe 2 et de façon générale le groupe j sera composé des individus numérotés $X(n_1 + n_2 + ... + n_{j-1} + k)$, $k = 1$,..., n_j.

10.2 TECHNIQUES GÉNÉRALES POUR LA SIMULATION DE VARIABLES ALÉATOIRES CONTINUES

Dans cette section nous présenterons deux méthodes générales, basées sur l'utilisation des nombres aléatoires, pour simuler des variables aléatoires continues.

10.2.1 Méthode de la transformation inverse

Sur le théorème qui suit est basée une méthode générale pour la simulation de variables aléatoires continues, appelée **méthode de la transformation inverse**.

Théorème 10.1

Soit une variable uniforme U sur (0, 1) et soit F une fonction de répartition continue quelconque. La variable aléatoire Y définie par

$$Y = F^{-1}(U)$$

a F pour fonction de répartition ($F^{-1}(x)$ désigne la valeur y pour laquelle $F(y) = x$).

DÉMONSTRATION.

$$\begin{aligned} F_Y(a) &= P\{Y \leqslant a\} \\ &= P\{F^{-1}(U) \leqslant a\} \end{aligned} \qquad (10.1)$$

La fonction F étant monotone, on peut écrire que $F^{-1}(U) \leqslant a$ équivaut à $U \leqslant F(a)$. Placée dans (10.1) cette transformation donne

---

[1] Dans le cas $m = 2$, une autre technique pour la répartition aléatoire des individus est présentée dans l'exemple 6.12 du chapitre 6. La procédure générale est plus rapide mais nécessite plus de place en mémoire que celle de l'exemple 6.12.

$$F_Y(a) = P\{U \leqslant F(a)\}$$
$$= F(a) \qquad \blacksquare$$

Selon le théorème 10.1, nous pouvons simuler une variable aléatoire X de fonction de répartition continue F en produisant un nombre aléatoire U et en posant $X = F^{-1}(U)$.

Exemple 10.2 Simulation d'une variable aléatoire exponentielle
Prenons $F(x) = 1 - e^{-x}$; alors $F^{-1}(y)$ est la valeur de x telle que

$$1 - e^{-x} = y$$

d'où

$$x = -\ln(1 - y)$$

Si U est uniforme sur $(0, 1)$ alors la variable

$$F^{-1}(U) = -\ln(1 - U)$$

sera de distribution exponentielle d'espérance 1. Comme $1 - U$ est également uniforme sur $(0, 1)$, il reste que $-\ln U$ est de distribution exponentielle d'espérance 1. Plus généralement, comme cX est exponentielle d'espérance c, lorsque X est exponentielle d'espérance 1, on conclut que $-c \ln U$ suit une loi exponentielle d'espérance c. $\blacksquare$

On peut utiliser les résultats de l'exemple 10.2 pour simuler une variable aléatoire gamma.

Exemple 10.3 Simulation d'une variable gamma (n, λ)
Pour obtenir une simulation d'une variable gamma de paramètres (n, λ) où n est entier, on utilise le fait que la somme de n variables exponentielles de paramètre λ et indépendantes suit la distribution voulue. Par conséquent, si $U_1,..., U_n$ sont des variables aléatoires indépendantes uniformes sur $(0, 1)$ alors

$$X = -\sum_{i=1}^{n} \frac{1}{\lambda} \ln U_i = -\frac{1}{\lambda} \ln\left(\prod_{i=1}^{n} U_i\right)$$

suit la distribution demandée. $\blacksquare$

10.2.2 Méthode de rejet

Supposons que l'on dispose d'une méthode pour simuler une variable aléatoire de fonction de densité $g(x)$. Sur cette base, on peut simuler une variable aléatoire continue de fonction de densité $f(x)$. En effet, on simule d'abord Y ayant la densité g puis on accepte cette valeur générée avec une probabilité proportionnelle à $f(Y) / g(Y)$.

Plus précisément, soit c une constante telle que

$$\frac{f(y)}{g(y)} \leq c \qquad \text{pour tout } y$$

Nous appliquons la procédure suivante pour simuler une variable aléatoire de fonction de densité f.

Méthode de rejet
Etape 1: On simule Y de fonction de densité g et on produit un nombre aléatoire U.
Etape 2: Si $U \leq f(Y) / cg(Y)$, on pose $X = Y$. Sinon on revient à l'étape 1.

La figure 10.1 représente graphiquement la méthode de rejet.

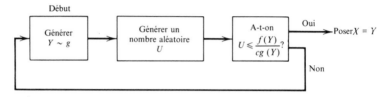

Figure 10.1 Méthode de rejet pour simuler une variable aléatoire X de fonction de densité f.

Le théorème suivant démontre la validité de la méthode de rejet.

Théorème 10.2
La variable aléatoire X générée par la méthode de rejet a la fonction de densité f.

DÉMONSTRATION. Soient X la valeur obtenue et N le nombre d'itérations nécessaire. Alors

$$P\{X \leq x\} = P\{Y_N \leq x\}$$

$$= P\left\{Y \leq x \,\Big|\, U \leq \frac{f(Y)}{cg(Y)}\right\}$$

$$= \frac{P\left\{Y \leq x,\, U \leq \dfrac{f(Y)}{cg(Y)}\right\}}{K}$$

où $K = P\{U \leq f(Y)/cg(Y)\}$. Or la fonction de densité conjointe de Y et de U est, grâce à leur indépendance,

$$f(y, u) = g(y) \qquad 0 < u < 1$$

En utilisant cette expression, on obtient

$$P\{X \le x\} = \frac{1}{K} \iint\limits_{\substack{y \le x \\ 0 \le u \le f(y)/cg(y)}} g(y)\, du\, dy$$

$$= \frac{1}{K} \int_0^x \int_0^{f(y)/cg(y)} du\, g(y)\, dy \tag{10.2}$$

$$= \frac{1}{cK} \int_0^x f(y)\, dy$$

En faisant tendre x vers l'infini, comme f est une densité, on a

$$1 = \frac{1}{cK} \int_0^x f(y)\, dy = \frac{1}{cK}$$

Grâce à l'équation (10.2), on obtient

$$P\{X \le x\} = \int_0^x f(y)\, dy$$

Ce qui achève la démonstration.   ∎

On peut remarquer les points suivants.
a) Lorsqu'on dit qu'on «accepte la valeur Y avec probabilité $f(Y)/cg(Y)$», cela signifie que l'on génère un nombre aléatoire U et que l'on accepte Y si $U \le f(Y)/cg(Y)$.
b) Comme chaque itération produit, indépendamment d'une autre, un nombre qui sera accepté avec probabilité $P\{U \le f(Y)/cg(Y)\} = K = 1/c$, le nombre d'itérations suit donc une loi géométrique de moyenne c.

Exemple 10.4 Simulation d'une variable aléatoire normale
Pour simuler une variable aléatoire normale standard Z (de moyenne 0 et de variance 1), il faut noter d'abord que la valeur absolue de Z a comme fonction de densité de probabilité

$$f(x) = \frac{2}{\sqrt{2\pi}} e^{-x^2/2} \qquad 0 < x < \infty \tag{10.3}$$

On commencera par simuler une variable de fonction de densité définie en (10.3) en utilisant la méthode de rejet où g est une fonction de densité exponentielle de moyenne 1 (dite standard), à savoir

$$g(x) = e^{-x} \qquad 0 < x < \infty$$

Comme

$$\frac{f(x)}{g(x)} = \sqrt{2/\pi} \, \exp\left\{\frac{-(x^2 - 2x)}{2}\right\}$$

$$= \sqrt{2/\pi} \, \exp\left\{\frac{-(x^2 - 2x + 1)}{2} + \frac{1}{2}\right\} \qquad (10.4)$$

$$= \sqrt{2e/\pi} \, \exp\left\{\frac{-(x - 1)^2}{2}\right\}$$

$$\leq \sqrt{2e/\pi}$$

en prenant $c = \sqrt{2e/\pi}$, grâce à l'équation (10.4) on a

$$\frac{f(x)}{cg(x)} = \exp\left\{\frac{-(x - 1)^2}{2}\right\}$$

De ce fait, grâce à la méthode de rejet, on peut simuler la valeur absolue d'une variable aléatoire normale standard selon la procédure suivante:

a) Générer deux variables aléatoires indépendantes Y et U, Y étant exponentielle standard et U uniforme sur $(0, 1)$.

b) Si $U \leq \exp\{-(Y - 1)^2/2\}$ poser $X = Y$. Sinon revenir au point a).

Une fois que l'on a simulé une variable aléatoire X de fonction de densité donnée en (10.3), on peut générer une variable aléatoire normale standard Z où Z vaudra X ou $-X$ de façon équiprobable.

Dans l'étape b), la valeur Y est acceptée si $U \leq \exp\{-(Y - 1)^2/2\}$, ou de façon équivalente si $-\ln U \geq (Y - 1)^2/2$. Cependant, on a montré dans l'exemple 10.2 que $-\ln U$ est exponentiel standard, et par conséquent les étapes a) et b) sont équivalentes à

a′) Générer deux variables aléatoires indépendantes Y_1 et Y_2 exponentielles standard.

b′) Si $Y_2 \geq (Y_1 - 1)^2/2$, poser $X = Y_1$. Sinon revenir en a′).

Supposons maintenant que dans cette procédure on accepte Y_1 – on sait donc que Y_2 est plus grand que $(Y_1 - 1)^2/2$. Que vaut cet écart? Pour répondre à cette question, rappelons que Y_2 est exponentiel de moyenne 1, par conséquent, étant donné qu'il dépasse une certaine valeur, le surplus entre Y_2 et $(Y_1 - 1)^2/2$ (c'est-à-dire «la durée de vie additionnelle» au-delà du temps $(Y_1 - 1)^2/2$) suit également une loi exponentielle de moyenne 1, en vertu de la propriété d'absence de mémoire. En d'autres termes, si l'on s'arrête à l'étape b′), on obtient non seulement X, la valeur absolue d'une normale standard, mais encore en calculant $Y_2 - (Y_1 - 1)^2/2$ une variable aléatoire exponentielle standard (indépendante de X).

Ce qui donne, en résumé, l'algorithme suivant pour simuler une variable exponentielle standard et une variable normale standard indépendantes.

Etape 1: Générer Y_1, une variable aléatoire exponentielle standard.

Etape 2: Générer Y_2, une variable aléatoire exponentielle standard.

Etape 3: Si $Y_2 - (Y_1 - 1)^2/2 > 0$ poser $Y = Y_2 - (Y_1 - 1)^2/2$ et aller à l'étape 4. Sinon aller à l'étape 1.

Etape 4: Générer un nombre aléatoire U et poser

$$Z = \begin{cases} Y_1 & \text{si } U \leq 1/2 \\ -Y_1 & \text{si } U > 1/2 \end{cases}$$

Les variables aléatoires Z et Y générées par l'algorithme précédent sont indépendantes; Z est normale de moyenne 0 et de variance 1 et Y est exponentielle standard. (Pour obtenir une variable normale de moyenne μ et de variance σ^2, effectuer simplement la transformation $\mu + \sigma Z$).

Le lecteur remarquera que

a) puisque $c = \sqrt{2e/\pi} \approx 1{,}32$, alors le nombre de fois où le point 2 est exécuté dans l'algorithme précédent doit être distribué selon une loi géométrique de moyenne 1,32.

b) De plus, pour générer une suite de variables aléatoires normales standard, on peut utiliser la variable aléatoire exponentielle Y obtenue à l'étape 3 comme point de départ pour la génération de la variable normale suivante. Ainsi, en moyenne, on peut simuler une variable normale en générant 1,64 ($= 2 \times 1{,}32 - 1$) variables exponentielles et en calculant 1,32 termes au carré.

∎

Exemple 10.5 Simulation de variables aléatoires normales par la méthode des coordonnées polaires

On a montré dans l'exemple 6.27 du chapitre 6 que si X et Y sont des variables aléatoires normales standard indépendantes, alors leurs coordonnées polaires $R = \sqrt{X^2 + Y^2}$, $\theta = \text{Arc tg}(Y/X)$ sont indépendantes. R^2 suit une loi exponentielle de moyenne 2 et θ est uniformément distribuée sur $(0, 2\pi)$. Ainsi, si U_1 et U_2 sont deux nombres aléatoires alors, grâce au résultat de l'exemple 10.2, on peut poser

$$\begin{cases} R = (-2 \ln U_1)^{1/2} \\ \theta = 2\pi U_2 \end{cases}$$

ce qui entraîne que

$$\begin{cases} X = R \cos\theta = (-2 \ln U_1)^{1/2} \cos(2\pi U_2) \\ Y = R \sin\theta = (-2 \ln U_1)^{1/2} \sin(2\pi U_2) \end{cases} \tag{10.5}$$

sont des variables aléatoires normales standard indépendantes.

L'approche précédente pour la génération de variables aléatoires normales standard est appelée l'approche de Box-Muller. Son efficacité souffre quelque peu de la nécessité de calculer les valeurs du sinus et du cosinus mentionnées. Il existe cependant un moyen pour réduire la consommation potentielle de temps de calcul. Pour commencer, remarquons que si U est uniforme sur $(0, 1)$ alors $2U$ est uniforme sur $(0, 2)$ et par conséquent $2U - 1$ est uniforme sur $(-1, 1)$. Si l'on a généré deux nombres aléatoires U_1 et U_2 et que l'on pose

$$\begin{cases} V_1 = 2U_1 - 1 \\ V_2 = 2U_2 - 1 \end{cases}$$

alors (V_1, V_2) est uniformément distribué à l'intérieur du carré d'aire 4 centré en $(0, 0)$ illustré sur la figure 10.2

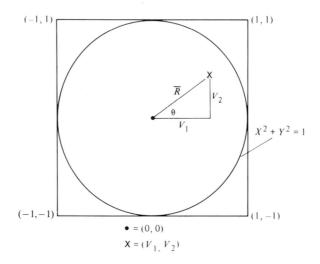

Figure 10.2

Supposons maintenant que nous générons une suite de couples (V_1, V_2) jusqu'à ce que nous obtenions un couple qui soit contenu dans un cercle de rayon 1 centré en $(0, 0)$ – c'est-à-dire jusqu'à ce que (V_1, V_2) soit tel que $V_1^2 + V_2^2 \leq 1$. Cela implique que ce couple (V_1, V_2) est uniformément distribué à l'intérieur du cercle. Soient $\overline{R}$ et $\overline{\theta}$ leurs coordonnées polaires, il est facile de vérifier que $\overline{R}$ et $\overline{\theta}$ sont indépendantes, avec $\overline{R}^2$ uniformément distribuée sur $(0, 1)$ et $\overline{\theta}$ uniformément distribuée sur $(0, 2\pi)$ – voir pour cela le problème 10.5.13.

Comme

$$
\begin{cases}
\sin\theta = V_2/\overline{R} = -\dfrac{V_2}{\sqrt{V_1^2 + V_2^2}} \\[2ex]
\cos\theta = V_1/\overline{R} = \dfrac{V_1}{\sqrt{V_1^2 + V_2^2}}
\end{cases}
$$

on déduit de l'équation (10.5) qu'on peut générer des variables aléatoires X et Y normales standard indépendantes en générant un autre nombre aléatoire U et en posant

$$
\begin{cases}
X = (-2\ln U)^{1/2}\, V_1/\overline{R} \\
Y = (-2\ln U)^{1/2}\, V_2/\overline{R}
\end{cases}
$$

Or, comme $\overline{R}^2$, sachant que $V_1^2 + V_2^2 \leq 1$, a une distribution uniforme sur $(0, 1)$ et qu'il est indépendant de $\overline{\theta}$, on peut l'utiliser au lieu de générer un nouveau nombre aléatoire U; de cette façon on montre que

$$
\begin{cases}
X = (-2 \ln \overline{R}^2)^{1/2} \, V_1 / \overline{R} = \sqrt{\dfrac{-2 \ln S}{S}} \, V_1 \\[4mm]
Y = (-2 \ln \overline{R}^2)^{1/2} \, V_2 / \overline{R} = \sqrt{\dfrac{-2 \ln S}{S}} \, V_2
\end{cases}
$$

sont des variables aléatoires normales standard indépendantes, où

$$
S = \overline{R}^2 = V_1^2 + V_2^2
$$

La procédure suivante résume la méthode pour générer un couple de variables aléatoires normales standard indépendantes.

Etape 1: Générer des nombres aléatoires U_1 et U_2.
Etape 2: Poser $V_1 = 2U_1 - 1$, $V_2 = 2U_2 - 1$, $S = V_1^2 + V_2^2$.
Etape 3: Si $S > 1$ revenir à l'étape 1.
Etape 4: Produire les variables aléatoires normales standard indépendantes

$$
X = \sqrt{\frac{-2 \ln S}{S}} \, V_1, \quad Y = \sqrt{\frac{-2 \ln S}{S}} \, V_2
$$

La méthode exposée ci-dessus s'appelle *la méthode des coordonnées polaires*. Comme la probabilité qu'un point, pris au hasard dans un carré, se trouve à l'intérieur du cercle est $\pi/4$, l'aire du cercle divisée par l'aire du carré, il s'ensuit que, en moyenne, la méthode des coordonnées polaires nécessite $4/\pi = 1{,}273$ itérations de l'étape 1. Par conséquent, en moyenne, on aura besoin de 2,546 nombres aléatoires, 1 logarithme, 1 racine carrée, 1 division et de 4,546 multiplications pour générer deux variables aléatoires normales standard indépendantes. ∎

Exemple 10.6 Simulation d'une variable aléatoire Chi-carré
La loi Chi-carré à n degrés de liberté est la loi de $X_n^2 = Z_1^2 + \cdots + Z_n^2$ où Z_i, $i = 1,...,n$, sont des variables aléatoires normales standard indépendantes. Comme il a été montré dans la section 6.3.4 du chapitre 6, $Z_2^1 + Z_2^2$ suit une loi exponentielle de paramètre ½. Dans le cas où n est pair, disons $n = 2k$, X_{2k}^2 a une distribution gamma de paramètres $(k, \tfrac{1}{2})$. Par conséquent, $-2\ln\,(\Pi_{i=1}^k \, U_i)$ a une distribution Chi-carré avec $2k$ degrés de liberté. On peut simuler une variable aléatoire Chi-carré avec $2k + 1$ degrés de liberté en générant en premier lieu une variable aléatoire normale standard Z puis en ajoutant Z^2 à la variable Chi-carré précédente. En d'autres termes

$$
X_{2k+1}^2 = Z^2 - 2\ln \left(\prod_{i=1}^{k} U_i \right)
$$

où Z, $U_1,...,U_n$ sont indépendants, Z est normale standard et les autres variables sont uniformes sur $(0, 1)$. ∎

10.3 SIMULATION DE VARIABLES ALÉATOIRES DISCRÈTES

10.3.1 Méthode de simulation

Toutes les méthodes générales pour simuler des variables aléatoires continues ont leur analogue dans le cas discret. Par exemple, supposons que l'on veuille simuler une variable aléatoire X dont la loi de probabilité est

$$P\{X = x_j\} = P_j, \qquad j = 0, 1,\ldots, \qquad \sum_j P_j = 1$$

On peut utiliser la méthode discrète analogue à celle de la transformation inverse. Pour simuler X tel que $P\{X = x_j\} = P_j$, on considère une variable U continue uniforme sur $(0, 1)$ puis l'on pose

$$X = \begin{cases} x_1 & \text{si} & U < P_1 \\ x_2 & \text{si} & P_1 < U < P_1 + P_2 \\ \vdots & & \\ x_j & \text{si} & \sum_1^{j-1} P_i < U < \sum_i^{j} P_i \\ \vdots & & \end{cases}$$

Comme

$$P\{X = x_j\} = P \left\{ \sum_1^{j-1} P_i < U < \sum_1^{j} P_i \right\} = P_j$$

X aura la distribution voulue.

10.3.2 Exemples de simulation de variables discrètes

Exemple 10.7 Simulation d'une variable géométrique
Supposons que l'on effectue une suite d'épreuves indépendantes, ayant chacune une probabilité p, $0 < p < 1$, de succès, jusqu'à ce que l'on obtienne un succès. Si l'on désigne le nombre d'épreuves nécessaires par X, on aura

$$P\{X = i\} = (1 - p)^{i-1}p \qquad i \geq 1$$

qui est clair si l'on remarque que $X = i$ si les $(i - 1)$ premières épreuves résultent en des échecs et la i-ème épreuve est un succès. La variable aléatoire X est appelée une variable aléatoire géométrique de paramètre p. Comme

$$\sum_{i=1}^{j-1} P\{X = i\} = 1 - P\{X > j - 1\}$$

$$= 1 - P\{j - 1 \text{ premières épreuves sont des échecs}\}$$
$$= 1 - (1 - p)^{j-1} \qquad j \geq 1$$

on peut simuler cette variable en générant un nombre aléatoire U et en donnant à X la valeur j telle que

$$1 - (1 - p)^{j-1} < U < 1 - (1 - p)^j$$

ou, de façon équivalente,

$$(1 - p)^j < 1 - U < (1 - p)^{j-1}$$

Comme $1 - U$ a la même distribution que U, on peut donc définir X par

$$X = \min \{j : (1 - p)^j < U\}$$
$$= \min \{j : j \ln(1 - p) < \ln U\}$$
$$= \min \left\{ j : j > \frac{\ln U}{\ln(1 - p)} \right\}$$

où l'inégalité change de signe puisque $\ln (1 - p)$ est négatif (en effet, $\ln (1 - p) < \ln 1 = 0$). En notant $[x]$ la partie entière de x (c'est-à-dire que $[x]$ est le plus grand entier inférieur ou égal à x), on peut écrire

$$X = 1 + \left[\frac{\ln U}{\ln(1 - p)} \right]$$
∎

Comme dans le cas continu, des techniques particulières de simulation ont été développées pour la plupart des distributions discrètes usuelles et certaines vont être présentées maintenant.

Exemple 10.8 Simulation d'une variable binomiale
Le meilleur moyen pour simuler une variable binomiale de paramètres (n, p) s'appuie sur le fait que celle-ci peut être exprimée comme la somme de n variables de Bernoulli indépendantes. Si $U_1,..., U_n$ sont des variables uniformes sur $(0, 1)$ et indépendantes, on peut poser

$$X_i = \begin{cases} 1 & \text{si } U_i < p \\ 0 & \text{sinon} \end{cases}$$

et $X \equiv \sum_{i=1}^{n} X_i$ sera une variable aléatoire binomiale de paramètres n et p. ∎

Exemple 10.9 Simulation d'une variable aléatoire poissonienne
Pour simuler une variable aléatoire de Poisson de moyenne λ, on génère des variables aléatoires indépendantes uniformes sur $(0, 1)$, $U_1, U_2,...$ jusqu'à

$$N = \min \left\{ n : \prod_{i=1}^{n} U_i < e^{-\lambda} \right\}$$

La variable aléatoire $X \equiv N - 1$ a la distribution voulue. En d'autres termes, si l'on continue de produire des nombres aléatoires jusqu'à ce que leur produit tombe au-dessous de $e^{-\lambda}$, alors le nombre de générations nécessaire moins 1 suit une loi de Poisson de moyenne λ.

Que $X \equiv N - 1$ soit effectivement poissonienne de moyenne λ, on peut le voir facilement en remarquant que

$$X + 1 = \min \left\{ n : \prod_{i=1}^{n} U_i < e^{-\lambda} \right\}$$

est équivalent à

$$X = \max \left\{ n : \prod_{i=1}^{n} U_i \geq e^{-\lambda} \right\} \qquad \text{où} \qquad \prod_{i=1}^{0} U_i \equiv 1$$

ou, en prenant le logarithme, à

$$X = \max \left\{ n : \sum_{i=1}^{n} \ln U_i \geq -\lambda \right\}$$

ou encore à

$$X = \max \left\{ n : \sum_{i=1}^{n} - \ln U_i \leq \lambda \right\}$$

Cependant, $- \ln U_j$ est exponentielle de paramètre 1 et de ce fait X peut être considéré comme le nombre maximal de variables exponentielles de paramètre 1 dont la somme reste inférieure à λ. Nous avons vu que les temps d'attente entre deux événements successifs d'un processus de Poisson de moyenne 1 sont exponentiels de paramètre 1 et indépendants. Ainsi X est égal au nombre d'événements durant un intervalle de temps λ d'un processus de Poisson de paramètre 1; par conséquent X a une distribution de Poisson de moyenne λ. ■

10.4 TECHNIQUES DE LA RÉDUCTION DE LA VARIANCE

Soient $X_1,..., X_n$ dont la distribution conjointe est donnée; supposons que l'on s'intéresse au calcul de

$$\theta \equiv E[g(X_1, \ldots, X_n)]$$

où g est une fonction fixée. Le calcul analytique de cette expression s'avère souvent extrêmement difficile et, dans ce cas, on peut essayer de recourir à la simulation pour estimer θ. La procédure est la suivante: générer les variables $X_1^{(1)},..., X_n^{(1)}$ ayant la même distribution conjointe que $X_1,..., X_n$ et poser

$$Y_1 = g(X_1^{(1)}, \ldots, X_n^{(1)})$$

Simuler alors un deuxième ensemble de variables aléatoires (indépendant du premier ensemble) $X_1^{(2)},..., X_n^{(2)}$ avec toujours la même distribution que celle de $X_1,..., X_n$ puis poser

$$Y_2 = g(X_1^{(2)}, \ldots, X_n^{(2)})$$

On continue jusqu'à la génération du k-ième ensemble, où k est un nombre prédéfini, et jusqu'à la détermination de $Y_1,..., Y_k$. Or, $Y_1,..., Y_k$ sont des variables aléatoires indépendantes et identiquement distribuées ayant chacune la même distribution que $g(X_1,..., X_n)$. Si l'on note alors par $\overline{Y}$ la moyenne de ces k variables aléatoires, c'est-à-dire

$$\overline{Y} = \sum_{i=1}^{k} \frac{Y_i}{k}$$

on a

$$E[\overline{Y}] = \theta$$
$$E[(\overline{Y} - \theta)^2] = \text{Var}(\overline{Y})$$

On peut donc prendre $\overline{Y}$ comme estimateur de θ. Comme l'espérance du carré de la différence entre $\overline{Y}$ et θ est égale à la variance de $\overline{Y}$, il faudrait que cette quantité soit aussi petite que possible. [Dans la situation précédente, $\text{Var}(\overline{Y}) = \text{Var}(Y_i)/k$, que l'on ne connaît en général pas à l'avance mais qui doit être estimé à partir des valeurs générées $Y_1,..., Y_n$]. Nous allons maintenant présenter trois techniques pour réduire la variance de cet estimateur.

10.4.1 Utilisation de variables antithétiques

Dans la situation précédente, supposons que nous ayons généré deux variables Y_1 et Y_2 identiquement distribuées de moyenne θ. On a

$$\text{Var}\left(\frac{Y_1 + Y_2}{2}\right) = \frac{1}{4}\left[\text{Var}(Y_1) + \text{Var}(Y_2) + 2\,\text{Cov}(Y_1, Y_2)\right]$$

$$= \frac{\text{Var}(Y_1)}{2} + \frac{\text{Cov}(Y_1, Y_2)}{2}$$

Il serait alors avantageux (dans le sens où la variance serait réduite) d'avoir Y_1 et Y_2 non pas indépendants mais corrélés négativement. Comment s'arrange-t-on pour l'obtenir? Supposons que les variables $X_1,..., X_n$ sont indépendantes et qu'en plus elles ont été générées grâce à la technique de la transformation inverse. En clair, X_i est simulée à partir de $F_i^{-1}(U_i)$ où U_i est un nombre aléatoire et F_i la distribution de X_i. Y_1 peut donc s'écrire comme

$$Y_1 = g(F_1^{-1}(U_1), \ldots, F_n^{-1}(U_n))$$

Or, pour tout nombre aléatoire U, $1 - U$ est aussi uniforme sur $(0, 1)$ et est corrélé négativement avec U. Y_2 défini par

$$Y_2 = g(F_1^{-1}(1 - U_1), \ldots, F_n^{-1}(1 - U_n))$$

aura donc la même distribution que Y_1. Par conséquent, si Y_1 et Y_2 ont une corrélation négative, alors en générant Y_2 par cette méthode, on obtiendra une variance plus petite que s'il provenait d'un nouvel ensemble de nombres aléatoires. (De plus, on économise des opérations, car au lieu de générer n nombres aléatoires supplémentaires, il suffit de soustraire chacun des n nombres précédents de 1). Bien qu'en général on ne puisse pas être certain que Y_1 et Y_2 soient corrélés négativement, il se trouve que c'est souvent le cas et on peut effectivement montrer que c'est le cas si g est une fonction monotone.

10.4.2 Réduction de la variance par conditionnement

Rappelons d'abord la formule de la variance conditionnelle (voir la section 7.6.8 du chapitre 7)

$$\text{Var}(Y) = E[\text{Var}(Y|Z)] + \text{Var}(E[Y|Z])$$

Supposons que l'on s'intéresse à l'estimation de $E[g(X_1,\ldots, X_n)]$ en simulant $\mathbf{X} = (X_1,\ldots X_n)$ et en calculant $Y = g(\mathbf{X})$. Si pour une variable aléatoire Z on arrive à calculer $E[Y|Z]$ alors, comme $\text{Var}(Y|Z) \geq 0$, on obtient grâce à la formule de la variance conditionnelle que

$$\text{Var}(E[Y|Z]) \leq \text{Var}(Y)$$

Ceci implique, en plus du fait que $E[E[Y|Z]] = E[Y]$, que $E[Y|Z]$ est un meilleur estimateur de $E[Y]$ que Y.

Exemple 10.10 Estimation de π
Soient U_1 et U_2 des nombres aléatoires et $V_i = 2U_i - 1$, $i = 1, 2$. On a vu dans l'exemple 10.5 que (V_1, V_2) est uniformément distribué dans le carré d'aire 4 centré en $(0, 0)$. La probabilité que ce point se trouve à l'intérieur du cercle inscrit de rayon 1 et centré en $(0, 0)$ – voir la figure 10.2 – est égale à $\pi/4$ (le rapport entre l'aire du cercle et celle du carré). Par conséquent, grâce à la simulation d'un grand nombre n de couples ainsi définis et à la définition de

$$I_j = \begin{cases} 1 & \text{si la } j\text{-ème paire tombe dans le cercle} \\ 0 & \text{sinon} \end{cases}$$

il s'ensuit que $I_j, j = 1,\ldots, n$ sont des variables aléatoires indépendantes, identiquement distribuées et ayant la même moyenne $E[I_j] = \pi/4$. On a donc, en vertu de la loi forte des grands nombres, que

$$\frac{I_1 + \cdots + I_n}{n} \longrightarrow \pi/4 \quad \text{lorsque } n \to \infty$$

De ce fait, en simulant un grand nombre de couples (V_1, V_2) et en multipliant la proportion de ceux qui se trouvent à l'intérieur du cercle par 4, on obtient une approximation précise de π.

L'estimateur mentionné ci-dessus peut encore être amélioré en recourant à l'espérance conditionnelle. Soit I la variable indicatrice définie précédemment pour le couple (V_1, V_2). Au lieu de considérer la valeur observée de I, il est préférable de conditionner sur V_1 et d'utiliser

$$\begin{aligned} E[I|V_1] &= P\{V_1^2 + V_2^2 \le 1|V_1\} \\ &= P\{V_2^2 \le 1 - V_1^2|V_1\} \end{aligned}$$

Or

$$\begin{aligned} P\{V_2^2 \le 1 - V_1^2|V_1 = v\} &= P\{V_2^2 \le 1 - v^2\} \\ &= P\{-\sqrt{1 - v^2} \le V_2 \le \sqrt{1 - v^2}\} \\ &= \sqrt{1 - v^2} \end{aligned}$$

et ainsi

$$E[I|V_1] = E[\sqrt{1 - V_1^2}]$$

De cette façon, pour estimer $\pi/4$, on obtient une amélioration si l'on utilise non pas la moyenne de I mais plutôt la valeur moyenne de $\sqrt{1 - V_1^2}$. Plus précisément, comme

$$E[\sqrt{1 - V_1^2}] = \int_{-1}^{1} \tfrac{1}{2}\sqrt{1 - v^2}\, dv = \int_{0}^{1} \sqrt{1 - u^2}\, du = E[\sqrt{1 - U^2}]$$

où U est uniforme sur $(0, 1)$, on peut générer n nombres aléatoires U et prendre la valeur moyenne de $\sqrt{1 - U^2}$ comme estimation de $\pi/4$. (Le problème 10.5.14 montre que cet estimateur a la même variance que la moyenne des n valeurs $\sqrt{1 - V^2}$.)

On peut même encore améliorer cet estimateur de π si l'on remarque que la fonction $g(u) = \sqrt{1 - u^2}, 0 \le u \le 1$ est une fonction monotone décroissante et ainsi la méthode des variables antithétiques réduira donc la variance de l'estimateur de $E[\sqrt{1 - U^2}]$. En d'autres termes, plutôt que de générer n nombres aléatoires et de prendre la valeur moyenne de $\sqrt{1 - U^2}$ comme estimation de $\pi/4$, on peut obtenir un meilleur estimateur en générant seulement $n/2$ nombres aléatoires U et en prenant la moyenne de $\sqrt{1 - U^2} + \sqrt{1 - (1 - U)^2}$ divisée par 2 comme estimation de $\pi/4$.

La table suivante donne les estimations de π résultant de simulations basées sur les 3 estimateurs cités, en prenant $n = 10\,000$.

Méthode	Estimation de π
Utilisant la proportion des points aléatoires tombant dans le cercle	3,1612
Utilisant la valeur moyenne de $\sqrt{1 - U^2}$	3,128448
Utilisant la valeur moyenne de $\sqrt{1 - U^2} + \sqrt{1 - (1 - U)^2}$	3,139578

Une autre simulation, qui considère la dernière approche avec $n = 64\,000$, donne l'estimation 3,143288.   ∎

10.4.3 Variables de contrôle

Supposons de nouveau que l'on veuille estimer $E[g(\mathbf{X})]$, où $\mathbf{X} = (X_1,..., X_n)$, par la méthode de simulation. Mais maintenant nous supposerons que pour une fonction f la valeur moyenne de $f(\mathbf{X})$ est connue – à savoir $E[f(\mathbf{X})] = \mu$. Pour toute constante a, on peut alors prendre

$$W = g(\mathbf{X}) + a[f(\mathbf{X}) - \mu]$$

comme estimateur de $E[g(\mathbf{X})]$. Or

$$\text{Var}(W) = \text{Var}[g(\mathbf{X})] + a^2 \text{Var}[f(\mathbf{X})] + 2a \text{Cov}[g(\mathbf{X}), f(\mathbf{X})] \qquad (10.6)$$

Un simple calcul montre que cette expression est minimale lorsque

$$a = \frac{-\text{Cov}[f(\mathbf{X}), g(\mathbf{X})]}{\text{Var}[f(\mathbf{X})]} \qquad (10.7)$$

et, pour cette valeur de a, elle vaut

$$\text{Var}(W) = \text{Var}[g(\mathbf{X})] - \frac{[\text{Cov}[f(\mathbf{X}), g(\mathbf{X})]]^2}{\text{Var}[f(\mathbf{X})]} \qquad (10.8)$$

Malheureusement, $\text{Var}[f(\mathbf{X})]$ et $\text{Cov}[f(\mathbf{X}), g(\mathbf{X})]$ ne sont en général pas connues, aussi nous ne pouvons obtenir cette réduction de variance. Dans la pratique, une approche consiste à estimer ces valeurs et à espérer que la variable W obtenue ait effectivement une variance plus petite que celle de $g(\mathbf{X})$, alors qu'une seconde possibilité est de simuler les données pour estimer ces quantités.

10.5 PROBLÈMES

10.5.1 L'algorithme suivant génère une permutation aléatoire des éléments 1, 2,..., n. Il est un peu plus rapide que celui présenté dans l'exemple 10.1 mais il est tel qu'aucune position n'est fixée avant que l'algorithme s'arrête. Dans cet algorithme, $P(i)$ peut être considéré comme l'élément se trouvant en position i.

Etape 1: Poser $k = 1$.
Etape 2: Poser $P(1) = 1$.
Etape 3: Si $k = n$, s'arrêter. Sinon poser $k = k + 1$.
Etape 4: Générer un nombre aléatoire U et poser

$$P(k) = P([kU] + 1)$$
$$P([kU] + 1) = k.$$

Revenir à l'étape 3.

a) Expliquer avec des phrases ce que fait l'algorithme.
b) Montrer qu'à l'itération k – c'est-à-dire au moment où la valeur de $P(k)$ est initialisée – $P(1)$, $P(2)$,..., $P(k)$ est une permutation aléatoire de 1, 2,... k. Utiliser pour cela un raisonnement par induction et montrer que

$$P_k\{i_1, i_2, \ldots, i_{j-1}, k, i_j, \ldots, i_{k-2}, i\}$$

$$= P_{k-1}\{i_1, i_2, \ldots, i_{j-1}, i, i_j, \ldots, i_{k-2}\} \frac{1}{k}$$

$$= \frac{1}{k!} \text{ grâce à l'hypothèse d'induction}$$

10.5.2 Développer une technique pour simuler une variable aléatoire ayant la fonction de densité de probabilité

$$f(x) = \begin{cases} e^{2x} & -\infty < x < 0 \\ e^{-2x} & 0 < x < \infty \end{cases}$$

10.5.3 Développer une technique pour simuler une variable aléatoire ayant la fonction de densité de probabilité

$$f(x) = \begin{cases} \dfrac{1}{2}(x - 2) & 2 \leq x \leq 3 \\[2mm] \dfrac{1}{2}\left(2 - \dfrac{x}{3}\right) & 3 < x \leq 6 \\[2mm] 0 & \text{ailleurs} \end{cases}$$

10.5.4 Présenter une méthode pour simuler une variable aléatoire ayant la fonction de répartition

$$F(x) = \begin{cases} 0 & x \leq -3 \\[2mm] \dfrac{1}{2} + \dfrac{x}{6} & -3 < x < 0 \\[2mm] \dfrac{1}{2} + \dfrac{x^2}{32} & 0 < x \leq 4 \\[2mm] 1 & x > 4 \end{cases}$$

10.5.5 Utiliser la méthode de la transformation inverse pour présenter une approche pour la simulation d'une variable aléatoire distribuée selon la loi de Weibull

$$F(t) = 1 - e^{-at^\beta} \qquad t \geq 0$$

10.5.6 Donner une méthode de simulation d'une variable aléatoire ayant la fonction taux de panne

a) $\lambda(t) = c$
b) $\lambda(t) = ct$
c) $\lambda(t) = ct^2$
d) $\lambda(t) = ct^3$

10.5.7 Soit F la fonction de répartition

$$F(x) = x^n \qquad 0 < x < 1$$

a) Donner une méthode pour simuler une variable aléatoire ayant F comme fonction de répartition, qui n'utilise qu'un seul nombre aléatoire.
b) Soient $U_1, U_2,..., U_n$ des nombres aléatoires indépendants. Montrer que

$$P\{\max (U_1, \ldots, U_n) \leq x\} = x^n$$

c) Utiliser la partie b) pour élaborer une seconde méthode de simulation d'une variable aléatoire de fonction de répartition F.

10.5.8 Supposer qu'il est relativement facile de simuler à partir de F_i, $i = 1,..., n$. Comment peut-on simuler à partir de

a)
$$F(x) = \prod_{i=1}^{n} F_i(x)$$

b)
$$F(x) = 1 - \prod_{i=1}^{n} [1 - F_i(x)]$$

10.5.9 Supposer que l'on a une méthode pour simuler des variables aléatoires ayant les distributions F_1 et F_2. Expliquer comment on simule à partir de la distribution

$$F(x) = pF_1(x) + (1 - p)F_2(x) \qquad 0 < p < 1$$

Donner une méthode pour simuler à partir de

$$F(x) = \begin{cases} \frac{1}{3}(1 - e^{-3x}) + \frac{2}{3}x & 0 < x \leq 1 \\ \frac{1}{3}(1 - e^{-3x}) + \frac{2}{3} & x > 1 \end{cases}$$

10.5.10 Dans l'exemple 10.4 nous avons simulé la valeur absolue d'une variable aléatoire normale standard selon la procédure de rejet appliquée sur des variables exponentielles de paramètre 1. Ceci soulève la question suivante: pouvait-on obtenir un algorithme plus efficace à partir d'une densité exponentielle différente – c'est-à-dire d'une densité $g(x) = \lambda e^{-\lambda x}$, par exemple? Montrer que le nombre moyen d'itérations nécessaires dans la technique de rejet est minimal lorsque $\lambda = 1$.

10.5.11 Utiliser la méthode de rejet avec $g(x) = 1$, $0 < x < 1$, pour déterminer un algorithme de simulation d'une variable aléatoire ayant la fonction de densité de probabilité

$$f(x) = \begin{cases} 60x^3(1 - x)^2 & 0 < x < 1 \\ 0 & \text{ailleurs} \end{cases}$$

10.5.12 Expliquer comment on peut utiliser des nombres aléatoires pour approximer $\int_0^1 k(x)\, dx$ où $k(x)$ est une fonction arbitraire. Pour cela, dire ce que représente $E[k(U)]$ si U est uniforme sur $(0, 1)$.

10.5.13 Si (X, Y) est distribué uniformément dans le cercle de rayon 1 centré à l'origine, sa densité conjointe est

$$f(x,y) = 1/\pi, \qquad 0 \le x^2 + y^2 \le 1$$

Soient $R = (X^2 + Y^2)^{1/2}$ et $\theta = $ Arc tg (Y/X) leurs coordonnées polaires. Montrer que R et θ sont indépendants, avec R^2 uniforme sur $(0, 1)$ et θ uniforme sur $(0, 2\pi)$.

10.5.14 Dans l'exemple 10.10 nous avons montré que

$$E[(1 - V^2)^{1/2}] = E[(1 - U^2)^{1/2}] = \pi/4$$

où V est uniforme sur $(-1,1)$ et U sur $(0,1)$. Montrer que

$$\text{Var } [(1 - V^2)^{1/2}] = \text{Var } [(1 - U^2)^{1/2}]$$

et trouver leur valeur commune.

10.5.15
a) Vérifier que (10.6) atteint son minimum lorsque a est donné par (10.7).
b) Vérifier que la valeur minimale de (10.6) est donnée par (10.8).

10.5.16 Soit X une variable aléatoire définie sur $(0, 1)$ ayant la fonction de densité $f(x)$. Montrer que l'on peut estimer $\int_0^1 g(x)\, dx$ en simulant X et en prenant $g(X)/f(X)$ comme estimateur. Cette méthode, appelée *échantillonnage par importance*, essaie de choisir une fonction f de forme semblable à celle de g telle que $g(X)/f(X)$ ait une variance faible.

Solutions à quelques problèmes choisis.

Chapitre 1

1.7.2 $\sum_{1}^{m} n_i$ **1.7.3** $\dfrac{n!}{(n-r)!}$ **1.7.17** $\dbinom{n+r-1}{r}$

1.8.1 (a) 67,600,000 (b) 19,656,000   **1.8.2** 24,4
1.8.3 5184   **1.8.4** (a) 720 (b) 72 (c) 144 (d) 72
1.8.5 (a) 120 (b) 1260 (c) 34,650   **1.8.6** 27,720
1.8.7 (a) 40,320 (b) 10080 (c) 1152 (d) 2880 (e) 384
1.8.8 (a) 720 (b) 72 (c) 144
1.8.9 (a) 720 (b) 672 (c) 384 (d) 216 (e) 576
1.8.10 (a) 24,300,000 (b) 17,000,720
1.8.11 2,598,960   **1.8.12** 600   **1.8.13** 120,110   **1.8.14** 36, 26

1.8.15 48   **1.8.17** $\dfrac{(52)!}{[(13)!]^4}$ **1.8.19** 27,720   **1.8.20** 210

1.8.21 (a) 165 (b) 35
1.8.22 Supposer les enseignants distincts: (a) 4^8 (b) 2520
1.8.23 1287, 14,112   **1.8.24** 1,852,200
1.8.25 (a) 12,600 (b) 945
1.8.26 564,480   **1.8.27** (a) 220 (b) 552

Chapitre 2

2.8.3 (a) EF^cG^c (b) EGF^c (c) $E \cup F \cup G$ (d) $EF \cup EG \cup FG$
      (e) EFG (f) $E^cF^cG^c$ (g) $EF^cG^c \cup E^cFG^c \cup E^cF^cG \cup E^cF^cG^c$
      (h) $(EFG)^c$ (i) $EFG^c \cup EF^cG^c \cup E^cFG$ (j) S
2.8.4 (a) E (b) EF (c) $EG \cup F$

2.9.1 $S = \{RR, RV, RB, VR, VV, VB, BR, BV, BB\}$
      $S = \{RV, RB, VR, VB, BR, BV\}$

2.9.4 $\{A \text{ gagne}\} = \{1, 0001, 0000001, \ldots, \underbrace{00 \ldots 01}_{3n}, \ldots\}$

      $(A \cup B)^c = \{000 \ldots, 001, 000001, \ldots \underbrace{00 \ldots 01}_{3n+2}, \ldots\}$

2.9.5   20,000, 12,000, 11,000, 10,000   **2.9.6** 1,057
2.9.7   0,0769, 0,03116
2.9.8   (a) 0,0020   (b) 0,4226   (c) 0,0475   (d) 0,0211   (e) 0,00024
2.9.10 $9{,}10946 \times 10^{-6}$ **2.9.11** $\dfrac{32}{663}$ **2.9.13** $\frac{2}{5}$ **2.9.14** 0,492929

2.9.15 0,58333   **2.9.16** $P\{\text{différent}\} = 0{,}2477$ sans remplacement,
      $= 0{,}2099$ avec remplacement

2.9.17 $\frac{1}{2}$ **2.9.18** $\frac{2}{9}, \frac{1}{9}$ **2.9.19** $\dfrac{g}{g+b}$ **2.9.20** $\dfrac{70}{323}$ **2.9.21** $\dfrac{12}{25}$

2.9.22 $\frac{1}{64}, \frac{21}{64}, \frac{36}{64}, \frac{6}{64}$ **2.9.23** 0,5177   **2.9.24** $1 - \left(\dfrac{35}{36}\right)^n, n \geq 25$

2.9.25 $\dfrac{2}{n}, \dfrac{2}{n-1}$ **2.9.27** $\dfrac{1}{n}, \dfrac{(n-1)^{k-1}}{n^k}$

2.9.28 $1{,}0604 \times 10^{-3}$ **2.9.29** 0,4329   **2.9.30** $2{,}6084 \times 10^{-6}$

2.9.31 $\dfrac{\dbinom{n}{m}(N-1)^{n-m}}{N^n}$ **2.9.32** (a) 0,09145   (b) 0,4268

2.9.33 $\frac{36}{63} = \frac{4}{7}$ **2.9.34** $\frac{12}{35}$ **2.9.35** 0,0511

2.9.36 (a) $\dfrac{4\binom{50}{11} - 6\binom{48}{9} + 4\binom{46}{7} - \binom{44}{5}}{\binom{52}{13}} = 0,2198$

(b) $\dfrac{13\binom{48}{9} - \binom{13}{2}\binom{44}{5} + \binom{13}{3}\binom{40}{1}}{\binom{52}{13}} = 0,0342$

Chapitre 3

3.6.8 (b) $\dfrac{bv}{(r + b)(r + b + v)} + \dfrac{bv}{(r + g)(r + b + v)}$

3.6.17 $P_n = \alpha_n p + (1 - \alpha_n)p'$

3.6.18 (b) $P_{n,m} = \dfrac{n - m}{n + m}$

(c) $P_{n,m} = \dfrac{n}{n + m} P_{n-1,m} + \dfrac{m}{n + m} P_{n,m-1}$, dernière voix

3.7.1 $\frac{1}{3}$

3.7.2 $P\{6|\text{la somme est } 6 + i\} = \dfrac{1}{7 - i}$, $i = 1, \ldots, 6$

3.7.3 0,339

3.7.4 $P\{\text{au moins un } 6 | 12\} = 1$. Pour $i \neq 12$, les probabilités trouvées en 3.7.2 fois 2.

3.7.5 $\frac{6}{91}$

3.7.6 $\frac{1}{2}$

3.7.7 $\frac{2}{3}$

3.7.8 $\frac{1}{2}$

3.7.9 $\frac{7}{11}$

3.7.10 (a) 0,1818, 0,2845   (b) 0,4073, 0,2532

3.7.11 $\frac{11}{50}$ **3.7.12** $\frac{35}{768}$ **3.7.13** $\frac{4}{9}, \frac{1}{2}$ **3.7.15** $\frac{1}{3}, \frac{1}{2}$ **3.7.17** $\frac{20}{21}, \frac{40}{41}$

3.7.18 $\frac{7}{12}, \frac{3}{5}$ **3.7.19** $\frac{5}{11}$ **3.7.20** $\frac{4}{5}$ **3.7.21** $\frac{54}{62}$ **3.7.22** $\frac{3}{4}$

3.7.23 $\frac{1}{2}$ **3.7.24** $\frac{1}{3}, \frac{1}{5}, 1$ **3.7.25** $\frac{12}{37}$ **3.7.26** $\frac{46}{185}$ **3.7.27** $\frac{3}{13}, \frac{5}{13}, \frac{5}{52}, \frac{15}{52}$

3.7.28 $\dfrac{b}{b + r + c}$ **3.7.29** $\frac{43}{459}$ **3.7.30** $\frac{1000}{29}$ % **3.7.31** $\frac{4}{9}$

3.7.33 $\frac{1}{11}$ **3.7.35** $\frac{2}{3}$ **3.7.36** $\frac{19}{268}$ **3.7.37** 17,5%, $\frac{138}{165}$, $\frac{17}{33}$

3.7.39 9 **3.7.42** (c) $\displaystyle\sum_{i=k}^{n} \binom{n}{i} p^i (1 - p)^{n-i}$

3.7.43 $\frac{9}{128}, \frac{9}{128}, \frac{18}{128}, \frac{110}{128}; \frac{1}{32}, \frac{1}{32}, \frac{1}{16}, \frac{15}{16}$
3.7.44 $\frac{1}{9}, \frac{1}{18}$ **3.7.45** $\frac{38}{64}, \frac{13}{64}, \frac{13}{64}$ **3.7.47** $\frac{1}{16}, \frac{1}{32}, \frac{10}{32}, \frac{1}{4}, \frac{31}{32}$

3.7.48 $\dfrac{1}{2 - p}, \dfrac{p(1 - p)^{i-1}}{1 - (1 - p)^k}$ **3.7.49** $\dfrac{P_1}{P_1 + P_2 - P_1 P_2}$

3.7.50 $\dfrac{P_1(1 - P_2)(1 - P_3) + (1 - P_1)P_2 P_3}{P_1 + P_2 + P_3 - P_1 P_2 - P_1 P_3 - P_2 P_3}$

3.7.52 $\dfrac{3}{10}, \dfrac{1 - (\frac{2}{3})^3}{1 - (\frac{2}{3})^{10}}$ **3.7.53** 0,5550

3.7.54 (a) $\begin{cases} (\frac{1}{2})^i & i < n \\ (\frac{1}{2})^{n-1} & i = n \end{cases}$ (b) $(\frac{1}{2})^{n-1}$ **3.7.55** 0,9530

3.7.56 (a) $\dfrac{P_1^2}{P_1^2 + P_2^2 - P_1^2 P_2^2}$ (c) comme pour (a) mais P_1^3 remplace P_i^2 partout

3.7.57 $\frac{1}{2}, \frac{3}{5}, \frac{4}{5}$ **3.7.58** (a) $\frac{9}{19}, \frac{6}{19}, \frac{4}{19}$ (b) $\frac{77}{165}, \frac{53}{165}, \frac{35}{165}$

3.7.60 $\dfrac{i^n}{\displaystyle\sum_{j=1}^{k} j^n}$ **3.7.62** $\frac{97}{142}, \frac{15}{26}, \frac{33}{102}$

Chapitre 4

4.7.3 $1 - \lim\limits_{h \to 0} F(a - h)$ **4.7.4** Faux

4.7.5 $F\left(\dfrac{x - \beta}{\alpha}\right)$ pour $\alpha > 0$. **4.7.8** k/n **4.7.13** k

4.8.1 $P(4) = \frac{6}{91}, P(2) = \frac{8}{91}, P(1) = \frac{32}{91}, P(0) = \frac{1}{91}, P(-1) = \frac{16}{91}, P(-2) = \frac{28}{91}$
4.8.3 $P(3) = P(18) = \frac{1}{216}$ $P(7) = P(14) = \frac{15}{216}$
$P(4) = P(17) = \frac{3}{216}$ $P(8) = P(13) = \frac{21}{216}$
$P(5) = P(16) = \frac{6}{216}$ $P(9) = P(12) = \frac{25}{316}$
$P(6) = P(15) = \frac{10}{216}$ $P(10) = P(11) = \frac{27}{316}$
4.8.4 $\frac{1}{2}, \frac{5}{18}, \frac{5}{36}, \frac{5}{84}, \frac{5}{252}, \frac{1}{252}, 0, 0, 0, 0$
4.8.5 $n - 2i, i = 0, 1, \ldots, n$

4.8.6 $P(3) = P(-3) = \frac{1}{8}$, $P(1) = P(-1) = \frac{3}{8}$

4.8.8 (a) $P(6) = \frac{11}{36}$, $P(5) = \frac{9}{36}$, $P(4) = \frac{7}{36}$, $P(3) = \frac{5}{36}$, $P(2) = \frac{3}{36}$,
$P(1) = \frac{1}{36}$

(d) $P(5) = \frac{1}{36}$, $P(4) = \frac{2}{36}$, $P(3) = \frac{3}{36}$, $P(2) = \frac{4}{36}$, $P(1) = \frac{5}{36}$,
$P(0) = \frac{6}{36}$, $P(-j) = P(j)$

4.8.12 (a) $P(4) = \frac{1}{16}$, $P(3) = \frac{1}{8}$, $P(2) = \frac{1}{16}$, $P(0) = \frac{1}{2}$, $P(-i) = P(i)$
(b) $P(0) = 1$

4.8.13 $\frac{1}{4}, \frac{1}{6}, \frac{1}{12}, \frac{1}{2}$ **4.8.15** $\frac{1}{2}, \frac{1}{10}, \frac{1}{5}, \frac{1}{10}, \frac{1}{10}$

4.8.16 $\frac{3}{8}$ **4.8.17** $\frac{11}{243}$ **4.8.18** $\frac{11}{64}$ **4.8.19** $p \geq \frac{1}{2}$

4.8.22 3   **4.8.27** (a) 0,5768   (b) 0,6070

4.8.29 0,3935, 0,3033, 0,0902   **4.8.30** 0,8886

4.8.31 0,4082   **4.8.33** (a) 0,0821   (b) 0,2424

4.8.35 (a) $(0,9)^n$ (b) $P(1) = 1 - P(n + 1) = (0,9)^n$

4.8.36 (a) 0,3935   (b) 0,2293   (c) 0,3935   (d) $1 - e^{(i - 500)/1000}$

4.8.37 (a) 0,1500   (b) 0,1012   **4.8.38** $\binom{i - 1}{3}(0,6)^4(0,4)^{i-4}$

4.8.39 (a) $\frac{32}{243}$ (b) $\frac{4864}{6561}$ (c) $\frac{160}{729}$ (d) $\frac{160}{729}$

4.8.40 $P(i) = \binom{9 + i}{9}\left(\frac{1}{2}\right)^{10+i}$, $i \geq 1$

4.8.41 $\binom{N_1 + N_2 - k}{N_1}\left(\frac{1}{2}\right)^{N_1+N_2-k+1}$

$+ \binom{N_1 + N_2 - k}{N_2}\left(\frac{1}{2}\right)^{N_1+N_2-k+1}$

4.8.43 $\dfrac{18(17)^{n-1}}{(35)^n}$

4.8.45 $P\{rej|1\} = \frac{3}{10}$, $P\{rej|4\} = \frac{5}{6}$, $P\{4|rej\} = \frac{75}{138}$

4.8.46 0,3439

Chapitre 5

5.8.1 $\frac{3}{4}$, $F(x) = \dfrac{3x}{4} - \dfrac{x^3}{4} + \dfrac{1}{2}$, $-1 < x < 1$ **5.8.2** $\frac{7}{2}e^{-5/2}$

5.8.3 non; non   **5.8.4** (a) $\frac{1}{2}$ (b) $\dfrac{y - 10}{y}$, $y > 10$

5.8.5 $1 - (0,01)^{1/5}$ **5.8.6** $\frac{2}{3}, \frac{2}{3}$ **5.8.7** $\frac{2}{5}$

5.8.9 $\frac{2}{3}, \frac{1}{3}$ **5.8.11** $(0,9938)^{10}$ **5.8.13** $8,65\%, 0,0046$

5.8.14 $0,9258, 0,1762$ **5.8.17** $0,0606, 0,0525$

5.8.20 $e^{-1}, e^{-1/2}$ **5.8.21** e^{-1} **5.8.22** $e^{-1}, \frac{1}{3}$

5.8.26 $\frac{3}{5}$ **5.8.27** $f(y) = \exp\{y - e^y\}$ **5.8.28** $f(y) = \dfrac{1}{y}, 1 < y < e$

5.8.29 $F(x) = \dfrac{1}{\pi}(\arcsin(x/A) + \pi/2), -A \le x \le A$

Chapitre 6

6.8.1 (a) $P\{X = i, Y = j\} = \begin{cases} \frac{1}{36} & \text{si } 1 \le i \le 6, j = 2i \\ \frac{1}{18} & \text{si } 2 \le i \le 6, i + 1 \le j < 2i \\ 0 & \text{ailleurs} \end{cases}$

   (b) $P\{X = i, Y = j\} = \begin{cases} i/36 & \text{si } 1 \le i \le 6, j = i \\ \frac{1}{36} & \text{si } 1 \le i < j \le 6 \\ 0 & \text{ailleurs} \end{cases}$

   (c) $P\{X = i, Y = j\} = \begin{cases} \frac{1}{36} & \text{si } 1 \le i = j \le 6 \\ \frac{1}{18} & \text{si } 1 \le i < j \le 6 \end{cases}$

6.8.2 $p(i, j) = \frac{1}{10}, i = 1, 2, 3, 4, j = 1, 2, \ldots, 5 - i$

6.8.3 $p(i, j) = (1 - p)^{i+j}p^2, i, j = 0, 1, \ldots$

6.8.4 (a) $c = \frac{1}{8}$ (b) $f_Y(y) = \frac{1}{6}y^3e^{-y}, f_X(x) = \frac{1}{4}e^{-|x|}(1 + |x|)$

6.8.5 (b) $f(x) = \frac{6}{7}(2x^2 + x)$ (c) $\frac{15}{56}$ (d) $0,8625$ **6.8.6** (a) $\frac{1}{2}$ (b) $1 - e^{-a}$

6.8.7 $0,1458$ **6.8.8** $(39,3)e^{-5}$ **6.8.9** $\frac{1}{6}, \frac{1}{2}$

6.8.11 (a) $f_X(x) = f_Y(x) = 1, 0 < x < 1$ (b) Oui (c) $1 - \pi/16$

6.8.12 $\frac{1}{3}$ **6.8.13** $\frac{7}{9}$ **6.8.14** $\frac{1}{2}$ **6.8.16** $e^{-1}/i!$

6.8.18 $F_{X+Y}(a) = \begin{cases} a - 1 + e^{-a}, a < 1 \\ 1 - e^{-a}(e - 1), a > 1 \end{cases}$

   $F_{X/Y}(a) = a(1 - e^{-1/a})$

6.8.19 $F_Z(a) = \dfrac{\lambda_1 a}{\lambda_1 a + \lambda_2}, \dfrac{\lambda_1}{\lambda_1 + \lambda_2}$

6.8.21 $P\{X = j \mid Y = i\}$

j / i	1	2	3	4	5
1	0,438	0,219	0,146	0,1095	0,0876
2	0	0,3896	0,2597	0,1948	0,1558
3	0	0	0,4255	0,3191	0,2553
4	0	0	0	0,5556	0,4444
5	0	0	0	0	1

6.8.22 $P\{Y = j \mid X = i\} = \begin{cases} \dfrac{1}{2i-1} & \text{si } 6 \geq i = j \geq 1 \\[2mm] \dfrac{2}{2i-1} & \text{si } 6 \geq i > j \geq 1 \end{cases}$

6.8.24 $f_{X\mid Y}(x \mid y) = (y+1)^2 x e^{-x(y+1)}$ $f_{Y\mid X}(y \mid x) = x e^{-xy} \quad f_Z(x) = e^{-x}$

6.8.25 $F_{Y\mid X}(y \mid x) = \frac{1}{2} + \dfrac{3y}{4x} - \dfrac{1}{4}\dfrac{y^3}{x^3}$ **6.8.28** $\left(\dfrac{L-2d}{L}\right)^3$ **6.8.29** 0,79297

6.8.30 (a) $1 - e^{-5\lambda a}$ (b) $(1 - e^{-\lambda a})^5$

6.8.32 $f(r, \theta) = \dfrac{r}{\pi}, 0 < r < 1, 0 < \theta < 2\pi$

6.8.33 $f(r, \theta) = r, 0 < r\sin\theta < 1, 0 < r\cos\theta < 1, 0 < \theta < \dfrac{\pi}{2}, 0 < r < \sqrt{2}$

6.8.35 (b) $f(u) = \dfrac{1}{u^2} \ln u, u \geq 1, f(v) = \dfrac{1}{2v^2}, v > 1, f(v) = \frac{1}{2}, 0 < v < 1$

6.8.36 $f(u, v) = \dfrac{u}{(v+1)^2}, 0 < uv < 1 + v, 0 < u < 1 + v$

6.8.38 $f(y_1, y_2) = \dfrac{\lambda^2 e^{-\lambda y_1}}{y_2}, 1 \leq y_2, y_1 \geq \ln y_2$

Chapitre 7

7.10.9 $2p^k(1-p) + (n-k-1)p^k(1-p)^2$ **7.10.10** $\dfrac{k}{n}$

7.10.11 $\sum_{j=1}^{r} (1-p_j)^n$ **7.10.12** λ **7.10.13** $\dfrac{(1-p)}{p^2}$

7.10.14 $\dfrac{1}{\lambda^2}$ **7.10.15** $\dfrac{(b-a)^2}{12}$

7.10.19 espérance $= \sum\limits_{1}^{n} P_j$, variance $= \sum\limits_{1}^{n} P_j(1 - P_j)$; indépendance requise pour la variance seulement

7.10.23 maximum quand $P_i = \dfrac{\mu}{n}$; minimum quand $P_i = 1$, $i = 1, \ldots [\mu]$,

$P_{[u]+1} = u - [u]$

7.10.26 $\dfrac{r(1-p)}{p^2}$ **7.10.27** $\dfrac{\sigma_2^2}{(\sigma_1^2 + \sigma_2^2)}$

7.10.40 $\dfrac{x}{n}$ **7.10.45** $M_{3,5} = 1{,}75$ **7.10.55** $\varphi_Y(t) = e^{tb}\varphi_X(at)$

7.11.1 (a) $\frac{49}{32}$ (b) $10 - 5e^{-1/8} - 2e^{-3/8} - 3e^{-5/8}$
7.11.2 $-\frac{17}{216}$ **7.11.3** $3{,}6$ **7.11.4** $p = \frac{11}{18}$, maximin $= \frac{23}{72} =$ minimax

7.11.6 (a) $\frac{11}{2}$ (b) $\frac{17}{5}$ **7.11.7** $A(p + \frac{1}{10})$ **7.11.8** $\frac{3}{5}$ **7.11.9** $C_1 \le \dfrac{p}{1-p} C_2$

7.11.12 (a) 4 (b) 0 (c) ∞ **7.11.13** $a = \frac{3}{5}, b = \frac{6}{5}$ **7.11.14** $\dfrac{2}{\alpha}$

7.11.15 $\dfrac{n}{n+1}, \dfrac{1}{n+1}$ **7.11.16** $\dfrac{1}{n+1}$ **7.11.17** p^* **7.11.18** $\dfrac{A}{2}, \dfrac{\ln 2}{\lambda}$, c'est la médiane

7.11.19 65 **7.11.22** (c) $\dfrac{2M-1}{8}$ **7.11.23** $\frac{1}{4}\ln\left(\frac{3}{2}\right)$ **7.11.24** $\sqrt{2\ln\left(\dfrac{6}{\sqrt{2\pi}}\right)}$

7.11.25 $110 - 100(0{,}9)^{10}$ **7.11.26** $\dfrac{109}{60}$ **7.11.29** 4

7.11.30 (b) $\sum\limits_{j\ne 1} P_j/(P_j + P_1)$ **7.11.31** $\sum\limits_{j\ne 1} \dfrac{W(j)}{W(1) + W(j)}$

7.11.32 (a) $0{,}9301$ (b) $87{,}5757$

7.11.33 $14{,}7$ **7.11.34** $\frac{147}{110}$ **7.11.36** $\frac{20}{19}, \frac{360}{361}$

7.11.37 $21{,}2/18{,}928/49{,}214$ **7.11.38** $\dfrac{-n}{36}$ **7.11.39** 0 **7.11.40** $\frac{1}{8}$

7.11.43 $6, \frac{336}{99}$ **7.11.44** $\dfrac{100}{19}, \dfrac{(900)(18)}{(19)^2(17)}, \dfrac{10}{19}, \dfrac{(180)(18)}{(19)^2(17)}$ **7.11.47** $\frac{1}{2}, 0$

7.11.49 $6/7/5{,}81920$ **7.11.50** $\frac{9}{5}, \frac{6}{5}, \frac{3}{5}, 0$ **7.11.51** $2y^2$

7.11.52 $\dfrac{y^3}{4}$ **7.11.53** 12   **7.11.55** $N[1 - e^{-10/N}]$ **7.11.56** 12,5

7.11.57 218   **7.11.59** $x[1 + (2p - 1)^2]^n$ **7.11.61** $\frac{1}{2}, \frac{1}{16}, \frac{2}{81}$
7.11.62 $\frac{1}{2}, \frac{1}{3}$ **7.11.63** $u; 1 + \sigma^2$; oui: σ^2

Chapitre 8

8.7.1 $p \geq \frac{19}{20}$ **8.7.2** (a) $\frac{15}{17}$ (b) $p \geq \frac{3}{4}$ (c) $n \geq 10$ **3.** $n \geq 3$
8.7.4 (a) $p \leq \frac{20}{15}$ (une borne inutile) (b) $p \approx 0,8686$ (la valeur exacte est 0,84435 et
la correction de continuité donne 0,8438)
8.7.5 0,1416   **8.7.6** 0,9431   **8.7.7** 0,3085   **8.7.8** 0,6932
8.7.9 $0,01\sqrt{n} = 2,58$
8.7.10 117
8.7.11 $p \geqslant 0,5$ **8.7.14** $p \leqslant 0,2$
8.7.16 (a) $E[X^3] \geqslant 15{,}625$ (b) $E[\sqrt{X}] \leq 5$
        (c) $E[\ln X] \leq \ln 25$ (d) $E[e^{-X}] \geqslant e^{-25}$

Chapitre 9

9.5.1 $\frac{1}{9}, \frac{5}{9}$
9.5.3 0,0265, 0,0902, 0,2642, 0,4422
9.5.10 (b) $\frac{1}{6}$
9.5.14 2,585, 0,5417, 3,1267
9.5.15 5,5098

Index